Il latino è la lingua dei sardi
Su latinu est limba de sos Sardos
Latinum lingua sardorum est

Bartolomeo Porcheddu

uncom pocket

LINCOM GmbH 2020

LINCOM GmbH
Hansjakobstr.127a
D-81825 München

contact@lincom.eu
www.lincom.eu

webshop: www.lincom-shop.eu

Bibliographic information published
by the Deutsche Nationalbibliothek

The Deutsche Nationalbibliothek lists this publication in the
Deutsche Nationalbibliografie; detailed bibliographic data
are available in the Internet at http://dnb.dnb.de

lincom pocket 29 · ISBN 978-3-96206-041-1

Hardcover (2019) · ISBN 978-3-86288-932-7

Printed in E.C.

All rights reserved, including the rights of translation into
any foreign language. No part of this book may be reproduced
in any way without the permission of the publisher.

Links to third-party websites are provided only as information and help
for the reader. LINCOM disclaims any liability or responsability for the
contents of links provided by the authors and editors of this volume.

INDICE

ABBREVIAZIONI

LSC (Limba Sarda Comuna).
C (Campidanese).
N (Nuorese).
L (Logudorese).
M (Mesania).
G (Sardo Corso = Turritano / Gallurese).
SC (Sardo Comune)
SM (Sardo Meridionale)
SS (Sardo Settentrionale)
[v] elementi che possono mancare nella lingua sarda parlata in una o più varianti.
[dz] suono linguistico IPA.

PREFAZIONE

L'idea originaria dell'autore è quella di pubblicare una grammatica sarda comparata con quella latina. Un'esigenza che sentiva per gettare un po' di luce sui luoghi comuni, abusati da linguisti e appassionati, secondo i quali la lingua latina è quella più vicina al sardo e che, pertanto, senza meditare o dubitare si deve accettare il dato che la nostra lingua viene dal latino.

E dunque, per sfatare questi costumi oramai radicati nella società, Bartolomeo Bèrtulu Porcheddu ha dovuto mettere a disposizione tutta la sua esperienza di formatore di lingua sarda e, dal momento che non aveva mai avuto a che fare con il latino, la sua passione per studiarlo e comprenderlo, frequentando anche un corso universitario con apprezzabile costanza.

Il libro è destinato prima di tutto agli studenti di lingua sarda, per fornire loro indicazioni di etimologia, linguistica e filologia, ma anche per far capire loro il valore della nostra lingua, considerata spesso un "sottoprodotto" della lingua latina e spagnola. In più è dedicato a tutti i linguisti che a vari livelli si sono occupati, si occupano o si potrebbero occupare del sardo e del latino, sia come lingue moderne sia come lingue antiche.

Quando ero studente all'Università sono andato a Parigi a visitare il Museo delle lingue. Sono rimasto meravigliato vedendo che, secondo i linguisti francesi, la lingua sarda non era classificata *Langue néolatine*, ma *Langue indo-européenne*, nel senso che non si era formata per mezzo dell'intermediazione del latino, ma direttamente dall'indoeuropeo.

Giovane come ero allora, e Sardo fino al midollo, avevo fatto un salto di giubilo, di cui ancora oggi sento nelle orecchie il grido. Un collega toscano che era con me si era messo a ridere, non per il grido e il salto, ma per la bugia, secondo lui, contenuta in quel museo.

Non ricordo di aver letto la spiegazione che avvalorasse quanto si diceva e, nonostante questo, io ho seguito a considerare il sardo una lingua neolatina, ma sempre con quel pensiero chi mi si era fermato nel cervello come qualcosa di impossibile da smuovere.

Leggendo questo libro di Bartolomeo Bèrtulu Porcheddu di salti ne ho fatti parecchi, perché dimostra, con esempi scientifici, che è il latino a derivare dal sardo. Detto così sembra un'esagerazione, ma se andiamo a leggere le motivazioni, che di certo non sono campate in aria poiché sono tratte dalla comparazione tra le due lingue, è ampiamente dimostrato che il sardo è più antico del latino.

Tutte le lingue sono composte in modo arbitrario, nel senso che il significante non corrisponde sempre al significato. Se noi andiamo ad esaminare il linguaggio della segnaletica e ne analizziamo uno, ad esempio "è vietato fumare", il cartello che forma il significante è composto da quattro elementi: un cerchio rotondo orlato di rosso, che delimita un campo bianco; una sbarra rossa sopra una sigaretta accesa. Questo è il significante di: "Non si può fumare".

Se noi cambiamo uno di questi elementi, togliendo ad esempio la sigaretta e mettendo la tromba, diventa il significante della frase: "Non si può suonare il clacson". Mutando un elemento del significante, cambia di poco il significato, poiché sempre di divieto si tratta. Ma se prendiamo una parola con quattro elementi, ad esempio C A N E, e gli cambiamo un elemento, la P al posto della C iniziale, il significante diventa P A N E. Poco diverso dall'altro, ma il significato della nuova parola che otteniamo è del tutto diverso da CANE, non di poco, "pane", che nulla ha a che vedere con "cane".

Questo accade poiché, nelle lingue evolute, significante e significato non sempre corrispondono. Il presente fenomeno in linguistica ci dice che la lingua non ha un **effetto del fondatore**, caratteristica che invece possedevano le lingue nell'antichità.

L'autore, in questa grammatica comparata, analizza parecchie parole che sono uguali alle corrispondenti latine e hanno lo stesso significato sia in latino che in sardo, ma in sardo hanno conservato l'effetto fondatore, poiché è dimostrato che si sono diffuse nel Mediterraneo prima che nascesse Roma e pertanto non possono essere accreditate al latino.

Altri esempi l'autore li fa nel capitolo dedicato ai verbi identitari, con gli stessi risultati. Dunque, se tante parola in latino e in sardo sono uguali e in sardo hanno mantenuto l'effetto fondatore, significa che quelle parole sono di origine sarda e i latini le hanno utilizzate perché parlavano la nostra lingua. Queste sono le conclusioni a cui giunge Bartolomeo Porcheddu in questo lavoro.

Il suo è un ragionamento rivoluzionario, che cambia del tutto gli equilibri di comparazione tra le due lingue: il sardo e il latino.

Le motivazioni di questo pensiero non si limitano solo a questi esempi. È certificato che colonizzatori sardi, prima della costruzione di Roma, sono migrati nelle coste del Continente fino alla Liguria e nel Meridione fin sotto Napoli. Oggetti e frammenti di ossidiana, pietra utilizzata dai Sardi e proveniente dal Monte Arci (OR), sono stati trovati nel Sud della Francia.

C'è pure un'altra motivazione di carattere linguistico che avvalora questa scoperta: la lingua sarda non si presta per nulla a mutamenti. Porcheddu analizza in questo stesso libro il linguaggio della "Carta de Logu" nelle sue diverse edizioni, dalla fine del Quattrocento agli inizi dell'Ottocento. Un ragazzo sardo di oggi può leggere la "Carta de Logu" con facilità, cosa che non può accadere a un ragazzo inglese dei nostri giorni se legge Shakespeare, che era del 1600, né a un francese che legge François Villon, del 1400, e nemmeno a un italiano che legge gli scritti di Leonardo, vissuto tra il 1400 e su 1500.

Un'altra prova che il latino viene dal sardo la rileviamo dal fatto che la lingua sarda più vicina alla latina la troviamo all'interno della Sardegna, nella Barbagia, dove i Romani non hanno dominato. È in queste zone impenetrabili, per loro, che è rimasta la parlata più arcaica. Ma, più di queste prove storiche, vale quella scientifica delle migliaia di corrispondenze tra gli elementi della lingua latina con quella sarda mostrati dall'autore in questa opera.

Il mio professore di Filologia romanza, che era Continentale, diceva sempre che un filologo come egli si considerava non poteva fare bene il suo mestiere se non conosceva il sardo e il catalano, lingue troppo importanti per essere ignorate da un linguista.

In sintesi, questo libro è una grammatica comparata, che parte da un altro lavoro che Porcheddu ha pubblicato una paio di anno fa, più ampliata e strutturata in modo molto diverso. Analizzando le parti del discorso, egli fa un'ampio confronto tra la lingua sarda e la lingua latina, elemento per elemento, partendo dalla fonetica, seguendo con la fonologia, ortografia e sintassi.

Nell'introduzione l'autore dice che il suo è uno studio bilingue, sardo latino, ma che presto sarà tradotto in italiano. Giusta mi sembra l'idea di scrivere la prima edizione in sardo per almeno due motivi: il primo è per il fatto che il sardo è in sintonia con il latino e questo lo ha agevolato parecchio nel lavoro; il secondo perché in questo modo da importanza alla sua lingua materna, quella della nascita.

Un lavoro importante, duro e faticoso, che non siamo in grado di quantificare in tempo utilizzato e che per condurlo a termine ha richiesto tre elementi: la competenza, la costanza e il sentimento. Per sentimento intendo quello che in italiano chiamiamo "entusiasmo", che è fatto di amore, passione e delicatezza. Un affetto per l'identità sarda e per la fierezza di appartenere a questa terra. Tutti elementi per troppo tempo trascurati da noi Sardi ma mai sopiti.

Sassari, mese di marzo 2018

Salvatore Patatu

LA LINGUA COMUNE

Il concetto di **lingua indoeuropea** ha cominciato a manifestarsi nel '600 quando i linguisti hanno individuato alcune corrispondenze tra parole provenienti dalla Persia e dall'Europa. Pertanto hanno riconosciuto l'assonanza tra certi sostantivi: persiano *berader*, tedesco *bruder*, latino *frater*, sardo *frade*; persiano *mus*, tedesco *maus*, latino *mus*, sardo *mussi*; persiano *madar*, tedesco *mutter*, latino *mater*, sardo *mama*; persiano *nau*, tedesco *neu*, latino *novus*, sardo *no[v]u*; tedesco *fisks*, irlandese *iasc*, latino *piscem*, sardo *pische*[1].

Una prima divisione della lingua indoeuropea è stata elaborata nel 1890 dal linguista Peter Von Bradke, il quale ha delimitato una isoglossa chiamata ***centum-satem***, i cui termini vengono dalle parole *centum* e *satem*, per distinguere nella prima le articolazioni delle consonanti velari, e nella seconda quelle palatali o sibilanti. Il confine tra queste due aree linguistiche passa più o meno tra l'Europa occidentale (lingue germaniche, celtiche, latine e greche) e orientale (lingue slave, baltiche, iraniche, indiane)[2].

Una seconda divisione all'interno delle lingue *centum* si può fare tra il gruppo **greco antico** (ionico, attico, dorico, eolico, magno greco) e il gruppo **sardo-italico antico** (sardo-latino, osco-umbro, etrusco e gallo-italico). Del gruppo greco sono giunti fino a noi documenti che risalgono con il tempo al IX secolo a. C.; nel gruppo sardo-italico gli Etruschi hanno lasciato tracce della loro scrittura a partire ugualmente dal IX secolo a.C.; per il sardo di questo gruppo, da poco tempo a questa parte, gli studiosi hanno fatto scoperte di grande importanza, tra cui il riconoscimento della lingua sarda nella scrittura della **Stele di Nora**, che giunge essa stessa dal IX secolo avanti Cristo[3].

Il fatto che la scrittura fosse diffusa già dal IX secolo a.C. in tutto il Mediterraneo, ci fa pensare che nessun popolo in grado di governarsi abbia pensato di non tenere in considerazione questo importante elemento di comunicazione. Pertanto si può dire che la scrittura, sebbene poco trattata, fosse di dominio comune in tutti i porti che si affacciavano sul mare *nostrum*. Per quanto riguarda il latino, se lasciamo da parte le poche iscrizioni, i Romani iniziano a produrre documentazione scritta di un certo rilievo solo a partire dal III secolo avanti Cristo[4].

Il latino che si studia nelle scuole italiane è quello detto "ecclesiastico", che prende come indicazione la lingua letteraria del I secolo avanti Cristo seguendo la pronuncia italianizzata, e si differenzia da quella "restituta", o del latino "classico", corrispondente per molti aspetti alla lingua sarda, che viene insegnata nelle scuole dell'Europa e che utilizzeremo nella elaborazione di questa grammatica[5].

Nei paragoni e negli esempi tra il sardo e il latino prenderemo come indicatore, per quanto riguarda l'articolo, il nome e l'aggettivo, il caso ablativo singolare di tutte le declinazioni, ad eccezione della II declinazione, poiché esce in **-o**, pertanto l'accusativo singolare della II declinazione, e l'accusativo plurale di tutte le cinque declinazioni, in quanto costituiscono i casi latini che corrispondono alla lingua sarda[6].

EFFETTO DEL FONDATORE DELLA LINGUA SARDA

Quando due persone si salutano in Sardegna alzano la mano destra e dicono **salute**, per dire che si salutano augurandosi di stare in salute. Altrettanto facevano i Romani e i Latini che riproducevano quello che noi vediamo nei bronzetti nuragici in cui il capo tribù tiene la mano destra aperta sollevata per mostrare che non tiene armi di offesa e mostra il saluto. Il verbo salutare, pertanto, viene proprio dalla parola **salute**[7].

Il termine **gene**, γένη in greco, è indicativo di appartenenza e di origine delle ***gentes*** delle famiglie. La **genesi** della Bibbia descrive di fatto l'origine dell'uomo. La ***gens*** romana è sinonimo di quelle famiglie che

1 Enrico Campanile, Bernard Comrie, Calvert Watkins, *Introduzione alla lingua e alla cultura degli Indoeuropei*, Il Mulino, Bologna, 2005.
2 James Patrick Mallory e Douglas Q. Adams, *The Encyclopedia of Indo European Culture*, Fitzroy Dearborn, London - Chicago, 1997, p. 461.
3 Gigi Sanna, *La stele di Nora. Il Dio il Dono il Santo*, Editore PTM, Mogoro, 2009, pp. 316-321.
4 Aulus Gellius, *Noctes Atticae*, Liber VI, 7, 11.
5 Alfonso Traina, *L'alfabeto e la pronuncia del latino*, Editore Patron, Bologna, 2002, p. 54.
6 Luciano Canepari, *La pronuncia "neutra internazionale" del latino classico*, Zanichelli, Bologna, 2008, pp. 6-35.
7 Luigi Castiglioni e Scevola Mariotti, *Vocabolario della lingua latina*, Loescher Editore, Torino, 1965, p. 1301.

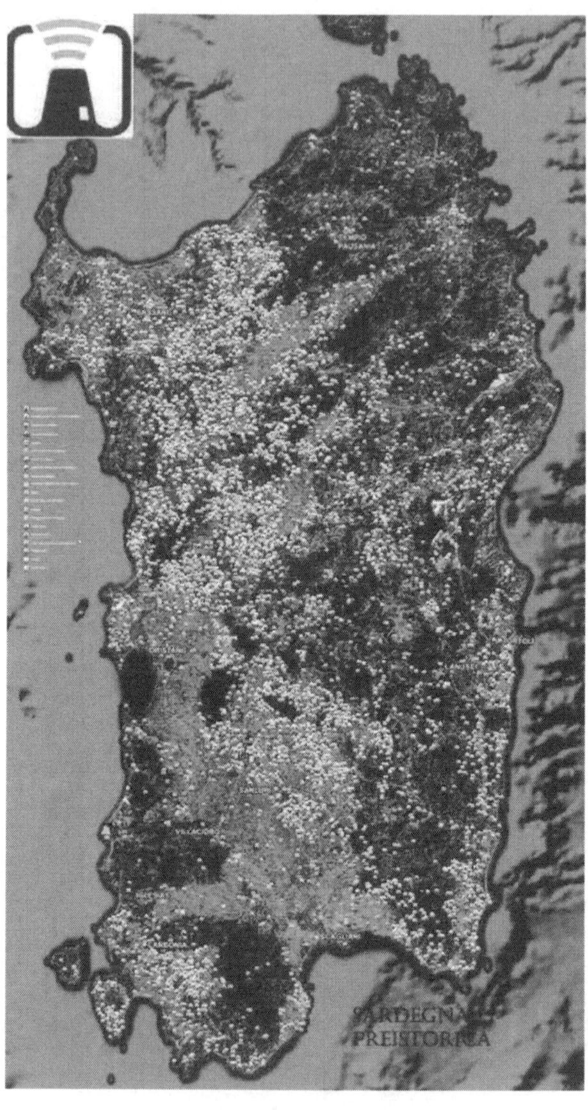

Cartina archeologica della Sardegna creata dall'Associazione Nurnet. Nella foto sono riportati migliaia di siti archeologici che vanno dal Neolitico all'età del Bronzo, un numero impressionante che non ha eguali al mondo (image open access).

avevano dato vita alla città di Roma. I ***Carthāgĭnĭenses*** (Cartaginesi) erano quelli della **genia** dei **Cartha** (Cartha-ginie), presenti per lo più nella provincia di Cagliari (709 famiglie) e in quella di Sassari (633 famiglie), ma con numeri abbastanza grandi anche nelle altre province sarde. In nuorese il **gene** o **ghene**, diventa **ghine**, e lo troviamo nella località del **Màrghine** (mar-ghine), a significare la genia dei **Mar-**, che possono essere i Marras, Mara o, probabilmente, quelli del dio della guerra, Marte[8].

I Latini, quando parlavano di ***ab origines***, ovverosia **dall'origine**, indicavano i primi abitanti originari del luogo. Infatti, la parola **orìghine** (origine) è composta da **ori-**, che significa **de s'oru** (della parte estrema), come il sole che nasce in **ori-ente** e muore "[b]ochidu" (ucciso) in **ochid-ente** (occidente), e **ghine** (origine). Pertanto, **origines** significa **genias de s'oru** (le genie dell'estremo), quelle nate distanti dal centro, da chi parla. Per questo s'**ori-olu** (il pensiero turbato) è in sardo l'estrema preoccupazione[9].

Come nella genetica, che noi Sardi dovremmo chiamare "ghenètica", anche nella linguistica possiamo considerare un "**effetto del fondatore**" quando una parola viene coniata in una lingua e prende il valore intrinseco di **significante** e di **significato**. Ad esempio, il sostantivo **peràgula** (parola), in latino *peragŭlas,* da *peragĕre =*

8 Matteo Serra, *La preistoria europea è scritta nel DNA dei Sardi*, in "Le Scienze". Edizione italiana di Scientific American, Milano, 2017.

9 Massimo Vigna, *Gentes Romanae*, Editore Settimo Sigillo, Roma, 2008, pp.75-87.

declarare (dichiarare), significa "**peri sa gula**" (attraverso la gola) e descrive l'aria che uscendo dalla gola compone il suono distintivo della parola[10].

Per ritornare all'effetto del fondatore, il significante del sostantivo **nave** in italiano è visto con il significato di un'imbarcazione più grande, ma in sardo vuol dire sia **nave**, vista come imbarcazione, sia **na**[v]**e** intesa come "grande tronco = *truncum*" di un albero, dal cui legno nasce la nave. In greco **naves** è detta **νᾶες** (naes) o **ναῦς**, come in sardo, ma il tronco non si chiama **na**[v]**e** ma **στέλεχος** (stelexos). Pertanto qui riconosciamo l'effetto fondatore solo nella lingua sarda, che mantiene il significato intrinseco della parola[11].

Un altro esempio di effetto fondatore è dato dal sostantivo "**cù**[b]**itu**", in latino "cubitum" e in italiano "gomito". In antichità il **cùbitu** era l'unità di misura più conosciuta, corrispondente all'incirca a 44,44 cm, e misurava la distanza dalla punta del dito medio al gomito / **cù**[b]**itu**. In inglese il *cubit* è ancora utilizzato come elemento di misura, ma il suo significante è diverso dal significato, poiché per loro il *cubit* non è il "cùbidu / gomito", che nella loro lingua si dice *elbow*, ma l'unità di misura. Ecco perché anche qui è presente l'**effetto del fondatore** nella lingua sarda[12].

L'effetto fondatore delle parole **nave** e **cùbitu** lo troviamo sia in sardo che in latino. Ma occorre stare attenti poiché non si tratta di elementi linguistici acquisiti in Sardegna dai Romani-Latini durante la loro conquista dell'impero, ma di termini che esistevano parecchi secoli prima della nascita di Roma. Pertanto non possono essere stati i Romani a diffonderli nel Mediterraneo, ma civiltà nate prima di loro. Dal momento che l'effetto fondatore non è da accreditare ai Romani, possiamo affermare che la **nave** e il **cùbitu**, come li descriviamo oggi, sono nati qui, in Sardegna, durante il periodo in cui i Sardi-Shardana navigavano attraverso tutto il Mediterraneo[13].

Necropoli "Anghelu Ruju" (Alghero). Domus de Janas del Capo (3200 anni a.C.). Come si vede dalla foto, i Sardi usavano il lastricato in pietra fin dall'Età del Neolitico con massi poligonali perfettamente disposti (foto B. Porcheddu).

10 David Caramelli, *Antropologia molecolare. Manuale di base*, University Press, Firenze, 2009, pp. 96-99.

11 Ferdinand de Saussure, *Saggio sul vocalismo indoeuropeo*, a cura di Giuseppe Carlo Vincenzi, Clueb, Bologna, 1978, pp. 4-5.

12 Herodotus, *Historiae*, Liber I, 68, 2.

13 Giovanni Ugas, *Shardana e Sardegna: i Popoli del Mare, gli alleati del Nordafrica e la fine dei grandi regni (XV-XII secolo a.C.)*, Edizioni della Torre, Cagliari, 2016, pp. 20-120.

LE LINGUE ANTICHE DEL MERIDIONE DELLA PENISOLA ITALIANA

Altare preistorico di "Monte D'Accoddi" (Sassari), IV Millennio a. C. Ziqqurat più antica di quelle maggiormente conosciute della Mesopotamia (foto B. Porcheddu).

Dice Leonard R. Palmer nella sua opera "La lingua latina" che il latino non era altro che uno dei dialetti parlati dai Latini, una serie di tribù associate che stavano nel territorio del *Latium* (Lazio), dove Roma con il tempo ha occupato una posizione predominante[14].

L'**osco** era una lingua diffusa nel Meridione della penisola italiana fino alla conquista romana. Il fatto che le differenze diatopiche (nel luogo) siano state poche in un territorio abbastanza vasto che andava dalla Lucania all'Umbria dimostra che quella ufficiale era una lingua standardizzata[15].

Secondo Palmer, nella prima e nella seconda declinazione l'**osco umbro** presenta le originarie desinenze plurali del nominativo in -**ās**, -**ōs**, come in sardo, che il latino comune ha tenuto in -**ai** (-**ae**) e -**oi** (-**i**). Nei temi consonantici l'osco mostra la flessione originaria -**ĕs**, mentre il latino usa quella -**ēs**. Nel genitivo singolare dei temi in -**o** e consonantici il latino presenta alternativamente -**ī** e -**ĭs**, mentre l'osco-umbro li tiene entrambi in -**eis**[16].

Ma Palmer segue a dire: «È raro che una lingua prenda in prestito da un'altra lingua i meccanismi della declinazione e della coniugazione, poiché sono quelli che contraddistinguono una parlata dall'altra e mutano molto più lentamente rispetto agli altri elementi linguistici». Egli aveva fatto queste affermazioni poiché aveva visto che il caratteristico sistema passivo della desinenza in -**r** era utilizzato nell'osco come nel latino: *sacratur* (latino) = *sakarater* (osco)»[17].

Palmer, però, non è riuscito a dare risposte a queste domande, perché in quei tempi non possedeva la chiave sarda per entrare nelle stanze segrete della lingua latina. Cosa che faremo noi in questo libro.

ORIGINE DELLA LINGUA LATINA

In un periodo che va dal Neolitico al Bronzo finale, i Sardi hanno colonizzato le coste che vanno dalla Toscana alla Campania, seguendo la rotta di cabotaggio che dalla Sardegna andava alla Corsica, da questa a Pianosa e Isola d'Elba, fino al Continente italico[18]. Tenendo questa andatura, da "Terragrande", costa costa, i Sardi sono giunti, diretti a Nord, fino in Francia e, scendendo a Sud, fino in Sicilia. A riprova di ciò, l'ossidiana di Monte Arci è stata trovata nella Francia mediterranea, in uno strato di terreno che porta al Neolitico antico, e in varie località della Penisola italica[19].

14 Leonard Robert Palmer, *La lingua latina (The Latin Language)*, Faber and Faber, London, 1954, p. 6.
15 Leonard Robert Palmer, *ivi*, p. 8.
16 Leonard Robert Palmer, *ivi*, p. 11.
17 Leonard Robert Palmer, *ivi*, p. 13.
18 Titus Livius, *Ab Urbe Condita Libri*, Liber XXX, 39, 1-3.
19 Claudio de Palma, *La Tirrenia antica: origine e protostoria degli Etruschi*, Sansoni Editore, Firenze, 1983, p. 325.

È vero pertanto che i Sardi hanno colonizzato e frequentato il Lazio almeno fino a quando i Greci non hanno conquistato il dominio sul mare Mediterraneo, contribuendo alla decadenza della civiltà nuragica e, in questo modo, dando a Roma la possibilità di rendersi indipendente dalla "madre patria". Gli abitanti del Lazio, però, che venivano da ogni parte della Sardegna, hanno mantenuto per secoli la lingua dei territori sardi di provenienza, che noi ancora oggi possiamo individuare nella lingua latina[20].

La storia della colonizzazione sarda del Lazio sarà argomento che tratteremo in altra sede, per ora ci limiteremo a dimostrare in modo scientifico che la lingua latina era una lingua sarda (vedi cartina del Lazio)[21].

Gigante di "Monte Prama" (Cabras, Oristano), periodo del Bronzo finale. La statuaria sarda è risultata più antica di quella greca (foto B. Porcheddu).

LA KOINÈ GRECA

La **Koinè** o **lingua greca comune** è l'istituzionalizzazione del greco scritto standardizzato, imposto da Alessandro Magno (336 a.C. - 323 a.C.) nel percorso della sua campagna di conquista, prima, attraverso i territori dell'Ellade e, dopo, in tutto il Mediterraneo orientale fino all'India[22].

La necessità di avere regole certe nella scrittura è antica quanto il primo alfabeto. Prima di Alessandro Magno, scrittori come Omero avevano utilizzato nella forma scritta una lingua che si allontanava da quella parlata, ma che era destinata ad essere codificata e pertanto decifrata da lettori di un territorio molto più vasto di quello di provenienza[23].

Così la **koinè omerica**, ponendo una base ionica, aveva fatto entrare elementi eolici e micenei. La stessa cosa che aveva fatto fare Alessandro ai suoi grammatici per unire in una lingua panellenica i **dialetos** greci. Partendo così da una base attica (la lingua di Atene), già in parte standardizzata dai suoi letterati, Alessandro aveva fatto confluire nella koinè elementi ionici, eolici e dorici, con il fine di unire con la scrittura, entro i confini di un unico stato, popolazioni che per secoli si erano combattute le une contro le altre[24].

Il **greco alessandrino**, nei secoli seguenti alla morte di Alessandro, era stato utilizzato come lingua franca in tutto il Mediterraneo orientale, un po' come è oggi l'inglese, e con questa lingua erano state scritte opere mondiali, come il nuovo Testamento della Bibbia, insieme ai trattati e documenti usciti dalle cancellerie degli stati. In poco tempo, la **koinè ellenica** era diventata mezzo di insegnamento per la scrittura usata da tutti i letterati del tempo[25].

Un altro fattore importante per l'impiego della **lingua greca comune** era stato l'uso politico che di questa si era fatto. Intellettuali e comandanti militari volevano trasmettere ai posteri il pensiero che usciva dalle loro teste, insieme alle azioni militari. Le battaglie venivano descritte nelle scritture per ricordare la

---

20 Erodoto, *Le storie*, I, 170, 2.

21 Emanuele Ciaceri, *Storia della Magna Grecia: La fondazione delle colonie greche e l'ellenizzazione di città nell'Italia antica*, Editore Dante Alighieri, Roma, 1924, pp. 150-220.

22 Marta Sordi, *Scritti di storia greca*, V&P Università, Milano, 2002, pp. 260-265.

23 Quinto di Smirne e Emanuele Lelli, *Il seguito dell'Iliade*, Bompiani, Milano, 2013, p. LVI.

24 Paolo Gennari e Matteo Facchi, *Radici inquadrate. Spunti e strumenti per l'interpretazione delle identità mediat(ch)e*, EDUcatt, Milano, 2011, pp. 30-32.

25 Roberto Pigro, *La lingua greca nei documenti ufficiali degli imperatori e dei magistrati nei periodi compresi fra i principati di Vespasiano ed Adriano*, Espero, Partizánske, Slovacchia, 2012, pp. 198-202.

potenza di un esercito o di un popolo e per esaltare le guerre di comandanti e soldati[26].

Alessandro Magno, che possedeva ben chiaro il concetto di storia, aveva portato con se scrittori che avevano raccontato quei fatti alle generazioni successive, in modo che tutto il mondo ne conoscesse il valore. I poemi greci hanno con il tempo realizzato l'intento di Alessandro, poiché avevano raggiunto tutte le terre conosciute del mondo, diventando immortali[27].

LA KOINÈ LATINA

Prima che Filippo e Alessandro con l'esercito macedone piegassero nella battaglia di Cheronea (338 a.C.) la resistenza della Lega ellenica guidata da Atene, i Romani avevano vinto nella penisola italiana i Salini (449 a.C.), gli Equi e i Volsci (446 a.C.), i Veiani (396 a.C.), cacciato i Celti (Galli) dal 390 a.C. al 387 a.C., e costretto i Latini, loro alleati storici, alla sottomissione (340 a.C.)[28].

In questo modo i Romani avevano posto le basi per conquistare il Meridione della Penisola italica. Nel 282 a.C. avevano vinto per sempre i Sanniti, fatto fuggire Pirro dalle colonie greche dopo una lunga guerra che si era conclusa con la conquista di Taranto, e, conseguentemente, portato a Roma opere d'arte e uomini. Tra questi prigionieri vi erano matematici, filosofi e letterati e, tra i letterati, Livio Andronico, un grammatico e compositore di lingua greca, destinato a diventare famoso in ogni luogo. Subito dopo Taranto, i Romani entrarono a Regio e a Brindisi, concludendo la conquista della Magna Grecia in Italia (267 a.C.)[29].

Mura nuragiche di Padria (Provincia di Sassari), periodo del Bronzo. Costruzioni di questa fattura, presenti in tutta la Sardegna e anche nel Lazio, sono state accreditate dagli studiosi ai Pelasgi e denominate anche "Mura poligonali" (foto B. Porcheddu).

Insieme all'unificazione militare e politica di tutto il territorio peninsulare italico, così come aveva fatto Alessandro Magno nel suo impero, era giunto il momento di unificare gli uomini sotto una lingua scritta comune. Per portare a compimento questa intento linguistico, i Romani avevano chiamato a collaborare i letterati greci fatti prigionieri nella guerra di conquista. Questi grammatici, grazie alla buona accoglienza ricevuta a Roma per aver introdotto la letteratura greca nelle famiglie ricche della capitale, erano stati presi in considerazione per la composizione della **Koinè latina**[30].

Nel giro di pochi anni, anche la potenza di Roma poteva vantare la sua lingua standardizzata. In Questa **lingua latina comune**, la parlata romano-latina aveva tenuto la base lessicale e in parte morfologica, insie-

26 Leonardo Casini e Maria Teresa Pansera, *Istituzioni di filosofia morale. Dalla morale universale alle etiche applicate*, Meltemi Editore, Roma, 2003, pp. 68-70.

27 Georges Radet, *Alessandro Magno*, RCS Libri, Milano, 2013, pp. 4-20.

28 Titus Livius, *Ab Urbe Condita Libri*, Liber VIII, 3-11.

29 Lorenzo Braccesi, *L'Alessandro occidentale: il Macedone e Roma*, L'Erma di Bretschneider, Roma, 2006, p. 61.

30 Giovanni Salmeri, Andrea Raggi, Anselmo Baroni, *Colonie romane nel mondo greco*, L'Erma di Bretschneider, Roma, 2004, p. 296-298.

Cartina delle Mura Poligonali o Pelasgiche dell'Italia continentale.
Come si evince dalla cartina, tali mura sono concentrate maggiormente nel Lazio (realizzazione di B. Porcheddu).

me a quella osco-umbra, che, probabilmente, trovandosi al confine con la Magna Grecia, era stata già sperimentata per la traduzione di testi greci, mentre dalle lingue della Magna Grecia venivano presi i "casi", le forme sintetiche dei verbi e i costrutti sintattici della lingua greca antica[31].

Sicuramente la lingua latina aveva già subito nei secoli precedenti una standardizzazione, poiché la componente latina presente nella koinè compare ben codificata. In essa si distinguono i plurali dei sostantivi con la **-s** finale (accusativo plurale), come nel sardo di oggi, i pronomi e gli avverbi sono simili a quelli sardi di ora, e, come se i millenni non fossero mai passati, sono rimaste come nella lingua sarda dei nostri giorni le forme verbali semplici (presente indicativo e congiuntivo, imperfetto congiuntivo e indicativo, imperativo e infinito)[32].

Cornelius Nepos (100 a.C. - 27 a.C.), in italiano Cornelio Nepote, storico e biografo romano, parlando di Titus Pomponius Atticus (Tito Pomponio Attico, 110 a.C. - 32 a.C.), scrittore dei suoi tempi, scriveva: *Atticus sic graece loquebatur, ut Athenis natus videretur* (Attico parlava così bene il greco, che sembrava nato ad Atene). Ma Cornelius segue a dire: «in Pomponius la dolcezza del linguaggio latino sembrava così grande che l'eleganza sembrava innata, **non imparata**». In questo caso ci dice, indirettamente, che il latino "scritto" veniva imparato a scuola e non acquisito dalla nascita[33].

Nella storia di Roma, prima di Pomponius, c'era stato un altro personaggio che aveva ricevuto l'appellativo di "Atticus", probabilmente sempre per saper parlare bene il greco, questi era Aulus Manlius Torquatus, censore nel 247 a.C. In quei tempi, tra i compiti pertinenti al censore, Aulus Atticus si sarebbe dovuto occupare anche della lingua latina, dal momento che sicuramente era in fase preparativa la costruzione

31 Moreno Morani, *Introduzione alla linguistica latina*, Lincom Europa, München, 2000, pp. 114-116.

32 *Alle origini del latino: Atti del convegno della Società italiana di glottologia*, a cura di Edoardo Vineis, Giardini, Pisa, 7-8 dicembre 1980, pp. 14-19.

33 Cornelius Nepos, *Liber De Latinis Historicis*, Atticus, 4.

Mura megalitiche, poligonali o pelasgiche, del Lazio,
costruite nel periodo del Bronzo con la stessa tecnica di quelle nuragiche della Sardegna (realizzazione di B. Porcheddu).

della lingua latina comune[34].

Dopo qualche anno, in qualità di console (244 a.C. e 241 a.C.), Aulo Attico sarebbe dovuto essere a conoscenza dell'autorizzazione data dal Senato della Repubblica a **Livio Andronico**, il prigioniero di lingua greca portato da Taranto a Roma e diventato liberto grazie alla *gens* che lo aveva ospitato, a rappresentare nel 240 a.C., nella capitale, un dramma teatrale, considerato la prima opera letteraria in **lingua latina comune**, tenuta in occasione della vittoria romana nella prima guerra punica[35].

A tal proposito, Tito Livio ci dice che mentre si celebrano i Giochi romani, Lucio Livio Andronico, imitando la commedia e la tragedia dei Greci, traduce gli spettacoli della scena, che fino ad allora non erano andati oltre la satira, in componimenti regolati[36].

Precedenti alla fatidica data del 240 a.C. sono giunte fino a noi solo sei iscrizioni in lingua latina (il *Lapis Niger*, il *Lapis Satricanus*, il vaso di Dueno, la *Fibula Praenestina*, la Cista Ficoroni e la coppa di Civita Castellana), di cui due (la *Fibula Praenestina* e la Cista Ficoroni) in dubbio di autenticità. Addirittura la Cista Ficoroni sarebbe, secondo le ultime osservazioni, opera di due falsari dell'800. Dovrebbe essere ora interessante rileggere o reinterpretare quelle iscrizioni in chiave sardo-latina.

Detto questo, sorgono spontanee alcune domande. Chi ha voluto la fusione tra il latino, l'osco e il greco nella **koinè latina**? Perché sono stati distrutti i documenti precedenti il 240 a.C. custoditi negli archivi della Città? Di chi è stata la mano "purificatrice" del passato ad accendere il fuoco che nel 241 a.C. ha distrutto il centro e quindi gli archivi di Roma, compreso il tempio di Vesta, in cui il *Pontifex Maximus* Lucio Cecilio Metello, per salvare gli arredi sacri, ha perso la vista tra le fiamme[37]?

Forse non lo sapremo mai, ma è sicuro che dal 240 a.C. il latino diventa la lingua comune franca dell'impero.

---

34 Simon Hornblower, Antony Spawforth, Ester Eidinow, *The Oxford companion to Classical civilization*, Oxford University press, Oxford, 2014, pp. 120-240.
35 Sabrina Torno, *Letteratura latina*, Alpha Test, Milano, 2001, p. 14.
36 Titus Livius, *Ab Urbe Condita Libri*, Liber XX, 1.
37 Titus Livius, *Ab Urbe Condita Libri*, Liber XIX, 44.

Nuraghe Sant'Imbenia, (Alghero, SS), ambiente termale. XV Secolo a.C. (foto di B. Porcheddu).

Per far conoscere la nuova lingua comune, le autorità romane avevano fatto comporre le *Hermeneumatas pseudodositheana* (in greco: traduzione e interpretazione) che erano manuali di istruzione per fare imparare il latino ai greci e il greco ai latini. Questi libri erano costituiti da due glossari, uno disposto in ordine alfabetico, l'altro per tematiche, e contenevano la bellezza di 30.000 parole. In più, in questi manuali veniva scritto cosa doveva fare uno studente a scuola con il maestro e momenti della vita di ogni giorno[38].

Poco tempo dopo l'opera di Andronico, Marcus Porcius Cato (Marco Porcio Catone, 234 a.C. - 149 a.C.), conosciuto come "Catone il censore", lamentava il cambiamento dei costumi e della lingua, rivolgendosi contro chi aveva ellenizzato il latino, e storpiato il **babbo** scrivendo ***pater*** da **πατήρ** e la **mamma** con ***mater*** da **μήτηρ**. La *gens* che invece promoveva la lingua e la cultura greca era quella degli Scipioni, che, con Emiliano e altri intellettuali del II secolo prima di Cristo, aveva dato vita a un gruppo politico denominato "Circolo degli Scipioni"[39].

Gaius Svetonius Tranquillus (70 - 126), conosciuto come Svetonio, nell'opera "De grammaticis et Rhetoribus" dice che i più antichi maestri della lingua greca e latina erano stati Livius Andronicus e Quintus Ennius. Aulus Gellius (Gellio) nella sua opera "Noctes Atticae" racconta che Quintus Ennius diceva di avere tre cuori: greco, latino e osco[40]. Ennius, che nel 204 aveva militato in Sardegna insieme a Catone, viene citato da Cicerone come uno dei primi insegnanti di latino: «*Livius primus fabulam docuit*»[41].

I Latini si erano così fatti ammaliare dai poemi omerici e dalla letteratura antica greca che molti intellettuali romani, tra cui Cicerone e Virgilio, erano andati in Grecia per perfezionare la lingua. Questi letterati avevano tentato di grecizzare tutto quello che in latino si somigliava o poteva essere paragonato alla lingua greca. Il processo di ellenizzazione della cultura latina era continuato almeno fino al tempo di Virgilio (Publius Vergilius Maro), che nel primo secolo dopo Cristo era stato accusato da Quintiliano (Marcus Fabius Quintilianus) di essere stato un *amatissimus vetustatis* (I 7, 18) per l'utilizzo delle desinenze arcaiche greche[42].

Marcus Porcius Cato (Marco Porcio Catone, 234 a.C. - 149 a.C.), nato a Tusculum, un'antica città laziale ricadente oggi nel comune di Monte Porcio Catone (Provincia di Roma), tra le altre cose, aveva militato in Sardegna dove si distinse per la sua moralità pubblica. Nell'Isola potrebbe aver scoperto le sue origini attraverso il suo nome. ***Porcius***, infatti, non è altro che **Porcu**, a cui è stata aggiunta la desinenza ***-s*** del nominativo e in cui la ***-u-*** è stata letta alla greca ***-iu-***. Catone era invece il soprannome che significa "Cucciolone = Cateddone".

Ma un altro pericolo per l'identità latina era arrivato, per paradosso, dalle vittorie romane nelle guerre di conquista, che avevano mosso diretti a Roma migliaia di prigionieri, soldati e avventurieri provenienti da tutta la penisola e dalle isole, sopraffando di numero e di parlata i discendenti delle prime tre tribù di coloni sardi. Un esempio su tutti è quello rappresentato da Marcus Licinius Crassus (Marco Licinio Crasso), il quale, possedendo più di mille schiavi, quando nel 63 a.C. era stato accusato di fare parte della congiura di Cateddina (Catilina), era uscito indenne dal processo anche per il fatto che una sua condanna avrebbe potuto causare una minaccia per l'ordine pubblico[43].

38 Sophie Kern e Frederique Gayraud, *L'inventaire Français du developpement communicatif*, Les Edition La Cigale, Grenoble, 2010, p. 37.

39 Bruno Gentili, Luciano Stupazzini, Manlio Simonetti, *Storia della letteratura latina*, Editore Laterza, Roma-Bari, 1987, pp. 101-110.

40 Aulus Gellius, *Noctes Atticae*, XVII.

41 Marcus Tullius Cicero, *Rhetorica - Brutus*, 72.

42 Marcus Fabius Quintilianus, *Oratoria*, Liber 1, VII, 18.

43 Gaius Sallustius Crispus, *De Catilinae coniuratione*, 40-54.

UNA LINGUA MAI PARLATA

Marcus Terentius Varro (Varrone, 116 a.C. - 27 a.C.), in un passo della sua opera "De Lingua Latina", parlando di un nome, dice che i vecchi [scrittori] non riconoscono il latino: «*Hoc nomen, licet veteres latinum negent* = questo nome, sebbene gli scrittori antichi il latino neghino»[44].

La lingua latina comune entra in crisi di identità già dal primo secolo dopo Cristo, in quanto pare che ci sia stata a Roma in quel tempo una corrente politica ostile alla lingua latina ufficiale. A riferircelo indirettamente è Marcus Valerius Martialis (40-104 d.C.), quando nell'anno 80, commentando nel prologo i suoi "Epigrammi", dice e scrive testualmente: «Se però c'è chi è così rigorosamente severo da pensare che **non debba essere mai permesso scrivere in latino**, si accontenti di questa prefazione [...]. Un Catone [riferito a Marcus Porcius Cato (Marco Porcio Catone, 234 a.C. - 149 a.C.)] non dovrebbe entrare nel mio teatro»[45].

Aulus Gellius (125 - 180), scrittore e giurista romano, nella sua grande opera intitolata "Noctes Atticae", parlando delle lapidi poste a Roma per commemorare il commediografo latino Titus Maccius Plautus (Plato, 250 a.C. -184 a.C.) e il poeta latino Gnaeus Naevius (Nevio, 275 a.C. - 201 a.C.), dice che **a Roma si sono dimenticati di parlare la lingua latina**[46].

Di sicuro Gellio credeva che ai tempi di questi due scrittori si parlasse la lingua latina nelle strade anche dal popolo. Ma questo non è accaduto. La verità è che la Koinè latina ha avuto, da una parte, la fortuna di essere giunta fino a noi in forma scritta e, dall'altra, la sfortuna di non essere parlata da nessuno. I motivi di questa dicotomia stanno nel fatto che la koinè latina, imitando quella greca, aveva messo insieme lingue che venivano parlate nello stesso territorio peninsulare, ma che avevano provenienze del tutto differenti: il greco, lingua orientale con sistema morfologico molto flessivo; il latino delle origini, lingua occidentale, con struttura morfo-sintattica semplice[47].

Questo matrimonio mal combinato aveva portato alla creazione di un ibrido sterile, incapace di riprodursi, avendo, come il mulo, copie di cromosomi differenti derivati dall'incontro tra l'asino (31) e la cavalla (32). Per fortuna, analizzando i cromosomi della koinè latina, oggi è possibile individuare quali sono quelli che appartengono alla lingua greca e quelli chi fanno parte della lingua latina preunitaria, che i Sardi avevano portato nel Lazio secoli prima.

In altre parole i Romano-Latini, anziché creare una grammatica peculiare alla loro lingua, hanno seguito pari pari quella greca, inserendo nel latino elementi fino ad allora estranei alla loro lingua.

A tale proposito Dionisius Halicarnasseus (Dionigi di Alicarnasso) diceva che la lingua latina era un miscuglio di voci, né interamente barbare (latine e osche) né prettamente greche[48].

Interessante è il giudizio della lingua latina che da il linguista tedesco Johann C. F. Bähr, il quale nella sua pubblicazione "Storia della letteratura romana", dice che la lingua latina ha due elementi fondamentali, che sono: uno greco di sicuro e l'altro non greco. Bähr pensa che il greco sia stato importato dai coloni Siculi e il non greco forse dagli Umbri, dagli Oschi e dai Sabini. Il linguista tedesco non poteva tenere in considerazione il terzo elemento, quello sardo, poiché non poteva conoscere né la lingua sarda né la storia antica dei Sardi. Per il resto aveva visto giusto[49].

Il latino, trattandosi di una lingua ibrida, è giunto fino a noi in forma cristallizzata, sebbene lasciandoci problemi di pronuncia. Pertanto, depurando dalla koinè latina gli elementi greci e italici, siamo in grado di individuare la lingua originaria sardo-latina e dimostrare in maniera scientifica che il latino dei primi tribuni era una lingua sarda, portata in quei territori da colonizzatori sardi, almeno fino al 753 a.C., anno della nascita di Roma, o, molto probabilmente, anno della sua indipendenza dalla madre patria di Sardegna[50].

Oggi, grazie al latino che in forma scritta ha lasciato in modo indelebile la sua traccia, possiamo afferma-

---

44 Marcus Terentius Varro, *De Lingua Latina*, Fragmenta, 0.
45 Marcus Valerius Martialis, *Epigrammaton*, Liber I, Prologus 0.
46 Aulus Gellius, *Noctes Atticae*, I, 24.
47 Nicola Basile, *Sintassi storica del greco antico*, a cura di Paola Radici Colace, Levante Editori, Bari, 2001, p. 394.
48 Dionisius Halicarnasseus, *Antichità romane*, I, 84.
49 Johann Christian Felix Bähr, *Storia della letteratura romana*, Tradotta da Tom Mattei, Pompa e Comp. Editori, Torino, 1849, pp. 5-20.
50 Barthold Georg Niebuhr, *Storia Romana*, Voll. 1-2, Tipografia Bizzoni, Pavia, 1832, p. 54.

re che il sardo è una lingua millenaria, che ha mantenuto le sue caratteristiche nel tempo e che è ancora parlata nell'isola di Sardegna. La spiegazione di questo fatto rivoluzionario per la linguistica moderna sarà spiegato in questo libro in maniera bilingue, in modo che tutti abbiano la possibilità, volendo, di leggere in sardo la storia di questa lingua antica.

Se fino a ieri i linguisti erano andati a cercare il prelatino nella lingua sarda, oggi possiamo dire che la lingua latina era una lingua sarda e che, pertanto, la lingua prelatina era il sardo. A questo punto ci dobbiamo porre un'altra domanda, se la lingua prelatina era il sardo, che ha compiuto almeno più di 3000 anni, le lingue che si dicono "neolatine" o "romanze" le dobbiamo chiamare da ora in avanti "neosarde"?

IL VERBO LATINO CHIAMATO "SARDO, SARDARE"

Molti studiosi si sono soffermati ad analizzare alcune frasi latine che chiamavano in causa i Sardi, quali ad esempio "Sardi venali" o "Riso sardonico", dando pareri dispregiativi. Io, invece, le considero positive e do una prima risposta al loro significato con il verbo "sardo, sardare".

Il verbo transitivo della prima coniugazione latina, che si chiama "**sardo**" e ha l'infinito "**sardare**", vuol dire **comprendere**, **cogliere quello che si dice**, **essere di intelletto fino come un Sardo**. Il tempo presente del modo indicativo esce in questa maniera: *sardo, sardas, sardat, sardāmus, sardātis, sardant*.

Questo verbo, come tutti i verbi che non sono sintetizzati nei tempi composti dalla koinè latina, è coniugato solo nei tempi semplici (Modo indicativo: presente, imperfetto, futuro semplice. Modo congiuntivo: presente, imperfetto. Modo imperativo: presente, futuro. Modo infinito e Modo gerundio). Pertanto, con l'imperativo, ad una persona le si può dire: **sarda**! Vale a dire "comprendi come un Sardo".

Detto questo, viene spontanea una domanda: cosa ci fa un verbo di questo genere nella lingua latina? La risposta non è difficile: questo è un verbo autoreferenziale del popolo padrone del Lazio antico, il *Latium vet[i]us*, su Làtziu betzu. Per cui, i "Sardi venali" non solo altro che coloro che avevano lo stesso sangue nelle "vene" dei Latini e il "Riso sardonico" è il riso di una persona di "intelletto fino".

LA LINGUA SARDA COMUNA

La Regione Autonoma della Sardegna, prendendo in considerazione i pareri espressi dalla Commissione Regionale per la Lingua Sarda, ha ritenuto opportuno proporre una norma scritta di riferimento che fosse la mediazione tre le diverse parlate sarde. Così come è successo per altre lingue, che di recente hanno acquisito una norma scritta indicativa, come il galiziano, il ladino, il friulano, il romancio o lo stesso basco, anche per il sardo si è giunti ad elaborare un modello di "limba" comune, elementare e semplice da imparare e utilizzare, deliberato dalla Giunta regionale il 18 di aprile 2006[51].

Si è trovato così un punto mediano tra le varietà più comuni dal sardo. Ad esempio, nel caso della **-t** finale della terza persona plurale dei verbi si è preferita la soluzione più etimologica, regolare e sopra municipale presente nelle parlate meridionali; in altri casi, per tutelare la peculiarità del sardo, si è scelta la soluzione centro settentrionale, come nei sostantivi **limba** (lingua), **chena** (cena) e **iscola** (scuola). Nel caso del pronome personale di prima persona singolare, si è voluto la forma **deo** (io), più vicina al meridionale **deu**, preferita a quella sardo nuorese e latina **ego**[52].

Le forme adottate non sono frutto di invenzione, ma forme reali, che si possono trovare nelle parlate locali e nella nostra letteratura di oggi e del passato. Molti pensano che il sardo comune sia una necessità dei nostri giorni, senza sapere che, come spiegheremo nell'ultimo capitolo di questo libro dedicato alla "Carta de Logu", la lingua sarda comune è sempre esistita, ma nessuno l'ha studiata. Il sardo comune è la lingua rappresentativa di tutti i Sardi che ne vogliono fare uso dentro e fuori i confini della loro isola ed è la lingua che useremo in questa opera[53].

Bartolomeo Bèrtulu Porcheddu

51 Limba Sarda Comuna, Deliberazione di Giunta della Regione Autonoma della Sardegna n. 16/14 del 18 aprile 2006.

52 Limba Sarda Comuna, *Norme linguistiche di riferimento*, www.regione.sardegna.it/documenti

53 Bartolomeo Porcheddu, *Grammàtica de sa Limba Sarda Comuna*, Logosardigna, Sassari, 2012, pp. 147-149.

Cartina linguistica del Regno di Arborea (XIII secolo). Rappresentazione territoriale della 2ª persona pl. del verbo avere: abbiamo = amus (Realizzazione di B. Porcheddu).

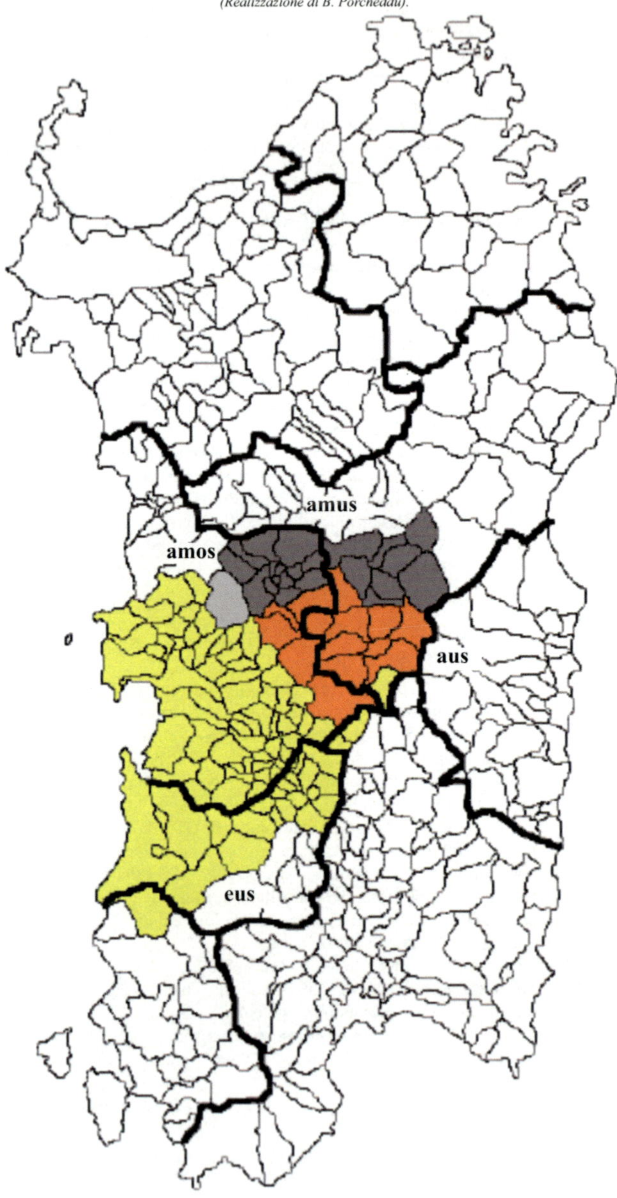

FONETICA
FONOLOGIA
ORTOGRAFIA

1. LA FONETICA

La **grammatica** (dal greco γραμματική = arte delle lettere) è lo studio degli elementi di una lingua: suoni, forme parole, sintassi. La grammatica è il sistema delle regole di una lingua. Con lo studio della grammatica si impara a classificare.

Alla base della grammatica c'è la parola (**peràgula** = peri-gula), che in sardo esprime l'elemento primordiale di qualsiasi suono linguistico che esce **attraverso la gola** (**peri sa gula**).

La grammatica è divisa in settori di studio:

La **fonetica** (dal greco φωνή, da *phōnḗ*, "boghe = voce") studia gli organi usati a produrre i suoni linguistici.

La **fonologia** (dal greco φωνολογία, "suono", + *lógos*, "scienza") studia le regole di classificazione dei suoni linguistici.

La **grafemica** (dal greco γραφηματικές, "lìtera = lettera") studia le regole per usare correttamente la grafia di una lingua.

La **morfologia** (dal greco μορφή, "forma", + *lógos*, "scienza") studia la composizione delle parole all'interno delle frasi.

Il significato e l'etimologia del sostantivo "**parola**" è assodato. Tutti i dizionari la fanno derivare dal greco παραβολή (parabolé), presa dal latino nel tardo periodo con "parabŏla", diventata nel volgare "paràula". "Parabola" significa però "comparazione", "similitudine". Gesù Cristo predicava attraverso "parabole" per farsi capire meglio dai fedeli.

Sia il greco che il latino hanno perso con il tempo il significato intrinseco della parola, ovverosia il suo primo significante, che invece è rimasto nella lingua sarda con "**perà[g]ula**", termine che discomposto diventa "peri sa [g] ula", vale a dire "**attraverso la gola**".

La **sintassi** (dal greco σύνταξις, "ordinamento, sistema") studia le regole che mantengono l'ordine delle parole nelle frasi.

La **semantica** (dal greco σημαντικός, "significato") studia il significato delle parole.

La **pragmatica** (dal greco πραγματική, genitivo = pragmatos "il fatto") studia le relazioni tra il linguaggio e chi lo adopera, ovverosia l'utilizzo concreto delle parole.

La parte della grammatica che studia gli organi utilizzati a produrre i suoni linguistici si chiama **fonetica** (dal greco φωνή, *da phōnḗ*, "voce").

Il **palato** della bocca è arcuato come la volta (**bòvida**) del palazzo (**palatu**) prenuragico che da questo prende il nome. Qui abbiamo un **effetto fondatore** della lingua sarda, poiché la parola sarda **bòvida** (volta) viene da **bove** (bue), per il fatto che tiene la curvatura come quella delle corna di un **bo**[v]**e**. Infatti, l'area lasciata **vuota** dalla volta si chiama **bò**[v]**itu** (vuoto), **bòidu** in sardo comune, e il **bo**[v]**atu** (boato) è il suono che si perde nell'aria, come quello del **bo**[v]**e** che muggisce.

"Pone sa gianna a unu bo[v]e", tradotto letteralmente "metti la porta a un bo[v]e", si dice in sardo quando vogliamo socchiudere la porta disegnando di fatto con le due ante le corna unite di un bo[v]e, che rappresentano stilisticamente la "bòvita" a doppio spiovente del "palatu" e graficamente la **A** della prima lettera dell'alfabeto, chiamata in fenicio **Aleph**, che significa per l'appunto "**bo**[v]**e**".

Per parlare noi utilizziamo la corrente d'aria che viene dai polmoni. L'aria passa attraverso la trachea e la laringe (gùturu o ganga) ed esce dalla bocca e dal naso. Qualsiasi suono è il risultato di come viene mutata la corrente d'aria nel suo viaggio diretto dai polmoni alle labbra. La fonetica chiama **luogo di articolazione** il punto in cui si tiene il cambiamento più importante dell'aria per produrre un suono.

1.1 LUOGHI DI ARTICOLAZIONE DEI SUONI LINGUISTICI

Le parti più importanti per produrre un suono linguistico sono:

1. **le labbra**;
2. **i denti**;
3. **gli alveoli** (gengive);
4. **il palato** (distinto in palato "duro" e palato "molle" o "velo");

5. **la lingua** (di cui si distinguono la "punta" o "apice", il "dorso" e la parte posteriore");
6. **la laringe**;
7. **le corde vocali**;
8. **il naso** (i canali nasali).

In linguistica, le parole che tengono come luogo di articolazione **il velo** si chiamano anche **gutturali**, da **gùturu** (laringe), che vuol dire strettoia, come quella della gola (**gula**).

1.2 LE VOCALI

Tutti i **suoni linguistici** del sardo e del latino si dividono in due categorie: **vocalici e consonantici**.

Le **vocali**, dal sardo **voche / boche / boghe / boxi** / (Latino: ***vocare, voco*** = **bochinare**), sono quei suoni linguistici che vengono prodotti senza che l'aria, uscendo dalla bocca, trovi sbarramenti, e sono: **a**, **e**, **i**, **o**, **u**, [**y**].

Dal punto di vista dell'articolazione delle **tre vocali fondamentali** possiamo dire:
[**i**] = vocale anteriore (poiché la bocca si stringe nella parte anteriore della lingua);
[**a**] = vocale mediana o palatale (poiché la pronuncia interessa il palato);
[**u**] = vocale posteriore (poiché la bocca si stringe nella parte posteriore della lingua).

Tra la [**i**] e la [**a**] trovano posto altre due vocali che vengono pronunciate prima della [**a**] e per questo si dicono **prepalatali**. Queste vocali possono essere così definite:
[**e**] = vocale prepalatale chiusa (poiché si pronuncia più vicino alla [**i**]);
[**ɛ**] = vocale prepalatale aperta (poiché si pronuncia più vicino alla [**a**]).

Tra la [**a**] e la [**u**] ci sono altre due vocali che vengono pronunciate dopo la [**a**] e per questo si dicono **post palatali**. Queste vocali possono essere così definite:
[**ɔ**] = vocale post palatale aperta (poiché si pronuncia più vicino alla [**a**]);
[**o**] = vocale post palatale chiusa (poiché si pronuncia più vicino alla [**u**]).

[**y**] = vocale posteriore e anteriore (poiché la bocca si stringe sia nella parte posteriore sia nella parte anteriore della lingua).

Triangolo vocalico completo

Come si vede nella figura in basso, la pronuncia delle vocali forma nella bocca un **triangolo** in cui nella parte anteriore c'è la **i**, nella parte mediana la **a** e nella parte posteriore la **u**. Tra queste ci sono le vocali **e/o** aperte e chiuse.

(Foto e realizzazione grafica di B. Porcheddu)

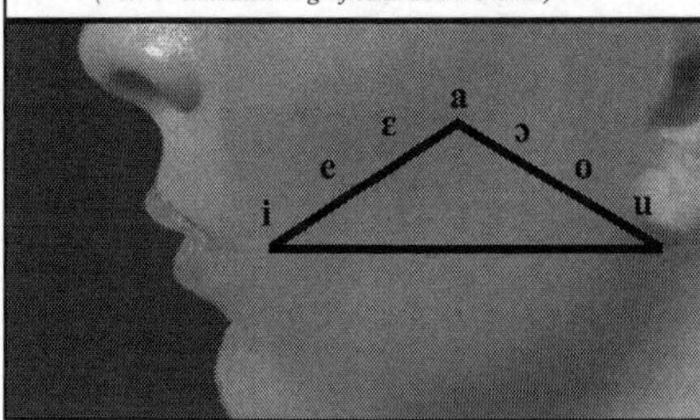

1.2.1 LA VOCALE Y

La **vocale y**, entrata nell'alfabeto latino dal greco nel primo secolo avanti Cristo, aveva il suono della /**ü**/ tedesca (M**ü**ller), ma, con la pronuncia latina ecclesiastica, è diventata /**i**/. Esempio: ***tyrannus*** =

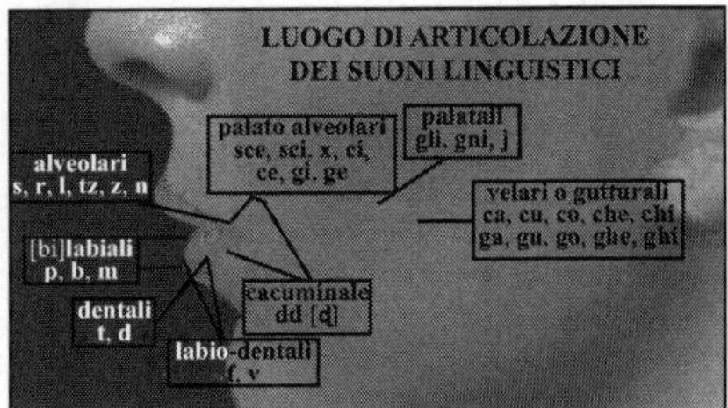

Se prendiamo come esempio il nome "**tyrannu**[s]" e lo leggiamo con la /**i**/, vale a dire "**ti**rannu", perdiamo il suo significato, ovverosia l'effetto fondatore, che tiene invece in sardo la parola **turannu**, poiché significa letteralmente **turre-annu**, vale a dire l'incarico che teneva chi comandava la torre (nuraghe) per un anno. Se andiamo, inoltre, a prendere come indicatore il nome "**Tyrrenu**", e lo leggiamo **Tirrenu** con la /**i**/ invece che con la /**ü**/, gli facciamo perdere l'effetto fondatore sardo, che vuol dire "**Turrenu, di Turres**", la città del territorio oggi chiamato "**Turritanu**".

türannus è diventato *tirannus*. In questa grammatica la leggeremo sempre **/ü/**, per mantenere il significato intrinseco della parola.

Il sostantivo **myrta**, così come lo troviamo nell'accusativo plurale neutro della seconda declinazione latina, se lo leggiamo con la **/i/** ecclesiastica viene a essere "m**i**rta", ma se gli diamo il giusto suono della **/ü/** lo pronunciamo "m**u**rta", come in sardo.

1.2.2 LE VOCALI "I" E "U" CON FUNZIONE DI CONSONANTE

Negli alfabeti antichi i segni linguistici **i** e **u** tenevano una doppia funzione, perché rappresentavano graficamente sia una consonante sia una vocale. Diventavano consonanti quando erano seguiti da un'altra vocale e semiconsonantici quando si trovavano tra due vocali. Negli altri casi erano vocali.

I → Z
La trasformazione della **zayin** in **zeta** greca.

1.2.3 LA "I" CONSONANTICA

La lettera **zayin**, ossia la lettera **zeta** nel *The Unicode Standard*, nell'alfabeto cuneiforme **ugaritico**, uno dei primi alfabeti del Mediterraneo, coniato dagli scrivani della città di Ugarit (Siria mediterranea) intorno al XIV secolo a.C., compare con due cunei diritti sovrapposti, come se fosse un punto esclamativo[1].

L'alfabeto **protocananeo** (le Terre di Canaan erano quelle corrispondenti all'attuale territorio di Israele, libano e parte della Giordania), per le iscrizioni antecedenti il 1050 a.C., e quello **Fenicio** (la Fenicia era la terra più o meno corrispondente al Libano di oggi), per quelle successive a questa data, segnalano la **zayin** come una **I** maiuscola.

L'alfabeto **aramaico** (gli Aramei erano un popolo nomade che si muoveva in un territorio abbastanza ampio della Mesopotamia che andava dalla Turchia all'Iraq fino alla Giordania di oggi) del VIII secolo a.C., utilizzato per le scritture aramaica, ebraica e siriaca, riproduce questa consonante più o meno nella stessa maniera[2].

L'alfabeto **greco**, utilizzato già dal IX secolo a.C., mostra la **zayin**, come una zeta maiuscola, con il grafema **Z**, uguale a quello che conosciamo noi, e la zeta minuscola con il segno **ζ**[3]. Ma, da un alfabeto greco arcaico pitturato in una *Kylix* (vaso circolare), messo in mostra nel Museo archeologico nazionale di Atene (foto), si vede chiaramente la **zayin** come quella fenicia **I**, quando ancora non aveva subito il mutamento nel segno grafico **Z** (Zeta). Di certo i Greci avevano modificato la barra da diritta a obliqua per non confondere questa consonante con la vocale e semi consonante **I** (**yōd**) solo dopo il 420 a.C., data presunta del vaso[4].

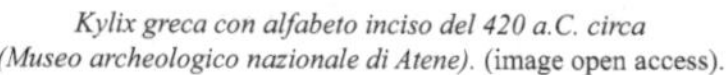

Kylix greca con alfabeto inciso del 420 a.C. circa (Museo archeologico nazionale di Atene). (image open access).

1 Peter T. Daniels e William Bright (a cura di), *Epigraphic Semitic Scripts, in The World's Writing Systems*, Oxford University Press, Oxford, 1996, p. 92.
2 Steven R. Fischer, *A History of writing*, Reaction Books, London, 2001-2004, pp. 90-126.
3 William Sidney Allen, *Vox Graeca*, Cambridge University Press, Cambridge, 1968, pp. 15-58.
4 Museo Archeologico Nazionale di Atene, Grecia.

ALFABETI DELL'ANTICHITÀ

FENICIO	GRECO	EBRAICO	ETRUSCO	LATINO	SARDO	IPA
𐤀 'āleph	Αα	א	𐌀	A	A	[a]
𐤁 bēth	Ββ	ב, בּ	𐌁	B, V	B, V	[b], [v]
𐤂 gīml	Γγ	ג, גּ	𐌂	C, G	C, G	[k], [g]
𐤃 dālet	Δδ	ד, דּ	𐌃	D	D	[d]
𐤄 hē	Εε	ה	𐌄	E	E	[e]
𐤅 wāw	(Ϝϝ), Υυ	ו	𐌅, Y	F, V	F, V	[f], [v]
𐤆 zayin	Ζζ	ז	𐌆	I+voc.	Z, GI	[dz], [dʒ]
𐤇 hēt	Ηη	ח	𐌇	H	H	[ç]
𐤈 tēt	Θθ	ט	𐌈	TI+voc. CI+voc.	TZ	[ts], [θ]
𐤉 yōd	Ιι	י	𐌉	I, J	I, J	[i], [j]
𐤊 kāph	Κκ	כ, כּ	𐌊	K	C, CH	[k], [ç]
𐤋 lāmed	Λλ	ל	𐌋	L, LL	L, DD	[l], [ɖ]
𐤌 mēm	Μμ	מ	𐌌	M	M, MM	[m]
𐤍 nūn	Νν	נ	𐌍	N	N, NN	[n]
𐤎 sāmek	Ξξ, Χχ	ס		X	X	[ʒ]
𐤏 'ayin	Οο, Ωω	ע	𐌏	O	O	[o]
𐤐 pē	Ππ	פ, פּ	𐌐	P	P	[p]
𐤑 sādē	(Ϻϻ)	צ	𐌑			
𐤒 qōp	(Ϙϙ), Φφ	ק	𐌒	Q	C, CH	[k]
𐤓 rēš	Ρρ	ר	𐌓	R, RR	R, RR	[ɾ], [r]
𐤔 šīn	Σσς	ש, שׁ	𐌔	S, SC	S, SC	[s], [ʃ]
𐤕 tāw	Ττ	ת, תּ	𐌕	T, TI+voc.	T, TZ	[t], [ts]

Nell'alfabeto greco attuale la lettera **Zeta** è posta dopo la Epsilon e prima della Eta, mentre nell'alfabeto prealessandrino è riportata prima della Zeta un'altra lettera, la **Digamma**, che nell'alfabeto fenicio si chiamava **Wāw**. Poiché a ciascuna lettera era associato un numero, l'alfabeto poteva essere letto anche in questa maniera: alfa (**1**), beta (**2**), gamma (**3**), delta (**4**), epsilon (**5**), digamma (**6**) zeta (**7**). Pertanto la lettera Zeta, con il disuso della Digamma, è scalata al sesto posto, ma ha mantenuto sempre il numero (**7**). La zeta greca è chiamata "consonante doppia" proprio perché proviene dall'associazione della zayin con un'altra consonante.

Alfabeto etrusco inciso su vaso del 650 a.C. circa (Metropolitan Museum of New York). (image open access).

Nell'alfabeto **etrusco**, che prende avvio dal IX secolo, troviamo la lettera **zayin** rappresentata con il grafema **I** come quello degli alfabeti orientali (ugaritico, protocananaico, fenicio, aramaico e ebraico), pertanto differente dalla zeta greca che conosciamo noi, e mantiene come quella originaria la collocazione nel numero (**7**) dell'alfabeto.

Il problema del riconoscimento della **zayin** come grafema e suono distintivo consonantico è nato perché un'altra lettera si somigliava a questa ed era la **yōd**, **I**, segnata come la **zayin** ma senza le alette laterali poste sopra e sotto al simbolo. In tutti gli alfabeti antichi, insieme alla **zayin**, troviamo la **yod**, rappresentata come una **I** e collocata al 10° posto, che riproduceva il suono vocalico /**i**/, [ì], o semiconsonantico /**j**/, [**j**]. Pertanto la lettera **I** presente nell'alfabeto latino è venuta a rappresentare con il tempo sia la **zayin** (consonante **Z**) sia la **yōd** (semiconsonante e vocale **I**).

> I grammatici latini moderni non fanno distinzione tra la consonante **zayin** e la vocale **yod**, sbagliando direttamente la pronuncia delle parole in cui queste lettere sono collocate. Eppure distinguerle non ci vuole niente, basta sapere che:
> - quando la **I** è anticipata da una consonante e seguita da una vocale è una consonante;
> - quando la **I** è tra due vocali è una semiconsonante;
> - in tutti gli altri casi la **I** è una vocale.

> Per abbreviare e semplificare nella scrittura i territori linguistici della Sardegna, indicheremo con (**L**) = logudorese - il sardo centro settentrionale, con **C** = campidanese - il sardo centro meridionale, cun **M** = mesania - il sardo che si trova tra il logudorese e il campidanese, con **N** = nuorese, quando vogliamo specificare particolarità del logudorese, con **G** = sardo-corso - la parlata turritana e gallurese.

La **I zayin** consonante in latino può rappresentare due suoni differenti, a seconda della posizione nella parola e in relazione all'abbinamento con la consonante che la precede: **zeta** sonora [**dz**] e **zeta** sorda [**ts**]. La zeta sonora in sardo si scrive con una /**z**/ e la zeta sorda con la /**tz**/. Ad esempio, nella parola "giustizia", in latino "***iustitia***" ci sono entrambi i suoni sia in latino che in sardo centro settentrionale: **z**ustìt**z**ia. Quando la **I** di zayin è all'inizio di parola è sempre una **zeta** sonora [**dz**]: *iuncum* (giunco) = **z**uncu (L, N), **g**iuncu (L, M, C); mentre quando all'interno di parola è preceduta dalla /**t**/ o dalla /**c**/ è sempre una **zeta** sorda [**ts**].

Nella Sardegna centro meridionale la **zayin** tiene suoni differenti: **g**iustìtzia o **j**ustìtzia, con sfumature a seconda dei luoghi.

> Noi che scriviamo in **sardo comune** utilizzeremo da qui in avanti la /g+vocale/, [**dʒ**], di **g**iustìtzia per la **zeta** sonora [**dz**] e la /tz+vocale/ di giustì**tz**ia per la **zeta** sorda [**ts**].

La **I**, **yōd**, come già detto, può essere vocale [ì] o semiconsonante [j]. Quando in latino la **yōd** si trova in mezzo a due vocali esprime il suono semi consonantico [j]. In tutti gli altri casi la **yod** è sempre vocale [**i**]. Esempio:

[**j**]: *maium* (maggio) = maju (In questo caso diventa **maju** in tutte le varianti del sardo).

[**I**]: *primum* (primo) = primu; *venit* (viene) = benit; *vinum* (vino) = binu (in questi casi è sempre vocale).

1.2.4 IL NESSO LATINO L + I + VOCALE

Quando la **zayin**, I, è anticipata dalla consonante liquida /**L**/ [l] e seguita da una vocale riproduce in lingua sarda suoni differenti a seconda del luogo: il suono [**dz**] /z/, ovverosia la **zayin**, nella Sardegna centro settentrionale; il suono [l] /**LL**/ nella Sardegna centro meridionale; il suono [**dʒ**] /**GI**/ nella parte della Sardegna mediana. Esempio:

il latino *filĭa* (figlia) diventa fi**z**a [**dz**] nel sardo centro settentrionale, fi**ll**a [l] nel sardo meridionale, fi**lgi**a [**dʒ**] nel sardo mediano. Nel primo caso la I consonantica ha assimilato la **L** per regressione; nel secondo caso la **L** ha assimilato la I consonantica per progressione; nel terzo caso la **L**, a seconda del luogo, taluna volta compare (fi**lgi**a), talaltra no (fi**gi**a), a volte ancora è impercettibile (fi**tz**a).

Esempi del nesso latino **L+I**+vocale: latino *fŏlĭa* (foglia) = fo**z**a (L), fo**ll**a (C), fò**gi**a (M); latino *mŭlĭĕr* (moglie) = mu**z**ere (L), mu**ll**eri (C), mu**tz**ere (M); latino *cĭlĭum* (ciglia) = chi**z**u (L), chi**ll**u (C), chèr**gi**as (M).

Troviamo il mutamento del nesso latino L+I+vocale in doppia **-ll-** alla campidanese nel greco. Ad esempio la parola φύ**λλ**ον (fullon = foglia) viene da una originaria φύ**λι**ον (fulion).

In certe parole latine la I consonantica, con l'andare del tempo, è stata trasformata in **e**. Ad esempio:

*ol**e**astrum* (olivastro) in origine era *ol**i**astrum*, poiché in sardo diventa: o**z**astru (L), o**ll**astru (C) e o**gi**astru (M). La trasformazione della /i/ in /e/ è avvenuta probabilmente per mutare la metrica della parola.

> Nella scrittura del **sardo comune**, da qui in avanti, adopereremo il suono [**dʒ**] /**gi**/ per rappresentare graficamente il gruppo consonantico latino **L + I + vocale**, come negli esempi di fi**gi**a (figlia) o fò**gi**a (foglia).

1.2.5 IL NESSO LATINO R + I + VOCALE

La lettera **L**, essendo una laterale (liquida) debole, come abbiamo visto, viene assimilata in logudorese dalla **zayin**. L'altra consonante liquida latina, la vibrante **R**, [r] /r/, invece, essendo di suono forte, non si è fatta assimilare dalla **zayin**. Pertanto il suono della I consonantica, quando è seguita da vocale, diventa [**dz**] /z/ in sardo centro settentrionale e [**dʒ**] /**gi**/ in sardo centro meridionale.

Esempi:

latino *nŏtārĭus* (notaio) = nota**rz**u (L, M), notà**rgi**u (M, C); latino *impĕrĭum* (impiego) = impe**rz**u (L, M), impè**rgi**u (C, M); latino *vīnĕārĭus* (vinaio) = bina**rz**u (L, M), binà**rgi**u (M, C); latino *co**ri**um* (cuoio) = co**rz**u (L), cò**rgi**u (C).

A volte troviamo una **zayin**, I consonantica, ad inizio ed a fine di parola, come nell'esempio del latino *ianuarĭus* (gennaio) = **z**anna**rz**u [dz]. Trattandosi di due I consonanti in una sola parola si ottiene una cacofonia, ovverosia un suono sgradevole, che in sardo si è tentato di rimediare con varie sfumature di pronuncia: zannarzu [dz], ghennarzu [g], bennarzu [b], ghennàrgiu [g], gennàrgiu [dʒ], ecc.

Come abbiamo visto con *ol**e**astrum* (olivastro), dove la I consonantica è stata trasformata in **e** vocale, anche nel sostantivo latino *ar**e**ola* (R+I+vocale) c'è stato lo stesso mutamento. Esempio:

il latino *ār**ĕ**ŏla* (areola), in origine *ar**i**ola*, diventa in sardo a**rz**ola (L), a**rgi**ola (C, M).

> Nella scrittura del **sardo comune**, da qui in avanti, utilizzeremo il suono [r]+[**dʒ**]+vocale (a**rgi**ola) per rappresentare graficamente il nesso latino **R+I+vocale**.

1.2.6 IL NESSO LATINO N + I + VOCALE

La I consonantica prende un suono nasale quando è anticipata da una [**n**] /**n**/ e seguita sempre da una vocale.

Esempio:

il latino *testimo**nĭ**um* (testimone) diventa testimo**nz**u /**z**/ [**dz**] nel sardo centro settentrionale e testimò**ngi**u /**g**/ [**dʒ**] nel sardo centro meridionale. Pertanto il latino *inge**ni**um* (ingegno) viene letto in sardo "inghi**nz**u" in logudorese e "inghi**nn**u" in campidanese.

Anche per questo nesso abbiamo casi in cui la **I** consonantica è stata trasformata in **e** vocale. Esempio: il latino *calcaneum* (calcagno), in origine *calcanium*, diventa in sardo calca**nz**u (L), carca**nz**u (N), carcà**ngi**u (C, M); così come *castanĕā* (castagna), in origine *castaniā*, diventa in sardo casta**nz**a (L), castà**ngi**a (C, M); ugualmente *viticineus* (vitigno) in origine *viticinius*, diventa in sardo vitichi**nz**u (N), vitichì**ngi**u (M), pirighi**nz**u (C).

In certi casi la **I** consonantica ha condizionato in maniera regressiva la consonante da cui viene anticipata. Ad esempio, l'aggettivo latino *melĭus* (meglio) diventa in sardo: me**z**us (L), me**nz**us (N, M), mè**ngi**us (M), me**ll**us (C). Pertanto nel territorio di Mesania la consonante **L** è passata da un suono liquido laterale [**l**] a uno nasale [**n**].

Nella scrittura del **sardo comune**, da qui in avanti, utilizzeremo il suono [**n**]+[**dʒ**]+vocale (castà**ngi**a) per rappresentare graficamente il gruppo latino **N+I+vocale**.

1.2.7 IL NESSO LATINO T + I + VOCALE

La **I** consonantica produce il suono [**ts**]+[i]+vocale /**tz+i+vocale**/ quando è preceduta da una consonante di suono dentale sordo [t] ed è seguita da una vocale. Esempio: *conscĭentĭa* (coscienza) = cussèn**tzi**a [**ts**] o cunsèn**tzi**a (L, M, C); *rĕsistentĭa* (resistenza) = resistèn**tzi**a (L, C, M).

Anche per questo nesso, in qualche occasione, troviamo in latino una **e** vocale al posto di una **I** consonantica, come nel caso di *pŭtĕum* (pozzo), che in origine sarebbe stato *pŭtĭum*, perché in sardo centro meridionale si legge pu**tz**u.

La **zayin** fa la differenza tra le varianti sarde quando viene assimilata del tutto, in parte o per nulla dalla consonante /**t**/. In Logudorese, ad esempio, la **I** di *martium* è stata assimilata del tutto dalla /**t**/, pertanto non si pronuncia [**ts**] ma [**t**], mentre è stata assimilata in parte nel nuorese dove esce con il suono [**ð**] come la **t** dell'inglese /**the**/, ma è rimasta piena nel sardo centro meridionale [**ts**]. Esempio:
latino *martium* = mar**t**u (L), mar**th**u (N), mar**tz**u (C, M).

Il verbo latino ***pŏtĭo*** (posso) viene tradotto in logudorese con **poto**, in nuorese con **potho** e in campidanese con **potzo**. Questo vuol dire che la **I** consonantica, in questo caso, è stata assimilata dalla consonante **-t-** in logudorese (poto) ed è invece rimasta nel nuorese, ma con la particolarità che si pronuncia con il /**th**/ (potho), e nel sardo centrale e meridionale, in cui si legge /**tz**/ (potzo).

Il fonema /**th**/ nuorese del suono [**ð**], che corrisponde alla **tēt** degli alfabeti antichi, lo troviamo in un soprannome (*cognomen*) di una famiglia romana delle origini, i *Cornelius*, di cui un ramo di questa *gens* si chiamava ***Cĕthēgus***, pronunciato /**chetzegu**/, che si scompone in **che tzegu**, e traduce "come un cieco".

La presenza o meno della **I** consonantica, si riscontra anche in latino nelle parole: *lătīnum, lătŭm, lătĭum* (làtinu, ladu, làtziu); *pălātinum, pălātum, pălātĭum* (palatinu, palatu, palatzu). Tali pronunce diverse per indicare gli stessi luoghi in territorio laziale ci dimostra che sia il *Latium vetus* (Lazio vecchio) sia il *palatinum* (la collina di Roma quadrata) erano in antichità abitati da popolazioni sarde che giungevano da luoghi differenti della Sardegna.

La **T**+**I**+vocale corrisponde alla **tēt** fenicia, **θ** greca e ⊗ etrusca, ma anche alla **tāw** ebraica.

Occorre stare attenti, poiché questa regola non vale per le parole che tengono la t+vocale senza la consonante **zayin**, come nell'esempio del latino *tōtum* (tutto) *factum* (fatto), *mōtum* (moto), ecc.

Inoltre, questa regola non vale per le declinazioni di **totus**, come in *totīus* (genitivo dell'aggettivo *totus*), quando la **I** è accentata. Pertanto la **I** accentata, seguita da vocale, non diventa consonante ma vocale [**i**]. Questa **I** accentata la troviamo in cognomi latini e sardi come Derìu, Arìu, Masìa, e in nomi come Dindìa, Luchìa, ecc.

1.2.8 IL NESSO LATINO D + I + VOCALE

Troviamo la **I** consonantica anche nel nesso latino **[d]+[i]+Vocale**, ma con suoni differenti a seconda del luogo e in relazione alle parole. In questo caso la **zayin** tiene un suono più lieve all'interno di parola, più vicino alla [z] **s** sonora di rosa, che alla [dz] **z** sonora di fi**z**u (figlio). A volte diventa una [j] **j** di ma**j**u (maggio). Esempi: *hŏdĭē* (oggi) = o**j**e o o**z**e (N, M), oe (L), oi (C); *rădĭum* (raggio) = ra**j**u (L, M, C); *mŏdĭum* (moggio) = mo**j**u (L, M, C); *dĭăcŏnum* (diacono) = **z**àcanu, **gi**àganu (L), **j**àganu (M).

La **zayin** diventa **-s-** sonora all'interno di parola, [**z**], /**s**/, in casi come: *gaudĭum* (piacere, goduria) = go**s**u (L, M, C); *mĕdĭum* (medio) = me**s**u (L, M, C); *ad taedĭum* (tedio, lontano) = a te**s**u (L, M, C).

Nel caso di *mĕdĭum*, in italiano la ***-di+u*** è rimasta **-z-** nella parola "me**zz**o". Medio, invece, *mĕdĭum*, nel nome della città bosniaca Med**j**ugorje, scritto con il nesso latino [d]+[i]+Vocale, viene pronunciato [mɛdʑu. gɔ:rjɛ]. La città di *Mediolanum* viene letta pertanto in sardo **Mesulanu**, che significa **stare in mezzo**.

Anche la **ζ** (zeta) greca in origine era una **I** (zayin) e lo capiamo dalla parola ἐλπι**δ**ιω (elpi**di**o = spero) che poi è diventata ἐλπίζω (elpi**z**o). Con la lettera zeta il greco antico traduceva i suoni [dz] /z/ e [z] /s/ sonora.

1.2.9 IL NESSO LATINO C + I + VOCALE

La **I** consonantica fa parte anche del nesso latino **C+I+ vocale**. In questo caso la **zayin** si pronuncia come una **z** sorda [ts]+[i]+vocale **/tz+vocale/**, non in tutto il sardo, ma più che altro nel logudorese. Esempi:

latino *offĭcĭum* (ufficio) = ufi**tzi**u, ofi**tzi**u, ufi**sci**u, ufi**ssi**u (L, M), ofi**ci**u (C, M); latino *bracchium* (braccio) = bra**tz**u (L), bra**ss**u (N), bra**tz**u (C); latino *saetacium* (setaccio) = seda**t**u (L), seta**ss**u, seda**th**u, seda**tz**u (N), seda**tz**u, seda**ss**u (C); latino *abicio* (abituo) = abi**tz**o (L), abi**tu**o (N, C); latino *acie* (audacia) = a**tz**a (L, N), alidan**tz**a (C). In questo caso la consonantizzazione del nesso **c+i+vocale** è rimasta in parte nel logudorese e nel campidanese (ufitziu), mentre nel nu[g]orese e in mesania, in molti casi, il suono è mutato in doppia [**s**] /ufi**ss**iu/, /bra**ss**u/, in [**tʃ**] /ofi**c**iu/ o in [**ʃ**] /ofi**sc**iu/.

Dagli esempi sopra riportati rileviamo che quando la **zayin I** è preceduta da una consonante sorda (**t**+i+vocale o **c**+i+vocale) assume il suono della zeta sorda [**ts**] /**tz**/ di ufi**tz**iu (ufficio) o bra**tz**u (braccio), mentre quando è preceduta da una consonante sonora (**l**+i+vocale, **r**+i+vocale, **n**+i+vocale) prende il suono della zeta sonora [**dz**] /**z**/ di fi**z**u (figlio), notar**z**u (nataio) testimon**z**u (testimone).

> In **sardo comune** rappresenteremo il nesso latino **C+I+vocale** con il suono [**ts**] **/tz/** di ufi**tz**iu (ufficio) o bra**tz**u (braccio).

1.2.10 IL NESSO LATINO S + I + VOCALE.

Il nesso latino **S+I+Vocale** è presente in qualche parola e rappresenta in sardo il suono [**z**], /**s**/, della **s** sonora di ro**s**a. Esempio: *bāsĭum* (bacio) = ba**s**u (L, M, C).

Nella parola latina *cāsĕum* (formaggio) = casu (L, M, C), la consonante **I** è stata mutata nella **e**. Se andiamo ad applicare la regola della zayin dovremmo leggere queste parole come bas**j**u (bacio) e cas**j**u (formaggio), uguali a come si pronunciano nella varietà sardo-corsa, che è una parlata estranea all'isola e viene dalla colonizzazione del litorale settentrionale sardo.

> In **sardo comune** rappresenteremo il nesso consonantico latino **S+I+vocale** con il suono [**z**], /**s**/, della **s** sonora di **casu**.

1.3 GLI ESITI DELLA PAROLA "DIE" (GIORNO)

Come abbiamo accennato nel paragrafo precedente, quando la **I** è tonica o accentata non è consonante, ma rimane vocale. Pertanto nella parola "**die**" la **-i-** è una vocale, perché l'accento le cade sopra. Se però ingrandiamo il giorno, sa **die**, e uniamo a questa un'altra sillaba, come nell'esempio di ***diēbus*** (dativo e ablativo plurali latini), l'accento non va più sulla ***-i-*** di **die** ma sulla ***-ē-***. Allora, a questo punto, dal momento che la **-i-** non è accentata, entra in gioco la regola della **I** consonantica: ***diebus*** diventa ***zebus o jebus***, da cui con la sincope della ***-b-*** intervocalica, come spesso avviene in sardo e nelle lingue antiche, otteniamo ***zeus*** o ***jeus***.

Che ci sia un legame tra **die** (giorno) e **deus** (dio) ce lo dice a proposito la lingua latina e greca, in cui **sa Die** (il giorno) era la divinità della terra e del cielo. Infatti, **Giove** veniva chiamato in latino anche **Diespiter** (dies piter), ovverosia **dio padre della luce**, nome poi andato a **Pedru** (Pietro), il discepolo che ha posto la prima pietra sulla chiesa cristiana. In sardo il giovedì, dedicato a Giove, si dice tra gli altri **zòbia** o **zòvia**.

Come in sardo e in latino, anche nella variante greca eolica la **D** seguita dalla **I** consonantica mutava in **Z**, trasformando pertanto ***Dieus*** in ***Zeus***. Questa **I** consonantica la troviamo anche nella lingua micenea dove il nome di **Zeus** compare come ***Djeus***.

Sa Die (il giorno) in greco antico viene tradotto con **ἦμαρ** (emar), **ἡμέρα** (emera), **φῶς** (fos) e la declinazione di **Zeus** in greco è: **zeus, dios, dii, dia, zeu**. In greco, quindi, il dio è declinato insieme al giorno, a dimostrazione che le declinazioni latine non esistevano, ma il giorno (emera) non è uguale a Dio. Pertanto, la parola **die** (il giorno) non nasce in Grecia, ma in Sardegna nella civiltà sarda precedente a quella greca.

Possiamo affermare che gli dei **Deus**, **Zeus**, **Gesus** vengono tutti dalla parola **Dies**, che era allora la divinità più grande considerata dall'uomo, la cosa più incantevole che i popoli vedevano quando al mattino, calata la notte, si alzava l'alba. Prima di "die" c'era "dive" (perché la vocale non può stare da sola), da cui è nato il "divo", poiché è il dio che nasce dalla dea. Infatti, qualcosa che nasce prima del tempo è "primi**di**[v]**u**" in sardo (primitivo). Sa **Die** (il giorno), quindi, nasce in Sardegna e, pertanto, ha qui il suo **effetto del fondatore**.

1.4 LA V CONSONANTICA

Nell'alfabeto cuneiforme **ugaritico** (XV secolo a.C.) la lettera **V** veniva rappresentata con tre cunei orizzontali come se fossero una forcella. Nell'alfabeto **protocananeo** e in quello **fenicio** lo stesso segno veniva rappresentato sempre con una forcella, chiamata **wāw**, ma questa volta diritta.

La **waw** dell'alfabeto **ebraico** rappresentava allo stesso tempo sia la consonante **V** sia la vocale **U**. Anche nell'alfabeto greco la **waw** maiuscola era come una forcella /**Y**/ e la minuscola come una **v**, /**u**/, sebbene in quello arcaico fosse simile a due gamma unite e per questo chiamata **digamma**.

Nell'alfabeto etrusco la **waw** veniva disegnata come una **F** e rappresentava i suoni dentali di **F** e di **V**.

La lettera **V**, però, già nell'alfabeto **ebraico**, la troviamo sia insieme alla **bēt** [b] sia insieme alla lettera **waw**. Infatti la parola "**betacismo**", da **bet**, viene così detta quando il suono [**b**] prende il posto del suono [**v**]. Nell'alfabeto etrusco la **bet** si divide dalla **waw**, dando origine sia ad una **b** sia ad una specie di **f** voltata, mentre nell'alfabeto latino la **bet** diventa **b**, [**b**], e la **waw** genera sia la **f** [**f**], sia la **v** [**v**], che la **u** [**u**][5].

In sardo come in latino, per influsso del betacismo, troviamo i suoni [**v**] e [**b**] uno per l'altro. Ad esempio, la /**v**/ di **v**ino si è mantenuta solo nel sardo nu[g]orese, perché nel resto della Sardegna si è trasformata in /**b**/ di **b**inu. Nel sardo nu[g]orese la differenza tra il suono [**β**] e il suono [**v**] è impercettibile, poiché il suono [**v**] non è dentale ma fricativo labiale come il suono [**β**].

In tutto il sardo, ad eccezione del nu[g]orese, in prevalenza, le consonanti **b** [**β**] e **v** [**v**] intervocaliche vengono sincopate. Pertanto abbiamo "riu (fiume)" per "ri**v**u" o "ri**b**u", "ou (uovo)" per "o**v**u" o "o**b**u".

Come per la lettera **I**, anche la lettera **V** esercita la doppia funzione di vocale e di consonante.

1.4.1 IL NESSO LATINO G + V + VOCALE

Nell'alfabeto latino la lettera **V** (waw), come per la **I** (zayin), poteva esprimere un suono vocalico o uno consonantico, a seconda della posizione nella parola. Se questa era seguita da un'altra vocale veniva ad essere consonante, mantenendo la stessa regola della **zayin**. Esempio: latino *anguilla* (anguilla) = am**bi**dda (L), an**gui**dda (C); latino *sanguen* (sangue) = sàm**be**ne (L), sàn**gu**ni (C).

5 Asher Laufer, *Hebrew in Handbook of the international Phonetic Association: a guide to the use of international Phonetic Alphabet*, Cambridge University Press, Cambridge, 1999, pp. 96-99.

Come si vede nell'esempio sopra riportato, il logudorese ha mantenuto la **V** consonantica mutandola in **bet**, assimilando regressivamente la **g** in **b**, mentre il campidanese ha preso la **V** vocalica di **waw**, mantenendo la consonante **g**.

> In **sardo comune** considereremo il nesso latino **G+V+Vocale** alla stessa maniera dei nessi latini con la **zayin**, pertanto li tradurremo graficamente con il suono [**b**], /**b**/, di **sàm<u>b</u>ene**.

1.4.2 IL NESSO LATINO Q + V + VOCALE.

In latino la lettera **V**, quando è anticipata dalla **Q** e seguita da una vocale, diventa una consonante. Esempio: latino *<u>**qua**</u>ttor* (quattro) = **<u>bà</u>**toro (L), **<u>cua</u>**tru (C); latino *a<u>**qua**</u>* (acqua) = a<u>**bba**</u> (L), a<u>**cua**</u> (C); latino *e<u>**qua**</u>* (cavalla) = e<u>**bba**</u> (L), è<u>**gua**</u> (C). Come si vede nell'esempio sopra indicato, il logudorese ha trasformato la **V** consonantica mutandola in **bet**, mentre il campidanese ha preso la **V** vocalica di **waw**.

Questa regola non vale, però, per le particelle che in sardo sono monosillabiche e in latino sono composte dalla consonante /***q***/+ i dittonghi /***ua***/, /***ue***/, /***ui***/, /***uo***/, che si leggono: ***qua*** /**ca**/ (poiché) = **ca**, in modo che, avverbio; ***que*** /**che**/ (che) = **chi**, congiunzione; ***qui*** /**chi**/ (che) = **chi**, avverbio e pronome relativo; ***quo*** /**co**/ (come, che) = **ca**, avverbio e altre funzioni.

> In **sardo comune** considereremo il nesso latino **Q+V+Vocale** con il suono [**b**], /**bb**/, di **abba**.

1.4.3 IL NESSO LATINO N + V + VOCALE.

In latino la lettera **V**, quando è anticipata da una **N** e seguita da una vocale, diventa consonante. Di preciso è una consonante che va a raddoppiare la **N** che la precede. Esempio: latino *ia<u>**nu**</u>a* (porta) = gia<u>**nn**</u>a; latino *ia<u>**nu**</u>arius* (gennaio) = ghe<u>**nn**</u>àrgiu.

C'è da dire che nel latino arcaico erano rare le lettere raddoppiate e, per segnare il suono doppio in luogo di quello singolo, gli scrittori latini adoperavano altre consonanti, come nel caso di *ma<u>**gn**</u>um* per ma<u>**nn**</u>u. Anche in greco ionico antico, prima del raddoppiamento attico, il suono forte consonantico veniva accompagnato con un'altra consonante differente: γιγνώσκω (ghi<u>gn</u>osco), latino *co<u>**gn**</u>osco*, sardo **co<u>nn</u>osco**.

1.5 LA REGOLA DELLA METAFONESI

Nella lingua sarda le vocali **e** ed **o** toniche, ovverosia accentate, possono essere aperte /**è**/ [**ɛ**], /**ò**/ [**ɔ**] o chiuse /**é**/ [**e**], /**ó**/ [**o**]. Secondo la regola della **metafonesi**, risultano aperte quando la vocale tonica è seguita da una sillaba che contiene una vocale di suono aperto (/**a**/, /**è**/, /**ò**/ aperte); al contrario sono chiuse quando la vocale tonica è seguita da una sillaba che contiene una vocale di suono chiuso: /**i**/ [**i**], /**u**/ [**u**].

Si può avere inoltre metafonesi quando la sillaba che segue le vocali toniche (**é** ed **ó**) contiene una **é** o una **ó** chiuse esse stesse a causa di una /**i**/ o di una /**u**/ che seguono:

m**ó**ve·ti = *move·te* (muoviti), t**é**nneru = *tenerum* (tenero).

Esempi di vocali toniche /**è**/ ed /**ò**/ con suono aperto:

ch**è**ra = *ceram* (cera), m**è**la = *malum* (mela), c**ò**sa = *rem* (cosa, bene).

Esempi di vocali toniche /**é**/ ed /**ó**/ con suono chiuso:

b**é**ntu = *v**é**ntum* (vento), b**ó**[v]idu = *b**ó**[v]atum* (vuoto).

Nell'esempio in alto di **bò**[v]**idu** (vuoto), in sardo, la /**i**/ non è dittongo ma sillaba a parte poiché le è stata sincopata la consonante /**v**/. Nell'esempio latino di *bo[v]atus* (boato) alla vocale /***a***/ le è stata sincopata la consonante /**v**/; la /**ó**/ è ugualmente chiusa perché, sebbene sia seguita dalla vocale aperta /***a***/, quest'ultima risulta chiusa a causa della sillaba seguente che contiene la vocale chiusa /***u***/ (***boatus***).

Nell'esempio in basso relativo alla parola latina ***media*** (media) la -**è**- è aperta poiché la -**i**- che segue non è una vocale ma una consonante (me**s̲**a) e pertanto non entra nella regola della metafonesi. Se l'apertura o la chiusura della vocale tonica dipende dalla vocale che segue (la ***a*** di ***mèdia*** tiene aperta la **è**), la vocale "**è**" è aperta, mentre la /***i***/ di ***lépi̲dum*** tiene chiusa la /***é***/:

mè**s**a = *media* (media); l**é**bi[d]u = *lepĭdum* (leggero).

Nell'esempio in alto, per quanto riguarda il sardo **lèbi**[d]**u** (leggero, piacente), in latino ***lepidum***, come si evince dalla traduzione, la **i-u** finali non formano dittongo poiché la vocale /**i**/ era accompagnata dalla consonante /**d**/, che in sardo è stata sincopata.

Nella forma scritta del **sardo comune**, per semplificare l'ortografia, non si farà distinzione grafica tra **è/ò** aperte ed **é/ó** chiuse, ma si utilizzerà solo l'**accento grave** nelle vocali toniche: **è, ò**.

Possiamo riepilogare quanto già detto sottolineando che con la metafonesi le vocali toniche /**è**/ o /**ò**/ restano chiuse sebbene siano due sillabe avanti rispetto ad una /**i**/ o ad una /**u**/. Esempio:

bènnere (venire) tiene la /**è**/ tonica aperta poiché è aperta anche la penultima sillaba. Con l'apertura della "**e**" e lo spostamento dell'accento alla penultima sillaba anche la doppia consonante -**nn**- in italiano diventa singola. Mentre l'ultima vocale -**u** di **ténneru** (tenero) chiude sia la vocale -**é**- tonica della terzultima sillaba, sia la -**e**- atona della penultima sillaba.

In questo caso, **ténneru** (tenero) in italiano ha mantenuto l'accento nella terzultima sillaba, mentre **bènnere** (venire), dal momento che aveva la terzultima sillaba aperta, lo ha mosso alla penultima ed è diventato **venire**, mutando anche la -**è**- aperta in -**i**-. Per influsso dell'italiano, la stessa cosa è successa nell'infinito presente latino, ***venire***, del verbo ***vĕnĭo*** (vengo), in cui la -**e**- aperta della penultima sillaba è mutata in -**i**-.

1.6 LA QUANTITÀ DELLE VOCALI

Il sistema della metafonesi, che ancora dura in sardo, per influsso del greco, che vedremo man mano che andremo avanti con il testo, il latino lo ha utilizzato in modo differente. Cioè a dire che tutte le vocali tengono due quantità o durata di suono.

Di fatto, in greco, a differenza del latino, le vocali /**e**/ ed /**o**/ tengono grafemi differenti a seconda che siano lunghe, **η** [**ɛ**] ed **ω** [**ɔ**], o brevi **ε** [**e**] ed **o** [**o**].

Il latino, che per tradizione non teneva quantità vocalica, per distinguere graficamente le vocali lunghe da quelle brevi si serve del segno ¯ in alto, per le vocali lunghe, e del segno ˘ in alto, per quelle brevi. Pertanto avremo: **ă, ĕ, ĭ, ŏ, ŭ, y̆** brevi e **ā, ē, ī, ō, ū, ȳ** lunghe.

I Latini e gli Etruschi non hanno seguito l'evoluzione dell'alfabeto greco, altrimenti avrebbero mutato anch'essi, così come hanno fatto gli Elleni, la lettera **I**, zayin, nella zeta, **Z**, che conosciamo oggi.

Il grafema **I**, che negli alfabeti etrusco e latino ha rappresentato per secoli la consonante **zeta**, è rimasto, dopo l'estinzione della lingua etrusca, nella lingua latina.

In latino, una vocale che nasce lunga, se si trova in sillaba finale prima di **r**, **l**, **t**, **m**, diventa corta, come ad esempio in *laudăt* = lodat (loda).

L'accorciamento della vocale si ha anche nei casi che seguono:

- quando una vocale è seguita da un'altra vocale, come ad esempio in *fīo* (ero), diventa *fĭo*.
- i monosillabi accorciano la vocale se sono seguiti dalle consonanti **m** o **t**, come ad esempio nella parola ***rĕm***.

1.7 LE CONSONANTI

Tutti i suoni linguistici che non si pronunciano come le vocali si chiamano **consonanti**. "Consonante" vuol dire suono che suona insieme ad un altro suono. Infatti, è difficile pronunciare le consonanti da sole e per questo hanno bisogno di appoggiarsi ad una vocale. Le consonanti degli alfabeti sardo e latino sono:

LATINO: B, C, D, F, (G), H, K, L, M, N, P, Q, R, S, T, X, (Z).
SARDO: B, C, D, F, G, H, J, L, M, N, P, R, S, T, V, X, Z.

Come si può vedere, rispetto all'alfabeto latino, in quello sardo non sono presenti né la lettera **Q** né la lettera **K**, il cui suono è rappresentato graficamente dalla lettera **C** (**c**uadro). La consonante **K** è utilizzata in latino solo in qualche parola (***Kălendae*** = calende), mentre la lettera **Z**, che come abbiamo visto è rappresentata in latino graficamente con la consonante **zayin**, **I**, è entrata nell'alfabeto latino da quello greco intorno al primo secolo avanti Cristo.

La lettera **h**, che oggi non ha da sola alcun suono, è utilizzata in sardo in combinazione con la **c** e la **g** per rendere il suono gutturale insieme alle vocali **e** ed **i**: **ch**elu (cielo), **gh**ia (guida). In antichità questa consonante aveva in latino un suono aspirato, simile alla ***ich*** (io) tedesca o alla ***j*** spagnola di *trabajo* (lavoro), come quello che troviamo nella consonante greca ***χ*** (chi) e nella ebraica **kap** [**ç**]. In sardo questo suono è rimasto nel logudorese settentrionale (**ischo** = so), proprio come la ***ich*** tedesca. In latino parecchie parole incominciano con la **h-** aspirata: *historia* (storia) = istòria; *hispania* (Spagna) = Ispanza; *hirundo* (rondine) = rùndine. L'aspirazione in greco viene indicata con lo spirito aspro (**ἱ**) sulla prima vocale: ἱστορία (historìa).

La consonante /**v**/, divisa dalla vocale /**u**/, e quella /**j**/, separata dalla /**i**/, sono entrate nell'alfabeto latino nel Cinquecento, quando l'umanista francese Pierre de la Ramée (Petrus Ramus) le aveva scelte a parte. A tale proposito, queste due consonanti hanno preso il nome di lettere "ramiste".

1.7.1 LUOGHI E MODI DI ARTICOLAZIONE DELLE CONSONANTI

Come per le vocali, le consonanti si distinguono per il **luogo e** per il **modo di articolazione**.

- **Il luogo di articolazione**

LUOGO DI ARTICOLAZIONE DELLE CONSONANTI

TIPOS DE CUNSONANTES **TIPI DI CONSONANTI**	IN UBE BENINT ARTICULADAS **DOVE VENGONO ARTICOLATE**
(Bi)Labiales - *(Bi)Labiali*	In sas lavras - *Nelle labbra*
Làbiu-dentales - *Labio-dentali*	Intre sas lavras e sas dentes - *Tra le labbra e i denti*
Dentales - *Dentali*	In sas dentes - *Nei denti*
Alveolares - *Alveolari*	In sas zinzias / ghinghias - *Sulle gengive*
Paladu-alveolares - *Palato-alveolari*	Intre su paladu e sas zinzias - *Tra il palato e gli alveoli*
Palatales - *Palatali*	In su paladu tostu de in antis- *Nel palato duro*
Velares o guturales - *Velari o gutturali*	In su paladu modde o gùturu - *Nel palato molle (velo)*

- **Il modo di articolazione**

Se prendiamo in esame il **modo di articolazione**, le consonanti si distinguono in: **occlusive** o **esplosive**, **nasali**, **laterali** o **liquide**, **vibranti** o **liquide**, **fricative**, **affricate** e **semiconsonanti**.

Se le vocali sono tutte sonore, le **consonanti** invece si possono distinguere in **sorde** o **sonore**. Nelle consonanti sorde l'aria che viene dai polmoni non fa tremare le corde vocali, al contrario di quelle sonore che suonano quando vibrano le corde vocali.

- **Consonanti occlusive o esplosive**

Le **occlusive** o **esplosive** si chiamano così poiché l'aria che viene dai polmoni incontra un ostacolo importante e per superarlo producono un'esplosione. Le **occlusive** si distinguono in **sorde** e **sonore**.

Nella tabella che segue mostriamo le occlusive con un esempio e con la scritta in alfabeto fonetico.

CONSONANTI OCCLUSIVE O ESPLOSIVE

Logu de articulatzione *Luogo di articolazione*	Surda *Sorda*	Sonora *Sonora*	Esempru - *Esempio* sardo = *latino* (italiano)	Alfabetu fonèticu *Alfabeto fonetico*
Labiales - *Labiali*	/p/	 /b/	**p**ira = ***p**ira* (pera) **b**arbàgia = ***b**arbaria* (barbagia)	[p] [b]
Dentales - *Dentali*	/t/	 /d/	**t**à[b]ula = ***t**abulam* (tavola) **d**omo = ***d**omo* (casa)	[t] [d]
Velares - *Velari*	/ch/	 /gh/	**ch**elu = ***c**aelum* (cielo) **gh**erras = ***g**erras* (guerra)	[k] [g]
Velares - Velari	/ca/ /cu/ /co/		**c**asu = ***c**aseum* (formaggio) **c**urtzu = ***c**urtium* (corto) **c**orvu = ***c**orvum* (corvo)	[k]
Velares - Velari		/ga/ /gu/ /go/	**g**ana = ***g**aneam* (voglia) **g**ustu = ***g**ustum* (gusto) **g**osu = ***g**audium* (piacere)	[g]

In sardo, all'interno di parola, le consonanti **/p/** pi**p**are = *pi**p**are* (pipare), **/t/** di**t**adu = *dic**t**atum* (dettato) e **/c/** bo**c**are, bo**c**hinare = *vo**c**are* (vociare, chiamare) non si raddoppiano mai, pertanto il suono rimane così com'è ad inizio di parola: [**p**], [**t**] e [**k**].

Al contrario, le consonanti **/b/**, **/d/** e **/g/**, all'interno di parola, possono andare sole o raddoppiate. Quando sono doppie mantengono lo stesso suono di quando sono all'inizio di parola, quando sono sole, invece lo alleggeriscono e lo mutano:

sa**ba** [**β**] = *sa**pa*** (sapa); se**da** [**δ**] = *se**ta*** (seta); fo**gu** [**γ**] = *fo**cus*** (fuoco),
a**bba** [**b**] = *a**qu**a* (acqua), a**dd**entigare [**d**] = ***ad d**entire* (addentare), a**gg**allare [**g**] = ***ad g**allari* (accallare).

All'interno di parola il suono sordo delle consonanti **/p/**, **/t/**, **/c/**, che è presente in latino e in sardo nu[g]orese, si sonorizza per lo più nel resto della Sardegna quando la sillaba che contiene questa consonante è atona, poiché, quando è tonica, il suono viene mantenuto sordo: ditè**d**u = *dicta**t**um* (dettato).

Pertanto il suono prodotto dalle consonanti sorde [**p**], [**t**] e [**k**] in sillabe intervocaliche atone diventa quello espresso dalle consonanti sonore **/b/** [**β**], **/d/** [**δ**], e **/g/** [**γ**].

Ad inizio di parola, quando la consonante **g-** è seguita da una liquida (**r**, **l**), nella maggior parte del sardo non viene pronunciata. Esempio: latino ***c**rassum* = **g**rassu = rassu (grasso); latino ***g**lande* = **g**rande = lande (glande).

Esempi di sonorizzazione esistono anche in latino, poiché troviamo *mastru**c**a* e *mastru**g**a* (mastruca), ***C**neo* e ***G**neo* (Gneo), *exu**t**o* e *excū**d**o* (scudo), ma anche lo stesso verbo **àere** = ***hăbēre*** (avere), nella prima persona del presente indicativo ha sonorizzato rispetto al sardo la **-p-** di **apo** in **-b-** di ***habeo*** (ho).

In **sardo comune** terremo sempre, in contesti come questi, le consonanti sonore **saba** (sapa), **seda** (seta), **fogu** (fuoco) al posto delle sorde **sapa, seta, focu**.

1.7.2 LE CONSONANTI "D" E "L"

- **La consonante D**

La lettera **dālet**, ◁ **/d/**, è presente più o meno nella stessa forma e rappresenta graficamente lo stesso suono in tutti gli alfabeti antichi. Negli alfabeti fenicio, etrusco e ebraico, che tengono un andamento da destra verso sinistra, questa lettera è voltata a sinistra, al contrario di quella latina che è rivolta verso destra.

In latino il suono [**d**] è rappresentato graficamente come in sardo con la **/d/** singola ad inizio di parola e la **d**] doppia **/dd/** all'interno di parola, come ad esempio nel latino ***adducĕre*** = **add**ùghere (attirare a se).

In sardo, la consonante **/d/**, raddoppiata all'interno di parola, per una questione di tradizione scritta, rappresenta graficamente:

- sia il suono occlusivo dentale sonoro di alcune parole precedute per lo più dal prefisso di origine latina ***ad***:

addentare = ***ad dentire*** (addentare); **add**u[ch]ere = ***ad dūcĕre*** (portare a se);
addopiare = ***ad duplicare*** (raddoppiare); **add**eretare = ***ad derigĕre*** (raddrizzare).

- sia il suono cacuminale della doppia **ll** latina [**ɖ**]. Esempio:

pu**dd**u = ***pullum*** (pollo); fo**dd**e = ***folle*** (mantice); pe**dd**e = ***pelle*** (pelle).

Nell'**alfabeto ebraico biblico** troviamo due grafemi per rappresentare il suono espresso dalla **dālet**, ד, דּ. Uno dall'altro si differenziano per il puntino che il secondo segno porta al centro. Quest'ultimo rappresenta il suono dentale [**d**] **/d/**, mentre il primo indica il suono cacuminale [**ɖ**] **/dd/**.

All'interno di parola, quando è da solo, come già accennato, il suono dentale [**δ**] **/d/** nella maggior parte dei casi è una sonorizzazione del suono dentale sordo [**t**], rappresentato in latino e in sardo nu[g]orese dal fonema **/t/**, come negli esempi: se**d**a = ***seta*** (seta), la**d**u = ***latum*** (piano).

- **La consonante L**

In sardo la doppia **/dd/**, come già detto prima, rappresenta graficamente anche il suono cacuminale [**ɖ**], che in latino è scritto con una doppia **/ll/**. Solo in questo caso in sardo non c'è corrispondenza biunivoca, ovverosia che ad ogni suono corrisponde un grafema differente da un altro e che a quel determinato grafema corrisponde sempre lo stesso suono.

A questo problema si è tentato di dare risposte che però non hanno visto d'accordo i linguisti. Mario Puddu, ad esempio, ha proposto di fare rappresentare questo suono con il nesso **/dh/**, già utilizzato da Pedru Casu un secolo prima; altri linguisti hanno proposto soluzioni alternative. È da tenere in considerazione la proposta fatta dal sottoscritto che, senza allontanarsi dalla tradizione corrente, propone di utilizzare il grafema **ɖ**, somigliante al fonema **/d/**, per rappresentare il suono cacuminale [**ɖ**], in uso nell'Alfabeto Fonetico Internazionale (IPA).

Il problema di come segnare nello scritto il suono cacuminale lo avevano avuto già dall'antichità i Latini. Gaius Plinius Secundus, conosciuto come Plinio il Vecchio, nell'opera *De Dubius sermo* (8 libri sui problemi della grammatica latina), considera *pinguis* o *plenus* il suono cacuminale della laterale velarizzata, scritto con la doppia **LL**, e *exilis* il suono laterale liquido, segnato con la **L** singola. Il grammatico Velius Longus, nell'opera "De Orthographia", dice che la **doppia LL gemina**, vale a dire produce il suono cacuminale[6].

Ecco qui appresso alcuni esempi di suono cacuminale rappresentato dalla doppia **/ll/** latina, che in sardo corrisponde alla doppia **/dd/**: co**dd**u = ***collum*** (collo); caba**dd**u = ***caballum*** (cavallo); mo**dd**e = ***mollem*** (molle).

---

6 Velius Longus, *De Orthographia*, in *Notae ad M. Catonem, M. Varronem, L. Columellas de re rustica*, ex Biblioteca Fulvi Usini, apud Georgium Ferrarium, Roma, 1587, p. 321.

Nell'alfabeto **ugaritico** la **lāmed** [l] tiene tre cunei diritti, mentre la **dālet** [**d**] ne porta tre diritti e tre orizzontali posti sotto. Nell'alfabeto **protocananeo** e **fenicio**, invece, la **lāmed** sembra una **gīml** capovolta. Anche nell'alfabeto **etrusco** la troviamo con la stessa forma, mentre nell'alfabeto **greco** la **lāmed** muta segno e si presenta come una forcella rovesciata: **Λ**. Nell'alfabeto latino la **lāmed** segue quella segnata negli alfabeti etrusco e fenicio: ∠.

1.7.3 LE CONSONANTI "C" e "G"

- **Le consonanti C** e **G**

Negli alfabeti **ugaritico**, **protocananeo**, **fenicio**, **greco** e **ebraico** troviamo la lettera **gīml** a rappresentare il suono [**g**]. Nell'alfabeto **etrusco arcaico**, scritto da destra verso sinistra, la **gīml** è voltata a sinistra ed è molto somigliante alla lettera **ג**, **ghimel** ebraica, che allo stesso modo utilizza la scrittura da destra a sinistra.

Nell'alfabeto **latino** la **gīml** ritorna verso destra ma è un poco mutata nella struttura rispetto a quella etrusca arcaica, poiché prende la forma della **C** che conosciamo oggi. Con questo grafema i latini rappresentavano due suoni: [**g**] /**g**/ e [**k**] /**c**/.

La **gīml** nell'**alfabeto ebraico biblico** è rappresentata con due grafemi: ג, גּ, distinti uno dall'altro attraverso un punto mediano. Il secondo trascrive il suono gutturale [**g**] /**g**/ di **g**antzu (gancio), il primo, probabilmente, il suono palatale [**dʒ**] /**gi**/ di **gi**ogu (gioco).

Sono **gutturali** quei suoni linguistici (ca, cu, che, chi) che si articolano nel palato molle o velo palatino, in prossimità della strettoia o gùturu che collega la bocca alla gola, o meglio la laringe / faringe alla trachea. Il "guturu" è l'organo fondamentale della fonazione in cui sono situate le corde vocali.

Se nel latino la voce "guttur" (nom. sing.) o "gutture" (abl. sing.) è relegata alla "gola" in sardo il "gùturu", nell'accezione più vasta del termine, esprime la dizione di una vallata stretta tra due montagne, paragonabile al canyon americano.

Il "gùturu" si trova all'interno di quella parte del corpo umano che si chiama "[g]uturzu o gutùrgiu (collo)". Sono legati al "gutùru" il latino "guttus", che traduce il sostantivo "ampolla dal collo molto stretto", e il sardo "fungutu" che significa una strettoia che si inoltra sotto terra.

La lettera **K**, che avrebbe dovuto trascrivere il fonema espresso dalla lettera /**c**/, viene utilizzata in latino solo in qualche parola, come ad esempio in *Kalendas*. Nell'alfabeto **protocananeo** e **fenicio** troviamo la lettera **kāph**, 𐤊, segno **K**, rivolta a sinistra, come quella **etrusca**, ma già nell'alfabeto **ebraico**, lo stesso grafema, è sempre rivolto a sinistra ma non tiene più la stanga diritta e diventa come una **C** rovesciata: כ.

Nell'**alfabeto ebraico biblico** la **kāph** è rappresentata con due grafemi: כ, כּ, che si differenziano uno dall'altro per un punto in mezzo. Il secondo rappresenta il suono gutturale [**k**] /**c**/ di **c**ane, il primo, probabilmente, il suono gutturale aspirato logudorese [**ç**] /**ch**/ di is**ch**o (so), come quello che troviamo nel tedesco **ich** (io) o nello spagnolo **hi*j*o** (figlio).

I Latini voltando il grafema **כ** a destra **C** hanno messo insieme con lo stesso segno sia la **gīlm** che la **kāph**. Questa è una buona dimostrazione che l'alfabeto latino non viene dal greco, ma che si avvicina molto a quello ebraico.

La lettera **G**, come la conosciamo oggi, venne introdotta nell'alfabeto latino intorno al 230 a.C. da parte del console Spurius Carvilius Maximus Ruga, che aveva fatto aggiungere alla **C** un segno diritto di riconoscimento: **G**. In latino, pertanto, dopo questa riforma, il suono gutturale sordo del sardo nu[g]orese [**c**] /**c**/: nu**ch**e = *nuce* (noce), pa**ch**e = *pace* (pace), bo**ch**e = *voce* (voce), poteva essere scritto in modo differente da quello sonorizzato logudorese [**g**] /**gh**/: nu**gh**e, pa**gh**e, bo**gh**e, ma forse la motivazione non è questa. **Sono passati 10 anni dal 240 a.C., data della prima uscita ufficiale della lingua latina comune, e questa è una decisione volta ad accorciare la distanza tra la C latina e la G, "gamma", greca, la prima assente nell'alfabeto greco e la seconda in quello latino**.

Con la lettera **X**, i Latini potevano esprimere anche il corrispondente suono palatale campidanese [**ʒ**]. A dimostrazione di quanto detto, nei casi latini troviamo il nominativo singolare *nux* (noce), *pax* (pace), *vox* (voce), ovverosia le forme palatizzate [**ʒ**] /**x**/ del sardo campidanese (nu**x**i, pa**x**i, bo**x**i); mentre nell'ablativo singolare troviamo le forme gutturali [**c**] /**c**/ del sardo nu[g]orese/logudorese *nuce* (nu**ch**e, nu**gh**e), *pace* (pa**ch**e, pa**gh**e), *voce* (bo**ch**e, bo**gh**e). Cioè a dire **lingua latina comune**.

Utilizzando il **sardo comune**, da qui in avanti, all'interno di parola, tradurremo dal latino il suono velare sonoro [**g**], **paghe**, al posto di quello sordo [**c**], **pache**, e di quello palatale [ʒ], **paxi**.

1.7.4 LE CONSONANTI FRICATIVE

Le **consonanti fricative** si chiamano in questo modo perché l'aria che proviene dai polmoni viene incanalata diritta in un passaggio molto stretto (strettoia) e il suono che ne esce sembra un fruscio o una frizione. Anche le fricative si distinguono in sorde e sonore.

Nella tabella che segue mostriamo le fricative con un esempio e con la scritta in alfabeto fonetico.

CONSONANTI FRICATIVE

Logu de articulatzione *Luogo di articolazione*	Surda *Sorda*	Sonora *Sonora*	Esempru *Esempio*	Alfabetu fonèticu *Alfabeto fonetico*
Làbiu-dentales - *Labio-dentali*	/f/		filu = ***fīlum*** (filo)	[f]
		/v/	vanu = *vānum* (vano)	[v]
Alveolares - *Alveolari*	/s/		sale = *sale* (sale)	[s]
		/s/	rosa = *rosā* (rosa)	[z]
Paladu-alveolares - *Palato-alveolari*	/sce/, /sci/		**isc**ena = ***sc**enā* (scena)	[ʃ]
		/x/	pa**x**i = *pa**x*** (pace)	[ʒ]

- **Le consonanti f e v**

In sardo le consonanti /**f**/ u**f**itziu = ***off**icium* (ufficio) e /**v**/ a**v**ara = *avara* (avara) non si raddoppiano mai, pertanto il loro suono rimane così come è ad inizio di parola: [**f**] e [**v**].

Le consonanti **f** e **v** sono molto somiglianti poiché vengono pronunciate tra le labbra e i denti. Negli alfabeti antichi, infatti, le troviamo rappresentate insieme con il segno **wāw**: Y. Solo nell'alfabeto greco la **f** è trascritta dal grafema **ph** della lettera **pē**, poiché il digamma che corrispondeva alla waw era andato in disuso. Nell'alfabeto ebraico biblico queste lettere sono segnate per la **wāw** con il grafema ו e con il grafema פּ per la lettera **pē**.

In latino, all'interno di parola, la consonante **f** viene quasi sempre raddoppiata mantenendo però sempre lo stesso suono labio-dentale [**f**], come nell'esempio di u**f**itziu = ***off**icium* (ufficio).

- **La consonante s**

In latino le consonanti **s** e **z** venivano chiamate **sibilanti**. Il fonema /**s**/, all'interno di parola, può andare solo o raddoppiato. Quando è doppio mantiene lo stesso suono [**s**] di quando è all'inizio di parola. Quando è solo, invece, se è intervocalico, alleggerisce e muta in [**z**], ovverosia da sordo a sonoro. Esempio:

pa**ss**u [s] = *pa**ss**um* (passo); ba**s**u [z] = *ba**s**ium* (bacio); gra**ss**u [s] = *cra**ss**um* (grasso); rasu [z] = *ra**s**um* (raso).

In latino il suono alveolare sonoro [**z**] viene rappresentato graficamente con la /**s**/, come in *rosa*. A volte, come abbiamo già visto, la **s** sonora è seguita dalla **I** consonantica, come ad esempio in ba**s**u = *ba**s**ium* (bacio). Il suono alveolare sordo è rappresentato invece con la doppia /**ss**/, come in pa**ss**u = *pa**ss**um* (passo).

Negli alfabeti antichi il fonema latino /**s**/, /**ss**/ era rappresentato dalla lettera **šīn**, che in **ebraico biblico** veniva segnato con due grafemi distinti uno dall'altro da un punto in alto, שׂ, שׁ, che trascrivevano sia il suono [**s**], di **s**ole, sia quello [ʃ] di **sc**ena.

Il suono [ʒ] /**x**/ campidanese è molto simile a quello espresso dalla [j] **yōd** logudorese che, come abbiamo visto, si ottiene quando la **zayin** o la **yod** consonantica è intervocalica: ma**j**u = *maium* (maggio). La differenza tra /**x**/ e /**j**/ sta nel fatto che la /**x**/ è quasi sempre in abbinamento con la /**i**/ (nu**x**i = *nux* (noce), pa**x**i = *pax* (pace), re**x**i = *rex* (re), cali**x**i = *calix* (calice), ed esprime pertanto il suono palatale anteriore, mentre la /**j**/ lega con le altre vocali, tranne la /**i**/, e pertanto esprime un suono palatale mediano o posteriore.

- **La consonante x**

Il grafema **X** nasce negli alfabeti **protocananeo** e **fenicio** come la **t** della lettera **tāw**, ma già nell'alfabeto **ebraico** questo segno muta di struttura e nell'alfabeto **greco** lo troviamo come lo conosciamo anche in latino e in sardo con la lettera **sāmek Ξξ, Χχ**. Anche nell'alfabeto **etrusco** troviamo il segno **X** a rappresentare sia il suono [**z**], della /**s**/ sonora di **casu** (formaggio), sia il suono [**ʒ**], quale è quello della parlata campidanese: pa**x**i = *pax* (pace).

In latino la lettera **x**, a fine parola, rappresenta il suono campidanese [**ʒ**] e questo lo comprendiamo poiché è corrispondente a quello logudorese velare /**ch+voc.**/ [**k**]. Infatti, in latino, nel caso nominativo singolare troviamo la /**x**/ a fine parola, come ad esempio in re**x**i = *rex* (il re), che prende il suono campidanese, e re**gh**e = *rege* (con il re), nel caso ablativo singolare, che prende il suono logudorese. Esempio:

caso nominativo singolare: sòri**x**i = *sorix* (latino: il topo), sardo centro meridionale;

caso ablativo singolare: sori**ch**e / sori**gh**e = *sorice* (latino: con il topo), sardo centro settentrionale.

Questa è una regola generale, poiché in qualche caso, come in *sex* (sei), sia in logudorese che in campidanese abbiamo la /**s**/ finale di **ses**. Qui occorre stare attenti, perché la /**x**/ di *sex* è un calco della /**x**/ che troviamo nello stesso aggettivo numerale greco ἕ**ξ**ι (é**x**i).

In certi casi la /**x**/ intervocalica è sorda, come ad esempio nel verbo *exīre* (uscire), che in sardo si traduce e**ss**ire, e**sc**ire o be**ss**ire. Anche qui la /**x**/ è un calco del greco ἔ**ξ**οδος (é**x**odos = uscita). Di fatto, i Latini, scegliendo tra **bessire** o **bessiri** delle parlate logudorese e campidanese, hanno preferito quella nu[g]orese **essire**, più vicina alla greca ***éxodos*** e a quella italiana ***uscire***.

In **sardo comune**, pertanto, leggeremo la /**x**/ latina finale come quella del sardo campidanese e la **x** iniziale o mediana intervocalica come la /**s**/ sorda di e**ss**ire.

1.7.5 LE CONSONANTI VIBRANTI O LIQUIDE

Le **consonanti vibranti** vengono così dette perché producono un suono che fa vibrare la punta della lingua contro la parte palato-alveolare della bocca. In latino queste consonanti si chiamano anche **liquide**. Le consonanti **vibranti** o **liquide** sono solo **sonore**.

La tabella che segue mostra le vibranti con un esempio e con la trascrizione nell'Alfabeto Fonetico Internazionale.

CONSONANTI VIBRANTI O LIQUIDE

Logu de articulatzione *Luogo di articolazione*	Surda *Sorda*	Sonora *Sonora*	Esempru *Esempio*	Alfabetu fonèticu *Alfabeto fonetico*
Alveolares - *Alveolari*		/r/ /rr/	**r**oda = *rota* (ruota) ca**rr**u = *carrum* (carro)	[r] [r]
Alveolares - *Alveolari*		/r/	mu**r**u = *murum* (muro)	[ɾ]

Le consonanti **vibranti** o **liquide**, all'interno di parola, possono andare sole o raddoppiate. Quando è all'interno di parola, la doppia **-rr-** mantiene lo stesso suono di quando è all'inizio di parola. Quando è da sola, invece, lo alleggerisce e lo muta. In latino arcaico troviamo pochi raddoppiamenti all'interno di parola, essendo il grafema valido per entrambi i suoni:

carru [r] = *carrum* (carro); caru [ɾ] = *carum* (caro); isperrare [r] = *perrumpěre* (aprire in due); pira [ɾ] = *pira* (pera); murra [r] = *murrā* (mirra); mura [ɾ] = *mora* (mora).

La consonante **rēš** [r], 𐤓, che troviamo più o meno così come è nell'alfabeto **latino** e negli alfabeti orientali ed **etrusco**, in **greco** muta struttura prendendo la forma di una **p**.

1.7.6 LE CONSONANTI LATERALI O LIQUIDE

Le **consonanti laterali**, in latino chiamate anche **liquide**, vengono prodotte dal passaggio dell'aria da una parte e dall'altra della lingua. Le consonanti **laterali** sono solo **sonore**.

Nella tabella che segue mostriamo le laterali con un esempio e con la scritta in alfabeto fonetico.

CONSONANTI LATERALI O LIQUIDE

Logu de articulatzione *Luogo di articolazione*	**Surda** *Sorda*	**Sonora** *Sonora*	**Esempru** *Esempio*	**Alfabetu fonèticu** *Alfabeto fonetico*
Alveolares - *Alveolari*		/l/ /ll/	**l**una = *lunā* (luna) ba**ll**are = *ballare* (ballare)	[l] [l]
Palatales - *Palatali*		/gl/	Pù**gl**ia = *Apulia* (Puglia)	[ʎ]

La consonante laterale /l/ [l], all'interno di parola, può andare sia da sola che raddoppiata. Quando è doppia allunga il suono ma non lo muta.

Occorre stare attenti, poiché la doppia **ll**, all'interno di parola, trascrive in latino sia il suono cacuminale [ɖ] sia il suono laterale o liquido [l]. Il primo suono è quello che nasce direttamente dalla doppia **ll**, come ad esempio:

- latino *ballare* = ballare (ballare), che si pronunciava ba**dd**are, ma per un'italianizzazione della parola molti lo chiamano ballare;
- latino *bu**ll**um* = bu**ll**u (bollo), che si pronunciava bu**dd**u, vale a dire qualcosa che "bu**dd**it" (bolle), perché veniva impresso a caldo, ma con l'italianizzazione della parola è diventato anche bo**ll**o;
- latino *pisti**ll**um* = pisti**dd**u (pistillo), contenitore tondo in cui venivano pestati gli alimenti duri per ammorbidirli.
- latino *capi**ll**atum* = cabi**dd**adu (con la testa coperta); *iscapi**ll**atum* = iscabi**dd**adu (cun la testa scoperta).
- latino *scame**ll**um* = iscame**dd**u (qualcosa sollevato da terra, come un banco o uno scalino).

Il secondo suono [l] /ll/ è quello acquisito dal campidanese quando, come abbiamo visto, assimila progressivamente nel nesso **L+I+Vocale** la **I** consonantica alla **L** facendola diventare una doppia **LL**. Esempio: *fi**l**ium* (figlio) = fi**ll**u.

Nel paragrafo che segue daremo dimostrazione di come nasce la parola famosa latina *bellum* (guerra). Esempio di [l] sola o doppia:

be**ll**u [l] = *bellum* (vello, guerra); pa**l**a [l] = *palā* (pala).

Il nesso consonantico **gl+vocale** [ʎ] in origine non esisteva né in latino né in sardo. Si tratta di un costrutto italiano venuto dal nesso **L+I+Vocale**, come nei casi:

"ma**gl**io" = *malleus* (in cui la **-e-** in origine era una **zayin**), "fi**gl**io" = *filium*; "ta**gl**ione" = *talionis*.

1.7.7 LE CONSONANTI AFFRICATE

Le **consonanti africate**, dal latino *affricāre* = isfrigare (sfregare), vengono così chiamate perché producono un suono a metà strada tra l'occlusivo e il fricativo. Anche le consonanti **affricate** si distinguono in **sorde** e **sonore**.

Nella tabella che segue mostriamo le affricate con un esempio e con la scritta in alfabeto fonetico.

CONSONANTI AFFRICATE

Logu de articulatzione *Luogo di articolazione*	Surda *Sorda*	Sonora *Sonora*	Esempru *Esempio*	Alfabetu fonèticu *Alfabeto fonetico*
Paladu-alveolares - *Palato-alveolari*	/ci/, /ce/		**ci**mentu = *arenatum* (cemento)	[tʃ]
		/gi/	**gio**gu = ***iocum*** (gioco)	[dʒ]
Alveolares - *Alveolari*	/tz/		pu**tz**u = *puteum* (pozzo)	[ts]
		/z/	immur**z**u = *in muria* (colazione)	[dz]

Cicerone, soprannome messo al padre del politico Marco Tullio, da *cicer* (cece), in campidanese diventa **Cix**eroni. **Chich**erone si dice in **sardo comune** e in **latino classico**, quando invece in latino ecclesiastico diventa **Cic**erone.

Le consonanti affricate sopra esposte sia ad inizio che all'interno di parola non raddoppiano mai e non mutano suono. Esempio:

giogu [**dʒ**] = *iocum* (gioco); pu**tz**u [**ts**] = *puteum* (pozzo); immur**z**u [**dz**] = *in muria* (colazione).

I fonemi /**gi**/, /**tz**/ e /**z**/, che abbiamo già visto, sono rappresentati in latino con il nesso **consonante + i + vocale**.

Né in latino classico né in sardo comune i grafemi /**ci**/, /**ce**/ si pronunciano con il suono palatale [**tʃ**] (**ce**ramica), ma con quello gutturale [**c**] (**che**ràmica). Di fatto, la parola **cheràmica** ha la sua radice in **chera** = *cerā* (cera). I fonemi /**ci**/, /**ce**/ li troviamo nel sardo centro meridionale all'inizio di parola, poiché all'interno diventano /**x**/.

Questi fonemi, quando provengono dalla lingua italiana, quasi sempre sono mutati in **sardo comune** con i grafemi /**tzi**/, /**tze**/. Esempio: **ci**nema [tʃ], = **tzì**nema [ts]; **ce**mento = **tzi**mentu.

Negli alfabeti antichi troviamo il suono affricato [**ts**] rappresentato dalla lettera rotonda ⊗ **tēt**, che dall'alfabeto fenicio va a quello etrusco passando per il greco. I Latini, però, per rappresentare il suono affricato [**ts**] si servono di due nessi consonantici: **ti+vocale**, **ci+vocale**.

In altre parole nell'alfabeto ebraico biblico troviamo in un solo grafema i tre suoni differenti della parlata sarda.

Questo stesso suono lo troviamo anche nella lettera **tāw**, che in **ebraico biblico** è trascritta con due grafemi distinti da un punto mediano: ת, תּ. Il secondo segno rappresenta graficamente il suono [**t**] del fonema sordo /**t**/ del logudorese **putu** (pozzo), il primo traduce, presumibilmente, sia il suono [**ts**] del fonema /**tz**/ del campidanese **putzu** (pozzo) sia il suono [**θ**] del fonema nu[g]orese /**th**/ di **puthu** (pozzo).

Come abbiamo visto, però, anche la lettera **tēt** traduce questi suoni. Infatti, se andiamo ad analizzare il grafema ebraico di questo segno, ט, ci rendiamo conto che è lo stesso della lettera **tāw**, ת, ma rovesciato.

ALFABETO
EBRAICO BIBLICO / SARDO

(Il puntino al centro della lettera ebraica si chiama *dagesh*)

SC = Sardu Comune
L = Logudoresu
LS = Logudoresu Setentrionale
C = Campidanesu
N = Nugoresu

EBRAICO	SARDO	IPA	ESEMPIO
בּ (bēt)	B	[b]	**b**entu (SC) (vento)
ב (bēt)	V	[v]	**v**entu (N) (vento)
גּ (gimel)	Ga-Gh	[g]	**ghe**nna (N) (porta)
ג (gimel)	Ge	[dʒ]	**ge**nna (C)
דּ (dālet)	D	[d]	lar**d**u (SC) (lardo)
ד (dālet)	DD	[ɖ]	po**dd**a (SC) (fatica)
כּ (kap)	C	[k]	is**co** (L) (io so)
כ (kap)	SCH	[ç]	is**cho** (LS) (io so)
שׂ (śīn)	S	[s]	ba**ss**u (N) (basso)
שׁ (šīn)	SC	[ʃ]	bà**sci**u (SC) (basso)
תּ (tāw)	T	[t]	pe**t**a (L) (carne)
ת (tāw)	TZ	[θ] [ts]	pe**th**a (N) (carne) pe**tz**a (C)

1.7.8 LE CONSONANTI NASALI

Le **consonanti nasali** sono quelle che si pronunciano facendo passare l'area che viene dai polmoni nelle narici. Le **nasali** sono sempre **sonore**.

CONSONANTI NASALI

Logu de articulatzione *Luogo di articolazione*	Surda *Sorda*	Sonora *Sonora*	Esempru *Esempio*	Alfabetu fonèticu *Alfabeto fonetico*
Bilabiales - *Bilabiali*		/m/	**mama** = ***mater*** (mamma)	[m]
Alveolares - *Alveolares*		/n/	**nidu** = ***nidum*** (nido)	[n]
Palatales - *Palatali*		/gn/	ba**gn**a = *ba**gn**a* (sugo)	[ɲ]

Le consonanti **nasali** /**m**/ e /**n**/, all'interno di parola, possono andare sia da sole che raddoppiate. Quando sono doppie allungano il suono ma non lo modificano. Esempio:

amm**i**to [**m**] = *amito* (ammetto); am**u** [**m**] = *hamum* (amo); ca**nn**a [**n**] = *cannā* (canna); ca**n**e [**n**] = *cane* (cane).

In latino i suoni nasali [**m**] e [**n**], quando sono raddoppiati all'interno di parola, sono rappresentati graficamente, a volte, con una /**m**/ o una /**n**/ in luogo di due e, a volte, sia con la doppia /**nn**/ (canna = *canna*) sia con un'altra consonante (ò**nn**ia = ***omnia***).

La lettera /**g**/, quando è associata alla nasale /**n**/ per formare il gruppo consonantico /**gn**/, viene pronunciata nella lettura "ecclesiastica" come nella parola *ma**gn**um*. Nel latino "restituto", vale a dire quello delle origini, è invece pronunciata ***ma-g-num***. La /**g**/ gutturale, che era aspirata o indicava che la consonante seguente era doppia, in sardo è stata assimilata in modo regressivo dalla /**n**/ diventando **ma*nn*u**.

Non dobbiamo dimenticare che la "G" entra nell'alfabeto latino nel 230 a.C. ad opera del console Carvilius. M. Ruga. Può essere, pertanto, che la /**g**/ sia un calco della stessa consonante contenuta nella parola equivalente greca **μέγας** (*megás*). Altri esempi a conforto di questa ipotesi sono: la parola **γίγνωμαι** (ghignomai), che tiene la **n** dopo la **g** come in ***magnum***; la parola latina ***cognosco*** (conosco), in sardo **connosco**, scritta in greco **γιγνώσκω** (ghignosco). L'ipotesi più accreditata è quella che i Latini, dal momento che non utilizzavano le consonanti doppie, si servissero di un'altra consonante per raddoppiare il suono.

> Per questo, in **sardo comune** leggeremo il gruppo consonantico latino /**ng**/ di ***magnum*** come /**nn**/: **ma*nn*u** [n].

Un caso a parte merita la parola **Sardegna**, scritta in latino *Sardinia*. Secondo la regola della **I** consonantica, quando la **zayin** è anticipata dalla **n** e seguita da vocale, si dovrebbe pronunciare Sardi**nza**, come ancora oggi viene chiamata in alcuni paesi. Ma, dal momento che in certi luoghi si pronuncia anche **Sardinna** e in altri **Sardigna**, si è scelto quest'ultimo nome per rappresentarla in sardo comune.

1.7.9 LA SEMICONSONANTE J

La **semiconsonante yōd** nell'alfabeto **ebraico** biblico traduce graficamente il suono palatale sonoro [j] come in sardo, e viene detta così poiché produce un suono a metà strada tra una vocale e una consonante. Tale suono può essere paragonato a quello della **J** francese di ***jour*** ed è molto vicino, come abbiamo visto, al suono [ʒ] fricativo palato-alveolare /**x**/ (Nu**x**is) di area campidanese.

La semiconsonante **J** è solo sonora. In latino questa semiconsonante /**j**/ è rappresentata graficamente dalla /**i**/ quando si trova in posizione intervocalica. Esempio: ma**j**u = *maium* (maggio).

Nella tabella che segue mostriamo la semiconsonante con un esempio e con la scritta in alfabeto fonetico internazionale.

SEMICONSONANTE

Logu de articulatzione *Luogo di articolazione*	Surda *Sorda*	Sonora *Sonora*	Esempru *Esempio*	Alfabetu fonèticu *Alfabeto fonetico*
Palatales - *Palatali*		/j/	maju = *majum* (maggio)	[j]

In sardo la semiconsonante sopra esposta, all'interno di parola, non raddoppia mai. Non si utilizza mai all'inizio di parola se non per i nomi di persona o di paese (**J**oan, **J**ugoslavia, de **J**ana):

maju [j] = *maium* (maggio); pe**j**us [j] = *peius* (peggio).

La semiconsonante **j** è entrata a far parte dell'alfabeto latino nel Cinquecento grazie all'umanista francese Petrus Ramus (Pierre de la Ramée), per questo chiamata lettera ramista, che le aveva dato grafia differente dalla /**i**/ che la rappresentava.

1.8 I DITTONGHI

La sarda e la latina nascono come lingue sillabiche, in cui le vocali tengono sempre una consonante a fianco e pertanto non possono formare **dittonghi**. Tra le lingue antiche che tenevano un sistema sillabico c'era la lingua micenea, nominata dai linguisti "lineare B", che è rappresentata nelle prime forme di scrittura.

I dittonghi che compaiono nella lingua latina, non quelli creati apposta per allungare la vocale, non sono altro che sillabe che si uniscono ad altre sillabe poiché le è stata sincopata una consonante, di solito le consonanti intervocaliche **b**, **v**, **g**, **d**, e qualche volta le consonanti **s** e **c**. Questo fenomeno è più accentuato nel sardo logudorese e campidanese, molto meno nel nu[g]orese e nel latino.

In latino, ad esempio, troviamo *bovarĭus* e *boarĭus* (bovaro) = bo[**v**]àrgiu. Altri esempi sono riportati qui sotto:

- **sardo comune → latino**: nè[b]ula = *nĕ**b**ŭla* (nebbia); na[v]e = *nāvē* (nave); tè[g]ula = *tē**g**ŭla* (tegola); a[s]inu = *ăsĭnum* (asino); agiu[v]o = *adiuvo* (aiuto); cu[b]are = *cu**b**are* (nascondere); la[b]ore = *la**b**ore* (seminato); fa[b]eddare = *fa**b**ella* (parlare, racconto); a[b]undare = *a**b**undare* (abbondare).
- **latino → sardo nu[g]orese**: *a[g]era* = à**gh**era (aria); *ru[g]ina* = ru**gh**ina (rovina); *su[g]e* = su**gh**e (scofa); *Io[v]anna* = Zu**v**anna (Giovanna); *lu[v]o* = lu**v**o (pulisco); *pu[b]ella* = po**b**idda (ragazza); *pu[b]erum* = pò**b**eru (povero).

In sillaba finale, quasi sempre, si sincopa la consonante **-t-** nel sardo centro meridionale, mentre nel sardo centro settentrionale questa consonante sorda diventa sonora e muta in **-d-**. Rimane come in latino nel sardo nu[g]orese. Esempio: latino ***manducatum*** (mangiato), **mandica**[...]**u** (C), **mandiga*d*u** (L), **mandica*t*u** (N).

Comunque, per influsso del greco, i dittonghi vengono impiegati in latino con due funzioni: per allungare una sillaba e per fare distinguere una pronuncia da un'altra. Ad esempio la **ó** chiusa della parola ***òrum*** (oro) viene allungata mutando la **ó** in **au** = ***aurum***, così come la **-é-** chiusa di ***celum*** (cielo) viene accompagnata da una **-a-** per allungarne il suono = ***caelum***.

Aristotele (384 a.C. - 322 a.C.) ci parla di "allungamento" e "accorciamento" delle vocali, tecnica che serviva per tenere il passo nella metrica dei poemi. In greco sono corte le vocali **ε** (é) e **o** (ó) e sono lunghe quelle **η** (è) e **ω** (ò), mentre le altre vocali possono essere sia lunghe che corte (ancipiti) ma non tengono grafema proprio, ma un segno posto sopra per distinguerle.

Le due vocali **e** ed **o**, invece, sono distinte graficamente, probabilmente, perché seguivano in antichità la regola della metafonesi, come in sardo: chiuse (corte) quando erano seguite da una vocale di suono chiuso (**i** ed **u**); aperte (lunghe) quando erano seguite da una vocale di suono aperto (**a**, **e**, **o**).

I dittonghi latini sono: **au** (*aurum* = oro), **eu** (***Europa***), **ae** (*aetas* = età), **oe** (*poena* = pena) e, molto meno utilizzati, **ei** (***deis*** = a dio), **ui** (*quibus* = da chi).

I dittonghi **ae** e **oe** nel latino "ecclesiastico" si pronunciano **e**. Esempio: *Caesar* (Cesare) si pronuncia / *Cesar*/, con il suono palato-alveolare [**tʃ**] /**ce**/. Ma nel latino "restituto", o "classico" si pronuncia /C**à**esar/ o /Ch**e**sar/, con il suono gutturale [**c**] /**che**/, come in sardo comune, con l'accento sulla prima vocale.

Pertanto, il dittongo, in questo caso, tiene la doppia funzione: sia quella di suono distintivo di [**c**] /ca/ da [**tʃ**] /**ce**/, tanto è che nei manoscritti antichi queste lettere erano disgiunte, sia quella di allungare la sillaba da corta a lunga.

Non formano dittongo parole come ***aër*** (aria), che in questo caso sono distinte dalla posizione del segno della dieresi in alto alla (**ë**), poiché in origine la vocale /**e**/ era accompagnata dalla consonante gutturale /**g**/, così come è rimasta nella variante sarda nu[g]orese con **àghera**.

1.9 LE CONSONANTI DOPPIE

I grammatici latini delle origini avevano risolto il problema delle consonanti doppie aggiungendo a queste un'altra consonante, ma non la stessa. Diversi sono gli esempi che ce lo dimostrano: *deo**rs**um* = do**ss**u (dorso); *ia**n**ua* = gia**nn**a (porta); *ia**n**uarium* = ghe**nn**àrgiu (gennaio); *ce**ls**a* = che**ss**a (lentischio); *ma**gn**um* = ma**nn**u (grande); *pu**gn**are* = pu**nn**are (preferire); *ca**rn**em* = ca**rr**e (carne); *ste**rn**ere* = istè**rr**ere (distendere); *to**rn**are* = to**rr**are (tornare); *inve**rs**e* = imbe**ss**e (invece); *pe**rs**ĭcum* = pè**ss**ighe (pesco); *fu**rn**us* = fu**rr**u (forno); *fo**rn**ace* = fu**rr**aghe (fornace); *pe**rn**a* = pe**rr**a (parte).

Se prendiamo, ad esempio, il cognome famoso latino **Cornelius**, e alla **r** aggiungiamo un'altra **r** in luogo della **n** e raddoppiamo la **l**, come probabilmente era in origine al posto della **i**, andiamo a scrivere Co**rr**e**ll**us, che viene a leggersi **Correddu** (senza la desinenza **-s** del nominativo), come il cognome che esiste ancora oggi in Sardegna.

A volte, per avvicinare il latino al greco, i grammatici mettevano le consonanti doppie seguendo la parola greca corrispondente, come nell'esempio di ***baptizo*** (battezzo), in sardo **batizo** (in questo caso abbiamo un raro esempio di utilizzo della **z** greca al posto della **I** consonantica latina), scritto come il greco **βαπτίξω** (baptizo).

Come si vede dagli esempi, la consonante che raddoppia a volte viene aggiunta prima a volta dopo la consonante da raddoppiare.

Le consonanti doppie erano state introdotte nel latino dal poeta e letterato Quintus Ennius (Ennio 239 a.C. - 169 a.C.), abitante nei pressi di Lecce, in Apulia (Puglia), dove vivevano tre culture: quella greca, quella italica e quella romana. Egli, pertanto, seguendo il recente uso greco attico (IV secolo a.C.), aveva cominciato a mettere le consonanti doppie ed, egli stesso, a firmarsi con due /**nn**/ (***Ennius***) per dimostrare che il suono era più lungo, come aveva fatto in seguito Ammianus Marcellinus, storico latino, nel IV secolo, quando al suo nome metteva due /**mm**/ (***Ammianus***).

1.10 IL PROELIUM (BATTAGLIA) E IL BELLUM (GUERRA)

Il nome ***bellum***, molto frequente in tutta la letteratura latina, viene attraverso il betacismo da ***vellum***, che è la **pedde** (pelle) dell'animale. Il ***bellum*** è associato alla guerra poiché in antichità rappresentava o un'arma o uno strumento di battaglia per riparare il braccio che teneva la spada, o una corazza per coprire una parte del corpo, e, non ultima per importanza, anche una maschera per impressionare l'avversario con pelli di animali feroci.

Il ***proelium***, ovverosia la **battaglia**, non è altro che una parola composta da ***pro+velium***. In nu[g]orese **pro**[v]**elzu** vuol dire **soprannome**, come quello che i guerrieri si davano prima di andare a combattere.

In Sardegna troviamo il **bellu** in tutti i bronzetti che rappresentano **Ercole**. Il **vellu** o **bellu** è anche molto presente nella letteratura dell'antichità, come dimostra la favola del **vello d'oro** di Giàsone e degli Argonauti. Nel periodo romano, i **velites** erano soldati armati alla leggera, ovverosia con il solo vello, e i ***velienses*** erano i militi della Vèlia.

In nu[g]orese, **ispanelzu** (ispan-elzu) è lo spavento o la sorpresa, in sardo s'**ispantu**, che gli avversari prendevano dal **'elzu** (vello). In sardo nu[g]orese, come in latino la parola **pro-'elzu** è composta da **pro+'elzu**, e, come accade spesso in sardo, la **v** o la **b** a inizio di parola subiscono l'aferesi se sono anticipate da un'altra parola che finisce in vocale: ***pro*** [v/b]**elzu**).

Seguendo le regole della pronuncia già spiegate nei paragrafi precedenti per la **I** consonantica, ***velium*** diventa **velzu** in sardo centro settentrionale e **vellu** in sardo centro meridionale.

Con il mutamento dovuto al betacismo, come abbiamo visto, la **v** viene ad essere **b** nella Sardegna centro meridionale. Di conseguenza, **veliu** diventa ***v*ellu** e questo, con il betacismo, ***b*ellu**.

In sintesi, ***bellum*** e ***pro-elium*** sono due parole con la stessa radice. Il sostantivo latino ***bellum*** è di area sarda centro meridionale, mentre si dice **belzu** o **velzu**, vale a dire ***velium*** in latino, in luoghi centro settentrionali.

La **velia** era una delle tre colline di Roma quadrata, quelle delle origini, ed era il luogo dove si teneva la guardia. La parola **velia**, se la leggiamo secondo le regole che abbiamo già visto per la **I** consonantica, si pronuncia **velza**, o **belza** con il betacismo, nel sardo centro settentrionale, e **bella** nel sardo centro meridionale.

Il corpo della nave si chiama **carena**, come in sardo il corpo dell'uomo, e la **vela** viene da **velia** (velza) o **vella** e prende questo termine poiché in antichità era fatta di pelle, in sardo **pedde**.

Da ***bellum*** vengono altri termini per lo più legati alla guerra. Il **trabellu** è un manipolo, un gruppo di uomini, di sicuro un drappello di soldati. Il **novellu** (**no**[v]**eddu** in sardo e **novello** in italiano) è il milite giovane. **Bellu** e **Belleddu** sono cognomi sardi riferiti alla guerra, come **Bellona** che era la divinità legata alla guerra. **Trabellu de dià**[b]**ulos** è il "traigorzu", ossia il rito notturno di terrore. **A bellu a bellu** vuol dire "piano piano". **Assambellutadu** è il sangue o il liquido che si è coagulato. L'uomo **rebellu** è quello restio ai comandi, che non accetta ordini. S'**arrebellu** è colui che crea scompiglio. S'**iscambellu** è uno sgabello ricavato dal tronco di un albero. Il **belludu** è, di fatto, il terziopelo, il tessuto fatto dalla lana di animale. Il **cherveddu** (cervello) è in latino il ***cerebellum***, ovverosia quello che sta sotto il **vello**, vale a dire il **cuoio** capelluto. Infine, il **lusbellu** (lus-bellu) è il demonio che mette zizzania tra gli uomini per farli entrare in guerra.

La **belza** / **velza** è il cuoio dell'animale, tanto è che anche un genere di cavolo si chiama verza, quello a foglia, che, come una corazza, protegge l'interno con strati di foglie.

In latino la ***vigilia*** (veglia) si traduce in sardo **bi**[ghi]**za**. La ***vigiliae*** rappresenta gli uomini che fanno la veglia o la guardia di notte, vale a dire che vegliano stando svegli nel luogo di ***velia*** con la ***verza***.

Acimbellai vuol dire preoccuparsi e la **cimbella** è infatti la preoccupazione. Si ha la **re-bellia** quando non si vuole accettare la resa e la **bella** quando due che hanno vinto una volta per ciascuno vogliono lo spareggio. La **gabella** era la tassa imposta in guerra, mentre la **ta**[b]**ella** (ta-bella) è il pistone. La **manuvella** o manubella (manu-vella) è un oggetto che si adopera per far girare la ruota.

Il motivo per cui il latino non sia stato letto secondo il suo significato originario è dovuto al fatto che la Lingua Latina Comune (koinè) scritta non aveva più corrispondenza con quella parlata.

1.11 RAPPRESENTAZIONE GRAFICA DEI FONEMI SARDI E LATINI

I SUONI DEL LATINO E DEL SARDO RAPPRESENTATI DAI LORO GRAFEMI

LATINU	SARDO COMUNE	ITALIANO
i+vocale = /zi/ (ad inizio di parola): ***iustitia***	**gi**ustìtzia	giustizia
vocale+i+vocale = /j/ (intervocalica): *maium*	ma**j**u	maggio
l+i+vocale = /lz+voc./: ***fīlĭa***	**figia**	figlia
n+i+vocale = /nz+voc./: *testĭmōn**ĭu**m*	testimò**ngi**u	testimone
r+i+vocale = /rz+voc./: *nŏtā**rĭus***	notà**rgi**u	notaio
t+i+vocale = /tz+voc./: *conscĭen**tĭa***	cussèn**tzi**a	coscienza
t+e+vocale = /tz+voc./: *pŭ**tĕu**m*	pu**tz**u	pozzo
d+i+vocale = /j/: *rǎ**dĭu**m*	ra**j**u	raggio
d+i+vocale = /s/: *mĕ**dĭu**m*	me**s**u	mezzo
c+i+vocale = /tz+voc./: *offĭ**cĭu**m*	ufi**tz**iu	ufficio
s+i+vocale = /s/: *bā**sĭu**m*	ba**s**u	bacio
u+vocale = /v/ (con il betacismo è **b**): ***v**inum*	**b**inu	vino
q+u+vocale = /b/ (non nei monosillabi): *e**qua***	e**bb**a	cavalla
q+ua (avverbio) = /ca/: ***qua***	ca	qua
q+ube = /che/ (chi, congiunzione): ***que***	che	che
q+ui = /chi/ (avverbio e pronome relativo): ***qui***	chi	che
q+uo = /co/ (perché, avverbio e altre funzioni): ***quo***	co	quo
g+u+vocale = /b+voc./: *an**gu**illa*	am**b**idda	anguilla
q+u+vocale = /b+voc./: *a**qua***	a**bb**a	acqua
consonante doppia, *ia**nu**a*	gia**nn**a	porta
y = /ü/: *m**y**rta* (accusativo neutro plurale)	m**u**rta	mirto
q = /c/: ***qu**adrupĕdum*	**c**uadrùpedu	quadrupede
k = /c/: ***K**ălendae*	**c**alende	calende
*sa**p**a, se**t**a, fo**c**um* (sonorizzazione delle sorde)	sa**b**a, se**d**a, fo**g**u	sapa, seta, fuoco
ll = /dd/ [ɖ] (suono cacuminale): *co**ll**um*	co**dd**u	collo
ce, ci = /che/, /chi/: *nu**ce**m, **ci**rcum*	nu**ghe**, **chi**rcu	noce, circo
*pa**ss**um* [s], *ba**si**um* [z]	pa**ss**u, ba**s**u	passo, bacio
x = /x/ [ʒ] (fine di parola): *sori**x***	sòri**x**i	topo di campagna
x = /ss/ [s] (inizio di parola): *e**x**ire*	e**ss**ire	uscire
gn = /nn/: *ma**gn**um*	ma**nn**u	magno
ae (dittongo): *c**ae**lu*	ch**e**lu	cielo
h = aspirazione: *pas**ch**a*	pas**ch**a	pasqua
ex = is (i prostetica): ***ex**pendo*	**is**pendo	spendo
ph (greco) = f : ***Ph**ilippus*	**F**ilipu	Filippo
g gutturale a inizio di parola: ***g**landem*	[g]**l**ande	ghianda
*Sardi**nia***	Sardi**gna**	Sardegna
Ita***li**a* (Italza): [dz]	Ita**lz**a = Ita**li**a	Italia
Mediuterranium (come veniva scritto)	Mu**s**uterran**z**u (pron.)	Mediterraneo
Iulius, **Iulia** = Zulzu, Zulza (cognomi sardi)	**Z**u**z**u, Gi**ù**gia	Giulio, Giulia

2. LA FONOLOGIA

Ogni lingua nasce, nella storia, come lingua parlata, pertanto fatta di suoni, chiamati **fonemi**. Ma, ad un certo punto del suo cammino, la lingua viene scritta e i fonemi devono essere rappresentati per mezzo di lettere, o grafemi. È frequente il caso in cui tra i suoni di una lingua e la sua scrittura non vi sia corrispondenza biunivoca (ossia che ad un suono corrisponda sempre la stessa lettera e ad una lettera corrisponda lo stesso suono). Esempio:

pa/**zz**/o [**ts**], ra/**zz**/o [**dz**]. In italiano, pa**zz**o e ra**zz**o hanno suoni differenti, ma grafemi uguali.

Nonostante siano passati secoli, la grafia sarda si avvicina molto a quella latina ed entrambe corrispondono per lo più ai suoni rappresentati graficamente nell'Alfabeto Fonetico Internazionale.

2.1 COSA SONO I FONEMI

Si dicono **fonemi** (dal greco fónos = suono e -ema = unità) i suoni di significato di una lingua, ovverosia capaci di entrare nella composizione di parole sensate (dotate di significato).
Un **suono** (**fono**) viene detto **fonema** quando è considerato non come elemento fisico (un respiro, un lamento) ma come **elemento linguistico**, vale a dire come unità, sebbene pure minima, del sistema della lingua portatrice di significato.

Per la linguistica, un **suono** è **fonema** di una lingua quando è dotato di **valore distintivo e oppositivo** rispetto agli altri. Prendiamo ad esempio alcune parole:

cana (*cana*), **l**ana (*lana*), **n**ana (*nana*), **r**ana (*rana*), **s**ana (*sana*).

Questi sostantivi si distinguono tra loro per il tramite della consonante iniziale. I suoni rappresentati con **c**-, **l**-, **n**-, **r**-, **s**- sono fonemi. La **r**-, ad esempio, si distingue (e si appone a) dalle **c**-, **l**-, **n**-, **s**- per dare il significato preciso alla parola in cui è scritta.
I fonemi si distinguono in base ad alcune caratteristiche legate al modo di come sono prodotti dagli organi fonatori.

Sono **suoni sordi** quelli che si producono senza fare tremare le corde vocali; sono, al contrario, **sonori** quelli che si realizzano con una vibrazione delle corde vocali.
Sono ad esempio sorde le lettere **p**, **t**, **c**; sono invece sonore **b**, **d**, **g**, **m** e tutte le vocali.

2.2 FONEMI E GRAFEMI

A rappresentare i suoni della lingua parlata si utilizzano i grafemi, vale a dire le lettere dell'alfabeto. Nella lingua sarda, i grafemi che riproducono la scrittura sono in tutto 22, mentre in latino sono 23.

SARDO: cinque vocali: **a**, **e**, **i**, **o**, **u**, e 17 consonanti **b**, **c**, **d**, **f**, **g**, **h**, **j**, **l**, **m**, **n**, **p**, **r**, **s**, **t**, **v**, **x**, **z**.
LATINO: sei vocali: **a**, **e**, **i**, **o**, **u**, (**y**) e 17 consonanti **b**, **c**, **d**, **f**, **g**, **h**, **k**, **l**, **m**, **n**, **p**, **q**, **r**, **s**, **t**, **x**, (**z**).

In sardo la lettera **h** non tiene suono distintivo ma serve a rappresentare il suono velare insieme alla lettere **g** e **c**, mentre nel latino arcaico costituiva l'aspirazione del grafema che affiancava.
In latino le lettere **y** e **z** sono entrate nell'alfabeto dal greco nel primo secolo avanti Cristo e le lettere **v** e **j** sono entrate nell'alfabeto latino per merito dell'umanista francese Pierre de Le Ramée intorno al 1550.
Nel sardo la lettera **x** si usa nella variante meridionale e si oppone alla corrispondente gutturale del sardo settentrionale. Ad esempio, **nuxi** della variante sarda centro meridionale corrisponde a **nu*ch*e** o **nu*gh*e** di

quella sarda centro settentrionale; in latino la prima, ***nux***, la troviamo nel nominativo singolare, mentre la seconda, ***nuce***, è presente nell'ablativo singolare.

Rispetto all'alfabeto latino, nella lingua sarda non compaiono le lettere **q** e **k**, poiché il loro suono è trascritto con la lettera **c** (**c**uadru = ***q**uadrum*, **c**alenda = ***k**alenda*). In latino la lettera **k** è scritta solo in poche parole, mentre la lettera **y**, presa dall'alfabeto greco per tradurre graficamente il fonema /**ü**/, nella pronuncia ecclesiastica è diventata /**i**/. Paradossalmente, se nella scuola italiana la lettera **Y** viene letta come una vocale /**i**/ nell'insegnamento del latino, nella stessa scuola viene letta come una vocale /**ü**/ nell'insegnamento del greco. Detto con un proverbio sardo significa: «Corrias largas in pedde anzena (Maniche larghe sulla pelle degli altri)».

Le vocali toniche **è** ed **ò**, siano aperte o chiuse, in sardo comune non tengono alcuna distinzione grafica e vengono scritte entrambe con l'accento grave: **è** ed **ò**. Esempio:

b**è**nnere (venire), b**ò**lere (volere), t**è**nnidu (tenuto), b**ò**vida (volta).

2.3 LE VOCALI APERTE E CHIUSE

Nella lingua sarda le vocali si distinguono in relazione al luogo e al modo di articolazione. Le vocali /**i**/ e /**u**/ sono quelle più chiuse perché vengono pronunciate stringendo la bocca. La vocale /**i**/ viene articolata nella parte anteriore della bocca, mentre la /**u**/ nella parte posteriore. Nella parte centrale della bocca si articola la vocale /**a**/ che risulta più aperta. Tra la /**a**/ e la /**i**/ si trova la vocale /**e**/ che risulta più aperta se si trova vicino alla /**a**/ e più chiusa se si articola vicino alla /**i**/. Tra la vocale /**a**/ e la vocale /**u**/ troviamo la vocale /**o**/ che rimane più aperta se è pronunciata vicino alla /**a**/ e più chiusa se è collocata vicino alla /**u**/. Con la legge della **metafonesi** abbiamo visto quando le vocali toniche, ossia accentate, sono aperte o chiuse.

In latino, invece, per influenza della lingua greca, le vocali, oltre al suono distintivo che le caratterizza, tengono la **quantità**, cioè a dire il tempo che si impiega a pronunciarle. Le vocali pertanto possono essere **corte** o **lunghe**. Nella pronuncia corta la vocale esce in modo normale, mentre nella lunga la vocale viene ripetuta.

> Lucius Accius (Accio, 170 in a.C. - 84 in a.C.) aveva proposto di scrivere doppie le vocali lunghe, seguendo l'utilizzo **osco** e **umbro**, ma, per le critiche ricevute da parte di Gaius Lucilius (Lucilio, 180 in a.C. - 102 in a.C.), questa proposta non era stata accettata dai grammatici latini.

Le vocali, quando sono lunghe, vengono rappresentate con il segno grafico in alto ¯ e quando sono corte con il segno ˘. Pertanto avremo: ā, ē, ī, ō, ū, ȳ lunghe e ă, ĕ, ĭ, ŏ, ŭ, y̆ corte.

Una vocale che nasce lunga, se si trova in sillaba finale prima di **r**, **l**, **t**, **m**, diventa corta. La vocale /**i**/ corta, quando si trova nella sillaba finale, può mutare in /**e**/. A differenza delle vocali, i dittonghi sono invece sempre lunghi.

La distinzione **lunga / corta** può essere importante quando si deve individuare il diverso valore semantico o morfologico del termine omografo. Esempi: *lĭber* (libro, sostantivo) - *līber* (libero, aggettivo). La quantità delle vocali è in più elemento fondamentale per la metrica.

La vocale seguita da due consonanti è lunga. Esempio: *sapi**ēns*** (sapiente).

Se delle due consonanti la prima è muta o esplosiva (**p**, **b**, **t**, **d**, **k**, **g**), fricativa labiale (**f**, **v**), e la seconda è liquida (**l**, **r**), la vocale che la precede è corta. Esempio: *pŏples* (ginocchio). Occorre però che le consonanti muta + liquida facciano parte della stessa sillaba, altrimenti la vocale che la precede rimane lunga. Esempio: ***ābluo*** (pulire).

La vocale si accorcia nei casi che seguono:

- quando è seguita da un'altra vocale. Esempio: ***fio*** (fia) diventa ***fĭo***.
- Quando si trova in un monosillabo che termina con le consonanti /**m**/ o /**t**/. Esempio: ***rem*** (bene).
- Quando si trova in una sillaba seguita da /**m**/ o /**t**/. Esempio: ***laudăt*** (loda).

2.4 LA QUANTITÀ SILLABICA

Il latino, oltre alla quantità della vocale, tiene in considerazione la **quantità della sillaba**. Ecco alcuni esempi per distinguere una sillaba lunga da una corta:

- una sillaba è lunga, quale sia la sua vocale, quando termina in consonante. Ad esempio in ***factum*** (fatto) la vocale /**a**/ è corta e la sillaba lunga, mentre in ***actum*** (atto) la vocale /**a**/ è corta e la sillaba è ugualmente lunga poiché finisce in consonante;
- una sillaba è lunga quando termina in dittongo o in vocale lunga: ***caedo*** (sego); ***cēdo*** (cedo). I dittonghi sono sempre lunghi. Esempio: ***āūrum*** (oro);
- una sillaba che risulta dalla contrazione di altre due sillabe corte è lunga. Esempio: ***cōgo*** (ammucchiare) da ***cŏnăgo***;
- una sillaba è corta quando finisce in vocale corta: ***cado*** (cado);
- le sillabe chiuse, ovverosia quelle che terminano in consonante, sono sempre lunghe, anche se contengono una vocale corta: così ***făctum*** (fatto) diviso in sillabe diventa ***făc-tum***.

Pertanto possiamo dire che è corta la sillaba aperta con vocale corta, mentre tutte le altre sono lunghe. Conoscere la quantità della sillaba è fondamentale per comprendere il ritmo della poesia e della prosa.

2.5 LE CONSONANTI CHE NELLA PARLATA A VOLTE MUTANO SUONO

In sardo, le consonanti che nella lingua parlata mutano suono sono quelle di suono sordo:

[k] **c**asu = *caseum* (formaggio), [f] **f**ritu = *frīgĭdum* (freddo), [p] **p**ane = *pane* (pane),
[t] **t**à[b]ula = *tabŭla (tavola)*, [dʒ] - **g**ianna = *ianŭa* (porta).

Questi fonemi mutano in altro suono e si sonorizzano, nella maggior parte del sardo, quando all'inizio di parola sono preceduti da un'altra parola che finisce per vocale, e si trovano pertanto tra due vocali:

su **g**asu (il formaggio), su **v**ritu (il freddo), su **b**ane (il pane), sa **d**aula (il tavolo), sa **j**anna (la porta).

Queste consonanti non mutano invece quando sono precedute da un'altra consonante o dalle preposizioni **a** e **tra**, dalla congiunzione **e** e dagli avverbi **ne** e **non**. Quando questi fonemi si trovano all'interno di parola, se mutano, mutano in altro suono del tutto differente.

> Nella **scrittura** del **sardo comune** queste consonanti mantengono sempre la **stessa forma grafica.**

CONSONANTI CHE ALL'INIZIO DI PAROLA POSSONO MUTARE SUONO

/**c**/ su **c**asu (formaggio) e non su **g**asu	/**f**/ su **f**ritu (freddo) e non su **v**ritu	/**p**/ su **p**ane (pane) e non su **b**ane	/**t**/ sa **t**àula (tavolo) e non su **d**aula	/**g**/ sa **g**ianna (porta) e non sa **j**anna

Nella scrittura latina queste consonanti non mutano, anche se sono intervocaliche, e si mantengono sempre sorde. Esempio:

caseum (formaggio), *frīgĭdum* (freddo), *pane* (pane), *tabŭla* (tavola), *ianŭa* (porta).

Nel sardo meridionale sono frequenti le nasalizzazioni che fanno cadere o mutare suono ad alcune consonanti: **so**[n]**u** (suono), **fi**[l]**u** (filo).

> Nella **scrittura** del **sardo comune** queste consonanti mantengono sempre la **stessa forma grafica.**

Rispettando la regola che a ogni suono corrisponde una distinta consonante, in sardo il fonema affricato alveolare sonoro /**z**/, suono [**dz**], **immurzu** = *in muria* (marinato), non si confonde con quello sordo /**tz**/, suono [**ts**], **putzu** = *puteum* (pozzo), perché hanno grafemi differenti.

> Nella **scrittura** del **sardo comune** queste consonanti non raddoppiano mai e tengono sempre la **stessa forma grafica.**

In latino il fonema **/z/** è entrato dal greco nel primo secolo prima di Cristo, pertanto nella scrittura è poco rappresentato. Come abbiamo già visto, il suo suono **[dz]** è rappresentato dalla lettera **zayin**, che troviamo, per lo più, a seguito delle consonanti liquide **/l/**, **/r/** + **/i/** + **vocale**, ***filium*** = fil**z**u (figlio), e alla consonante nasale **/n/** + **/i/** + *vocale*, *testimo**nium*** = testimon**z**u (testimone).

In latino il fonema sardo **/tz/**, che rappresenta il suono sordo **[ts]**, è espresso sempre dal grafema **zayin**, preceduto dalle consonanti sorde **/t/** + **/i/** + **vocale**, *conscen**tĭa*** = cussèn***tzia*** (coscienza) e **/c/** + **/i/** + **vocale**, *of**fĭcĭ**um* = ufi**tz**iu (ufficio).

2.6 LE CONSONANTI CHE A VOLTE CADONO

Quando sono intervocaliche o in sillabe atone, le consonanti: **/b/** [bilabiale occlusiva sonora] = **b**inu (vino); **/v/** [labio-dentale fricativa sonora] = le**v**are (prendere); **/d/** [dentale occlusiva sonora] = **d**eo (io); **/f/** [labio-dentale fricativa sorda] = **f**èmina (donna); **/g/** [velare occlusiva sonora] = **g**hennàrgiu (gennaio); **/c/** [velare occlusiva sorda] = **c**asu (formaggio); non vengono pronunciate o vengono aspirate:

su **'**inu = ***v**inum* (il vino), le[...]are = *le**v**are* (prendere), so **'**eo = *ego* (sono io),
sa **'**emina = ***f**emĭna* (la donna), **'**ennàrgiu = *ianuarĭum* (gennaio), su **'**asu = ***c**aseum* (formaggio).

Il latino ha mantenuto meglio del sardo queste consonanti nella scrittura, sebbene in qualche caso l'aferesi o la sincope di queste consonanti si rilevino ugualmente, come mostriamo in questi esempi:

pu[b]ella = pu**b**idda (fanciulla); *[d]ego* = **d**e[g]o (io); *[f]agere* = **f**àghere (fare); *a[g]era* = à**gh**era (aria); *[c] humeros* = **c**ùmmeros (lombi); *Ioh[v]anna* = Giu**v**anna (in questi casi la **v** intervocalica si è mantenuta solo nella variante nu[g]orese).

Pure nel greco antico la **v** intervocalica, espressa dal digamma **F**, veniva sincopata: νέ**F**ος = νέος (neos).

In latino, invece, per mostrare che quella consonante non c'era più, in qualche caso come negli esempi di ***humeros e Ioh[v]anna,*** la lettera **h** ci indica un'aspirazione.

> Nella scrittura del **sardo comune** queste consonanti devono essere indicate e mantenere sempre la **stessa forma grafica**.

LE CONSONANTI CHE A VOLTE CADONO

/**b**/ su **b**inu (*vinum*) e non "su 'inu"	/**v**/ levare (*levare*) e non "leare"	/**d**/ so **d**eo (*ego*) e non "so 'eo"	/**f**/ sa **f**èmina (*femĭna*) e non "sa 'èmina"	/**g**/ **g**hennàrgiu (*ianuarium*) e non "'ennàrgiu"	/**c**/ su **c**asu (*caseum*) e non "su 'asu"

2.6.1 LA "R" MOBILE

In linguistica si chiama **metatesi** il fenomeno fonetico in cui una lettera si muove all'interno di parola, prima o dopo, producendo un altro suono. Ad esempio, la consonante **/r/** in molte parlate sarde si muove indietro rispetto alla vocale a cui era legata in origine, componendo un'altra sillaba o un digramma consonantico. Esempio:

latino *ventre* (ventre) = bent**r**e (L), b**r**ente (N, M, C);
latino *impěro* (utilizzo) = imp**r**eo (L, N), impe**r**o (C, M).
latino *petra* (pietra) = ped**r**a (L), p**r**eda o pe**r**da (N, M, C);
latino *Petrum* (Pietro) = Ped**r**u (L), P**r**edu o Pe**r**du (N, M, C).

In certi paesi troviamo anche **r**unaghe per nu**r**aghe.

> In **sardo comune** metteremo sempre la **r** nella sillaba originaria, come è in latino e in sardo logudorese.

2.7 L'ALFABETO FONETICO INTERNAZIONALE

In base ad una convenzione dei linguisti, i fonemi si scrivono tra sbarre oblique: **r** = **/r/**. La branca della linguistica che studia i fonemi si chiama **fonologia** o **fonetica strutturale**.

Gli alfabeti tradizionali non trascrivono in modo preciso e scientifico i fonemi. Si utilizza per questo un codice internazionale elaborato dalla **API** (**Association Phonètique Internationale**) che adotta simboli particolari, validi in tutto il mondo e per tutte le lingue.

GRAFEMA	TRAISCRIZIONE IPA	ESEMPI
a	[a]	**a**era (aria)
b b bb b	[β] [b] [b] [b]	In mezzo a due vocali: sa**b**a (sapa) Ad inizio di parola: **b**entu (vento) In mezzo a due vocali: a**bb**a (acqua) In parole colte: amà**b**ile (amabile)
ca, co, cu, che, chi	[k]	**ca**ne, **co**nca, **cu**rtzu, **che**ra, **chi**ntu
ce, ci	[tʃ]	non si adopera in SC: **ci**nema = **tzì**nema
d d dd	[d] [ð] [d], [ɖ]	Ad inizio di parola: **d**omo (casa) In mezzo a due vocali: se**d**a (seta) a**dd**eretare, so**dd**u, cu**dd**u, pu**dd**u
dh (cacumenale)	[ɖ]	non si usa in SC: so**dh**u = so**dd**u
e	[ɛ], [e]	b**e**ne, b**e**ntu (aperta e chiusa)
f	[f]	**f**èmina, **f**àmene, u**f**itziu
g	[ɣ]	pa**g**u, lo**g**u, fo**g**u
ga, go, gu, ghi, ghe, gg	[g]	**ga**ra, **go**su, **gu**stu, pi**ghe**, a**gg**antzare
gia, ge, gi, gio, giu	[dʒ]	fi**gia**, **gè**nere, **gi**ta, **gio**gu, **giu**stu
i	[i]	p**i**nu, l**i**nu
j	[j]	ma**j**u, ra**j**u, massa**j**u
l, ll	[l]	ma**l**a, mo**ll**a
m, mm	[m]	ma**m**a, go**mm**a
n, nn	[n]	pa**n**e, pi**nn**a
nd	[ŋɖ]	a**nd**o, ca**nd**o
o	[ɔ], [o]	c**o**mo, còm**o**du (aperta e chiusa)
p	[p]	**p**ipa, a**p**entu
q	[q]	non si usa in SC: **q**uadru = **c**uadru
r, rr	[ɾ], [r]	mu**r**u, mu**rr**u
s, ss	[z], [s]	ba**s**u, pè**ss**ighe
sci, sce	[ʃ]	i**sci**entìficu, i**sce**na
t	[t]	fri**t**u, ton**t**u
u	[u]	**u**nu, cont**u**
v	[v]	mò**v**idu, gra**v**e
x	[ʒ]	In parole che non hanno suono velare SC
tz	[ts]	pu**tz**u, **tz**uca
y (ü)	[y]	m**y**rta, m**u**rta
z	[dz]	immur**z**u, ru**z**u

2.8 COME LEGGERE E SCRIVERE IN SARDO E IN LATINO

- Il gruppo consonantico /**ph**/, che viene dal greco, si legge in latino e in sardo /**f**/, come in ***Philippus*** = ***F*ilipus** (con una sola -**p**- in sardo).

- Il digramma /**gn**/, che in latino si trova in parole come *ma**gn**um*, si legge **ma<u>nn</u>u**.

- I nessi consonantici **gl, cl** e **gr**, **cr**, ad inizio di parola, essendo la /**g**/ e la /**c**/ gutturali seguite da una consonante liquida, in sardo a volte le prime vengono aspirate e subiscono un'aferesi. Pertanto, il sostantivo ***g**lande*, lo leggeremo **lande** e il nome ***c**rassum* lo pronunceremo **rassu**.

- La consonante /**t+i+vocale**/, in determinati contesti, quando si trova all'interno di parola, si pronuncia in logudorese /**t+vocale**/, in nu[g]orese /**th+vocale**/ e in campidanese /**tz+vocale**/.

Ad esempio: **putu** = *pŭteum* (pozzo), in latino delle origini probabilmente *pŭ**ti**um*, diventa **pu*t*u** in logudorese, **pu*th*u** in nu[g]orese e **pu*tz*u** in campidanese.

Queste regole, però, non valgono né per tutto il latino né per tutto il sardo, poiché l'aggettivo **totu** = *totum* (tutto) si legge sia in latino che in sardo **totu**. Anche l'aggettivo numerale latino *totīus* (genitivo di *totus*) si legge *totìus* e non *totzìus*, perché l'accento cade sulla **i**, che quando è tonica non può essere consonante. Pertanto "putzu" in **sardo comune** lo leggeremo **putzu**.

Sia la /**tz**/ sorda che quella sonora /**z**/ sarde non devono essere mai raddoppiate.

- Nel sardo il grafema **h** non tiene un suono distintivo, ma viene utilizzato insieme alle lettere **c**- e **g**- per rappresentare il suono velare occlusivo sordo [**k**] = ***ch*era** (cera) e il suono velare occlusivo sonoro [**g**] = **pa*gh*e** (pace). In latino questo grafema, invece, viene aspirato ad inizio di parola, come nell'esempio che segue: ***h**istŏria* (storia) = istòria; ***H**ispānia* (Spagna) = Ispagna.

Quando la lettera **h**, nelle poche occasioni, si trova all'interno di parola in latino e in sardo logudorese viene aspirata, come nella parola **pas*ch*a** (pasqua).

- La lettera **-h-** viene anche utilizzata per rappresentare le esclamazioni: ahi!, mih!, teh!, etz.

> In **sardo comune** la lettera **h** all'interno di parola è sempre muta. In nessun modo la lettera **h**- deve essere utilizzata in sardo davanti al verbo **à**[b]**ere** = *habere*, come in latino e in italiano.

- In latino, come in sardo, il digramma /**sc+vocale**/ compare solo in qualche parola, come *di**sc**essum* (distacco) = <u>discansu</u>, ma si legge *di**sch**essum*. Anche **i*sc*ena** (scena), scritto in latino *scaenam*, si legge "schena" con la gutturale sorda.

- Il suono dentale occlusivo sordo [**t**], rappresentato dal fonema /**t**/, nel sardo, all'interno di parola, deve essere sempre scritto da solo: **ditadu** = *dictātum* (dettato), sebbene in latino venga raddoppiato con l'aggiunta di un'altra consonante.

Il suono occlusivo velare sordo [**k**], rappresentato graficamente con il fonema /**c**/, all'interno di parola, in sardo non si raddoppia mai: **pecadu** = *peccatum* (peccato), sebbene in latino la **c** velare sia raddoppiata.

LE 5 CONSONANTI CHE IN SARDO ALL'INTERNO DI PAROLA NON SI RADDOPPIANO MAI

/**c**/ pecadu (peccato)	/**f**/ ufitziu (ufficio)	/**p**/ pipare (pipare)	/**t**/ detadu (dettato)	/**v**/ avisu (avviso)

2.9 LA VOCALE PARAGOGICA

La vocale paragogica è quella vocale che si appoggia ad una consonante quando alla fine delle frase la parola finisce con una pausa. Il sardo, per eufonia, nella lingua parlata, ripete la stessa vocale che trova nella sillaba precedente della chiusura:

sinn**oso** - sinnos = *signos* (segni); lèper**ese** - lèperes = *lepores* (lepri);

àmb**a**sa - ambas = *ambas* (entrambe); beni**ti** - benit = *venit* (viene).

La vocale paragogica non fa muovere l'accento, ma ingrandisce di una sillaba la parola interessata:

càntat**a** = *cantat* (canta); tènet**e** = *tenet* (tiene); frànghen**e** = *frangent* (affrancano).

La terza persona singolare del verbo essere esce in latino come in sardo con la desinenza **-t**: es**t** (è). Nella lingua parlata, però, alla fine della frase si aggiunge alla **-t** finale una vocale paragogica, **-e** in logudorese (est**e**) e **-i** in campidanese = est**i**, che hanno la stessa desinenza greca: ἐστί (est**i**).

La vocale paragogica è ammessa in sardo in quelle parole che finiscono con l'accento nell'ultima sillaba, dal momento che, sia in sardo che in latino, è valida la regola della **baritonesi**, ovverosia che l'accento non può cadere nell'ultima sillaba. Esempio:

però = peroe, *già* = giai, *chissà* = chissai, *colà* = cuddae.

Nella lingua scritta sarda, di qualsiasi variante, la vocale paragogica non si adopera mai. Pertanto scriveremo in **sardo comune** sempre:

cantat, benit, tenet, franghent.

Nella forma scritta del latino e del sardo la vocale paragogica non compare mai, segno che la lingua scritta era ben codificata.

2.10 LA VOCALE "I" PROSTETICA

La **i- prostetica** è quella vocale che si aggiunge all'inizio di parola alla **-s- impura**, ossia seguita da un'altra consonante:

Ispagna = *hispānĭa* (spagna), **i**stòria = *histŏrĭa* (storia), **i**sco = *hisco* (so), **i**spidu = *hispidum* (spiedo).

Nel **sardo meridionale**, la **i- prostetica** viene utilizzata nella parlata solo quando è preceduta dalla consonante **-s**, come quando s'incontra con l'articolo **is** (i, le): <u>is iscolas</u> (le scuole); poiché in altri casi non viene pronunciata: <u>sa scola</u> = *schola* (la scuola). L'elisione della **-i** prostetica è un fattore relativamente recente, poiché in alcuni centri del Campidano i vecchi ne ricordano l'impiego.
In **sardo comune**, però, deve essere sempre rappresentata: s'<u>iscola</u> (la scuola).

La **i-** prostetica insieme alla **-s-** impura in latino è stata trasformata in **-ex-**, di sicuro per farla avvicinare a quella greca **ἐξ** (ex). Nella maggior parte dei casi la particella oppositiva **is-** viene dal prefisso **dis-**, come negli esempi che seguono, pertanto non può avere origine dalla particella greca **ἐξ**:

B: **is**ballo = ***ex****ballisto* (sbaglio); **is**bentro = ***ex****entĕro* (sventro). **C**: **is**carco = ***ex****calceo* (scalcio); **is**cavo = ***ex****cavo* (scavo); **is**chido = ***ex****cīdo* (sveglio); **is**chito = ***ex****cĭto* (riscatto); iscoto = ***ex****coctĭo* (scuocio); **is**còrgio = ***ex****cŏrĭo* (scuoio); **is**cudo = ***ex****cūdo* (picchio); **is**curro = ***ex****curro* (scorro); **is**cuso = ***ex****cūso* (scuso); **is**cùtzio = ***ex****cŭtĭo* (spolvero). **D**: **is**deosso = ***ex****dorsŭo* (spolpo). **F**: **is**fògio = ***ex****fŏlĭo* (sfogio). **I**: **is**timo = *existĭmo* (stimo); **is**giuro = ***ex****iūro* (spergiuro); **O**: **is**ogro = ***ex****ŏcŭlo* (cavo gli occhi); **is**osso = ***ex****osso* (disosso); **P**: **is**prammo = ***ex****palmo* (spalmo); **is**peto = ***ex****pecto* (aspetto); **is**peso = ***ex****pĕdĭo* (dispenso); **is**pendo = ***ex****pendo* (spendo); **is**pedo = ***ex****pĕto* (spedisco); **is**peto = ***ex****pecto* (aspetto); **is**pilo = ***ex****pilo* (spelo); **is**pio = ***ex****pĭo* (spio); **is**prico = ***ex****plĭco* (spreco); **is**pòrgio = ***ex****pŏlĭo* (spoglio); **is**primo = ***ex****prĭmo* (esprimo); **is**punno = ***ex****pugno* (espugno); **is**pargo = ***ex****pergo* (spargo); **is**piro = ***ex****pīro* (spiro). **S**: **is**cribo = ***ex****scribo* (scrivo); **is**sico = ***ex****sicco* (essicco); **is**surdo = ***ex****surdo* (assordo); **is**orvo = ***ex****solvo* (sciolgo). **T**: **is**tirpo = ***ex****tirpo* (estirpo); **is**to = ***ex****to* (sto); **is**terro = ***ex****terrĕo* (distendo); **is**tuddo = ***ex****tollo* (tirare su); **V**: **is**pòporo = ***ex****vāpōro* (evaporo).

In latino, in qualche caso, come in ***ex****istimo* (stimo), è stata aggiunta la particella ***ex*** a ***istimo***, che è già oppositiva, dal momento che vuol dire **non timo** (non temo) = **is-timo**.
Ad **iscribo** (scrivo) è stata posta la consonante **-s-** dopo il prefisso ***ex*** di **ex*s*crĭbo**, ripetendo la **-s-** già contenuta nella particella **ex-**.

Come si è visto dagli esempi, quasi tutte le particelle latine **ex-** corrispondono alla **i-** prostetica sarda o alla contrazione **-is** del prefisso oppositivo **dis-**, dimostrando la piena corrispondenza tra il latino e la lingua sarda.

2.11 ADATTAMENTO DEL SARDO AD ALTRE LINGUE

Come ciascuna lingua, il sardo tende ad **adattare** e **mutare le parole straniere** che entrano nel suo lessico.

2.11.1 CE, CI, CIA, CIO, CIU

Le parole che per lo più vengono dall'italiano e tengono all'inizio o all'interno il suono affricato palato-alveolare sordo [**tʃ**]: **/ce/**, **/ci/**, **/cia/**, **/cio/**, **/ciu/**: **ce**rtificato, **ci**nema, **cio**ccolato, **ciu**ffo, ecc. vengono adattate con il suono affricato alveolare sordo [**ts**]: **/tze/**, **/tzi/**, **/tzia/**, **/tzo/**, **/tzu/**:

tzertificadu, **tzì**nema, **tzo**culate, **tzu**fu.

In latino, come abbiamo visto, il suono affricato alveolare sordo [**ts**] viene tradotto in sardo con la **/c/** velare. Nella variante sarda meridionale il suono affricato alveolare sordo è utilizzato all'inizio di parola in corrispondenza di quello velare della parlata sarda centro settentrionale. Esempio: (venerdì) **che**nàbura (L, M) = **ce**nàbura (C).

Pertanto la **/ce/**, quando non è seguita da altra vocale, tiene in latino il suono gutturale e non affricato. Esempio: ***ce*rtificatu** (certificato) si dovrebbe leggere ***che*rtificatu** e non ***tze*rtificatu**.

In **sardo comune** le parole con suono palato alveolare [**tʃ**], **/ci/**, **/ce/** che vengono da lingue straniere sono tradotte con il suono affricato alveolare sordo [**ts**], **/tze/**, **/tzi/**.

Il "chertificadu" è un documento originato da un ***che*rtu** (lite) o ***che*rtamentu**, in latino ***ce**rtamen*, ufficializzato: **chert-uficatu** (lite ufficiata).

Se andiamo a pronunciare la parola *exceptiōne*, con le regole che abbiamo già visto, la leggiamo **ischetzione**, da "ischietu", uno che non è "calmo", ma siamo abituati a chiamarla in sardo **ecetzione** e non possiamo creare una cacofonia dicendo **etzetzione**.

Quando nella stessa parola troviamo il suono palato alveolare sordo [**tʃ**] **/ci/**, che dobbiamo mutare in suono affricato alveolare sordo [**ts**] **/tzi/**, insieme ad un altro alveolare sordo, per non produrre una cacofonia, ossia un suono sgradevole, il fonema /**ce**/ o **/ci/** viene lasciato come è in latino. Esempio: **eserc*ì*tziu** = *exer**c**itatione* (esercitazione); ecetzione = *ex**ce**ptiōne* (eccezione).

2.11.2 GE, GI, GIA, GIO, GIU

Le parole che tengono all'inizio e al proprio interno il suono affricato palato-alveolare sonoro [**dʒ**] vengono per lo più dall'italiano, oramai entrato con certi termini nella lingua sarda parlata.

Esempio: **/ge/ ge**nerale = ***ge**nerāle* (generale); **/gi/ gi**gantescu = ***gĭ**gantēus* (gigantesco); sebbene, per regola, si dovrebbe leggere in sardo ***ghe*nerale** e ***ghi*gantescu**.

Altra questione è invece il suono affricato palato alveolare che viene dalla **i+vocale** latina ad inizio di parola che, come si vede, in **sardo comune** forma un trigramma, come in italiano:

/gia/ gianna = ***ia**nua* (porta); **/gio/ gio**gu = ***iŏ**cum* (gioco); **/giu/ giu**stu = ***iu**stum* (giusto).

2.11.3 GLI + VOCALE

Le parole che generalmente vengono dall'italiano e tengono al proprio interno il suono laterale palatale [ʎ] - /**gli**/: ***foglio***, in latino ***fŏlium***, vengono adattate di solito con il fonema laterale alveolare lungo [l] - /**ll**/ seguito da vocale: fò**ll**iu = *fŏlium* (foglio).

Ma, secondo le regole che abbiamo visto, questo sostantivo si dovrebbe leggere in sardo: fol**z**u (L), fòl**gi**u (M), follu (C).

In **sardo comune** se lo leggiamo fò**lgi**u produciamo una cacofonia, pertanto lo pronunceremo "fòlliu".

2.11.4 GN + VOCALE

Le parole che tengono al proprio interno il suono nasale palatale [ɲ] - /**gn**/:

ma**nn**u = *ma**gn**um* (grande); re**nn**u = *re**gn**um* (regno); pu**nn**a = *pu**gn**a* (battaglia); li**nn**a = *li**gn**a* (legno).

vengono a volte adattate allo stesso fonema italiano [ɲ] - /**gn**/, come nell'esempio di *magnum*. Ma, secondo la regola già vista, trattandosi quella **-g-** di una consonante che raddoppia la **-n-**, dobbiamo scriverla e leggerla con la doppia -**nn**- del fonema nasale alveolare lungo [n] - /**nn**/ = manna.

Occorre però stare attenti alle parole che si somigliano, poiché in sardo, ad esempio, **cumpà*ngi*u** (compagno), da *cum panneum*, si scrive con il trigramma **ng+vocale** e non con quello **gn+vocale**: Trattandosi di una -**e**- che in origine era una -**i**- consonantica: *cum pannium* (dello stesso stendardo), si dovrebbe leggere "cumpan**z**u".

Per il nome della Sardegna, ossia in sardo Sardigna, come abbiamo già detto, si fa un'eccezione e si usa il fonema nasale palatale [ɲ] - /**gn**/ per: **Sardi*gn*a**.

2.11.5 SCE - SCI

Le parole che nella maggior parte dei casi provengono dall'italiano e che cominciano con **sce**-, **sci**- aggiungono in sardo la **i**- prostetica: iscena (scena), isciare (sciare).

In latino arcaico il nesso consonantico **sc+vocale** veniva pronunciato allo stesso modo del sardo comune con la /**c**/ velare: ***scena*** = **ischena**.

Pertanto, in **sardo comune** utilizzeremo il trigramma /**sce**/, /**sci**/ con la -**i** prostetica per rappresentare il suono [ʃ].

REGOLE DEL SARDO COMUNE

ce- ci- cia- cio- ciu- tze- tzi- tzia- tzo- tzu-	*certificato* **che**rtificadu	*cinema* **tzì**nema	*provincia* provìn**tzia**	*cioccolato* **tzo**culate	*ciuffo* **tzu**fu
ge- gi- gia- gio- giu ge- gi- gia- gio- giu	*genio* **gè**niu	*gingillo* **ghi**nghillu	*giara* **gia**ra	*gioco* **gio**gu	*giusto* **giu**stu
gli+vocale ll+vocale	*ventaglio* ventà**lliu**	*foglio* fò**lliu**	*maglia* mà**llia**	*canaglia* canà**llia**	*intaglio* intà**lliu**
gn+vocale nn+vocale	*degno* dì**nnu**	*regno* re**nnu**	*impegno* impi**nnu**	*contegno* cunti**nnu**	*carogna* carò**nnia**
sc- sce- sci- scio- sciu isce- iscia- iscio- isciu	*scienza* **iscièn**tzia	*scena* **isce**na	*sciupato* **isciu**padu	*sciopero* **isciò**peru	*sciare* **iscia**re

3. LA PUNTEGGIATURA

3.1 LE LETTERE DELL'ALFABETO

Si dicono **lettere** (in latino *littĕras*, che in antichità significava "tavolette", poiché si scriveva su tavolette di legno) tutti i segni grafici che una lingua utilizza per rappresentare con la scrittura i suoni. Ogni lingua mette insieme tutte le lettere in un gruppo ordinato che si dice alfabeto, dal nome delle prime due lettere dell'alfabeto greco (la **α = alfa**, e la **β = beta**).

L'alfabeto della lingua sarda contiene ventidue lettere:

a, b, c, d, e, f, g, h, i, j, l, m, n, o, p, r, s, t, u, v, x, z.

L'alfabeto della lingua latina contiene ventitre lettere:

A, B, C, D, E, F, G, H, I, K, L, M, N, O, P, Q, R, S, T, U, X, Y, Z.
a, b, c, d, e, f, g, h, i, k, l, m, n, o, p, q, r, s, t, u, x, y, z.

I Romano-Latini utilizzavano le lettere maiuscole, poiché le minuscole sono comparse nel Medioevo.

3.2 LA PUNTEGGIATURA

Scopo della **punteggiatura** è quello di aiutare chi legge a comprendere quello che c'è scritto, come se la lingua fosse parlata. Sono segni della punteggiatura il punto (.), la virgola (,), il punto e virgola (;), i due punti (:), il punto interrogativo (?), il punto esclamativo (!), le virgolette («"»"), le lineette (_-), i punti di sospensione (...) e le parentesi [()].

Il **punto**, che si chiama anche punto fermo, è il segno di punteggiatura che indica la pausa più lunga. Per questo motivo viene sempre impiegato quando si completa una frase, anche se molto corta, o un periodo, anche se molto lungo, purché la frase o il periodo non siano interrogativi o esclamativi.

La **virgola** serve ad indicare una pausa molto veloce. In questo senso si usa sempre nelle "enumerazioni", ossia quando si elencano alcuni nomi:

Ho visto un telefilm, un documentario, una partita di pallone, la pubblicità e ne sono rimasto soddisfatto.

La virgola si usa per dividere elementi della frase che hanno valore aggiuntivo:

Ieri, siamo andati al mare. Maria e Giovanni, ieri, sono andati al mare.

La virgola si usa per dividere le frasi in un periodo. In particolare divide le frasi coordinate introdotte da "ma", "però", "invece", "se", "nonostante":

L'ho chiamata, ma non è voluta venire.

Il **punto e virgola** indica una pausa un poco più veloce del punto, ma più lunga della virgola, e si utilizza, nella maggior parte dei casi, quando il periodo che si sta scrivendo tende a essere troppo lungo e pertanto di difficile comprensione. Per questo, si utilizza il punto e virgola quando due frasi sono più legate tra di loro:

Siamo andati tutti al mare. Io sono giunto prima; Maria appresso a me. Gli altri hanno tardato.

I **due punti** indicano una pausa di tipo particolare, servono a precisare quello che si dice:

A Giovanni piacciono due sport: la murra e s'istrumpa.

O per spiegare le ragioni di una scelta:

Mi spiego meglio: non ti presterò più la mia moto.

C'è da ricordare inoltre che i due punti si adoperano prima di un discorso diretto:

Ha bussato e ha detto: «Posso entrare?».

Il **punto interrogativo**, come dice la stessa parola, serve a concludere una domanda o una richiesta:

Dove andiamo oggi? Cosa stai facendo?

Il **punto esclamativo** si utilizza per indicare nella lingua scritta una precisa intonazione di voce, quella che accompagna l'entusiasmo, lo spavento, il dispiacere, la disavventura:

Che bella giornata oggi! Maledetto il peccato!

Le **virgolette alte** si utilizzano per mettere in rilievo determinate parole o il titolo di un'opera:

La poesia "In su cuile (nella dimora di campagna)" di Montanaru è una delle più belle.

Le **virgolette laterali** basse si adoperano per incominciare e chiudere il discorso diretto. Quando si usano le virgolette laterali alte non si utilizza il corsivo, che si può mettere in quelle laterali:

È entrato diritto a casa e mi ha detto: «Chi ha dato fuoco all'abbeveratoio?»

Le **lineette**, chiamate anche trattini, servono ad indicare un inciso all'interno di un discorso diretto:

Dopo ha continuato a dire: «Sto scherzando - l'abbeveratoio non prende fuoco - ma qualcuno ancora ci crede»

I **puntini di sospensione** servono per fare comprendere qualcosa che non si vuole dire:

Lei è uscita fuori, mi ha dato un bacio e ...

Le **parentesi tonde** servono a chiudere qualcosa che riguarda quello che si dice e possono essere impiegate anche per contenere alcuni esempi concreti:

Sono andato a Tripoli (Libia).

Le **parentesi quadre** si utilizzano per contenere tre puntini al posto di una parte della frase, tagliata dal discorso, che non si desidera esprimere (ellissi) [...]. Si adoperano anche quando occorre dare una spiegazione tecnica [dal greco ...]:

C'era da dargli un calcio nel [...].; gli è caduto il capitello [latino = *capitĕllum*] in testa.

I Romano-Latini non usavano segni di interpunzione, se non qualche volta un punto centrale alla fine di un periodo.

3.3 UTILIZZO DELLE LETTERE MAIUSCOLE

I Latini utilizzavano solo le **lettere maiuscole**, le minuscole sono entrate nella scrittura nel periodo di Carlo Magno. Nel sardo le maiuscole si adoperano nei casi che seguono:

- tutte le volte che si inizia una frase o un periodo;
- sempre dopo un punto fermo (.);
- sempre dopo il punto interrogativo (?) e esclamativo (!);

- all'inizio di un discorso diretto dopo i sue punti e le virgolette;
- in tutti i nomi propri di persona;
- nei nomi geografici e topografici;
- nei nomi di popoli o che indicano abitanti di una città o di una regione;
- nei titoli di società, libri, giornali, ecc.;
- nei nomi che indicano festività religiose o civili;
- nei nomi o aggettivi che interessano la sfera religiosa;
- nei nomi di istituzioni o enti;
- nei nomi di secoli, periodi o fatti storici;
- nei nomi che indicano particolari cariche o titoli onorifici;
- nei nomi geografici che riguardano i punti cardinali;
- nelle sigle chi raggruppano diversi nomi insieme;
- come forma di rispetto quando si scrive il nome comune di personalità di una certa importanza.

3.4 LA DIVISIONE IN SILLABE

Si dice **sillaba** ogni gruppo di lettere che è stato pronunciato con un suono e che contiene almeno una vocale. La divisione in sillabe si mostra utile sia quando dobbiamo tagliare una parola a fine riga per andare a capo, sia per comprendere la metrica nella poesia. Esistono alcune regole che indicano come va fatta la divisione in sillabe.

In latino la divisione in sillabe delle parole è simile a quella del sardo: ad ogni vocale o dittongo bisogna far corrispondere una sillaba: vida = *vi-ta* (vi-ta), pòpulu = *po-pŭ-lum* (po-po-lo), pena = *poe-na* (pe-na), Chèsare = *Cae-sar* (Ce-sa-re).

Come in latino, anche in sardo, al contrario dell'italiano, la vocale finale preceduta da altra vocale tonica non è dittongo: Itàlia = *I-ta-lĭ-a* (I-ta-li-a), Sitzìlia = *Si-ci-lĭ-a* (Si-cì-li-a). Occorre ricordare che in origine la **-i-** della penultima sillaba era una consonante, la **zayin**, che già abbiamo visto nei capitoli precedenti.

Le consonanti **b**, **d**, **c**, **f**, **g**, **p**, **v** seguite da **l** o da **r** si legano alla vocale che segue: diploma = *di-plo-ma* (di-plo-ma), tèmplu = *tem-plum* (tem-pi-o), pàtria = *pa-trĭ-am* (pa-tri-a), *làgrima = la-crĭ-mam* (la-cri-ma).

Negli altri casi, invece, quando in una parola ci sono due consonanti, la prima è unita alla vocale che precede, l'altra a quella che segue, con casi a volte differenti dall'italiano: annu = *an-num* (an-no), Mannu = *mag-num* (ma-gno, grande).

In latino, nel digramma ***qu+vocale***, e spesso anche in ***gu+vocale***, la **-u-** non viene considerata vocale, poiché è consonante, e il suono è unico: inicu = *i-ni-quus* (i-ni-quo), ebba = *e-qua* (cavalla).

Le parole composte, diversamente dall'italiano, si dividono in sillabe a seconda degli elementi con cui sono formate: agiaju = *ab-a-vus* (nonno), ispingo suta = *su-bi-go* (spingo sotto).

- **Vocali**: una vocale da sola, ad inizio di parola, seguita da una consonante semplice, o anche da più consonanti, ma non doppie, è sufficiente a comporre una sillaba: ala = *a-lam* (a-la), arta = *al-tam* (al-ta), ìsula = *in-sŭ-la* (i-so-la).

In sardo, come probabilmente in latino arcaico, non esistevano i dittonghi, pertanto le vocali si pronunciavano a parte: ischèntzia = *sci-en-tĭ-am* (scien-tza); sèriu = *se-rĭ-um* (se-rio).

Come in latino, in sardo, a fine parola, le **-i-** e **-u-** dittongate formano sillaba a parte poiché, come abbiamo visto, in sillaba atona spesso sono consonanti: fi-gi-a (*fi-lĭ-am*), lè-gi-u (*le-gĭ-um*).

- **Consonanti**: come in latino, in sardo una consonante semplice forma una sillaba con la vocale che segue; le consonanti doppie si dividono in due: bellu = *bel-lum* (guerra), fodde = *fol-le* (mantice).

Sia in latino che in sardo un gruppo di consonanti fa sillaba con la vocale che segue; i gruppi di due o tre consonanti, dette digramma o trigramma (due o tre lettere), se sono composti da sorda+liquida, non si dividono mai: supra = *su-pra* (sopra); astru = *a-strum* (astro); pa-dre = *pa-trem* (padre).

La **s impura**, insieme alla consonante che l'accompagna, forma la sillaba con la vocale che segue: casteddu = *ca-stel-lum* (castello).

Quando in una parola c'è un prefisso come **bis**-, **dis**-, si può scegliere: o si stacca il prefisso o si seguono le regole normali. Esempi: bistratadu = *bis-trac-ta-tum* (bistrattato) o bi-stra-ta-du; disgiuntu = *dis-iun-ctum* (disgiunto) o di-sgi-un-tu. Occorre stare attenti, perché la ***-i-*** di ***-i****unctum* è una zayin.

3.5 L'ACCENTO

3.5.1 LA LEGGE DEL TRISILLABISMO E DELLA BARITONESI

Accento ha la sua radice in "***acies***", che significa "punta, acume", proprio come il sardo "**atza**". L'accento cade sulla sillaba di quella parola in cui la voce è più forte. La sillaba su cui cade l'accento si chiama sillaba tonica, mentre le altre si chiamano atone. A seconda di dove cade l'accento distingueremo le parole in:

- **tronche** - se l'accento cade sopra la vocale dell'ultima sillaba: caff**è**. In latino e in sardo l'accento non cade mai sull'ultima sillaba (**legge della baritonesi**). Solo in qualche vocabolo straniero, come ad esempio **tè**, l'accento cade sull'ultima sillaba. C'è qualche parola che tiene s'accento sull'ultima sillaba, come ***il-lìc***, ma si tratta di parole che hanno subito l'apocope nella particella dimostrativa ***ce***, ***il-li-ce***, che troviamo in sardo **id-da-che**. Il sardo mantiene l'accento nell'ultima sillaba in qualche caso, come ad esempio in: **vostè / bostè**, in latino **voster**, ma anche qui in origine sarà stata presente una sillaba finale.

- **piane** - se l'accento cade sulla vocale della penultima sillaba, come in a-**mì**-gu = *a-**mī**-cum* (amico);

- **sdrucciole** - se l'accento cade sulla vocale della terzultima sillaba: **mè**-ri-tu = ***me***-*rĭ-tum* (merito);

- **bisdrucciole** - se l'accento cade sopra la vocale della quart'ultima sillaba: **mà**-ndi-ga-lu = *ma-ndŭ-ca il-lum* (mangialo). In questo caso, però, come si vede, alla parola è stata aggiunta la particella dimostrativa -**lu**. Pertanto, togliendo questa, l'accento, come in latino, non sale mai oltre la terzultima sillaba (**legge del trisillabismo**).

Il segno che indichiamo per la vocale della sillaba tonica prende il nome di **accento grafico**. Nella lingua sarda non si mette l'accento sopra le vocali toniche piane, mentre si deve indicare sempre su quelle tronche e sdrucciole.

Nell'indoeuropeo l'accento era in prevalenza musicale ed era libero, ovverosia poteva cadere in qualunque vocale. Si è molto discusso se l'accento latino fosse stato musicale, come quello greco, e la gran parte degli esperti hanno detto che l'accento latino era un accento intensivo che, forse, negli anni prima e dopo Cristo sia diventato anche musicale per influenza del greco.

La regola base per l'accentazione delle parole latine, come per quelle sarde, è molto semplice e può essere dettata in questa maniera: l'accento sulla parola cade sempre nella penultima sillaba se questa è lunga; se è corta, invece, cade nella terzultima sillaba. Questa norma di chiama **legge della penultima**.

Come si comprende dalle regole appena viste, la difficoltà sta prima di tutto nel riconoscere la quantità (corta o lunga) della penultima sillaba: per cui è fondamentale un'attenta consultazione del vocabolario.

In latino, come in sardo, quando a una parola segue una particella atona (enclitica), ad esempio la congiunzione **-que** (e, che), l'accento si muove sopra la sillaba che precede l'enclitica, indipendentemente dalla sua quantità: che su pòpulu = *populùs**que*** (e il popolo, come il popolo).

I grecismi mantengono la quantità originaria. Esempio: *academīa* e non accad**è**mia.

La **consonante x**, che è doppia come la sarda **ss**, allunga la sillaba che la precede. Esempio: currèghere = *corre**x**i* (perfetto di *corrigo* = correggere) allunga la sillaba che la precede facendo cadere lì l'accento.

In più, l'accento si muove alla terzultima sillaba nelle parole composte quando la vocale /**i**/ (per metafonesi) prende il posto della /**a**/ o della /**e**/ corte e chiude la sillaba. Esempio: sustenes = *sustĭnes* (sostiene).

Infine, possiamo dire che in sardo, e probabilmente anche nel latino arcaico, quello che fa chiudere o aprire le vocali è la regola della **metafonesi**, in cui le vocali /**i**/ e /**u**/ chiudono o aprono le vocali /**e**/ e /**o**/. Esempio: **tènnere** (tenere) tiene tre sillabe aperte, mentre **tènneru** (tenero) per influsso della vocale **u**, le tiene chiuse. Per questo, nella parola italiana ***tenère*** (tènnere) l'accento si è mosso dalla terzultima alla penultima sillaba.

Per concludere, abbiamo visto negli esempi che il latino tiene l'accento circonflesso nella sillaba che segue quella tonica quando questo sale alla terzultima sillaba, mentre lo mette piano quando questo rimane sulla penultima sillaba con vocale lunga. Esempio: l**è**ghere = *legĕre* (l**è**ggere), ammunìre = *monēre* (ammonire).

3.6 L'ELISIONE E L'APOSTROFO

Se l'accostamento tra due vocali produce un incontro lento di suoni, noi facciamo fuori la vocale finale atona di una parola quando questa è seguita da un'altra che incomincia per vocale. Al posto della vocale che cade mettiamo un segno che chiamiamo **apostrofo**. Questo indica che si è fatta un'elisione, in latino ***elidĕre*** = fare fuori, eliminare.

Nella **lingua sarda l'elisione è consentita solo** nei casi che seguono:
- Negli articoli determinativi singolari, femminili e maschili, **sa** (la) e **su** (il): **s'**àmada = *ipsa ămāta* (l'amata); **s'**òmine = *ipsum homĭnem* (l'uomo).

- Negli articoli indeterminativi singolari, femminili e maschili, **una** (una) e **unu** (un, uno): **un'**amada = *una ămāta* (un'amata); **un'**òmine = *unum homĭnem* (un uomo).

- Nei pronomi atoni singolari, **mi**: **m'**abberit = *me aperit* (mi apre); **ti**: **t'**indito = *te indĭco* (ti indico); **lu**: **l'**intono = *eum intŏno* (lo intono); **ddu**: **dd'**incanto = *eum incanto* (lo incanto).

- Nelle particelle pronominali monosillabiche, **nde**: **nd'**apo tentu = *tenuit* (ne ho preso); **che**, **ch'**est = *illuc est* (vi è).

L'elisione della vocale **non è consentita** nei seguenti casi: tra le forme composte dei verbi: **ap'**àpidu (ho avuto); tra aggettivi e sostantivi: **bell'**animale (bell'animale); nella preposizione **de** (di): binu **'e** chentina (vino di cantina); e in tutti i casi non citati prima.

In latino non esistono le elisioni che abbiamo visto prima per il sardo e l'italiano, ma si ha elisione (senza apostrofo) solo nella consonante /**d**/ della preposizione **ad**, che indica moto a luogo, quando questa è seguita da una consonante, e in qualche altro caso simile.

3.7 L'AFERESI

Si ha l'**aferesi** (dal greco ἀφαίρεσις) quando una vocale o una sillaba a inizio di parola viene tagliata. Esempio: *ipsos* (gli) in sardo è diventato **sos**, tagliando la **ip-**. In sardo l'aferesi è frequente nelle consonanti **b**, **f**, **g**, **c** quando queste nel parlato sono precedute da una parola che termina per vocale: su 'inu = su **b**inu (il vino), sa 'emina = sa **f**èmina (la donna), su 'atu = su **g**atu (il gatto), su 'asu = su **c**asu (il formaggio).

3.8 IL TRONCAMENTO

Con il **troncamento** si indica la caduta di una vocale o di una sillaba finale di una parola davanti ad un'altra parola che può cominciare sia con vocale sia con consonante.

Nella lingua sarda parlata è frequente il troncamento in corrispondenza dei verbi della seconda coniugazione **-ere**: poder' bìdere = pòdere bìdere (poter vedere), fagher' linna = fàghere linna (fare legna), ecc.

In latino, rispetto al sardo, è frequente il troncamento nei sostantivi della terza declinazione. C'è troncamento anche nel pronome ***illic***, che in forma completa è ***illice***.

Nel sardo parlato si ha anche troncamento nella terza persona plurale dei verbi: **an'** tentu = ant tentu (hanno tenuto), **sun'** andados = sunt andados (sono andati), ecc.

Nella lingua **sarda scritta**, per rispettare il criterio della scrittura in forma completa, non si usa mai il troncamento. Pertanto si scriverà: pòdere bìdere (poter vedere), fàghere linna (fare legna), at tentu (ha tenuto), sunt andados (sono andati).

3.9 L'APOCOPE

L'**apocope** (dal greco *apocopto* = tagliare) indica la caduta di una vocale o di una sillaba senza tenere in considerazione l'incontro con un'altra parola: **mi!** al posto di **millu!** (eccolo) o di **mira!** (guarda); **ca!** al posto di **càspita**! (caspita).

L'apocope è presente in latino in alcune parole: ***illìc***, ***illùc***, ***illàc*** (in cube, in cudda[ch]e = lì, là, colà), originariamente ***illìce***, ***illùce***, ***illàce***.

L'apocope è frequente anche nei nomi di persona: **Giusè! Frantzì! Giuà!** al posto di Giusepe! (Giuseppe), Frantziscu! (Francesco), Giuanne! (Giovanni).

3.10 LA SINCOPE

La **sincope** (dal greco *syn koptein* = tagliare) è la caduta di uno o più fonemi all'interno di parola. Esempio: **a**[g]**era**, in latino e in logudorese è scritta nello stesso modo, ma in nu[g]orese è scritta in forma piena: **àghera**. Così come **rù**[gh]**ere** in latino e in logudorese è scritto nella stessa maniera, ma in nu[g]orese mantiene la forma piena. In questi casi il fonema /**gh**/ è stato sincopato.

L'ELISIONE, L'AFERESI, IL TRONCAMENTO, L'APOCOPE, SA SINCOPE

ELISIONE	AFÈRESI	TRUNCAMENTU	APÒCOPE	SÌNCOPE
s'ànima = **sa** ànima (l'anima)	su **'inu** = su **b**inu (il vino)	poder' = pòdere (potere)	mì! = mi**llu**! (eccolo)	à**gh**era = aera (aria)

4. L'ORTOGRAFIA

L'**ortografia** (dal greco ορθογραφία) è lo studio della scrittura normale e corretta. La **grafemica** (dal greco γραφηματικές) studia le regole per utilizzare correttamente la grafia di una lingua. Avere una sola forma grafica è un'esigenza di ogni lingua. Dal momento che la lingua parlata corre più velocemente di quella scritta, a volte una con combina con l'altra.

4.1 L'ORTOGRAFIA

Una forma sola grafica delle parole. Nasce da qui la necessità di apprendere norme che regolano in modo preciso come scrivere le parole. In latino, non essendoci parlanti, la lingua si legge come si scrive. In sardo, invece, si scrive:

isboidare (svuotare), iscuru (scuro), isdentadu (sdentato), isfogiare (sfoggiare), disganadu (svogliato), islumbadu (sfiancato), ismentigare (dimenticare), isnudare (spogliare), isperare (sperare), sebbene la **–s-** impura possa essere pronunciata, a seconda dei casi, come **r**, **l**, **n**, ecc.: irmentigare, ildentare, iffogiare, illumbare, ecc.

4.1.1 LA LETTERA -T DELLA COPULA "EST" E DELLA TERZA PERSONA PLURALE DEI VERBI

La lettera **–t** della copula, quando è seguita da un'altra parola che inizia per consonante, in certe parlate sarde cade o muta in **r**, **l**, **n**, ecc.: er' benende (sta venendo), es' benende (sta venendo). Nella scrittura si deve sempre mettere: **est** benende (sta venendo), **est** làngiu (è magro), **est** nàschidu (è nato), ecc.

La lettera **–t** della terza persona plurale dei verbi in molte parlate non viene pronunciata: sun' andende (stanno andando), sun' colende (stanno passando), sun' issos (sono loro), ecc. Nella scrittura si deve sempre indicare: **sunt** andende (stanno andando), **sunt** colende (stanno passando), **sunt** issos (sono loro), ecc.

4.1.2 LA VOCALE PARAGOGICA

Quando nel sardo parlato c'è una pausa nella frase a causa di un punto, l'ultima lettera, se è una consonante, si appoggia spesso a una vocale paragogica: Apo bidu bàtoro canes**e** (ho visto quattro cani); De cantu so apretadu no apo prus tempus**u** (di quanto sono stressato non ho più tempo), ecc. Pertanto scriveremo: Apo bidu bàtoro **canes** (ho visto quattro cani); De cantu so apretadu no apu prus **tempus** (Di quanto sono stressato non ho più tempo); ecc.

4.1.3 LE CONSONANTI CHE A VOLTE CADONO: B-, D-, F-, G-, C

Le consonanti **b-**, **d-**, **f-**, **g-**, **c-**, nella lingua parlata, quando sono ad inizio di parola, a volte si pronunciano e a volte no, a seconda della parlata: su **'**inu (il vino), su **'**onu (il dono), sa **'**emina (la femmina), su **'**atu (il gatto), su **'**asu (il formaggio). Nella scrittura si devono sempre indicare. Pertanto in sardo scriveremo: su **binu** (il vino), su **donu** (il dono), sa **fèmina** (la femmina), su **gatu** (il gatto), su **casu** (il formaggio).

4.1.4 LA LETTERA D- DELLA PREPOSIZIONE "DE" (DI)

La lettera **d-** della preposizione **de** (di), a seconda della parlata, quando è preceduta da una parola che finisce per vocale, a volte non viene pronunciata: figiu 'e mama (figlio di mamma), binu 'e supressa (vino di pressa), sonu 'e canna (suono di canna). Nella scrittura si deve sempre mettere. Pertanto in sardo scriveremo: figiu **de** mama (figlio di mamma), binu **de** supressa (vino di pressa), sonu **de** canna (suono di canna).

4.1.5 LE CONSONANTI DOPPIE E SINGOLE

Si scrivono doppie, oltre che singole, le consonanti **b/bb**, **d/dd**, **g/gg**, **l/ll**, **m/mm**, **n/nn**, **r/rr**, **s/ss**: sa**b**a (sapa) / a**bb**a (acqua), la**d**u (piano) / ca**dd**u (cavallo), a**g**iudu (aiuto) / a**gg**uantu (agguanto), ga**l**u (ancora) / pa**ll**a (palla), so**m**a (soma) / su**mm**a (somma), sa**n**a (sana) / pi**nn**a (penna), fo**r**a (fuori) / fu**rr**u (forno), pa**s**u (pausa) / pa**ss**u (passo).

In sardo l'utilizzo delle consonanti **c**, **f**, **p**, **t**, **v** è stato semplificato, poiché il suono di questi fonemi, rappresentati nell'Alfabeto Fonetico Internazionale, è solo e non raddoppiato. Pertanto in sardo queste consonanti all'interno di parola si scrivono da sole: ba**c**a (vacca), a**f**idu (sposalizio), pi**p**a (pipa), su**t**a (sotto), a**v**isu (avviso).

4.1.6 LA ZETA SORDA "TZ" E LA ZETA SONORA "Z"

Si utilizza la **tz** per rappresentare graficamente la **zeta sorda**: pi**tz**u (pizzo), pu**tz**u (pozzo), pupa**tz**u (pupazzo), ecc. Si utilizza la **z** per rappresentare graficamente la **zeta sonora**: immur**z**u (colazione), ru**z**u (rozzo), organi**z**are (organizzare), ecc. Né la prima né la seconda possono essere raddoppiate.

In latino sia la zeta sorda che la zeta sonora sono rappresentate graficamente dalla I consonantica + vocale. Esempio: *gratĭam* = grà**tz**ia (grazia); *in murĭo* (che significa letteralmente: prendere qualcosa dalla salamoia) immur**z**o = faccio colazione. La **Z** che conosciamo noi è entrata nell'alfabeto latino dal greco nel primo secolo avanti Cristo.

4.1.7 LA "D" EUFONICA

La **d eufonica** è quella consonante che nella lingua parlata pronunciamo tra le preposizioni semplici **in** e **cun** (con) e l'articolo indeterminativo **unu** (uno): in·**d**·unu (in uno), cun·**d**·unu (con uno).

In latino, non essendoci una lingua parlata, non c'è necessità di utilizzare la **d** eufonica. Di fatto **cun·d·una** diventa ***cum una*** o ***una cum***, con la preposizione latina ***cum*** posticipata all'articolo indeterminativo ***una***.

4.1.8 LE PARTICELLE DI NEGAZIONE "NON" E "NO"

In sardo, per una questione eufonica, si utilizza la particella di negazione **non** quando la parola che segue comincia con consonante; si utilizza invece la particella **no** quando la parola che segue comincia con vocale. Nella negazione assoluta o si scrive **no!** o **nono!**

4.1.9 LE CONGIUNZIONI "NE" E "NEN"

La congiunzione **ne** (né) si utilizza quando la parola che segue comincia con vocale; la congiunzione **nen** si adopera quando la parola che segue inizia per consonante: Maria no est **ne** isbaidora **nen** bratzifalada (Maria non è né spendacciona né poltrona).

4.1.10 LA SEMICONSONANTE -J-

La semiconsonante **–j-** è utilizzata solo all'interno di parola, tranne nel caso di nomi geografici o di persone straniere, in cui si può usare all'inizio: messa**j**u (massaio), ma**j**u (maggio), **J**ugoslavia (Iugoslavia), **J**uan (Giovanni), **J**anas (Janas), ecc.

4.1.11 DOVE SI USA LA LETTERA "H"

La lettera **h** si usa solo insieme alla **c** e alla **g**, seguita dalle vocali **e** ed **i**, per rappresentare il suono velare o gutturale. Esempio: pis**che** (pesce), in**ghì**riu (ruotare intorno), ecc. In alcun modo deve essere utilizzata nel verbo **àere** (avere). Pertanto scriveremo: **at** (ha) e **ant** (hanno). Nel latino arcaico la lettera **h** rappresentava un'aspirazione, ma, man mano con l'andare del tempo, questa lettera è venuta ad essere muta.

4.1.12 LA LETTERA "Q" NON SI USA MAI

La lettera **q**, che in latino serve a rappresentare il suono velare, come nella parola ***q**uadrum* = **c**uadru (quadro), in sardo non si utilizza in alcun modo. Lo stesso suono viene rappresentato nella scrittura con il grafema **c**: **c**uadru (quadro).

4.1.13 LA VOCALE ACCENTATA A FINE PAROLA

Nella lingua parlata, il sardo come il latino non mette mai l'accento sull'ultima sillaba, seguendo la regola della **baritonesi**. In qualche parola accentata, per dare rispetto alla legge della baritonesi, il sardo fa seguire alla vocale tonica un'altra vocale atona. Esempio: **già** diventa **giai**; **però** viene ad essere **peroe**; **chissà** diventa **chissai**.

4.1.14 LE PARTICELLE PRONOMINALI ATONE ENCLITICHE MESSE DOPO IL VERBO

Le particelle pronominali atone enclitiche messe dopo il verbo devono essere divise da un puntino in modo che siano subito riconoscibili e rendere più facile la lettura della parola: imbrusciconade·mi·nde·lu (squattrinatemelo), bogade·mi·che·lu (toglietemelo), ammasetade·mi·ddu (ammansuetatemelo), ecc.

4.1.15 LE CONSONANTI CHE A VOLTE MUTANO SUONO

In sardo, le consonanti che nella lingua parlata ad inizio di parola mutano suono sono per lo più quelle di suono sordo quando sono intervocaliche (precedute da una parola che finisce per vocale): [c] **c**asu (formaggio), **c**hena (cena): occlusiva velare; [f] **f**ritu (freddo), **f**urru (forno): fricativa labio-dentale; [p] **p**ane (pane), **p**ira (pera): occlusiva bilabiale; [t] **t**ale (tale), **t**ronu (trono): occlusiva dentale; [dʒ] **g**ianna (porta), **g**iu[g]ale (giogo): affricata palato-alveolare. Nella lingua scritta devono rimanere così come sono.

Queste consonanti non mutano invece suono quando sono precedute da un'altra consonante o dalle preposizioni **a** (a) e **intre** (tra), dalla congiunzione **e** (e), dalla particella **ne** (né) e dalla negazione **non** (non). Quando questi fonemi si trovano all'interno di parola, se mutano, mutano in suono del tutto differente.

4.1.16 RADDOPPIAMENTO DELLA -R- CON PROSTESI VOCALICA.

In sardo campidanese si ha il raddoppiamento della **-r-** ad inizio di parola con prostesi vocalica nelle parole che iniziano per **r-**. Esempio: il logudorese "ruju", in latino *ruber* (rosso), diventa in campidanese "**arr**ùbiu". Tale fenomeno è presente anche in greco antico: **ἐ**ρυθρός (eruthros), che significa "rosso". Il raddoppiamento della **-r-** con prostesi vocalica è ancora più evidente in ῥίπτω (ripto) → ἔρριπτον (erripton).

4.1.17 L'IMPIEGO DI "FINTZAS (ANCHE)" E DI "FINAS (FINO)"

In sardo a volte si confondono **fintzas (anche)** congiunzione, quando esprime valore di compagnia o di affermazione, con **finas (fino)** preposizione, quando indica la distanza per raggiungere un luogo o il tempo. Pertanto è bene scrivere **fintzas** (anche) quando si tratta di congiunzione e **finas** (fino) quando si tratta di preposizione impropria.

Si possono riconoscere una dall'altra perché **finas** (fino) è sempre seguita dalla preposizione semplice **a**, **fintzas** no. Esempio: è venuto **anche** (**fintzas**) lui alla festa. Non cercarmi **fino a** (**finas a**) domani.

4.1.18 L'UTILIZZO DI "LÒMPERE (COMPIERE)" E DI "GIÒMPERE (GIUNGERE)"

Si usa **lòmpere** (*complĕre* = compiere) quando l'azione espressa dal verbo indica moto a luogo, seppure figurato. Esempio: devo **compiere** (**lòmpere**) diciotto anni. In origine, probabilmente, la forma latina era "clompere" poiché in sardo nu[g]orese esce con "crompere", trasformando la liquida "l" in "r", quando in logudorese la consonante "c" ad inizio di parola se seguita da una liquida non si pronuncia (lòmpere).

Si adopera **giòmpere** (*iungĕre* = giùngere) quando l'azione espressa dal verbo indica moto da luogo, sebbene figurato. Esempio: ho **compiuto** (**giòmpidu**) diciotto anni.

4.1.19 I NESSI CONSONANTICI: CR, PR, GR, FR, RC, RG, RP, RT

I nessi consonantici che in latino e in logudorese comune escono in: **cl-** (***cl**arum* = chiaro), **pl-** (***pl**enum* = pieno), **-cl-** (*ocŭlum* = occhio), **fl-** (***fl**ore* = fiore), **-lc-** (*fa**lc**e* = falce), **-lg-** (*a**lg**a* = alga, mondezza), **-lp-** (*cu**lp**a* = colpa), **-lt-** (*a**lt**um* = alto), e che nella variante sarda settentrionale mutano in:

gi- (**gi**aru), **pi-** (**pi**enu), **-j-** (o**j**u), **fi-** (**fi**ore), **-lc-** (fa**lc**he), **-lg-** (a**lg**a), **-lp-** (gu**lp**a), **-lt-** (a**lt**u),

nelle parlate centro-meridionali, con la rotacizzazione della consonante liquida /**l**/ in /**r**/, abbiamo i nessi consonantici che seguono:
cr- (**cr**aru), **pr-** (**pr**enu), **-gr-** (o**gr**u), **fr-** (**fr**ore), **-rc-** (fa**rc**he), **-rg-** (a**rg**a), **-rp-** (gu**rp**a), **-rt-** (a**rt**u).

In **sardo comune** si è scelto di utilizzare i nessi consonantici rotacizzati della **l** latina e logudorese nella **r** sardo nu[g]orese e campidanese.

Nella tabella che segue mostriamo alcuni nessi consonantici che mutano la consonante liquida **L** in un'altra consonante liquida **R**. Danno risposta alla stessa regola anche i nessi consonantici che seguono: **lb** = **rb**; **ld** = **rd**; **lf** = **rf**; **lv** = **rv**; **lz** = **rz**; **bl** = **br**; ecc. Esempio: *speculum* (specchio) = ispi**cr**u.

NESSI CONSONANTICI DELLA LINGUA SARDA COMUNE COMPARATI CON QUELLI LATINI

	cr	pr	gr	fr	rc	rg	rp	rt
S I	craru (chiaro)	prenu (pieno)	ogru (occhio)	frore (fiore)	farche (falce)	arga (alga)	gurpa (colpa)	artu (alto)
L	*clarum*	*plenum*	*ocŭlum*	*flore*	*falce*	*alga*	*culpa*	*altum*
S I	crèsia (chiesa)	prànghere (piangere)	ungra (unghia)	frocu (fiocco)	carchina (calce)	mùrghere (mungere)	purpa (polpa)	sartu (salto)
L	*ecclesia*	*plangĕre*	*ungŭla*	*floccum*	*calce*	*mulgĕre*	*pulpa*	*saltum*
S I	cra[v]e (chiave)	pranu (piano)	origra (orecchio)	frùmene (fiume)	corcare (coricare)	màrghina (macina)	corpus (corpo)	sartatore (saltatore)
L	*clave*	*planum*	*auricŭla*	*flumĕn*	*collocare*	*macĭna*	*corpus*	*saltatore*
S I	cresura (chiusura)	pròere (piovere)	annigru (puledro)	froridu (fiorito)	durche (dolce)	murgore (muffa)	purpu (polpo)	fartare (sbagliare)
L	*clausum*	*pluĕre*	*annicŭlus*	*floritum*	*dulce*	*mulcore*	*polўpus*	*fallĕre*

FORME ORTOGRAFICHE CORRETTE E SBAGLIATE

CORRETTA	SBAGLIATA
I plurali escono tutti con la **-s** finale: **piras** (pere)	Non si scrive la vocale paragogica: piras**a**, melas**a**
Si scrive sempre: **isboidare** (svuotare), **iscurigare** (oscurare), **ismentigare** (dimenticare)	Non si scrive: i**b**boidare, i**r**mentigare, i**l**curigare
Le 3ᵉ persone dei verbi: **est** (è), **sunt** (sono), **at** (ha), **ant** (hanno)	Non si scrive: es, er, est**e**, sun, sun**u**, ant**i**, ana
Si scrive: **su binu** (il vino), **sa fèmina** (la donna), **su gatu** (il gatto), **su casu** (il formaggio), **deo** (io)	Non si scrive: su **'**inu, sa **'**emina, s'atu, su **'**asu, **'**eo
La preposizione **de** si scrive: **figiu de mama** (figlio **di** mamma)	Non si scrive: figiu **'**e mama
Non si raddoppiano: **baca** (vacca), **afidu** (sposali-zio), **pipa** (pipa), **suta** (sotto), **avisu** (avviso)	Non si scrive: ba**c**ca, a**f**fidu, pi**p**pa, su**t**ta, a**v**visu
La zeta sorda e la sonora: **pitzu** (pizzo), **organizare** (organizzare)	Non si scrive: pi**z**zu, organi**z**zare
Si utilizza la **-d-** eufonica in questo modo: **in·d·unu** (in uno), **cun·d·unu** (con uno)	Non si scrive: in-d'unu, cund-unu
Non si usa la **d** nella preposizione **a** e nella congiun-zione **e**: **a andare** (ad andare), **e èssere** (ed essere)	Non si scrive: a**d** andare, e**d** èssere
Le congiunzioni **ne** (né) e **nen** (né): **ne ando** (né vado), **nen torro** (né ritorno)	Non si scrive: ne**n** ando, ne torro
Le negazioni **no** e **non**: **no ando** (non vado), **non bèngio** (non vengo)	Non si scrive: no**n** ando, no bèngio
La lettera **J** all'interno e all'esterno di parola: **mas-saju** (massaio), **Jugoslavia**	Non si scrive: janna, massajju
La lettera **h**: **paghe** (pace), **pische** (pesce), **ghiare** (guidare), **chie** (chi), **ohi!** (ohi!)	Non si scrive: **h**ant, **h**at
La lettera **q** non si utilizza mai: **cuadru** (quadro), **cando** (quando)	Non si scrive: **q**uadru, **q**uando
Apostrofo: **s'ortu** (l'orto), **s'agu** (l'ago), **un'àinu** (un asino), **un'àteru** (un altro), **nd'apo** (ne ho)	Non si scrive: ap'àpidu, cust'istòria, bon'òmine
Troncamento di vocale: **dèpere** (dovere), **cùrrere** (correre), **sàmbene** (sangue)	Non si scrive: deper, currer, samben
Particelle enclitiche: **nara·bi·lu** (diglielo), **sega·nde·lu** (taglialo)	Non si scrive: narabilu, segandelu
Si scrive: **sa chena** (la cena), **su fritu** (il freddo), **sa tana** (la tana), **sa gianna** (la porta)	Non si scrive: sa **gh**ena, su **v**ritu, sa **d**ana, sa **j**anna

Cartina linguistica del Regno di Arborea (XIII secolo). Rappresentazione territoriale della isoglossa palatale e gutturale: cento = chentu (Realizzazione di B. Porcheddu).

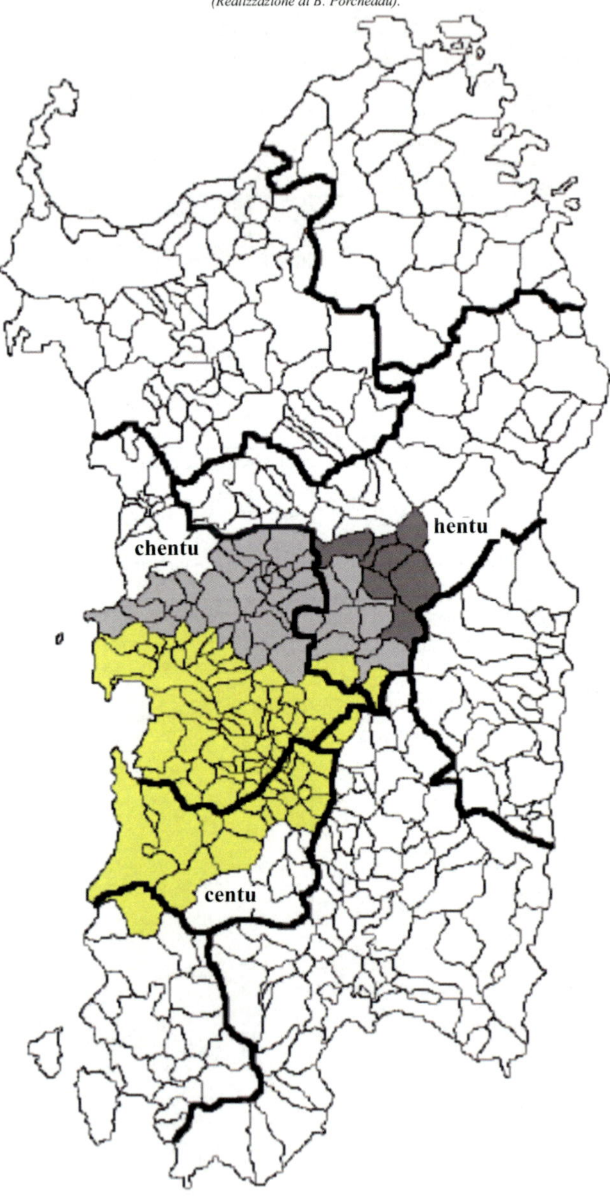

MORFOLOGIA

5. LA MORFOLOGIA

La **morfologia** (dal greco *morfo* = forma, e *logie* = studio), **studio della formazione del lessico**, ha il compito di classificare le parole in alcuni gruppi fondamentali e di sottolineare i mutamenti che queste possono avere. Questi gruppi si chiamano parti del discorso.

5.1 LE PARTI DEL DISCORSO

La morfologia distingue le parole a seconda che possano mutare o no. **Pobidda** (ragazza), latino *puella*, è una parola che può mutare poiché noi possiamo dire: **pobiddu** (ragazzo), **pobidda** (ragazza), **pobiddos** (ragazzi) e **pobiddas** (ragazze).

Eris (ieri), latino *heri*, è, invece, una parola che non può mutare. La morfologia chiama tutte le parti del discorso che possono mutare **parti variabili del discorso**. Chiama, invece, tutte quelle parole che non possono mutare la loro forma **parti invariabili del discorso**.

La gran parte delle radici delle parole indoeuropee cominciano e finiscono in sillaba con consonante occlusiva, ma alcune parole latine e sarde, come **fogu** (fuoco), latino *focum*, e **gùturu** (laringe), latino *gutture*, non danno risposte a questa tesi.

SARDO			
PARTI CHE MUTANO	ESEMPIO	PARTI CHE NON MUTANO	ESEMPIO
S'articulu (l'articolo)	su, sa, sos, sas, is (il, la, gli, le)	Sa prepositzione (La preposizione)	de, a, dae, in, cun (di, a, da, in, con)
Su nùmene (il nome)	chelu, terra, aera (cielo, terra, aria)	S'avèrbiu (L'avverbio)	eja, nono, inoghe (si, no, qui)
S'agetivu (l'aggettivo)	bonu, malu, no[v]u (buono, cattivo, nuovo)	Sa congiuntzione (La congiunzione)	e, o, tando (e, o, allora)
Su pronùmene (il pronome)	de[g]o, tu[v]e, no[b]is (io, tu, noi)	S'isclamatzione (L'esclamazione)	ohi, ahi, ehi (ohi, ahi, ehi)
Su verbu (il verbo)	èssere, àere, nàrrere (essere, avere, dire)		

Anche il latino ha le stesse parti che mutano e che non mutano del discorso.

LATINUM			
PARTI CHE MUTANO	ESEMPIO	PARTI CHE NON MUTANO	EXEMPLUM
Articŭlum	*ipsum, ipsam, ipsos, ipsas*	*Praepositiōnis*	*de, a, ab, in, cum*
Nōmĕn	*caelum, terram, aëram*	*Adverbium*	*eia, non, in-hoc*
Adiectīvum	*bonum, malum, novum*	*Coniunctiōnis*	*et, o, tandem*
Pronōmen	*ego, tu, nos,*	*Exclamatiōnis*	*ohi, ahi, ehi*
Verbum	*esse, habēre, narrāre*		

La morfologia chiama **radice** la parte che non muta della parola e **morfema** la parte che muta. Radici e morfemi sono presenti in tutte quelle parole che la morfologia classifica come parti che mutano del discorso.

La parte che noi in sardo e in italiano chiamiamo "morfema", in latino si chiama **declinazione** per i nomi e **coniugazione** per i verbi. Nei nomi, come in sardo, in latino abbiamo il singolare maschile e il singolare femminile, il plurale maschile e il plurale femminile. Ma, in più rispetto al sardo e all'italiano, il latino ha anche il **neutro** (*neutrum*), che significa né l'uno né l'altro, ossia né maschio né femmina, e indica con questo solitamente esseri inanimati.

Nell'esempio della tabella in basso: **pobidda** (ragazza) e **canto** (canto).

SARDO			
RADICE	MORFEMA	RADICE	MORFEMA
(ragazzo) pobidd-	-u	(canto) cant-	-o
(ragazza) pobidd-	-a	(canti) cant-	-as
(ragazzi) pobidd-	-os	(canta) cant-	-at
(ragazze) pobidd-	-as	(cantiamo) cant-	-amus
		(cantate) cant-	-ades
		(cantano) cant-	-ant

5.2 LA FLESSIONE MORFOLOGICA LATINA E SARDA

In latino la flessione è più sviluppata rispetto al sardo, poiché abbiamo quelli che si chiamano "**casi**", che servono ad indicare la funzione logica che le parole hanno all'interno della frase, in sostituzione dei quali noi usiamo gli articoli e le preposizioni.

La parola **caso**, nel nominativo latino ***casus***, significa **caduta** e viene dal greco **πτῶσις** (prosis), che vuol dire per l'appunto **caduta**.

Il latino tiene **sei casi**: **nominativo**, **genitivo**, **dativo**, **accusativo**, **vocativo** e **ablativo**, più qualche residuo del caso **locativo**, manca invece del caso **strumentale** che è confluito nell'ablativo e che si trova nell'indoeuropeo. Il **greco** presenta un numero di casi inferiore rispetto al latino, **cinque** per essere precisi, poiché il caso **ablativo** si è unito a quelli **genitivo** e **dativo**.

I **casi** vengono dividi in casi **diretti**, in latino ***casus rectus*** e in greco **ὀρθὴ πτῶσις**, e casi **obliqui**, in latino ***casus obliqui*** e in greco **πτώσεις πλάγιαι**.

Si dicono **casi diretti** il **nominativo**, l'**accusativo** e il **vocativo**; mentre si chiamano **casi obliqui** il **genitivo**, il **dativo** e l'**ablativo**.

I **casi accusativo e ablativo** sono quelli che possiedono **più funzioni sintattiche** e quelli che possono essere accompagnati da preposizioni. Nelle scritture del latino popolare, troviamo le preposizioni anche in casi che non le richiedono, come quelle di Pompei in cui la preposizione "cum" accompagna il caso accusativo plurale "discentes" (con i discenti), mentre ***cum*** (con) può andare, per regola, solo con il caso ablativo. Questo dimostra che le preposizioni esistevano già e non si sono sviluppate con il declino del latino come lingua parlata.

Il **sardo** si riconosce nel latino per lo più nei seguenti casi: caso **nominativo singolare femminile della prima declinazione**. Esempio: Maria una bona pobidda est = *Maria una **bona** puel**la** est* (Maria è una brava ragazza); caso **accusativo singolare e plurale di tutte le declinazioni**. Esempio: Giuanne unda**s** timet = *Ioannes unda**s** timet* (Giovanni teme le onde); caso **ablativo singolare di tutte le declinazioni eccetto la seconda**. Esempio: cun su cane essit = *cum cane exit* (con il cane esce).

Per questo motivo, da qui in avanti, terremo la maggior parte degli esempi nel **caso ablativo singolare** per i singolari, ad eccezione della seconda declinazione (per l'uscita in **-o**), che proporremo in **accusativo singolare**, e nell'**accusativo plurale** per tutti i plurali.

Un altro **caso** che ha avuto un'importanza distintiva dagli altri è il **vocativo**, che è uguale al nominativo, ad eccezione nei nomi della seconda declinazione con tema in **-o** in cui al singolare si differenzia con l'uscita in **-e** al posto di **-us**.

Il **vocativo** (da ***bocare***, in sardo **ab-bochinare**) viene utilizzato in sardo allo stesso modo del latino. Quando si chiama una persona, il nome è preceduto dalla vocazione **O**. Esempio: **O Giuanne** = ***O Ioannes*** (O Giovanni).

I casi non sono rimasti in nessuna lingua romanza e questo ci deve far pensare. Di fatto, nella costruzione del latino come lingua comune delle popolazioni della penisola italiana, i casi sono stati utilizzati per mettere insieme le parlate della Magna Grecia con quelle dei territori latini e italici. Per questo motivo, essendo sconosciuti alla maggior parte delle popolazioni di questi luoghi e a quelle dei territori conquistati della Gallia e della Spagna, non sono stati mai usati nella lingua parlata ma solo in forma scritta.

5.3 LA FLESSIONE MORFOLOGICA DISTINTIVA LATINA

La **flessione dei casi** caratterizzata da **genere**, **numero** e **caso** interessa, oltre al **nome**, l'**articolo**, l'**aggettivo** e il **pronome**, che vedremo nei capitolo ad essi dedicati.

Nel **nome latino** il morfema è composto dal **tema** e dalla **desinenza** o **uscita**. Il **tema** è la parte che per lo più non muta ed è composta dalla **radice** che si lega alla **vocale tematica**. La **desinenza** è invece la parte che muta. **Vocale tematica e desinenza**, insieme senza la radice, formano la **terminazione**. Quando manca la vocale tematica, la radice viene aggiunta direttamente alla desinenza e, per questo, si chiama **flessione atematica**.

LATINUM						
	TEMA				TERMINATIONEM	
CASU	RADICE + VOC. T.		EXĬTAM	RADICE	VOC. T. + EXĬTAM	
NUMENATIVU	*puell-*	*-ă*	-	*cant-*	-	*-o*
GENITIVU	*puell-*	*-a*	*-e*	*cant-*	*-a*	*-s*
DATIVU	*puell-*	*-a*	*-e*	*cant-*	*-a*	*-t*
ACUSATIVU	*puell-*	*-a*	*-m*	*cant-*	*-ā*	*-mus*
VOCATIVU	*puell-*	*-ā*	-	*cant-*	*-ā*	*-tis*
ABLATIVU	*puell-*	*-ă*	-	*cant-*	*-a*	*-nt*

Come si vede nell'esempio del prospetto mostrato sopra, il tema e la desinenza possono mancare o divenire tutt'uno. Vedremo più avanti, quando parleremo del nome, altri esempi di tema e di desinenza.

Nei verbi, invece, la coniugazione è come quella sarda, però, dal momento che il latino è una lingua sintetica, i tempi verbali attivi, che in sardo sono in parte composti o perifrastici, in latino sono espressi in parola singola. Ad esempio "deo so bènnidu (io sono venuto)" in latino diventa "ego veni". vedremo queste particolarità nel capitolo dedicato ai verbi.

Il **latino ecclesiastico**, che si studia nelle scuole italiane, contempla **quattro coniugazioni**. Il **latino restituto** o classico, quello delle origini, che viene insegnato nelle scuole dell'Europa e del resto del mondo, tiene conto di **tre coniugazioni** come in sardo.

SARDO			LATINO ECCLESIASTICO		
CONIUGAZIONE	VOC. T.	DESINENZA	CONIUGAZIONE	VOC. T.	DESINENZA
1ª cant-are (cantare)	-a	-re	1ª cant-are (cantare)	-ā	-re
2ª lègh-ere (leggere)	-e	-re	2ª mon-ēre (ammonire)	-ē	-re
3ª isch-ire (sapere)	-i	-re	3ª leg-ĕre (leggere)	-ĕ	-re
			4ª sc-ire (sapere)	-ī	-re

SARDO			LATINO RESTITUTO		
CONIUGAZIONE	VOC. T.	DESINENZA	CONIUGAZIONE	VOC. T.	DESINENZA
1ª cant-are	-a	-re	1ª cant-are	-ā	-re
2ª lègh-ere	-e	-re	2ª mon-ĕre, leg-ĕre	-ĕ	-re
3ª isch-ire	-i	-re	3ª sc-ire	-ī	-re

Come si vede nel primo prospetto mostrato sopra, il **sardo** tiene **tre coniugazioni** e il **latino ecclesiastico quattro**. La coniugazione in più è quella che riguarda l'accento del verbo che cade con la **ē** lunga sulla penultima sillaba, nell'esempio "monēre". Questa però è una classificazione recente, poiché, in origine, anche il latino aveva tre coniugazioni come il sardo, in quanto tutti i verbi che ora fanno parte della 2ª coniugazione latina avevano la terminazione in **-ĕre** perché l'accento cadeva sulla terzultima sillaba. Nel caso presente, di sicuro, ***monēre*** o faceva parte della coniugazione in **-ĕre** (***monĕre*** o ***munĕre***) o faceva parte della coniugazione in **-ire** (***monire*** o ***munire***).

6. L'ARTICOLO

L'**articolo** (dal latino *articŭlum* = diminutivo di *ărtus* "articolazione") è quella parte che muta del discorso e che precede il nome per renderlo più preciso.

6.1 L'ARTICOLO DETERMINATIVO

Sono **determinativi** quegli articoli che precedono il nome per indicarlo in modo determinato. Le forme degli articoli determinativi sardi sono: **su** = ***ipsum*** (il), **sa** = ***ipsa*** (la), **sos** = ***ipsos*** (gli), **sas** = ***ipsas*** (le). L'articolo sardo **is** (gli, le), di area centro meridionale, vale per entrambe le forme del plurale: **sos** (gli), **sas** (le). Esempi:

s'òmine = *ipsum hominem* (l'uomo)[1]; sa fide = *ipsam fidem* (la fede)[2];
sos òmines = *ipsos homines* (gli uomini)[3]; sas lìteras = *ipsas litteras* (le lettere)[4].

In sardo, gli articoli determinativi singolari **su** (il), **sa** (la) si apostrofano se la parola che segue inizia per vocale. Ad esempio: **s'**animale (l'animale), **s'**ungra (l'unghia). L'articolo determinativo **sa** (la) non prende l'apostrofo quando indica la lettera **a** dell'alfabeto, **sa a** (la **a**), e l'ora, **sa una** (la **una**).

L'articolo determinativo **sa** (la), preceduto dalla preposizione **a** e seguito da un sostantivo / aggettivo, traduce la locuzione **a manera de** (al modo di). Esempio: est iscritu **a sa** sarda (è scritto **alla** sarda).

6.2 L'ARTICOLO DETERMINATIVO LATINO

I grammatici moderni hanno sempre negato l'esistenza dell'articolo nella lingua latina. Questo è dovuto da una parte al fatto che con le funzione logiche dei casi l'articolo si può omettere e dall'altra perché si è data un'interpretazione sbagliata all'articolo / pronome ***ipsum, ipsam*** (il, la / egli, ella), considerandolo come un "pronome determinativo" e non come un articolo o un pronome.

Il termine **pronome determinativo** è un'invenzione, perché o si considera questo elemento della frase un pronome, e allora prende il posto del nome, o lo si considera un articolo, e allora accompagna il nome. Quando non è né l'uno e né l'altro è un **aggettivo identificativo**. Esempio:

issu **matessi** at detzisu de imbarare = *ipse* ***ibidem*** *manere decrevit* (egli **stesso** ha deciso di aspettare)[5].

In questo caso ***ipse*** (egli) ha funzione di pronome e ***ibidem*** (stesso) di aggettivo identificativo che rinforza l'identità del pronome.

Pertanto, siccome ***ipse*** o ***ipsus*** non sono aggettivi identificativi, si deduce che quando ***ipsus*** (nom. sing.) precede ed è riferito al nome è un articolo, mentre quando prende il posto del nome è un pronome. Non troveremo mai ***ipsum*** (acc. sing.) come aggettivo identificativo, ma solo come pronome personale o articolo, mentre ***ipse*** /isse/ lo possiamo trovare in sardo solo come pronome.

Occorre stare attenti perché a volte ***ipse*** (acc. sing.) in latino sembra un aggettivo identificativo quando segue il pronome atono ***te***, ma invece costituisce il pronome che troviamo in sardo (e in italiano) insieme alle particelle pronominali **ti lu** (**te lo**), ecc. Esempio:

giai de fatu **ti** l'apo ammunidu = *iam enim* ***te ipse*** *monuisti* (già di fatto **te l'**ho ammonito)[6].

---

1 Gaius Iulius Caesar, *De Bello Gallico*, Liber VII, 32.
2 Valerius Maximus, *Factorum et Dictorum Memorabilium Libri Novem*, Liber IX, 6.
3 Marcus Tullius Cicero, *Orationes - Pro Sulla*, 70.
4 Marcus Tullius Cicero, *Orationes - Philippicae*, XIV, 6.
5 Cornelius Nepos, *Liber De Excellentibus Ducibus Exterarum Gentium - Miltiades*, 2.
6 Lucius Annaeus Seneca, *Epistulae Morales - Ad Lucilium*, Liber III, 27.

Nell'esempio indicato sopra, pertanto, ***te ipse*** non vuol dire **tu stesso**, ma ***te lo***, e forma insieme alle particelle atone le combinazioni pronominali.

Esempio di articolo:

argumentu est **sa** mannària de sas tzitades novas = *argumento est **ipsa** magnitudo tam novae urbis*
(argomento è **la** grandezza tanto delle città nuove)[7].

Esempio di pronome:

pro chi dae Socrate amus achipidu, cosa chi dae **issu** = *quod de Socrate accepimus, quodque ab **ipso** [...]*
(per cui da Socrate abbiamo appreso, cosa che da **lui** [...][8].

Esempio di aggettivo identificativo:

deo etotu cun megus mèledo = *ego**met** mecum cogito;*
(io **stesso** con me rifletto)[9].

In questa frase di Cicerone che mostriamo sotto è chiaro quale è il pronome, quale l'aggettivo identificativo e quale l'articolo: in ***nos-met*** sono rappresentati il pronome ***nos*** (**noi**) e l'aggettivo identificativo ***met*** (**stesso**); l'articolo maschile plurale ***ipsos*** (**gli**) è riferito al sostantivo maschile plurale ***usus*** (**usi**); il nominativo ***vetus*** (**vecchio**) è legato invece al verbo ***intercedit*** (**intercede**):

e intre nois matessi sos usos su betzu intertzedet = *et inter nos**met** ipsos vetus usus intercedit*
(e tra noi **stessi** gli usi il vecchio intercede)[10].

Quello che ha sicuramente confuso i grammatici è il fatto che ***ipsos*** (**gli**, articolo, accusativo plurale) è posto nella stessa forma del pronome ***ipsos*** (**loro**). È bene dire che in sardo **isse** (**egli**), in latino ***ipse***, nominativo singolare, e **issu** (**egli**), ***ipsus***, ugualmente nominativo singolare, sono pronomi singolari con lo stesso significato, come in latino, ma, cosa importante, sono utilizzati in Sardegna in territori differenti con la stessa funzione e con lo stesso significato.

Tra questi due termini si può però fare una distinzione, mentre in sardo **su** (il) / **issu** (egli), latino ***ipsus***, può essere sia articolo sia pronome, **isse** (egli), latino ***ipse***, è solo pronome.

I grammatici latini moderni, forse, non sono riusciti a collegare l'articolo latino ***ipsum*** al sardo "**su** (il)", perché nel sardo manca la sillaba iniziale **ip-**, che ha subito una aferesi. Ma, se noi andiamo a vedere l'articolo sardo nella lingua parlata, ci rendiamo conto che a volte questo è espresso in forma piena quando è anteposto dalle congiunzioni "**e**" e "**che**", che, associate ad una **-i** paragogica o eufonica, compongono i costrutti "**e·i**", "**che·i**", formando **e·i sos** = ***et ipsos***; **che·i sos** = ***que ipsos***, come sono nella "Carta de Logu"[11].

La consonante "**p**", che in latino si pone tra la vocale "**i**" e la consonante "**s**", è il raddoppiamento della consonante "**s**" di ***ipsos***, come quella che troviamo nel numerale latino ***septe*** (sette), così come compare anche in greco con **ἑπτά**, pronunciato **eptά**.

È probabile che gli scrittori latini, fin da quando hanno slegato la lingua scritta della koinè da quella parlata, abbiano associato il pronome / articolo ***ipse/ipsus*** al rafforzativo greco **αὐτός** (autos) = stesso.

In qualsiasi maniera siano stati utilizzati dai maestri della Koinè latina, gli articoli latini ***ip-sum, ip-sam, ip-sos, ip-sas*** sono i corrispondenti diretti degli articoli sardi **su** (il), **sa** (la), **sos** (i, gli), **sas** (le).

Occorre dire che dalla scomposizione delle forme piene **ei**[p]**ssos**, **ei**[p]**ssas** si ricavano gli articoli plurali **sos = ei-sos** (i, gli), **sas = ei-sas** (le) di area sarda settentrionale, e l'articolo plurale **is = e-*is*-sos**, valido per tutti e due maschile (i, gli) e femminile (le), di area sarda meridionale.

---

7 Titus Livius, *Ab Urbe Condita Libri*, Liber V, 54.
8 Marcus Tullius Cicero, *Rhetorica - De Divinatione*, Liber I, 54.
9 Titus Maccius Plautus, *Poenulus*, V, 7.
10 Marcus Tullius Cicero, *Epistulae - Ad Familiares*, XIII, 23.
11 Bartolomeo Porcheddu, *La lingua - sa limba della - dessa Carta de Logu*, Logosardigna, Sassari, 2011, p. 14.

Ecco alcuni esempi di articoli latini:

inditos issoro a **su** Ambiorigem cuntènet = *eorum indicio ad* ***ipsum*** *Ambiorigem contendit* (contiene indicazioni all'Ambiorigem - comandante degli Eburoni -)[12];

dae issos est de profetu **sa** sabiesa = *ab isdem necesse est proficisci* ***ipsam*** *sapientiam* (da loro è di considerazione **la** saggezza)[13];

non fintzas **s'abba**, chi at a èssere in sa funte = *non etiam* ***ipsa aqua****, quae erit in fonte* (non anche **l'**acqua, che sarà nella fonte)[14].

calicunos narant parte de s'ogru, pibiristas imbetzes de **sos** pilos = *alii dicunt palpebras genas, palpebras autem* ***ipsos*** *pilos* (alcuni dicono parte dell'occhio, palpebre invece de**i** peli)[15];

a **sas** partes tuas torro = *ad* ***ipsas*** *tuas partis redeo* (al**le** tue parti ritorno)[16];

e chie poi, pesadu in·d·una famìlia onorada e liberamente educadu, no est fèrridu dae **sa** disonestade = *qui autem honesta in familia institutus et educatus ingenue non* ***ipsa*** *turpitudine* (e che poi, allevato in una famiglia onorata e liberamente educato, non è colpito dal**la** disonestà)[17];

nen passèntzia, ne assiduidade, ne atintzione, nen **sa** atividade = *nec patientia, nec assiduitas, nec vigiliae, nec* ***ipsa*** *industria* (né pazienza, né assiduità, né attenzione, né **la** attività)[18].

credere chi **sos** Germanos siant indìghenos e pagu miscrados cun àtera zente = ***ipsos*** *Germanos indigenas crediderim minimeque aliarum gentium* (credere che **i** Germani siano indigeni e meno mischiati con altra gente)[19].

non pro mesu de Fidius (Giove) **sas** Atenas Àticas tantu aerent naradu = *non medius Fidius* ***ipsas*** *Athenas tam Atticas dixerim* (non per mezzo Giove **le** Atene Attiche tanto avessero detto)[20].

e chi **sa** vida, chi fruimus, breve est = *quoniam vita* ***ipsa****, qua fruimur, brevis est* (e che **la** vita, che fruiamo, è breve)[21].

Forse solo in questo caso *ipsa,* che è posticipato al nome (vita), potrebbe essere un aggettivo identificativo.

DECLINAZIONE DELL'ARTICOLO DETERMINATIVO LATINO

	SINGOLARE			PLURALE		
CASO	MASCHILE	FEMMINILE	NEUTRO	MASCHILE	FEMMINILE	NEUTRO
NOMINATIVO	*ipsus, ipse*	*ipsa*	*ipsum*	*ipsi,*	*ipsae*	*ipsa*
GENITIVO	*ipsīus, ipsi*	*ipsīus*	*ipsīus*	*ipsōrum*	*ipsārum*	*ipsōrum*
DATIVO	*ipsi, ipso*	*ipsi, ipsae*	*ipsi*	*ipsis*	*ipsis*	*ipsis*
ACCUSATIVO	*ipsum*	*ipsam*	*ipsum*	*ipsos*	*ipsas*	*ipsa*
VOCATIVO	-----	-----	-----	-----	-----	-----
ABLATIVO	*ipso*	*ipsa*	*ipso*	*ipsis*	*ipsis*	*ipsis*

12 Gaius Iulius Caesar, *De Bello Gallico*, Liber VI, 30.
13 Marcus Tullius Cicero, *Rhetorica - De Finibus*, Liber III, 23.
14 Marcus Vitruvius Pollio, *De Architectura*, Liber VIII, 4.
15 Marcus Terentius Varro, *De Lingua Latina*, Fragmenta, 13.
16 Marcus Tullius Cicero, *Orationes - Philippicae*, II, 70.
17 Marcus Tullius Cicero, *Rhetorica*, De Finibus, Liber III, 38.
18 Marcus Tullius Cicero, *Rhetorica, De Finibus*, Liber I, 49.
19 Publius Cornelius Tacitus, *De Origine Et Situ Germanorum*, Libellus, 2.
20 Gaius Plinius Caecilius Secundus (su giòvanu), *Epistularum Libri Decem*, Liber IV, 3.
21 Gaius Sallustius Crispus, *De Catilinae Coniuratione*, I, 1.

6.3 ARTICOLI CON FUNZIONE DIMOSTRATIVA

In sardo si adoperano gli articoli **su, sa, sos, sas** in funzione dei dimostrativi **cussu** (quello), **cussa** (quella), **cussos** (quelli), **cussas** (quelle) quando si vuole accorciare la parola, come si utilizzavano allo stesso modo i dimostrativi in greco antico. Ad esempio, in sardo, l'articolo determinativo **su** (il) si tiene al posto del dimostrativo **cussu** (quello) prima del relativo **chi** (che) o della preposizione **de** (di). Esempio:

su chi t'apo comporadu est bonu (**codesto** che ti ho comprato è buono);
sos chi apo bidu non sunt issos (**codesti** che ho visto non sono loro).

I dimostrativi / articoli ***sas, sa*** li troviamo anche nella lingua sanscrita e sono utilizzati in latino dallo scrittore Quintus Ennius (Ennio) nella sua opera "Annales" nelle forme: ***sa, som, sam, sos, sas, sus, sum***:

imbarat in su logu probe a **sos** deos de Dia = *consistit inde loci propter* ***sos*** *dia dearum*
(rimane nel luogo vicino agli dei di Dia)[22].

s'òmine at sa domo romana comente **sas** naradas fortzas =
virque suam sibi quis que domi romanus habet ***sas*** *nam vi*
(l'uomo ha la casa romana come le dette forze)[23].

6.4 QUANDO NON SI USA IN SARDO L'ARTICOLO DETERMINATIVO

In sardo come in latino, a volte, non si usa l'articolo determinativo, come negli esempi che seguono:

- davanti ai nomi di persona: Angioy est unu giùighe mannu (Angioy è un grande giudice);
- davanti ad elementi di una enumerazione: canes, gatos, sòrighes màndicant in domo (cani, gatti, topi mangiano a casa);
- davanti ad un giorno determinato della settimana: lunis achipo a triballare (lunedì progredisco nel lavoro);
- davanti a due nomi che concorrono a formare una sola parola: oje e cras lego (oggi e domani leggo);
- davanti a nomi di parenti seguiti da un aggettivo possessivo: frade meu, fradile tou (mio fratello, tuo cugino).

L'articolo, in più, non si utilizza in sardo nei proverbi, che devono essere sintetici e non analitici. Ad esempio: fizu de gatu sòrighe tenet = *filius catuli soricem tenet (figlio di gatto cattura topo).*

Il topo è detto in greco **μῦς** (mus), che i Latini hanno riportato con nella loro lingua con ***mus***, conservando però anche il nome originario sardo-latino ***sorice*** (abl. sing.) = **soriche.**

6.5 L'ARTICOLO INDETERMINATIVO

Sono **indeterminativi** gli articoli che precedono il nome e lo indicano in modo indeterminato. Le forme degli articoli indeterminativi sono: **unu** = ***unum*** (uno); **una** = ***una*** (una).

Come per gli articoli determinativi, le funzioni logiche dei casi hanno per lo più omesso dalla scrittura latina gli articoli indeterminativi. Questi però vengono utilizzati in qualche occasione, dimostrando che l'articolo indeterminativo in latino esiste e, come in sardo, accompagna il nome.

I grammatici latini moderni, convinti che l'articolo in latino non esistesse, hanno preso l'articolo indeterminativo per un aggettivo numerale. Ma in alcuni esempi si dimostra il contrario:

giùghere impedimentu che soma in **unu** logu = *impedimenta sarcinasque in* ***unum*** *locum conferri*
(portare un impedimento come soma in **un** luogo[24];

22 Quintus Ennius, *Annales*, I, 15.
23 Quintus Ennius, *Annales*, I, 48.
24 Gaius Iulius Caesar, *De bello gallico*, Liber I, 24.

custa **una** gràtzia che potèntzia aiant mòvidu = *hanc **unam** gratiam potentiamque moverunt*
(questa **una** grazia come potenza hanno mosso)[25];

e cun montes in **una** regione est culligada = *et montibus inclusum in **unam** regionem colligitur*
(e con monti in **una** regione è collocata)[26];

un'òmine cuntatende a nois at restituidu sa cosa = ***unus** homo nobis cunctando restituit rem*
(**un** uomo contattandoci ha restituito il bene)[27].

A volte l'articolo indeterminativo, se è legato ad un nome che si può scomporre, dividere o numerare, è difficile distinguerlo da un aggettivo numerale. Ma quando l'indeterminativo accompagna un sostantivo, nel caso presente indicato sotto "logu = *locum* (luogo)", che non si può scomporre, non c'è dubbio che si tratta di un articolo. Ecco l'esempio:

Svevos donniunu in ***unu*** logu = *Suebos omnes in **unum** locum* (Svevi tutti in **un** luogo)[28].

DECLINAZIONE DELL'ARTICOLO INDETERMINATIVO LATINO

	SINGOLARE			PLURALE		
CASO	MASCHILE	FEMMINILE	NEUTRO	MASCHILE	FEMMINILE	NEUTRO
NOMINATIVO	*unus, oenus*	*una*	*unum*	*uni*	*unae*	*una*
GENITIVO	*unius, uni*	*unius, uni*	*unius, uni*	*unōrum*	*unārum*	*unōrum*
DATIVO	*uni*	*uni, unae*	*uni, uno*	*unis*	*unis*	*unis*
ACCUSATIVO	*unum*	*unam*	*unum*	*unos*	*unas*	*una*
VOCATIVO	-----	-----	-----	-----	-----	-----
ABLATIVO	*uno*	*una*	*uno*	*unis*	*unis*	*unis*

In sardo si adopera l'articolo indeterminativo **unu + cantu** (un pezzo) per indicare una persona, un'animale o una cosa grande indefinita. In latino ***quantus*** (quanto) lo troviamo nei pronomi correlativi: ***tantus*** [...] ***quantus*** (tanto grande [...] quanto). Esempio:

in ube **unu cantu** balet ses de sos nostros = *ubi **unum quantum** sex nostra valere*
(dove **uno** vale quanto sei dei nostri)[29].

In sardo, gli articoli indeterminativi singolari **unu** (uno), **una** (una) si apostrofano se sono seguiti da una parola che inizia per vocale: **un'**amiga = ***una** amica* (un'amica)[30]; **un**'agreste = ***unum** agreste* (un agreste)[31].

TABELLA DEGLI ARTICOLI DETERMINATIVI E INDETERMINATIVI (caso accusativo)

FORME	ARTICOLO DETERMINATIVO	ARTICOLO INDETERMINATIVO
Maschile singolare	**su** pobiddu = ***ipsum** puellum* (**il** ragazzo)	**unu** pobiddu = ***unum** puellum* (**un** ragazzo)
Maschile plurale	**sos / is** pobiddos = ***ipsos** puellos* (**i** ragazzi)	**unos** pobiddos = ***unos** puellos* (**alcuni** ragazzi)
Femminile singolare	**sa** pobidda = ***ipsa** puella* (**la** ragazza)	**una** pobidda = ***una** puella* (**una** ragazza)
Femminile plurale	**sas / is** pobiddas = ***ipsas** puellas* (**le** ragazze)	**unas** pobiddas = ***unas** puellas* (**alcune** ragazze)

25 Gaius Iulius Caesar, *De Bello Gallico*, Liber VI, 15.
26 Lucius Annaeus Seneca, *Naturales Quaestiones*, Liber V, 8.
27 Quintus Ennius, *Annales*, IX, 2.
28 Gaius Iulius Caesar, *De Bello Gallico*, Liber VI, 10.
29 Augustinus Hipponensis, *De Civitate Dei*, Liber XV, 27.
30 Lucius Apuleius Madauresis (Saturninus), *Apologia (De Magia)*, 8.
31 Marcus Terentius Varro, *Rerum Rusticarum - De Agri Cultura*, Liber LII, 2.

6.6 L'ARTICOLO PARTITIVO

A differenza dell'italiano, il sardo e il latino non posseggono l'**articolo partitivo** (**al**, **del**, **dei**, **delle**, **degli**, **nel**, **negli**, ecc.) ma utilizzano separatamente una dall'altro la preposizione e l'articolo.

Quando si deve esprimere il partitivo plurale, il sardo generalmente utilizza direttamente il plurale per indicare il numero. Esempio: naro paristòrias = *narro paris historĭas* (dico favole).

La preposizione articolata latina dimostra in modo evidente che a formare il partitivo non concorre un pronome ma un **articolo.**

In sardo gli articoli partitivi accompagnati dalle preposizioni semplici concordano nel genere e nel numero con il nome, in latino anche nel caso. Pertanto in latino se la preposizione regge l'accusativo l'articolo è declinato in accusativo, mentre quando regge l'ablativo l'articolo si declina in ablativo.

- **Preposizioni con l'articolo declinato in ablativo**:

e si sa virtude de sos esèrtzitos e de Roma podet àere unu lìmite de glòria, si podet agatare **in sa** Britànnia = *ac si virtus exercitum et romani nominis gloria pateretur, inventus **in ipsa** Britannia* (e se la virtù degli eserciti e di Roma può avere un limite di gloria, si può trovare **nella** Britannia)[32].

in sa villa de Scipione Africanu reposende custa a tie iscrivo = ***in ipsa** scipionis africani villa iacens haec tibi scribo* (**nella** villa di Scipione Africano riposando questa a te scrivo)[33].

in sa professione de infames cre[d]iant = ***in ipsa** professione flagitii credebant*; (**nella** professione di infami credevano)[34].

dae parte **de su** logu fortificadu = *ex parte **ipso** oppido* (dalla parte **del** luogo fortificato)[35].

cun s'erva sunt generados = ***cum ipsa** herba gignitur* (**con l**'erba sono generati)[36].

in sa duda sa faddina ìnsita est = ***in ipsa** dubitatione facinus inest* (**nel** dubbio è insito l'errore)[37].

dae sa atzione = ***ab ipsa** actione* (**dall**'azione)[38].

cun su reghe = ***cum ipso** rege* (**con il** re)[39].

dae sos Siracusanos = ***de ipsis** Syracusanis* (**dai** Syracusani)[40].

- **Preposizioni con l'articolo declinato in accusativo:**

deretu **a sos** Volscos si fiat iradu = ***ad ipsos** Volscos contendit iratus* (diretto **ai** Volsci era irato)[41].

a sas giannas e a su muru = ***ad ipsas** portas ac murum* (**alle** porte e al muro)[42].

pertocat **a sa** càusa = *pertinet **ad ipsam** causam* (pertinente **alla** causa)[43].

in **antis** [de] **su** sacràriu = ***ante ipsum** sacrarium* (**davanti al** sacrario)[44].

---

32 Publius Cornelius Tacitus, *De Vita Et Moribus Iulii Agricolae*, Liber V, 23.
33 Lucius Annaeus Seneca, *Epistolae Morales - Ad Lucilium*, Liber XI, 86.
34 Publius Cornelius Tacitus, *Annales*, Liber II, 85.
35 Gaius Iulius Caesar, *De Bello Civili*, Liber II, 25.
36 Gaius Plinius Secundus (su betzu), *Naturalis Historia*, Liber XXI, 55.
37 Marcus Tullius Cicero, *Rhetorica - De Officiis*, Liber III, 37.
38 Marcus Tullius Cicero, *Rhetorica - De Partitione Oratoria*, 20.
39 Titus Livius, *Ab Urbe Condita Libri*, Liber XXXIII, 12.
40 Marcus Tullius Cicero, *Orationes - In Verrem*, Liber IV, 13.
41 Flavius Eutropius, *Breviarium Ab Urbe Condita*, Liber I, 15.
42 Gaius Iulius Caesar, *Bellum Africum*, Liber I, 23.
43 Marcus Tullius Cicero, *Orationes - De Domo Sua*, 32.
44 Marcus Tullius Cicero, *Orationes - Pro Milone*, 86.

a pitzu [de] **sos** deos = ***apud ipsos*** *deos* (**presso gli** dei)[45].

contra su artìculu = ***contra ipsum*** *articulum* (**contro l'**articolo)[46].

intre sas seddas = ***inter ipsas*** sellas (**tra le** selle)[47].

peri sos zùdiches = ***per ipsos*** *iudices* (**attraverso i** giudici)[48].

pustis sa sapièntzia = ***post ipsam*** *sapientiam* (**dopo la** sapienza)[49].

probe s'intrada = ***propter ipsum*** *introitum* (**presso l'**entrata)[50].

subra sa giuntura = ***supra ipsam*** *commissuram* (**sopra la** commessura)[51].

non **in sos** autores = *neque **in ipsos** auctores* (non negli autori)[52].

Articolo indeterminativo plurale

L'articolo indeterminativo plurale, quando prende il posto del nome, diventa pronome indefinito. In latino come in sardo il partitivo viene ad essere plurale in più quando accompagna l'aggettivo numerale per indicare più o meno una quantità. Esempio: **unas** ses dies (**circa** sei giorni).

Se nel singolare è difficile distinguere un articolo indeterminativo da un aggettivo numerale, perché entrambi sostengono il nome in modo che possa essere numerato o indeterminato, nel plurale, invece, non ci sono dubbi, perché non si può numerare una cosa indeterminata.

Pertanto, in latino come in sardo, esistono gli articoli indeterminativi plurali per indicare qualcosa che non si può numerare o che non è numerata. Ecco due esempi di articolo indeterminativo plurale:

unos tres passos = *tres **unos** passus* (**circa** tre passi)[53];

ma pensaia chi **unas** lìteras Marzore poderet leare =
*sed cogitavi **unas** litteras Mariorem afferre posse*
(ma pensavo che **alcune** lettere Mariore potesse prendere)[54].

In questo ultimo esempio è chiaro che "unas litteras (alcune lettere)" è accusativo plurale e pertanto "unas" è un articolo indeterminativo plurale.

I composti del verbo *sum*.

I composti del verbo ***sum*** sono formati da particelle avverbiali o preposizionali e dalla prima persona singolare dell'indicativo presente dello stesso verbo ***sum*** (essere). Pertanto abbiamo i composti che seguono:

ab-sum (allontanamento) = **dae su** (dal);
ad-sum (avvicinamento) = **a su** (al);
de-sum (venire a mancare) = **de su** (del);
in-sum (stare dentro) = **in su** (nel).

Come abbiamo visto dalla traduzione di questi composti, in sardo non corrispondono al verbo ***sum*** ma alle preposizioni articolate formate dalle preposizioni semplici **da**, **a**, **de** e **in** più l'articolo **su** (il). In effetti neppure in italiano le preposizioni legano direttamente alle persone verbali, ma solo all'infinito.

45 Augustinus Hipponensis, *De Civitate Dei*, Liber IV, 23.
46 Aulus Cornelius Celsus, *De Medicina*, VII, 33.
47 Marcus Valerius Martialis, *Epigrammaton*, Liber V, 14.
48 Gaius Plinius Caecilius Secundus (su giòvanu), *Epistularum Libri Decem*, Liber IV, 16.
49 Marcus Tullius Cicero, *Rhetorica - De Finibus*, Liber III, 23.
50 Marcus Tullius Cicero, *Orationes - In Verrem*, Liber V, 80.
51 Lucius Iunius Moderatus Columella, *Res Rustica*, IV, 11.
52 Publius Cornelius Tacitus, *De Vita Et Moribus Iulii Agricolae*, 2.
53 Titus Maccius Plautus, *Bacchides*, 4, 7.
54 Marcus Tullius Cicero, *Epistulae - Ad Familiares*, 16, 5.

7. IL NOME

7.1 SIGNIFICATO DI NOME

Il nome, in latino *nōmĕn*, o sostantivo, da *substantĭa* = sustàntzia (sostanza), è quella parte che muta del discorso che ci permette di indicare tutto quello che ci circonda e anche quello che ci viene in mente. Il ***numen*** è il termine latino che esprime il concetto di divinità, di potenza divina. Tutte le cose create hanno un nome, a cominciare dalle forze più potenti della natura: acqua, fuoco, terra e aria.

La parola **nùmene** (nome) è antica quanto l'uomo ed è sinonimo di **lùmene** (lume), in latino ***lumen*** (luce della vita), la luce che vede per la prima volta il nascituro quando gli viene dato il nome. In sardo, infatti, il **nùmene** (nome) viene chiamato anche **lùmene** / **lùmini** (lume), segnando in questo caso l'effetto fondatore linguistico su una delle parole più utilizzate dall'uomo.

7.1.1 I NOMI DELLA FAMIGLIA LATINA

La **famiglia** latina, detta ***fămīlĭa***, è composta dal **babbo**, ***pătĕr***, dalla **mamma**, ***mātĕr***, e dai **figli**, ***fīlĭos***. *Pater* e *mater* sono presi dal greco e rappresentano più che altro il padre e la madre spirituali, il capo famiglia di molti figli o di un popolo, come il ***Sardus Pater*** per i Sardi. Tant'è che nell'opera *Truculentus*, II, 5, dello scrittore Titus Maccius Plautus (255/250 a.C. - 184 a.C.), troviamo il nome di **mamma**. Ma anche nel sostantivo latino ***abavus***, antenato, se togliamo la desinenza ***-s*** del nominativo e mutiamo con il betacismo (**b**) la **-v-** intervocalica s'intravede il nome di ***a-babu*** (**babbu**).

Gli **antenati**, che vuol dire **nati in antis** (prima), sono chiamati in latino ***ăbăvus*** e in sardo **ajajos**. ***Fratres*** e ***sorores*** latini corrispondono ai sardi **frades** (fratelli) e **sorres** (sorelle), mentre i **fradiles** (cugini) e le **sorrastras** (cugine) diventano in latino ***fratrueles*** e ***sorores***. **Ghènneros** o **bènneros** (generi) si traducono in latino con ***generos***, mentre le **nuras** (nuore) vengono ad essere ***nurus***. **Sogros** (suoceri) e **sogras** (suocere) si chiamano ***soceros*** e ***socrus***, mentre **nebodes** (nipoti maschi) e **netas** (nipoti femmine) sono in latino ***nepotes*** e ***neptes***. Il cugino di secondo grado è detto in sardo **mal' 'e primarzu**, per esteso **malu de primarzu**, che in latino diventa ***malum primarium***, ovverosia il primo pomo o germe del frutto, come il ***germalum*** della Roma "quadrata".

I Latini di "gente" tenevano tre nomi: il ***praenomen***, il nome come lo intendiamo noi oggi; il ***nomen*** che era il cognome e indicava la ***gens***; Il ***cognomen*** che era il nome all'interno di una *gens*, di solito un soprannome. Esempio: Caius (*praenomen*) Cornelius (*nomen*) Calvos (*cognomen*).

Nei ***nomen*** romani possiamo trovare i cognomi sardi di oggi. Se teniamo a mente le regole di scrittura che abbiamo visto nei capitoli precedenti, possiamo fare qualche esempio sulle più antiche famiglie romane:

- ***Cornelius***, in origine ***Cornellus***, senza la desinenza ***-s*** del nominativo e tenendo in considerazione che la ***-n-*** è un raddoppiamento della ***-r-***, viene ad essere **Correddu**.
- ***Iulius***, senza la desinenza ***-s*** del nominativo, viene ad essere **Zulzu**, in logudorese **Zuzu**, e la *gens **Iulia*** diventa **Giùgia**.
- ***Claudius***, senza la desinenza ***-s*** del nominativo e considerando che il dittongo ***-au-*** è una **-o-**, si legge ***Closu***, ma non è da dimenticare che le consonanti **C-** e **G-** in logudorese ad inizio di parola se sono seguite da una liquida (**l**, **r**) non vengono pronunciate, pertanto otteniamo **Losu** e la *gens Claudia* **Losa**. A conferma di questo, Tito Livio racconta che Appio Claudio (*Appius Claudius*) in origine si chiamava **Clausus**[1].
- ***Crassus***, con le stesse regole dette poco prima, viene ad essere **Rassu**.
- ***Cercilius*** o ***cercillu***, con la regola pertinente alla gutturale, si legge ***cherchilzu*** o ***cherchiddu***, ma anche *Caius Lutatius **Cerco*** è riconducibile al cognome sardo **Cherchi**.
- ***Varius***, togliendo la ***-s*** del nominativo, diventa **Varzu** o **Vàrgiu**.
- ***Pica***, sonorizzando la consonante **-c-** sorda, si trasforma in **Piga**.

1 Titus Livius, *Ab Urbe Condita Libri*, Liber II, 16.

Ci sono sostantivi che stanno a metà strada tra nomi concreti e astratti. Il nome latino ***pĕcūnĭa***, Dea del guadagno, viene da ***pecus***, animale domestico, ma il desiderio della *pecunia*, che fa **apitare** (desiderare qualcosa) l'uomo, in latino ***appĕtĕre***, fa venire la ***pecunia***, ovverosia la **picònia** (l'acquolina in bocca), pertanto il desiderio di una cosa dal nome astratto.

7.1.2 NOMI CONCRETI E ASTRATTI

Un nome è concreto quando può essere sentito dai nostri sensi: pane (pane) = *panem* (ac.), abba (acqua) = *aquam* (ac.); mentre è astratto quando fa parte della nostra cultura immateriale: tirriosa (coriacea) = *tiruncula* (num.); malefadada (sfortunata) = *malem infatuatam* (ac.).

7.2 IL NOME

Sono **nomi comuni** quelli che indicano una categoria generale:
dischente (discente) = *discente* (abl. sing.), cantadore (cantatore) = *cantore* (abl. sing.),
messaju (massaio) = *messore* (abl. sing.), ecc.

Sono **nomi propri** quelli che indicano una persona, un popolo, un luogo o una cosa particolare:
Paulu (Paolo) = *Paulum* (ac. sing.), Sardos (Sardi) = *Sardos* (ac. plur.),
Nàpoli (Napoli) = *Neapolis* (num. sing.), Giuanna (Giovanna) = *Ioannă* (num. sing.), ecc.

Tra i nomi comuni ce ne sono alcuni che indicano una persona, un animale, una cosa e per questo vengono chiamati **nomi individuali**:
berbeche (pecora) = *vervece* (abl. sing.), militare (militare) = *militare* (abl. sing.),
puddu (pollo) = *pullum* (ac. sing. n.), bo[v]e (bue) = *bove* (abl. sing.), ecc.

Ce ne sono invece altri chiamati **nomi collettivi** che indicano persone, animali o cose al singolare dello stesso genere:

pegus (bestiame) = *pĕcŭs* (ac. sing.), esèrtzitu (esercito) = *exercitu* (abl. sing.),
puddàrgiu (pollaio) = *pullarium* (ac. sing.), mandra (bestiame custodito) = *mandrā* (abl. sing.), ecc.

NOMI PROPRI	NOMI COMUNI INDIVIDUALI	NOMI COMUNI COLLETTIVI
Giuanne = *Ioanne* (Giovanni)	berbeghe = *vervece* (pecora)	pegus = *pecus (bestiame)*
Sardos = *Sardos* (Sardi)	militare = *militare* (militare)	esèrtzitu = *exercĭtum (esercito)*
Tàtari = *Sassăris* (Sassari)	puddu = *pullum* (pollo)	puddàrgiu = *pullarium (pollaio)*
Giuanna = *Ioanna* (Giovanna)	bo[v]e = *bove* (bue)	mandra = *mandrā (bestiame custodito)*

7.3 IL GENERE DEL NOME

Il **genere**, in sardo **genia** o **ghenia** (***genus***), indica se il nome è **maschio** o **femmina**. In latino abbiamo anche il genere **neutro** (né una, né l'altra), che riguarda per lo più i generi inanimati.

Ci sono casi in cui a nomi maschili corrisponde la stessa radice in nomi femminili, come negli esempi che seguono:

maschili: pobiddu (ragazzo) = *puellum* (ac. sing.), amigu (amico) = *amicum* (ac. sing.), ecc.
femminili: pobidda (ragazza) = *puellă* (num. sing.), amiga (amica) = *amică* (num. sing.), ecc.

Se in sardo alcuni nomi sono maschili o femminili, in latino possono essere neutri. Molto spesso, invece, maschili e femminili tengono **radici differenti**:

òmine (uomo) = *homine* (abl. sing.) – fèmina (femmina) = *femină* (num. sing.),

mama (mamma) = *mater* (num. sing.) – babbu (babbo) = *pater* (num. sing.),
nebode (nipote maschio) = *nepote* (abl. sing.) - neta (nipote femmina) = *nepte* (abl. sing.).

Certi nomi hanno **un solo genere**:

libru (libro) = *librum* (ac. sing.), gianna (porta) = *ianuă* (num. sing.).

In sardo e in latino la quantità della frutta è indicata solo con il nome al singolare. Il genere della frutta in sardo è femmina, mentre in latino può essere femmina o neutro. È neutro in latino il genere di frutta che segue e, pertanto, lo traduciamo con l'accusativo plurale neutro, che esce in **-a**, come in sardo e in greco:

pira (pera) = *pira*, cariasa (ciliegia) = *cerasa*, mela (mela) = *mala*, nèspula (nespola) = *mespĭla*, mela chidòngia (mela cotogna) = *mala cydonĭa*, mela granada (melograno) = *mala granata*, murta (mirto) = *myrta*), ecc.

È femminile invece il frutto che segue e, pertanto, viene tradotto con il nominativo singolare se la parola termina con la **-a**, e con l'ablativo singolare se la parole finisce con la **-e**:

nughe (noce) = *nuce*, castàngia (castagna) = *castaneă*, oli[v]a (oliva) = *olivă*, u[v]a (uva) = *uvă*,
pèssighe (pesca) = *persĭcus* (termina in ***-e*** nel voc. sing. = *persice*).

In latino, come in sardo, **sa terra** (la terra) = *terră* (nom. sing.) e **sa manu** (la mano) = *manu* (abl. sing.) sono femminili, mentre **su chelu** (il cielo) = *caelum* (ac. sing.) e **su pede** (il piede) o pes = *pede* (abl. sing.), *pes* (num. sing.) sono maschili.

Sa figu (il fico) = *ficum* (ac. sing.) è maschile e femminile in latino, mentre è solo femminile in sardo. Di certo ha condizionato il passaggio da femmina a maschio il fatto che chiude in ***-u*** e che in italiano è maschile. In questo caso c'è stata un'italianizzazione di un nome latino nel genere.

Anche la pianta da cui esce il frutto, dal momento che si tratta della mamma del frutto, è nella maggior parte dei casi di genere femminile. La pianta è indicata in sardo sempre con il nome singolare ma preceduta, a seconda dei casi, da albero, pianta, macchia o fondo: albero di pesco, albero di pero, pianta di mela, macchia di mirto, fondo di lattuga, ecc.

Sia in latino che in sardo, in qualche caso, l'albero è maschio di genere. Esempio:

ogiastru (oleastro) = *oleastrum* (ac. sing.); ru[b]u (rovo) = *rubum* (ac. sing.).

In sardo e in latino sono pochi i nomi, maschili e femminili, che non distinguono il genere:

sa/su artista (artista) = *artifĭcem* (ac. sing.), sa/su poeta (poeta) = *poetă* (nem. sing.),
sa/su cane (cane) = *cane* (abl. sing.).

PROSPETTO DI NOMI MASCHILI E FEMMINILI IN RELAZIONE ALLA RADICE

MASCHILE E FEMMINILE CON STESSA RADICE		MASCHILE E FEMMINILE CON RADICE DIFFERENTE	
MASCHILE	FEMMINILE	MASCHILE	FEMMINILE
pobiddu = *puellum* (ragazzo)	pobidda = *puellam* (ragazza)	òmine = *homĭnem* (uomo)	fèmina = *femĭnam* (femmina)
pitzinnu = *puerum* (fanciullo)	pitzinna = *pueram* (fanciulla)	babbu = *patrem* (babbo)	mama = *matrem* (mamma)
amigu = *amicum* (amico)	amiga = *amicam* (amica)	nebode = *nepotem* (nipote m.)	neta = *neptem* (nipote f.)
bisaju = *abavium* (bisavo)	bisaja = *abaviam* (bisava)	fradile = *fratruelem* (cugino)	sorrastra = *sororem* (cugina)
cane = *canem* (cane maschio)	cane = *canem* (cane femmina)	cabaddu = *caballum* (cavallo)	ebba = *equam* (cavalla)
àinu = *asinum* (asino maschio)	àina = *asinum* (asino femmina)	boe = *bovem* (bue)	baca = *vaccam* (vacca)
puddedru = *pullum* (puledro maschio)	puddedra = *pullum* (puledro femmina)	becu = *beccum* (caprone)	craba = *capram* (capra)

Tra gli altri, in latino è maschile e femminile la cometa = *cometă* (ac. sing.), quando in sardo nu[g]orese è maschile **s'isteddu** (la stella) = *stellă* (ac. sing.). **Su dischente** (discente) = *discente* (abl. sing.) è solo maschile in sardo e in latino, forse perché in tempi antichi erano gli uomini a tenere la professione, e **su lèpere** (la lepre) = *lepore* (abl. sing.).

Sono maschili in sardo e femminili in latino e in italiano: fùrfere (crusca) = *furfure* (abl. sing.), prùghere (polvere) = *pulvere* (abl. sing.), pèsperu (la sera) = *vesperum* (ac. sing.), lapis (la pietra) = *lapis* (num. sing.), lentore (la rugiada) = *lentore* (abl. sing.).

È femminile in sardo e neutro in latino: murta (mirto) = *myrta* (ac. plur. n.); linna (legno) = *ligna* (ac. plur. n.). È femminile in sardo e in latino e maschile in italiano: mesa (tavolo) = *mensa* (ac. sing.). **Sa die** (il giorno) = *die* (abl. sing.) è in latino nella maggior parte dei casi maschile, ma in sardo è per lo più femminile.

7.4 IL NUMERO DEL NOME

Nell'indoeuropeo erano presenti per il nome tre numeri: il **singolare**, il **plurale** e il **duale**. Il duale veniva utilizzato per indicare due persone o due oggetti. Sia in latino che in sardo il duale non si trova, se non forse in parole come ***duo***, in sardo **duos** (greco ***δύο***), o ***ambo***, in sardo **ambos** (greco ***ἄμφω***).

Nel sostantivo **il numero** indica se un nome è singolare o plurale. In sardo comune, come quasi sempre nell'accusativo plurale latino, il **plurale** si forma aggiungendo una **-s** alla vocale tematica delle parole che finiscono in **–a**, **-e**, **-i**, **-o**:

pinna = *pinnam* (penna) – pinna**s** = *pinna**s*** (penne); cane = *canem* (cane) – cane**s** = *cane**s*** (cani).

Nel sardo comune, le parole che terminano in **-u** fanno il plurale mutando la **-u** in **-o** e aggiungendo a questa la desinenza **-s**. Nel sardo centro meridionale, invece, le stesse parole fanno il plurale aggiungendo la consonante **-s** alla vocale finale **-u**. In latino, le corrispondenti parole sarde, escono al modo del sardo comune nella seconda declinazione e alla stessa maniera del sardo centro meridionale nella quarta declinazione:

sardo comune / centro settentrionale e *latino*: fog**u** (fuoco) = *focum* – fog**os** (fuochi) = ***focos*** (II decl.).
sardo centro meridionale e *latino*: man**u** (mano) = *manum* – man**us** (mani) = ***manus*** (IV decl.).

In sardo, molti nomi singolari, a seconda del caso, si comportano come se fossero plurali e per distinguerli di numero aggiungono l'aggettivo **pagu** (poco) o **meda** (molto). In latino, molti nomi escono in **accusativo neutro plurale** come in sardo:

un po di ciliegie: *ceras**a*** = cariasa; un po di prezzemolo: *petroselin**a*** = pedrusìmula; molte pere: *pir**a*** = pira.

Quando però i nomi di frutta sono in latino maschi o femmine e si possono contare, nell'**accusativo plurale** vengono accompagnati da un aggettivo che ne determina la quantità:

tres melones (tre meloni) = ***tres** melones*; **chimbanta** fa[b]es (cinquanta fave) = ***quinquaginta** fabas*.

In sardo alcuni sostantivi singolari che terminano in **–s** restano così come sono nel plurale, mentre in latino declinano in modo differente:

su lapi**s** (la pietra che scrive) = *lapis* (num. sing.), **sos** lapi**s** (le pietre) = *lapides* (num. plur.);
su luni**s** (il lunedì = *lunis* (dat. plur.), **sos** luni**s** (i lunedì) = *lunis* (abl. pl.).

Il "lapis" in sardo e in latino è la pietra che scrive, da cui deriva **làpide** (lapide), ovverosia la pietra scritta (funeraria).

7.5 I NOMI PRIMITIVI, ALTERATI E COMPOSTI

Sono nomi primitivi quelli che tengono una radice e un morfema:

pobidd-a = *puell-am*, fùrfur-e = *furfur-em*, dom-o = *dom-um*.

I nomi primitivi possono aggiungere **prefissi** prima e **suffissi** dopo. Sono esempi di **prefisso**:

anormale (anormale) = ***ab****normem*, **bis**cotu (biscotto) = ***bis****coctum*, **dis**connotu (sconosciuto) = ***dis****cognitum*, **in**capatze (incapace) = ***incapacem***, **im**minorigare (diminuire) = ***im****minuere*), ecc.

Sono esempi di **suffisso**:

butega**ju** (bottegaio) = *taberna****rium***, canto**re** (cantore) = *canto****rem***, senado**re** (senatore) = *senato****rem***), ecc.

Sono **alterati** quei nomi composti da suffissi che indicano **minoranza, grandezza, disprezzo**, ecc.:

turrì**cula** (torretta) = *turri****culam***, figi**olu** (figliolo) = *fili****olum***, cate**ddu** (cucciolo) = *cate****llum***.

Nel caso di grandezza o disprezzo, si possono utilizzare sia il sostantivo alterato sia il sostantivo accompagnato da un aggettivo:

ebbatza / ebba mala (cavalla cattiva) = *equam malam*,
ominone / òmine mannu (uomo grande) = *hominem magnum*.

In latino ci sono certi nomi che sono di un **genere** al singolare e di altro genere al plurale:

giogu (gioco) = ***iocus*** (nom. sing. mascru) = ***ioca*** (ac. plur. nèutru);
logu (luogo) = ***locus*** (nom. sing. mascru) = ***loca*** o ***loci*** (ac. plur. nèutru).

7.6 NOMI CHE MUTANO GENERE E NUMERO DAL SINGOLARE AL PLURALE

7.6.1 Nomi che mutano dal singolare al plurale

In latino alcuni nomi mutano di **significato** se passano dal singolare al plurale:

abba = ***aqua*** (acqua) - bagnos = ***aquae*** (bagni); tèmpiu = ***aedes*** (tempio) - domos = ***aedes*** (casa); casteddu = ***castrum*** (castello) - acampamentu militare = ***castra*** (accampamento militare); abundàntzia = ***copia*** (abbondanza) - trupas = ***copiae*** (truppe); lìtera, grafema = ***litera*** (lettera, grafema) - epìstula = ***literae*** (epistola); agiudu = ***auxsilium*** (aiuto) - trupas ausiliàrias = ***auxsilia*** (truppe ausiliarie); bi[ghi]za = ***vigilia*** (veglia) - bardianos de bizada = ***vigiliae*** (guardiani di veglia).

In latino alcuni nomi tengono il significato diverso dal singolare al plurale e nel plurale mutano rispetto al singolare:

s'ortu (l'orto) = ***hortum*** (ac. sing.); sos giardinos (i giardini) = ***horti*** (num. plur.).

7.6.2 *Singularia tantum*

Alcuni nomi posseggono la forma solo del singolare e si chiamano in latino ***singularia tantum***. Ecco qualche esempio:

1ª declinazione. Questi nomi, a dire il vero, hanno anche il plurale, ma utilizzato in poche occasioni: abbundàntzia = *ăbundantiă* (abbondanza), atza = *audaciă* (audacia), elocuèntzia = *eloquentĭa* (eloquenzia), giustìtzia = *iustĭtĭa* (giustizia), prudèntzia = *prūdentĭa* (prudenza), sabiesa = *săpĭentĭa* (saggezza) ecc.

2ª declinazione: mare = *pĕlăgus* (mare), virus / venenu = *vīrus* (virus), burgu = *vulgus* (borgo).

3ª declinazione. Anche qualcuno di questi nomi possiede il plurale, ma viene utilizzato in poche occasioni: sàmbene (sangue) = *sanguine* (abl. sing.), plebe (plebe) = *plebe* (abl. sing.), late (latte) = *lacte* (abl. sing.), piedade (pietà) = *pietate* (abl. sing.), sidis (sete) = *sĭtis* (num. sing.), beranu (primavera) = *vēr* (nom. sing.), pèsperu (sera) = *vespĕr* (nom. sing.).

7.6.3 *Pluralia tantum*

Parecchi nomi latini portano solo la forma del plurale e si dicono ***pluralia tantum***.

1ª declinazione: nùntzias (notizie) = *nuptĭae* (nom. plur.), relìcuas (reliquie) = *reliquiae* (nom. plur.), insìdias (insidie) = *insidiae* (nom. plur.), angùstias (angustie) = *angustiae* (nom. plur.), inimicìtzias (inimicizie) = *inimicitiae* (nom. plur.), calendas (calende) = *calendae* (nom. plur.), richesa (ricchezze) = *divitiae* (nom. plur.).

2ª declinazione, quasi tutti con accusativo plurale: lìberos / figios (figli) = *liberos*, inferos (inferi) = *inferos*, fastos (fasti) = *fastos*, i[b]erralias (accampamenti invernali) = *hiberna* (ac. plur. neutro).

3ª declinatzione: lira (lira, cetra) = *fides* (num. plur.), otimados (ottimati) = *optimates* (num. plur.).

Tra i nomi delle città troviamo nel plurale **Sardes**, la capitale della Lidia, regione antica dell'Anatolia, che si chiamava con il *pluralia tantum* poiché era composta da parecchie tribù venute da luoghi differenti.

7.7 I NOMI COMPOSTI

I **nomi composti** si declinano come quelli semplici da cui provengono. Pertanto ***tridens*** (tridente) segue la declinazione di ***dens***; ***respublica*** (roba pubblica) si declina con *res publică, reipublicae*, ecc. Ma se una delle due voci è in **caso diretto**, si declina solo quest'ultimo. Esempio: ***plebiscitum*** (decreto della plebe, da **pleb-ischitu**, che vuol dire **ischitidura** - rivendicazione della plebe).

Esempio latino di nomi composti:

carriolàrgia de letu = *lecticariola* (cocchiera di letto)[2].

Sono **composti** quei nomi formati da due parole:

sostantivo + sostantivo = melapèssighe (pesca mela) = *mala persicum*.
sostantivo + aggettivo = republica (roba pubblica) = *res publica*.
aggettivo + sostantivo = mesudie (mezzogiorno) = *medium diem*.
verbo + nome = frà(b)ica muru (muratore) = *fabricat murum*.
verbo + avverbio = currimeda (corridore veloce) = *curre meta*.
preposizione + sostantivo = cunsensu (consenso) = *cum sensus*.

7.8 LE CLASSI SARDE E LE DECLINAZIONI LATINE DEI NOMI

In **sardo** i nomi hanno genere e numero divisi in **sei classi**. **In Latino** i nomi sono strutturati in **cinque classi**, che più o meno corrispondono alle classi del sardo.

2 Marcus Valerius Martialis, *Epigrammaton*, Liber XII, 58.

Le **declinazioni latine si possono confrontare con le classi sarde**. In **latino abbiamo cinque declinazioni** divise in relazione al tema. Pertanto avremo nomi della **prima declinazione con tema in *-ā***, nomi della **seconda con il tema in *-o*, la terza declinazione con il tema in consonante e in vocale *-i*, la quarta declinazione con il tema in *-ŭ*, la quinta declinazione con il tema in *-ē*. Il tema** della declinazione **si ricava dal genitivo plurale**.

Esempio:
1ª declinazione: *ros-**ā**-rŭm* (delle rose);
2ª declinazione: *lup-**ō**-rŭm* (dei lupi);
3ª declinazione: *re**g**-um* (dei re) e *mont-**ĭ**-ŭm* (dei monti);
4ª declinazione: *port-**ŭ**-ŭm* (dei porti);
5ª declinazione: *di-**ē**-rŭm* (dei giorni).

Le **declinazioni latine seguono** più o meno le **declinazioni greche**, che escono in questa maniera: 1ª declinazione in ***-a***, 2ª declinazione in ***-o***, 3ª declinazione in ***consonante*** e nelle vocali ***-i*** ed ***-u***.

Per mezzo dei casi, la lingua latina tiene nella frase una libertà di posizione delle parole più ampia rispetto alle attuali lingue romanze. Esempio: Pàulu amat Maria (Paolo ama Maria) = *Paulus amat Mariam, Mariam amat Paulus, Mariam Paulus amat, amat Paulus Maria.*
In sardo: Pàulu amat Maria, Maria amat Pàulu, Maria Pàulu amat, amat Pàulu Maria.

7.9 I CASI LATINI

La parte del discorso che mostra il latino molto differente dal sardo è **il caso**, preso dalla lingua greca, che, estraneo alle culture occidentali, **inserito nella koinè latina**, ha reso questa lingua di difficile utilizzo, relegandola per lo più a lingua scritta. Di fatto, ogni caso esprime una funzione sintattica del sostantivo e impegna il parlante a conoscere ben 24 (12 per il numero: singolare e plurale; 12 per il genere: maschile, femminile e neutro) maniere differenti di scrittura e pronuncia per ogni nome.

Per imparare a declinare i nomi occorre conoscere bene alcune regole:
- **il nominativo** e il **vocativo singolari e plurali tengono la stessa declinazione, ad eccezione della seconda declinazione** in cui il nominativo singolare esce in ***-us*** e il vocativo singolare termina in ***-e***;
- **il dativo** e **l'ablativo plurali hanno la stessa terminazione**: nella **prima** e nella **seconda declinazione** escono in ***-is***, mentre nella **terza**, **quarta** e **quinta** finiscono in ***-bus***;
- **il nominativo**, **accusativo** e **vocativo** dei nomi **neutri sono sempre uguali** tanto nel **singolare**, ***-ŭm***, quanto nel plurale, ***-ă***;
- **l'ablativo singolare** della **prima**, **terza**, **quarta** e **quinta** declinazione si compone **togliendo la *-m* dall'accusativo singolare**;
- nella **seconda declinazione l'ablativo singolare esce in *-o***, perché è questa la vocale tematica, per differenziarlo dalla ***-u*** dalla **quarta declinazione**.

Secondo la storiografia moderna, con il declino dell'Impero romano, anche la lingua statuale ha cominciato a perdere consenso e tutti gli stati che si sono formati nell'Europa Occidentale hanno abbandonato il latino per usare il loro linguaggio originario, composto con le quattro funzioni distintive di genere (maschile e femminile) e numero (singolare e plurale), accompagnate dagli articoli e dalle preposizioni.

Ma, come abbiamo detto e diremo, le cose non sono andate proprio così, poiché la **koinè latina** era una lingua prevalentemente scritta, saputa parlare solo da pochi funzionari statali e da qualche scrittore.

Rispetto alla lingua greca, strutturata in cinque casi, il latino ha adottato anche il caso ablativo, che nel singolare riprende in linea generale la lingua sardo-italica, avvicinando in tal modo lo scritto al parlato.

Nella **lingua latina** le **cinque declinazioni si distinguono** una dall'altra per la terminazione del **genitivo singolare**. La 1ª declinazione ha il genitivo singolare in ***-ae***, la 2ª declinazione in ***-i***, la 3ª declinazione in ***-is***, la 4ª declinazione in ***-us***, la 5ª declinazione in ***-ei***.

Nel prospetto (abl. sing.): ***puella*** **(ragazza),** ***fico*** **(fico),** ***flore*** **(fiore),** ***acu*** **(ago),** ***die*** **(giorno).**

DECLINAZIONI	GENITIVO	NOMINATIVO	DATIVO	ACCUSATIVO	VOCATIVO	ABLATIVO	SARDU
1ª declinazione - ae	*puell-**ae***	*puell-ă*	*puell-ae*	*puell-ăm*	*puell-ă*	*puell-ā*	*pobidda*
2ª declinazione - ī	*fic-ī*	*fic-us*	*fic-o*	*fic-um*	*fic-e*	*fic-o*	*figu*
3ª declinazione -ĭs	*flor-**ĭs***	*flōs*	*flor-i*	*flor-ĕm*	*flōs*	*flor-e*	*frore*
4ª declinazione - ūs	*ac-**ūs***	*ac-ŭs*	*ac-ui*	*ac-ŭm*	*ac-ŭs*	*ac-u*	*agu*
5ª declinazione - ēī	*di-**ēī***	*di-ēs*	*di-ei*	*di-ĕm*	*di-es*	*di-e*	*die*

7.10 LA PRIMA CLASSE SARDA E LA PRIMA DECLINAZIONE LATINA

In sardo **la prima classe** è composta da nomi prevalentemente femminili che terminano in **–a** ed escono al plurale in **–as**.

In latino **la prima declinazione** corrisponde alla prima classe sarda e, nei casi nominativo, vocativo e ablativo singolari esce in ***-a*** come in sardo; mentre nel caso accusativo, la ***-a*** aggiunge la desinenza ***-m***. La prima declinazione latina contiene il tema in ***-a-*** e possiede il genitivo singolare in ***-ae***.

Nella prima declinazione latina, come quella greca, non ci sono nomi neutri.

Ecco alcuni esempi di ablativo singolare e accusativo plurale:

lan-a (lana) = *lan-ā,* lan-as (lane) = lan-as; pobidd-a (ragazza) = *puell-ā*, pobidd-as (ragazze) = *puell-as.*

In sardo e in latino c'è qualche nome che esce in ***-a*** sebbene di genere maschile. Ecco un paio di esempi in nominativo singolare e in accusativo plurale:

poet-a (poeta) = *poet-ă*, poet-as (poeti) = *poet-as*; pirat-ă (pirata) = *pirat-a*, pirat-as (pirati) = *pirat-as*.

Ecco qui sotto la declinazione della prima classe dei sostantivi. Il latino corrisponde al sardo nel nominativo (singolare), nell'accusativo (singolare e plurale) e nell'ablativo (singolare), che sono i casi con maggiori funzioni sintattiche.

Tabella di **pobidda** o **pubidda** = ***puellă*** (ragazza) e di **pirata** = ***pirată*** (pirata).

CASO	SINGOLARE	PLURALE	SINGOLARE	PLURALE	SINGOLARE	PLURALE
NOMINATIVO	-ă	-ae	*puell-**ă***	*puell-**ae***	*pirat-**ă***	*pirat-**ae***
GENITIVO	-ae	-ārum	*puell-**ae***	*puell-**ārum***	*pirat-**ae***	*pirat-**ārum***
DATIVO	-ae	-īs	*puell-**ae***	*puell-**īs***	*pirat-**ae***	*pirat-**īs***
ACCUSATIVO	-am	-ās	*puell-**am***	*puell-**ās***	*pirat-**am***	*pirat-**ās***
VOCATIVO	-ă	-ae	*puell-**ă***	*puell-**ae***	*pirat-**ă***	*pirat-**ae***
ABLATIVO	-ā	-īs	*puell-**ā***	*puell-**īs***	*pirat-**ā***	*pirat-**īs***

Ecco qui sotto la declinazione latina di rosa = ***rosă*** (rosa), comparata con il greco **γλῶσσα** (glossa), che significa "lingua", poiché il sostantivo "rosa" in greco è maschile. Questo mostra la distanza tra le due lingue ed evidenzia come il latino abbia innestato la flessione greca nei sostantivi di matrice romanza.

CASO	SINGOLARE: latino / greco		SARDU	PLURALE: latino / greco		SARDU
NOMINATIVO	*ros-**ă***	γλῶσσ-**α**	sa rosa	*ros-**ae***	γλῶσσ-**αι**	sas rosas
GENITIVO	*ros-**ae***	γλώσσ-**ης**	de sa rosa	*ros-**ārŭm***	γλωσσ-**ῶν**	de sas rosas
DATIVO	*ros-**ae***	γλώσσ-**ῃ**	a sa rosa	*ros-**īs***	γλώσσ-**αις**	a sas rosas
ACCUSATIVO	*ros-**ăm***	γλῶσσ-**αν**	sa rosa	*ros-**ās***	γλώσσ-**ας**	sas rosas
VOCATIVO	*ros-**ă***	γλῶσσ-**α**	o rosa	*ros-**ae***	γλῶσσ-**αι**	o rosas
ABLATIVO	*ros-**ā***	------	cun sa rosa	*ros-**īs***	------	cun sas rosas

Il **genitivo** singolare in latino arcaico usciva in ***-ās***, come in greco, e ancora nel periodo classico si trovano frasi, come *pater famili**as*** (padre di famiglia), che lo riportano. I nomi greci in alfa impuro cambiano la **α** in **η** (eta) nel genitivo e dativo singolari, come le corrispondenti terminazioni latine in **-ae**.

Il suffisso ***-ārŭm*** del genitivo plurale lo troviamo nell'indoeuropeo con la forma ***-āsōm*** e in greco con le forme **άων** e **αις**. Alcuni nomi della prima declinazione, per lo più di origine greca, al posto di uscire con ***-ārŭm*** terminano in ***-um***. Esempio: ***dracm-um*** = dracma (moneta greca).

Il **dativo** e l'**ablativo** della prima declinazione terminano nel plurale prevalentemente in ***-is***; ad eccezione di alcuni nomi che finiscono in ***-abus***:
anĭmā - *anim**abus*** (a, con le anime); *asĭnā* - *asin**abus*** (a, con le asine); *domina* - *domin**abus*** (a, con le donne / padrone); *famula* - *famul**abus*** (a, con le domestiche); *filia* - *fili**abus*** (a, con le figlie); *liberta* - *liber**tabus*** (a, con le liberte); *mula* - *mul**abus*** (a, con le mule).

Domĭnā = donna, probabilmente, potrebbe derivare da *do**mn**a*, poiché in sardo si pronuncia do**nn**a, e la consonante **-m-** sarebbe il raddoppiamento della **-n-**.

Nella prima declinazione ci sono alcuni nomi di origine greca che terminano in ***-as***, ***-es*** ed ***-e***. Quelli che finiscono in ***-as*** ed ***-es*** perdono nel vocativo la ***-s***. Quelli che escono in ***-as*** tengono l'accusativo in ***-an*** e quelli che escono in ***-es*** hanno l'accusativo in ***-en***, con le desinenze greche al posto di quelle latine.

Esempi: *Aenēās* (Enea) e *Anchisă* (Anchise)

CASO	SINGOLARE	SARDU	SINGOLARE	SARDU
NOMINATIVO	*Aeneas*	Enea	*Anchisă*	Anchise
GENITIVO	*Aeneae*	de Enea	*Anchisae*	de Anchise
DATIVO	*Aeneae*	a Enea	*Anchisae*	a Anchise
ACCUSATIVO	*Aenean*	Enea	*Anchisen*	Anchise
VOCATIVO	*Aenea*	o Enea	*Anchisă*	o Anchise
ABLATIVO	*Aenea*	cun Enea	*Anchisā*	cun Anchise

Negli scrittori arcaici si trova anche il **genitivo singolare** che termina in ***-ai*** in luogo di ***-ae***. Pertanto troviamo: *terr**ai*** (della terra) e *aul**ai*** (della regia / aula).

Ecco alcuni nomi della prima declinazione latina (nominativo singolare) simili alla prima classe sarda:
Maschili: nauta = *naută* (nauta), poeta = *poetă* (poeta), profeta = *prophetă* (profeta), pirata = *pirată* (pirata), indìghena = *indigenă* (indigena), iscribanu = *scribă* (scrivano).
Femminili: fèmina = *femină* (femmina), giaja = *avia* (nonna. Probabilmente, in origine, il nome poteva essere scritto *iaiă*, perché in sardo si pronuncia **gi**aja o **z**aja), ferula = *ferulă* (ferula), gianna = *ianuă* (porta), pratza = *plateă* (piazza. Probabilmente, in origine, la ***-e-*** di *plateă* poteva essere stata una ***-i-***, perché la **ti+vocale** in latino e in sardo centro meridionale si pronuncia **/tz/**, come in: pra**tz**a), iscudìsciu = *scutică* (scudiscio).

Ci sono nella prima declinazione nomi che si utilizzano solo nel plurale.
Esempio: iscòbias = *excubiae* (in latino significa servizio di guardia. In sardo è invece l'azione di essere scoperto); *excubiārum* = delle guardie; calendas = *kalendae* = (calende); *kalendārium* = delle calende.

7.11 LA SECONDA CLASSE SARDA E LA SECONDA DECLINAZIONE LATINA

- In sardo comune la **seconda classe** è composta da nomi in prevalenza **maschili** che terminano in **–u** e finiscono con il plurale in **-os**. Nel sardo centro meridionale il plurale termina in **-us**.

- In latino i nomi, per lo più maschili e qualcuno femminile, che fanno parte della **seconda declinazione** terminano al nominativo singolare per la maggior parte in ***-us***, altri in ***-er***, pochi in ***-ir*** e uno solo in ***-ur*** (*satur* = sàturu, atatu = saturo).

- Fanno parte di questa declinazione anche nomi neutri, che terminano, invece, in ***-um***, ad eccezione di *virus* (virus) che finisce in ***-ur***. Il plurale neutro del nominativo, accusativo e vocativo, come il plurale collettivo greco, esce con la desinenza in ***-a***.

Esempi di sostantivi maschili in accusativo singolare e plurale:

mur-u = *mur-um* (muro), mur-os = *mur-os* (muri); pudd-u = *pull-um* (pollo), pudd-os = pull-os (polli), càntaru = *cantharum* (pila dell'acqua santa), cantaros = *cantharos* (pile d'acqua).

Esempio di sostantivo femminile in accusativo singolare e plurale:

ùlimu = *ulmum* (olmo), ùlimos = *ulmos* (olmi).

- La seconda classe prende **in latino** i nomi che hanno vocale tematica in ***-o***, come la quarta classe sarda e uguale alla seconda classe greca, ma termina in ***-ŭs*** nel nominativo singolare e in ***-ŭm*** nell'accusativo singolare. In greco come in latino, quando manca la vocale tematica, la radice si lega direttamente alla desinenza. Esempio: *ped-is* = ποδ-ός (piede). Quando invece la radice si lega alla vocale tematica, la desinenza esce in questo modo sia in latino che in greco. Esempio: *lup-u-m* = λύκ-ο-ν (lupo).

- Questa declinazione si differenzia dalla 4ª per le uscite in ***-i*** nel genitivo singolare. La IV declinazione, di fatto, nel genitivo singolare ha qualche nome come *manus* (mano) che esce anche in ***-uis*** = *manuis*. Nella II declinazione il vocativo singolare esce ***-e*** come in greco: ἔλαφ-**ε** = *cerv-ĕ* = chervu (cervo).

- Le altre desinenze sono ugualmente simili tra latino e greco, ma le radici dei nomi, nell'esempio "chervu = cervo", sono del tutto differenti tra le due lingue. Tale dicotomia è la prova concreta che i Latini hanno innestato le desinenze greche nella radice sarda.

Nome maschile che termina nel nominativo singolare in ***-us*** (*cerv**us*** = ἔλαφ-**ος** = chervu).

CASU	SINGULARE: **latinu e grecu**		SARDU	PLURALE: **latinu e grecu**		SARDU
Numenativu	*cerv-**ŭs***	ἔλαφ-**ος**	su chervu	*cerv-**ī***	ἔλαφ-**οι**	sos chervos
Genitivu	*cerv-**ī***	ἐλάφ-**ου**	de su chervu	*cerv-**ōrŭm***	ἐλάφ-**ων**	de sos chervos
Dativu	*cerv-**ō***	ἐλάφ-**ῳ**	a su chervu	*cerv-**īs***	ἐλάφ-**οις**	a sos chervos
Acusativu	*cerv-**ŭm***	ἔλαφ-**ον**	su chervu	*cerv-**ōs***	ἐλάφ-**ους**	sos chervos
Vocativu	*cerv-**ĕ***	ἔλαφ-**ε**	o chervu	*cerv-**ī***	ἔλαφ-**οι**	o chervos
Ablativu	*cerv-**ō***	------	cun su chervu	*cerv-**īs***	------	cun sos chervos

- Nome femminile che termina nel nominativo singolare in ***-us***: *ulm**us*** = ùlimu (olmo).

CASO	SINGOLARE	SARDU	PLURALE	SARDU
Nominativo	*ulm-**ŭs***	s'ùlimu	*ulm-**ī***	sos ùlimos
Genitivo	*ulm-**ī***	de s'ùlimu	*ulm-**ōrŭm***	de sos ùlimos
Dativo	*ulm-**ō***	a s'ùlimu	*ulm-**īs***	a sos ùlimos
Accusativo	*ulm-**ŭm***	s'ùlimu	*ulm-**ōs***	sos ùlimos
Vocativo	*ulm-**ĕ***	o ùlimu	*ulm-**ī***	o ùlimos
Ablativo	*ulm-**ō***	cun s'ùlimu	*ulm-**īs***	cun sos ùlimos

Se andiamo a vedere le poche parole che fanno parte della IV declinazione latina, ci rendiamo conto che qualcuna fa parte anche della II declinazione, come i sostantivi ***domus*** (domo = casa) e ***ficus*** (figu = fico). In sardo **domo** (*domus*) fa parte della IV classe sarda e **figu** (*ficus*) della II. Questo dimostra la vicinanza che esiste tra le due declinazioni latine e le stesse classi sarde:

fig-u = *fic-um* (ac. sing.); fig-os = ***fic-os*** (ac. plur.), II declinazione latina e sardo centro settentrionale;

fig-u = *fic-um* (ac. sing.); fig-us = ***fic-us*** (ac. plur.): IV declinazione latina e sardo centro meridionale.

> La parola ***ficus*** (fico) nella seconda declinazione latina esce nell'accusativo plurale in ***-os*** (*ficos*) allo stesso modo del sardo centro settentrionale, mentre nella VI declinazione esce in ***-us*** (*ficus*) alla maniera del sardo centro meridionale.
>
> Per questo possiamo dire che la II declinazione latina è rivolta al sardo centro settentrionale e la IV al sardo centro meridionale.

La difficoltà di declinare in latino la parola *domus* (casa) deriva dal fatto che è uno dei sostantivi più utilizzati dal Sardo e dal Latino, pertanto è stato difficoltoso per i parlanti latini accettare regole che uscissero dal loro ragionamento comune. Per questo sono nate tutte queste differenze che vediamo nel prospetto indicato qui sotto.

Declinazione del nome latino ***domus*** (**domo** in sardo logudorese e **domu** in sardo campidanese)

CASO	SINGOLARE	PLURALE	SINGOLARE	PLURALE	SARDU PLURALE
NOMINATIVO	-ŭs	-i	*dom-**ŭs***	*dom-**ūs***	sas domos
GENITIVO	-i	-ōrum	*dom-**ūs**, dom-**i***	*dom-**ŭum**, dom-**orum***	de sas domos
DATIVO	-o	-is	*dom-**ui**, dom-**o***	*dom-**ĭbus***	a sas domos
ACCUSATIVO	-um	-os	*dom-**um***	*dom-**ūs**, dom-**os***	sas domos
VOCATIVO	-e	-i	*dom-**ŭs***	*dom-**ūs***	o domos
ABLATIVO	-o	-is	*dom-**u**, dom-**o***	*dom-**ĭbus***	cun sas domos

Qui sotto si elencano alcuni **sostantivi maschili** della II declinazione latina che terminano in ***-us*** nel nominativo singolare, ma che riportiamo in accusativo singolare: *baculum* = bàculu (bacolo); *cubitum* = cubitu (gomito); *cucullum* = cuguddu (copritesta); *dominum* = donnu (don, signore); *focum* = fogu (fuoco); *fraxinum* = frassinu (frassino); *lacum* = lagu (lago); *ocŭlum* = ogru (occhio); *pullum* = puddu (pollo); *puteum* = putu / putzu (pozzo); *ventum* = bentu (vento); *vadum* = badu, [b]àidu (guado); *equum* = caddu (cavallo).

> In latino il cavallo e la cavalla, **cabaddu** e **ebba** in sardo, sono rimasti con lo stesso nome, *equus* e *equa*, per mantenere la corrispondenza con il greco (ἵππος) *ippos*.

> Il sostantivo ***vir*** (viro), in accusativo singolare *virum*, in sardo, con il betacismo, è divenuto "**biru**". Troviamo il suo corrispondente nel verbo "**birare**", che significa "traboccare" il normale, come quando l'acqua bolle e "birat = trabocca" dal tegame. In sardo l'uomo "biru", tutto di un pezzo, si dice "**chìberu**", vale a dire "che-biru", ovverosia come un **viro**.

> Il sostantivo ***coluber*** (biscia), in accusativo singolare *colubrum*, in sardo "colora" o "colu[v]ru", in Logudoro è un sostantivo femminile, mentre in Mesania e nella Sardegna del capo di sotto è maschile.

Questi che seguono sono, invece, **sostantivi** della II declinazione latina che mutano genere dal sardo al latino: - *myrtus* = murta (mirto), sostantivo neutro, che in accusativo singolare esce con *myrtum* ma che in accusativo plurale termina con *myrta*, come in sardo; - *laŭrum* = laru (alloro), in latino è di genere maschile e femminile, ma in sardo è maschile;- *papyrus* = pabilu (papiro), in latino è femminile (in greco *pápyros*), ma in sardo è maschile.

Insieme ai nomi che finiscono nel nominativo singolare in ***-us*** troviamo nella II declinazione latina sostantivi maschili che terminano ***-er*** (*pulcher* = bello), qualcuno in ***-ir*** (*vir* = uomo vero) e uno solo in ***-ur*** (satur = saturo).

Ecco qua sotto il prospetto con nomi con l'uscita in ***-er*** e in ***-ir***: *coluber* (biscia) e *vir* (viro).

CASU	SINGULARE	PLURALE	SINGULARE	PLURALE	SINGULARE	PLURALE
NUMENATIVU	-er, -ir, -ur	-i	*cŏlŭbĕr*	*colubr-**i***	*vir*	*vir-**i***
GENITIVU	-i	-orum	*colubr-**i***	*colubr-**ōrum***	*vir-**i***	*vir-**ōrum***
DATIVU	-o	-is	*colubr-**o***	*colubr-**is***	*vir-**o***	*vir-**is***
ACUSATIVU	-um	-os	*colubr-**um***	*colubr-**os***	*vir-**um***	*vir-**os***
VOCATIVU	-er, -ir, -ur	-i	*coluber*	*colubr-**i***	*vir*	*vir-**i***
ABLATIVU	-o	-is	*colubr-**o***	*colubr-**is***	*vir-**o***	*vir-**is***

Qui appresso elenchiamo alcuni sostantivi solo maschili della II declinazione latina che terminano in ***-er*** nel nominativo singolare, ma che nell'accusativo singolare perdono la ***-e-*** e riprendono la vocale tematica ***-u-***, come in sardo: *libĕr, librum* = libru, lìberu (libro); *ăger, agrum* = agru (agro); *cultĕr, cultrum* = gurteddu o burteddu (coltello).

Il nome ***culter*** (coltello) in latino lo troviamo anche con il suffisso ***-ellus***, come in sardo: *cultellus, cultellum* (gurteddu).

Le corrispondenti femminili dei nomi in ***-er*** fanno parte della prima declinazione o della quarta. Ad esempio:

- Il sostantivo ***socer***, *socerum* = sogru (suocero), è maschile e tiene il corrispondente femminile nella IV declinazione con *socrus, socrum* = sogra (suocera). Come si vede, i Latini hanno dato ad uno e all'altra caratteristiche differenti e collocato *socrus* tra i pochi sostantivi femminili della IV declinazione, mutando la vocale tematica da ***-a-*** in ***-u-***.

- Il nome ***magister***, *magistrum* = maistru, magistru (maestro) in sardo ha mantenuto la ***-g-*** intervocalica in area centro meridionale, ma l'ha persa in quella centro settentrionale.

- Il termine ***puer***, *puerum* = pitzinnu, pòberu (ragazzo) trova il corrispondente femminile con *pueră, pueram* (ragazza), sostantivo della prima declinazione. Nella parola latina *puerum* si è perduta con il tempo la ***-b-*** intervocalica (*pu[**b**]erum*), come abbiamo visto spesso per altri nomi, e la vocale ***-o-*** della prima sillaba si è chiusa in ***-u-***, formando *puerum* da *poerum.* Infatti, se andiamo a vedere il significato intrinseco di entrambe le parole ci rendiamo conto che un *puerum* (ragazzo) non può essere ricco ma *poberum* (povero).

La rotacizzazione della ***-l-*** in ***-r-***, che già si intravede nel passaggio di *pulcher* da nominativo ad accusativo (*pulchrum*) e l'apertura della vocale ***-u-*** *in* ***-o-*** hanno fatto mutare il cognome latino ***Pulchellus*** = **Pulcheddu** in quello sardo **Porcheddu**. ***Pulcheddu*** lo troviamo così in questa forma nel sardo corso.

- La parola ***pulcher***, *pulchrum* = bellu (bello), che è anche un *cognomen* romano de sa *gens* Claudia, tiene il corrispondente femminile in *pulchra, pulchram* (bella) nella prima declinazione. Questo sostantivo / cognome può essere anche aggettivo e lo troviamo in latino con *pulchellus, pulchellum*.

Nomi maschili che terminano nel nominativo singolare in -er: puer = pitzinnu (ragazzo).

CASO	SINGOLARE	SARDU	PLURALE	SARDU
Nominativo	*puĕr*	su pitzinnu, pòberu	*puer-ī*	sos pitzinnos
Genitivo	*puer-ī*	de su pitzinnu	*puer-**ōrŭm***	de sos pitzinnos
Dativo	*puer-ō*	a su pitzinnu	*puer-**īs***	a sos pitzinnos
Accusativo	*puer-**ŭm***	su pitzinnu	*puer-**ōs***	sos pitzinnos
Vocativo	*puĕr*	o pitzinnu	*puer-ī*	o pitzinnos
Ablativo	*puer-ō*	cun su pitzinnu	*puer-īs*	cun sos pitzinnos

Si declinano come *puer* = pitzinnu (ragazzo): *generum* = ghènneru / bènneru (genero), *socerum* = sogru (suocero).

In *-ir* terminano i nomi che seguono: *levir, levirum* = connadu (cognato); *triumvir, triumvĭrum* = triùnviru (triunviro).

Se nel sostantivo ***trium*** mettiamo una ***-b-*** intervocalica, la parola viene ad essere ***tri[b] um***, che sembrerebbe avere un significato differente dalla parola *trium* (tre), perché vuol dire una delle tre stirpi originarie dei cittadini romani, ma sempre al numero **tre** è riferita.

Nella seconda declinazione, al contrario della prima, i nomi si dividono in maschili, femminili e **neutri**. Ecco qui sotto la declinazione dei nomi neutri che terminano in ***-um*** nel nominativo singolare: *donum, donum* = donu (dono).

Tutti i nomi neutri della seconda declinazione terminano in ***-um*** nei casi retti singolari, eccetto *virus* (virus), *vulgus* (volgo) e *pelăgus* (mare) che escono in ***-us***, e tengono i casi diretti (nominativo, accusativo e vocativo) uguali nel singolare (***-um***) e nel plurale (***-a***).

Nel prospetto indicato sotto: i sostantivi neutri *donum* = donu (dono) e *vinum* = binu (vino).

CASO	SINGOLARE	PLURALE	SINGOLARE	PLURALE	SINGOLARE	PLURALE
NOMINATIVO	-um	-a	*don-**ŭm***	*don-**ă***	*vin-**ŭm***	*vin-**ă***
GENITIVO	-i	-orum	*don-**ī***	*don-**ōrŭm***	*vin-**ī***	*vin-**ōrŭm***
DATIVO	-o	-is	*don-**ō***	*don-**īs***	*vin-**ō***	*vin-**īs***
ACCUSATIVO	-um	-a	*don-**ŭm***	*don-**ă***	*vin-**ŭm***	*vin-**ă***
VOCATIVO	-um	-a	*don-**ŭm***	*don-**ă***	*vin-**ŭm***	*vin-**ă***
ABLATIVO	-o	-is	*don-**ō***	*don-**īs***	*vin-**ō***	*vin-**īs***

Come si vede, il neutro plurale termina in ***-a*** nei casi diretti del nominativo, accusativo e vocativo. In sardo si utilizza la vocale finale **-a** per chiudere gli aggettivi sostantivati che fanno da complemento oggetto. Ad esempio, non si dice "deo màndigo mudu (io mangio zitto)", ma "deo màndigo a sa muda (io mangio alla zitta)", vale a dire "alla maniera di essere zitto".

Qui appresso indichiamo altri nomi neutri della 2ª declinazione che terminano in ***-um***: *praedium* = su padru (podere, fondo), *folium* = sa foza / folla (foglia, foglio), *bellum* = su bellu (guerra), *lutum* = su ludu (fango), *castrum* = su castru / casteddu de pedra (castello), *corium* = su còrgiu (cuoio), *triticum* = su trigu (grano), *vadum* = su badu / 'aidu (guado).

- **Terminazioni particolari.**

Nella seconda declinazione la maggior parte dei nomi lega la desinenza direttamente alla consonante della radice, come ad esempio: *cerv-us* (cervo), *ulm-us* (olmo), ecc. Fanno eccezione a questa regola: *fili-us* = fizu / fillu (figlio); *geni-us* = [in]ghènzu (genio); che aggiungono la desinenza alla vocale ***-i***, ma non dobbiamo dimenticare che questa ***-i-***, dal momento che è seguita da una vocale, è la consonante **zayin**. Insieme alla terminazione ***-ĭī*** (*fil-ĭī*) del genitivo singolare, troviamo la forma contratta di ***-ī*** (*fil-ī* = del figlio).

Non tengono conto della regola generale neppure i nomi propri di persona che terminano in ***-ĭus*** e che hanno la ***-i-*** accentata (*Darīus*, ***-i-*** breve) che diventa ***-īĕ***: *Darīe*. I nomi di persona e i sostantivi *filius* e *genius* posseggono il vocativo singolare in ***-i***.

In nomi che indicano valore o misura: *iuger-um* (de sos giùgheros = dei iugeri), *modi-orum* (de sos mojos = dei moggi), *sesterti-orum* (de sos sestèrtzios = dei sesterzi), tengono il genitivo plurale quando in ***-um***, quando in ***-orum***.

I nomi propri che chiudono in ***-ius*** dovrebbero uscire nel vocativo singolare in ***-e***, invece non rispettano questa regola e terminano in *-i*, come in sardo.

Esempi: *Antoni* = o Antoni! (o Antonio!), *Virgili* = o Vizili! (o Virgilio!).

Il nome Deus (Dio) è un caso a parte; la sua declinazione presenta le particolarità che seguono:

CASO	SINGOLARE	SARDU	PLURALE	SARDU
NOMINATIVO	*deus*	su deus	*dī, dii, dei*	sos deos
GENITIVO	*dei*	de deus	*deōrum, deum*	de sos deos
DATIVO	*deo*	a deus	*dīs, diis, deis*	a deos
ACCUSATIVO	*deum*	su deus	*deos*	sos deos
VOCATIVO	*dee, deus*	o deus	*dī, dii, dei*	o deos
ABLATIVO	*deo*	cun deus	*dīs, diis, deis*	cun sos deos

Essendo ***Deus*** (Dio), come *Domus* (casa), uno dei nomi più utilizzati dai Latini, nel caso vocativo, quando è accompagnato dall'aggettivo **meu** (mio), dovrebbe comporre ***Dee mi***, ma questa regola non viene rispettata e i Latini scrivono ***Deus meus*** = o Deus meu! (o mio Dio), come in sardo, ma anche come il vocativo maschile singolare greco che esce con Θεός (Theos).

Fanno parte della seconda declinazione alcuni nomi greci che terminano in ***-eus***, ***-os*** e ***-on***, come quello della città di Troia, che si chiama *Ilion*.

Ecco la declinazione di *Īlĭŏn* e di *Athos* (Monte):

CASO	SINGOLARE	SARDU	SINGOLARE	SARDU
NOMINATIVO	*Ilion*	Troja	*Atho*	Athos
GENITIVO	*Ilii*	de Troja	*Athos*	de Athos
DATIVO	*Ilio*	a Troja	*Atho*	a Athos
ACCUSATIVO	*Ilion*	Troja	*Atho, Athon*	Athos
VOCATIVO	*Ilion*	o Troja	*Atho*	o Athos
ABLATIVO	*Ilio*	cun Troja	*Atho*	cun Athos

7.12 LA TERZA CLASSE SARDA E LA III DECLINAZIONE LATINA

In sardo comune la **terza classe** è composta da nomi **maschili** e **femminili** che terminano nel singolare in **–e** ed escono nel plurale in **–es**. Gli stessi nomi in sardo centro meridionale escono nel singolare in **-i** e nel plurale in **-is**. Nel sardo di Mesania (centrale) può succedere che qualche nome esca nel singolare prendendo la variante centro settentrionale e nel plurale acquisendo la variante centro meridionale, e/o viceversa. Queste particolarità le riscontriamo anche in latino.

Nell'esempio in basso mostriamo le due varianti sarde (settentrionale e meridionale) con la traduzione in ablativo singolare e accusativo plurale latini dei sostantivi: fiore, uomo, moglie, animale, dimora rurale.

latino abl. sing. *flor-***e** = fror-**e** (L), fror-**i** (C); latino ac. plur. *flor-es* = fror-**es** (L), fror-**is** (C);
latino abl. sing. *homin-**e*** = òmin-**e** (L), òmin-**i** (C); latino ac. plur. *homin-**es*** = òmin-**es** (L), òmin-**is** (C);
latino abl. sing. *mulier-**e*** = muzer-**e** (L), muller-**i** (C); latino ac. plur. *mulier-**es*** = muzer-**es** (L), muller-**is** (C);
latino abl. sing. *animal-**i*** = animal**e** (L), animal**i** (C); latino ac. plur. *animal-**is*** = animal-**es** (L), animal-**is** (C);
latino abl. sing. *cubil-**i*** = cu[b]il**e** (L), cu[b]il**i** (C); latino ac. plur. *cubil-**is*** = cu[b]il**es** (L), cu[b]il-**is** (C).

Nella **III declinazione latina** ci sono nomi di qualsiasi genere, accomunati tutti dalla desinenza in ***-is*** del genitivo singolare, per lo più corrispondenti nell'ablativo singolare alla III classe del sardo. Come nelle desinenze delle varianti sarde logudorese e campidanese, troviamo in latino nomi che nell'ablativo singolare terminano in ***-e***, altri che finiscono in ***-i*** e altri ancora che hanno le desinenze sia in ***-e*** che in ***-i***.

In latino alcuni nomi hanno una doppia terminazione nel nominativo singolare. Esempi: **àrbure** (albero) = ***arbor***, ***arbos***; **abe** (ape) = ***apes***, ***apis***; **lèpere** (lepre) = ***lepor***, ***lepus***; **onore** (onore) = ***honor***, ***honos***; **lande** (ghianda) = ***glans***, ***glandis***. Questa dicotomia è dovuta al fatto che il latino, prendendo dalla lingua greca i casi, ha conformato in alcuni sostantivi la terza declinazione latina a quella greca. Quindi, troncando la vocale finale dei nomi, ha fatto uscire il nominativo in: labiale, gutturale, nasale, liquida, sibilante, ecc.

Desinenze della III declinazione latina. In questa declinazione ci sono nomi maschili, femminili e neutri.

	SINGOLARE		PLURALE	
CASO	MASCHILE E FEMMINILE	NEUTRO	MASCHILE E FEMMINILE	NEUTRO
Nominativo	*varie*	*varie*	*-ēs*	*-ă, -ĭă*
Genitivo	*-ĭs*	*-ĭs*	*-ŭm, -ĭŭm*	*-ŭm, -ĭŭm*
Dativo	*-ī*	*-ī*	*-ĭbŭs*	*-ĭbŭs*
Accusativo	*-ĕm, -ĭm*	*varie*	*-ēs, -īs (a volte)*	*-ă, -ĭă*
Vocativo	*varie*	*varie*	*-ēs*	*-ă, -ĭă*
Ablativo	*-ĕ, -ī, -ĕ/-ī*	*-ĕ, -ī, -ĕ/-ī*	*-ĭbŭs*	*-ĭbŭs*

7.12.1 NOMI PARISILLABI E IMPARISILLABI

Per fare una prima distinzione dei nomi che fanno parte della terza declinazione latina, per una questione di memorizzazione delle forme, si è sviluppata la pratica, senza fondamento scientifico, di dividere i sostantivi in **parisillabi** e **imparisillabi**. Sono **parisillabi** i nomi che nel nominativo singolare tengono lo stesso numero di sillabe del genitivo singolare e **imparisillabi** quelli che hanno, invece, quasi sempre, una o due sillabe in più nel genitivo rispetto al nominativo.

Molti nomi latini senza vocale tematica e con una o più sillabe nel genitivo singolare rispetto al nominativo singolare si trovano in greco. Infatti, diversi sostantivi che nel nominativo singolare latino della 3ª declinazione terminano in consonante sono stati troncati della vocale finale per farli corrispondere a quelli greci con tema in consonante.

Nella lingua sarda e, probabilmente, in quella latina delle origini, tutte le parole terminano solo in vocale, ad eccezione di pochi nomi che finiscono con la **-s** del plurale e la **-s/-t** delle desinenze verbali.

Nel prospetto in basso esempi di nomi **parisillabi**.

NOMINATIVO	SARDO	SILLABE	GENITIVO	SILLABE
collis (maschile)	su coddu, codina (collina)	due	*collis*	due
mare (maschile)	su mare (il mare)	due	*maris*	due
navis (femminile)	sa nave (la nave)	due	*navis*	due
mater (femminile)	sa mama (la mamma)	due	*matris*	due

Sono **imparisillabi**, ad esempio, i nomi che seguono: *rex*, *regis* (il re); *os*, *ossis* (l'osso); *orator*, *oratoris* (l'oratore); *consul*, *consŭlis* (il console); *iter*, *iteneris* (genere neutro, su interis, il viaggio in progressione).

NOMINATIVO	SARDU	SILLABE	GENITIVO	SILLABE
os (neutro)	ossu (osso)	una	*ossis*	due
orator (maschile)	oratore (oratore)	tre	*oratoris*	quattro
consul (maschile)	cònsule (console)	due	*consŭlis*	tre
iter (neutro)	interis (il viaggio)	due	*itenĕris*	quattro

Nel prospetto che segue mostriamo gli esempi di *flos, floris, florem* (frore = fiore) e *homo, hominis, homĭnem* (òmine = uomo). Questi sostantivi sono tutti e due imparisillabi perché nel nominativo singolare tengono una o due sillabe in meno rispetto al genitivo singolare. Il nome *flore* (abl. sing.) contiene la ***-s*** finale nel nominativo singolare (*flos*), mentre il nome *hòmine* (abl. sing.) non ha la ***-s*** nel nominativo singolare e muta anche la vocale finale in ***-o***: *homo*.

Questo mutamento di ***homo*** in ***hòmine*** potrebbe essere dovuto a due fattori: primo, per dare la possibilità di utilizzare nella metrica il nominativo singolare con due sillabe al posto di tre; secondo, per utilizzare nella scrittura il termine **osco** (lingua dell'Italia centro meridionale), *homo*, insieme al latino, *homine*.

Nel prospetto in basso la declinazione di *flos* = frore (fiore) e di *homo* = òmine (uomo):

CASO	SINGOLARE	PLURALE	SINGOLARE	PLURALE	SINGOLARE	PLURALE
NOMINATIVO	-varie	-varie	*flōs*	*flor-**es***	*hŏmo*	*homin-**es***
GENITIVO	-is	-um	*flor-**is***	*flor-**um***	*homin-**is***	*homin-**um***
DATIVO	-i	-ibus	*flor-**i***	*flor-**ĭbus***	*homin-**i***	*homin-**ĭbus***
ACCUSATIVO	-em	-es	*flor-**em***	*flor-**es***	*homin-**em***	*homin-**es***
VOCATIVO	-varie	-es	*flōs*	*flor-**es***	*hŏmo*	*homin-**es***
ABLATIVO	-e	-ibus	*flor-**e***	*flor-**ĭbus***	*homin-**e***	*homin-**ĭbus***

Nel prospetto che segue mostriamo gli esempi dei due neutri *mĕl* = mele (miele) e *cubile* = cu[b]ile (dimora rurale). *Mel* nel genitivo singolare termina in ***-is*** e raddoppia la ***-ll-*** in *mell-is* e esce in ***-a*** (mell-a) nell'accusativo plurale.

Per quanto riguarda *cubile*, questo sostantivo segue ugualmente il greco in accusativo plurale chiudendo non in ***-a***, ma in ***-ĭa*** (cubilia).

Nel prospetto in basso la declinazione di *mel* = mele (miele) e di *cubile* = cu[b]ile (giaciglio):

CASO	SINGOLARE	PLURALE	SINGOLARE	PLURALE	SINGOLARE	PLURALE
NOMINATIVO	-varie	-varie	*mĕl*	*mell-**a***	*cŭbīl-ĕ*	*cubil-**ĭa***
GENITIVO	-is	-ium	*mell-**is***	*mell-**ĭum***	*cubil-**is***	*cubil-**ĭum***
DATIVO	-i	-ibus	*mell-**i***	*mell-**ĭbus***	*cubil-**i***	*cubil-**ĭbus***
ACCUSATIVO	-varie	-a, ia	*mĕl*	*mell-**a***	*cŭbīl-ĕ*	*cubil-**ĭa***
VOCATIVO	-varie	-a, ia	*mĕl*	*mell-**a***	*cŭbīl-ĕ*	*cubil-**ĭa***
ABLATIVO	-e	-ibus	*mell-**e***	*mell-**ĭbus***	*cubil-**i***	*cubil-**ĭbus***

La parola ***litum*** è vista in latino come luogo alberato in zona di mare, di lago o di fiume, da cui *litoralis* o *litoreus* (liturale = litorale). Ovidio dice: «*Litus arandum dedimus* = abbiamo dato un tratto di **litu** da arare». In qualsiasi caso, il **litu** è un luogo alberato di querce (ghiandifere), forse vicino ad un corso d'acqua (*oralis* = oru; *litum* = litu). Un quartiere della cittadina di Ossi (SS) si chiama "**Lit**erai", come il latino *litoreus*, e un altro "**Litos** Longos", e non sono luoghi marini ma di acqua sorgiva.

Si declinano nello stesso modo i nomi: *litum* = litu (luogo alberato), *pecum* = pecus (bestiame), *os* = ossu (osso), *fel* = fele (fiele).

7.12.2 DIVISIONE DELLA TERZA DECLINAZIONE IN RELAZIONE ALLA TERMINAZIONE DELL'ABLATIVO SINGOLARE: -ĕ, -i, -ĕ /-ī.

Una maniera scientifica e più utile ai Sardi per memorizzare i nomi della III declinazione latina è quella di dividerli in **due gruppi a seconda della terminazione dell'ablativo singolare**. Il primo gruppo tiene l'uscita dell'ablativo singolare in ***-ĕ***, come nel sardo comune e in quello centro settentrionale; Il secondo gruppo ha la terminazione in ***-i***, uguale al sardo centro meridionale, e sia in ***-ĕ*** che in ***-ī***, così come è in alcuni luoghi del sardo di Mesania (Sardegna centrale).

La **divisione della III declinazione latina** riproduce quelle che allora erano le popolazioni provenienti dalla Sardegna che vivevano nella costa tirrenica della Toscana, del Lazio e della Campania in un determinato periodo storico dell'antichità. A dimostrazione di ciò, anche il fiume che attraversava Roma veniva chiamato in due modi: ***Tibere*** e ***Tiberi***.

7.12.3 PRIMO GRUPPO: ABLATIVO SINGOLARE IN -E.

Fanno parte di questo gruppo i nomi che tengono la desinenza dell'ablativo singolare in ***-ĕ***, come i sostantivi centro settentrionali della III classe sarda.

All'interno di questo gruppo troviamo nomi maschili, femminili e neutri. Un'altra ripartizione si può fare tenendo conto della terminazione del genitivo plurale, che può uscire in ***-ŭm*** e in ***-ĭum***.

Nel latino arcaico, probabilmente, il dativo singolare della terza declinazione era uguale all'ablativo. Infatti Properzio diceva: *insultat morte meae* e non *insultat morti meae* (insulta alla mia morte). Ma potrebbe anche essere che Properzio avesse riportato semplicemente nello scritto un proverbio radicato nella lingua parlata, ovverosia "mort**e** mea" e non "mort**i** mea".

Esempio di **nomi maschili** con l'uscita dell'**ablativo singolare in *-ĕ*** e del **genitivo plurale in *-ŭm***:
onore = *honorĕ, honorĕm, honorŭm*.
-ĕ nell'ablativo singolare;
-ĕm nell'accusativo singolare maschile e femminile;
-ŭm nel genitivo plurale.

ABLATIVO SINGOLARE (M.)	ACCUSATIVO SINGOLARE	GENITIVO PLURALE
-ĕ	***-ĕm***	***-ŭm***

CASO	SINGOLARE	SARDU	PLURALE	SARDU
NOMINATIVO	*hŏnŏr*	s'onore	*honor-**es***	sos onores
GENITIVO	*honor-**is***	de su onore	*honor-**ŭm***	de sos onores
DATIVO	*honor-**i***	a su onore	*honor-**ĭbus***	a sos onores
ACCUSATIVO	*honor-**ĕm***	s'onore	*honor-**es***	sos onores
VOCATIVO	*hŏnŏr*	o onore	*honor-**es***	o honores
ABLATIVO	*honor-**ĕ***	cun su onore	*honor-**ĭbus***	cun sos onores

Si declinano allo stesso modo i nomi che seguono:

ITALIANO	NOMINATIVO SINGOLARE	GENITIVO SINGOLARE	DATIVO SINGOLARE	ACCUSATIVO SINGOLARE	ABLATIVO SINGOLARE	SARDO COMUNE	GENITIVO PLURALE
astore	*accĭpĭtĕr*	*accipitris*	*accipitri*	*accipitrem*	*accipitre*	astoreddu	*accipitrum*
aria	*āĕr*	*aeris*	*aeri*	*aerem, aera*	*aere*	aera, àghera	*aerum*
codice	*cōdex*	*codicis*	*codici*	*codicem*	*codice*	còdighe	*codicum*
console	*consŭl*	*consulis*	*consuli*	*consulem*	*consule*	cònsule	*consulum*
fratello	*frātĕr*	*fratris*	*fratri*	*fratrem*	*fratre*	frade	*fratrum*
uomo	*hŏmo*	*hominis*	*homini*	*hominem*	*homine*	òmine	*hominum*
ladro	*lătro*	*latronis*	*latroni*	*latronem*	*latrone*	ladrone	*latronum*
milite	*mīlĕs*	*militis*	*militi*	*militem*	*milite*	milite	*militum*
pane	*pāne*	*panis*	*pani*	*panem*	*pane*	pane	*panum*
pastore	*pastŏr*	*pastoris*	*pastori*	*pastorem*	*pastore*	pastore	*pastorum*
padre	*pătĕr*	*patris*	*patri*	*patrem*	*patre*	padre	*patrum*
sole	*sōl*	*solis*	*soli*	*solem*	*sole*	sole	*solum*
vespro, sera	*vespĕr*	*vesperis*	*vesperi*	*vesperem*	*vespere*	pèsperu	*vesperum*

Nel prospetto precedente si vede che il sostantivo ***aer*** (nom. sing.) esce in accusativo singolare, oltre ad *aerem*, anche con ***aera*** (aria), alla sarda. In questi casi i nominativi singolari sono per lo più imparisillabi.

Esempi di **nomi maschili** con l'uscita dell'**ablativo singolare in *-ĕ*** e del genitivo plurale in ***-ĭum***:
monte (monte) = *montĕ, montĕm, montĭum; e* ***-um****:* tana de muru (donnola) = *mure, murem, murum.*

-ĕ nell'ablativo singolare;
-ĕm nell'accusativo singolare maschile e femminile;
-ĭum nel genitivo plurale.

ABLATIVO SINGOLARE (M.)	ACCUSATIVO SINGOLARE	GENITIVO PLURALE
-ĕ	***-ĕm***	***-um, -ĭum***

Si declinano in questa maniera:

ITALIANO	NOMINATIVO SINGOLARE	GENITIVO SINGOLARE	DATIVO SINGOLARE	ACCUSATIVO SINGOLARE	ABLATIVO SINGOLARE	SARDO COMUNE	GENITIVO PLURALE
gigante	*gigans*	*gigantis*	*giganti*	*gigantem*	*gigante*	gigante	*gigantĭum*
monte	*mons*	*montis*	*monti*	*montem*	*monte*	monte	*montĭum*
ventre	*ventĕr*	*ventris*	*ventri*	*ventrem*	*ventre*	bentre	*ventrĭum*
bastone	*fustes*	*fustis*	*fusti*	*fustem*	*fuste*	fuste	*fustĭum*

Anche in questo caso i nominativi singolari sono per lo più imparisillabi.

Esempi di **nomi femminili** con l'uscita dell'**ablativo singolare in *-ĕ*** e del genitivo plurale in ***-ŭm***:
tzitade (città) = *civitatĕ, civitatĕm, civitatŭm.*

-ĕ nell'ablativo singolare;
-ĕm nell'accusativo singolare maschile e femminile;
-ŭm nel genitivo plurale.

ABLATIVO SINGOLARE (F.)	ACCUSATIVO SINGOLARE	GENITIVO PLURALE
-ĕ	***-ĕm***	***-ŭm***

Si declinano in questa maniera:

ITALIANO	NOMENATIVO SINGOLARE	GENITIVO SINGOLARE	DATIVO SINGOLARE	ACUSATIVO SINGOLARE	ABLATIVO SINGOLARE	SARDO COMUNE	GENITIVO PLURALE
città	*cīvĭtās*	*civitatis*	*civitati*	*civitatem*	*civitate*	tzitade	*civitatum*
fiaccola	*fax*	*facis*	*faci*	*facem*	*face*	fache	*facum*
gente	*gens*	*gentis*	*genti*	*gentem*	*gente*	zente / genti	*gentum*
inverno	*hĭems*	*hiemis*	*hiemi*	*hiemem*	*hieme*	ierru	*hiemum*
rondine	*hĭrundo*	*hirundinis*	*hirundini*	*hirundinem*	*hirundine*	rùndine	*hirundinum*
giovane	*iŭvĕnix*	*iuvenicis*	*iuvenici*	*iuvenicem*	*iuvenice*	giòvanu	*iuvenicum*
legione	*lĕgĭo*	*legionis*	*legioni*	*legionem*	*legione*	legione	*legionum*
legge	*lex*	*legis*	*legi*	*legem*	*lege*	leghe	*legum*
madre	*mātĕr*	*matris*	*matri*	*matrem*	*matre*	madre	*matrum*
moglie	*mŭlĭĕr*	*mulieris*	*mulieri*	*mulierem*	*muliere*	muzere	*mulierum*
sede	*sēdēs*	*sedis*	*sedi*	*sedem*	*sede*	sede	*sedum*
strige	*strix*	*strigis*	*strigi*	*strigem*	*strige*	istri[g]a	*strigum*

Il sostantivo ***gente*** (abl. sing.), in sardo **zente** / **genti**, è molto importante nella storia di Roma e della lingua latina. ***Gens*** venivano chiamate per antonomasia le famiglie più antiche di Roma. Le *maiores gentes* erano quelle più antiche e le *minores gentes* quelle fatte entrare in senato da Tarcuinius Priscus. In sardo si dice ancora oggi "Semus de zente (siamo di gente)" per marcare l'appartenenza a famiglie importanti. La parola *gens* (zente / genti) la troviamo nella bibbia nel capitolo della creazione, dell'inizio, che viene chiamato **Genesi**.

Nella terza declinazione i nomi al nominativo singolare mancano dell'ultima vocale, come in greco, ma i Latini hanno sopperito a ciò con l'aggiunta rispetto al greco del caso ablativo in cui sono riportati all'origine (***lis*** = ***lite***).

In questo caso i nominativi singolari sono in maggioranza imparisillabi. *Civitas* (città) e *sedes* (sede) escono nell'ablativo plurale sia in ***-um*** che in ***-ium***.

Esempi di **nomi femminili** con l'uscita dell'**ablativo singolare in *-ĕ*** e del genitivo plurale in ***-ĭum***:
arte = *arte, artem, artĭum*.
-ĕ nell'ablativo singolare;
-ĕm nell'accusativo singolare;
-ĭum nel genitivo plurale.

ABLATIVO SINGOLARE (F.)	ACCUSATIVO SINGOLARE	GENITIVO PLURALE
-ĕ	***-ĕm***	***-ĭum***

Si declinano in questa maniera:

ITALIANO	NOMINATIVO SINGOLARE	GENITIVO SINGOLARE	DATIVO SINGOLARE	ACUSATIVO SINGOLARE	ABLATIVO SINGOLARE	SARDO COMUNE	GENITIVO PLURALE
bipenne	*bĭpennis*	*bipennis*	*bipenni*	*bipennem*	*bipenne*	bipenne	*bipennĭum*
uccisione	*caedēs*	*caedis*	*caedi*	*caedem*	*caede*	cadu	*caedĭum*
pietra per	*cos*	*cotis*	*coti*	*cotem*	*cote*	cota	*cotĭum*
dote	*dōs*	*dotis*	*doti*	*dotem*	*dote*	dote	*dotĭum*
foce	*faux*	*faucis*	*fauci*	*faucem*	*fauce*	foghe	*faucĭum*
frode	*fraus*	*fraudis*	*fraudi*	*fraudem*	*fraude*	frode	*fraudĭum*
lite	*līs*	*litis*	*liti*	*litem*	*lite*	lite	*litĭum*
naso	*nāris*	*naris*	*nari*	*narem*	*nare*	nare	*narĭum*
neve	*nix*	*nivis*	*nivi*	*nivem*	*nive*	nive	*nivĭum*
falange	*phălanx*	*phalangis*	*phalangi*	*phalangem*	*phalange*	falanghe	*phalangĭum*
plebe	*plebs*	*plebis*	*plebi*	*plebem*	*plebe*	plebe	*plebĭum*
scrofa	*sūs, suis*	*suis*	*sui*	*suem*	*sue*	su[gh]e	*suĭum*
città	*urbs*	*urbis*	*urbi*	*urbem*	*urbe*	uri[be]	*urbĭum*
viro, forza	*vis*	*roboris*	*robori*	*vim*	*vi(re)*	chiberu	*virĭum*

Esempi di nomi **maschili** e **femminili** con l'uscita dell'**ablativo singolare in *-ĕ*** e del genitivo plurale in ***-ŭm*** e ***-ĭum***: arte = *arte, artem, artĭum*.

-ĕ nell'ablativo singolare;
-ĕm nell'accusativo singolare;
-ŭm e ***-ĭum*** nel genitivo plurale.

ABLATIVO SINGOLARE (F.)	ACCUSATIVO SINGOLARE	GENITIVO PLURALE
-ĕ	***-ĕm***	***-ŭm*** e ***-ĭum***

Senes (anziano) è un cognome molto presente in Sardegna, la cui radice da luogo al poleonimo Sèneghe, un centro in provincia di Oristano. Il "senato" romano era composto in origine dagli anziani della società (senes).

Vate è un calco del greco **Baptae**, Βάπται (Baptai) e si rifà all'***abate*** (con la **v** che per mezzo del betacismo muta in **b**), ab-bate. Questi era anche un sacerdote cantore presso gli Ebrei che si interessava al rito dell'acqua, **abba** in sardo.

Il sostantivo *parente* esce nel genitivo plurale anche in ***-ium***.

Nel prospetto della pagina seguente mostriamo l'esempio di **nomi neutri** con l'uscita dell'**ablativo singolare in *-ĕ*** e del genitivo plurale in ***-um***.

Si declinano in questo modo:

ITALIANO	NOMINATIVO SINGULARE	GENITIVO SINGOLARE	DATIVO SINGOLARE	ACUSATIVO SINGOLARE	ABLATIVO SINGOLARE	SARDO COMUNE	GENITIVO PLURALE
bue	*bōs*	*bovis*	*bovi*	*bovem*	*bove*	bo[v]e	*boum*
cane	*cănes*	*canis*	*cani*	*canem*	*cane*	cane	*canum*
ruberia	*fūr*	*furis*	*furi*	*furem*	*fure*	fura	*furum*
donnola	*mūs (m.)*	*muris*	*muri*	*murem*	*mure*	tana 'e muru	*murum*
parente	*părens*	*parentis*	*parenti*	*parentem*	*parente*	parente	*parentum*
vecchio	*sĕnex*	*senis*	*seni*	*senem*	*sene*	betzu	*senum*
abbate	*vātēs*	*vatis*	*vati*	*vatem*	*vate*	abbate	*vatum*
							-ĭum
giuramento	*iūs (n.)*	*iuris*	*iuri*	*iūs*	*iure*	giura	*iur-ium*
nemico	*hostis*	*hostis*	*hosti*	*hostem*	*hoste*	istràngiu	*hostĭum*
parente	*părens*	*parentis*	*parenti*	*parentem*	*parente*	parente	*parentĭum*
piede	*pēdis*	*pedis*	*pedi*	*pedem*	*pede*	pes / pede	*pedĭum*

Il sostantivo latino ***mus*** (nom. sing.), *muris* (gen. sing.) e ***mure*** (abl. sing.) significa "topo" ed è stato preso dal greco μῦς (mus), ma il topo in latino e in sardo viene chiamato anche ***sorice*** (abl. sing.) = sòrighe. ***Mure*** (abl. sing.), invece, è probabilmente riferito a "**muru**", in sardo per esteso "**tana de muru**", che in italiano è la "donnola", molto simile al topo di campagna.

La declinazione dei neutri del primo gruppo è composta da pochi nomi che in accusativo escono in consonante, ad eccezione di quelli di origine greca che terminano in ***-a***, e nel genitivo plurale in ***-ŭm*** o ***-ĭum***.

Nell'esempio: nùmene (nome) = *nomine, nōmĕn, nominum, nomina*.

ABLATIVO SINGOLARE	ACCUSATIVO SINGOLARE (M. F.)	GENITIVO PLURALE	CASI DIRETTI NEUTRI PLURALI
-ĕ	***-ĕn***	***-ŭm, -ĭŭm***	***-ă***

Esempio di declinazione latina di *nomen* (nome) **e di declinazione greca di ἧπαρ** (epar) = fegato.

Come si evince dal prospetto sottostante la flessione dei sostantivi latini neutri si rifà a quella greca.

CASO	SINGOLARE latino/greco		SARDU	PLURALE latino/greco		SARDU
NOMINATIVO	*nomĕn*	ἧπαρ	su nùmene	*nomĭn-ă*	ἥπατ-α	sos nùmenes
GENITIVO	*nomĭn-ĭs*	ἥπατ-ος	de su nùmene	*nomĭn-ŭm*	ἡπάτ-ων	de sos nùmenes
DATIVO	*nomĭn-ī*	ἥπατ-ι	a su nùmene	*nomĭn-ĭbŭs*	ἥπασ-ι	a sos nùmenes
ACCUSATIVO	*nomĕn*	ἧπαρ	su nùmene	*nomĭn-ă*	ἥπατ-α	sos nùmenes
VOCATIVO	*nomĕn*	ἧπαρ	o nùmene	*nomĭn-ă*	ἥπατ-α	o nùmenes
ABLATIVO	*nomĭn-ĕ*	------	cun su nùmene	*nomĭn-ĭbŭs*	------	cun sos nùmenes

Si declinano in questa maniera:

ITALIANO	NOMINATIVO SINGOLARE	GENITIVO SINGOLARE	DATIVO SINGOLARE	ACCUSATIVO SINGOLARE	ABLATIVO SINGOLARE	SARDU COMUNE	GENITIVO PLURALE
cuore	*cŏr*	*cordis*	*cordi*	*cŏr*	*corde*	coro	*cordĭum*
epigramma	*ĕpĭgramma*	*epigrammatis*	*epigrammati*	*ĕpĭgramma*	*epigrammate*	epigramma	*epigrammatum*
itinere	*ĭtĕr*	*itineris*	*itineri*	*ĭtĕr*	*itinere, itere*	interis	*itinerum*
giustizia	*iūs*	*iuris*	*iuri*	*iūs*	*iure*	giura	*iurĭum*
marmo	*marmŏr*	*marmoris*	*marmori*	*marmŏr*	*marmore*	màrmaru	*marmorum*
osso	*ŏs*	*ossis*	*ossi*	*ŏs*	*osse*	ossu	*ossĭum*
poema	*pŏēma*	*poematis*	*poemati*	*pŏēma*	*poemate*	poema	*poematum*
sangue	*sanguen*	*sanguinis*	*sanguini*	*sanguen*	*sanguine*	sàmbene	sanguinum

I sostantivi *epigramma* (epigramma), *ius* (giustizia) e *poema* (poema) prendono nei casi diretti plurali neutri la desinenza ***-a***, come in greco. Così come l'ablativo singolare di "cuore", ***corde***, è stato avvicinato al greco καρδία (cardìa).

Iter (itinere), invece, esce in sardo più o meno come è nel genitivo singolare (interis), che vuol dire "in cammino, nel frattempo, in itinere".

7.12.4 SECONDO GRUPPO: ABLATIVO SINGOLARE IN -I, -E/-I.

Il secondo gruppo è formato da nomi maschili, femminili e neutri che tengono nell'**ablativo singolare** la desinenza in ***-ī*** e, di conseguenza, l'uscita dell'accusativo singolare in ***-im***. Questi sostantivi nel genitivo plurale possono terminare sia in ***-ŭm*** che in ***-ĭŭm*** e nei casi diretti neutri plurali in ***-ă***.

Fanno parte di questo secondo gruppo anche quei sostantivi che tengono l'uscita nell'ablativo singolare sia ***-ĕ*** che in ***-ī***, e la terminazione nel genitivo plurale sia in ***-ŭm*** che in ***-ĭŭm.***

ABLATIVO SINGOLARE	ACCUSATIVO SINGOLARE (M. F.)	GENITIVO PLURALE	CASI DIRETTI NEUTRI PLURALI
-ī, -ĕ /-ī	***-em, -im***	***-ŭm, -ĭŭm***	***-ă***

Esempio di **nomi maschili** con l'uscita dell'**ablativo singolare in *-ī*** o in ***-ĕ /-ī*** e del **genitivo plurale** in ***-ŭm, -ĭŭm***. Le terminazioni in ***-ĭŭm*** o in ***-ĭa*** aggiungono la vocale tematica alla desinenza.

Esempio: cugùmmere (cetriolo) = *cucumi, cucumim, cucumerum.*

-ī, -ĕ /-ī nell'ablativo singolare;

-em*, *-īm nell'accusativo singolare maschile e femminile;

-ŭm, -ĭŭm nel genitivo plurale.

ABLATIVO SINGOLARE (M.)	ACCUSATIVO SINGOLARE	GENITIVO PLURALE
-ī, -ĕ /-ī	***-ĕm, -īm***	***-ŭm, -ĭŭm***

Si declinano in questo modo:

ITALIANO	NOMINATIVO SINGOLARE	GENITIVO SINGOLARE	DATIVO SINGOLARE	ACCUSATIVO SINGOLARE	ABLATIVO SINGOLARE	SARDU COMUNE	GENITIVO PLURALE
canali	*cănālis*	*canalis*	*canali*	*canalem*	*canale, -i*	canale	*canalĭum*
cetriolo	*cŭcŭmis*	*cucumeris*	*cucumi*	*cucumim*	*cucumi*	cugùmmere	*cucumerum*
lapide	*lăpis*	*lapidis*	*lapidi*	*lapidem*	*lapide, -i*	lapis	*lapidum*

Il sostantivo sardo **cugùmmere** (con la consonante sorda **c** sonorizzata in **g**) corrisponde in questo caso al genitivo plurale ***cucumerum*** (cetriolo).

Il sostantivo ***canalis*** (canale, -i) è in latino maschile e femminile.

Esempi di **nomi femminili** con l'uscita dell'**ablativo singolare in *-ī*** o in ***-ĕ /-ī*** e del genitivo plurale in ***-ŭm, -ĭŭm***: sidis (sete) = *siti, sitim, sitĭum*.

-ī, -ĕ /-ī nell'ablativo singolare;
-ĕm, -īm nell'accusativo singolare maschile e femminile;
-ŭm, -ĭŭm nel genitivo plurale.

Esempio: declinazione di *securis* (la scure) = s'iscure, s'istrale.

CASO	SINGOLARE	SARDU	PLURALE	SARDU
NUMINATIVO	*sĕcūr-is*	s'iscure	*secur-es*	sas iscures
GENITIVO	*secur-is*	de s'iscure	*secur-ĭum*	de sas iscures
DATIVO	*secur-i*	a s'iscure	*secur-ĭbus*	a sas iscures
ACCUSATIVO	*secur-em, securim*	s'iscure	*secur-es*	sas iscures
VOCATIVO	*sĕcūr-is*	o s'iscure	*secur-es*	o iscures
ABLATIVO	*secur-e, secur-i*	cun s'iscure	*secur-ĭbus*	cun sas iscures

Si declinano allo stesso modo:

ITALIANO	NOMINATIVU SINGOLARE	GENITIVO SINGOLARE	DATIVO SINGOLARE	ACCUSATIVO SINGOLARE	ABLATIVO SINGOLARE	SARDU COMUNE	GENITIVO PLURALE
febbre	*fĕbris*	*febris*	*febri*	*febrem, -im*	*febre, febri*	frebbe, freba	*febrĭum*
Napoli	*Neapolis*	*Neapolis*	*Neapoli*	*Neapolim*	*Neapoli*	Nàpoli	-----
scure	*sĕcūris*	*securis*	*securi*	*securem, -im*	*secure, -i*	s'iscure	*securĭum*
sete	*sĭtis*	*sitis*	*siti*	*sitim*	*siti*	sidis	*sitĭum*
tosse	*tussis*	*tussis*	*tussi*	*tussim*	*tussi*	tùssiu	*tussĭum*

Il nome della città di *Neapoli* (Napoli), come si vede nel prospetto, è solo singolare.

Il sostantivo sardo "tùssiu = tosse" corrisponde in questo caso al genitivo plurale *tussĭum*.

Il sostantivo sardo "sidis = sete" (con la consonante sorda **t** sonorizzata in **d**) corrisponde in questo caso al nominativo, genitivo e vocativo singolari *sitis*.

Esempi di **nomi neutri** con: l'**ablativo singolare in *-ī*** o in ***-ĕ/-ī***, l'accusativo singolare in consonante (***-al, -ar***) o in ***-e***, il genitivo plurale in ***-ĭŭm*** e i casi diretti neutri plurali in ***-ă, -ĭa***: cub*i*le (dimora rurale) = *cubili, cubile, cubilĭum, cubilĭa*.

-ĕ/-ī ablativo singolare;
-consonante o ***-e*** accusativo singolare;
-ŭm, -ĭŭm genitivo plurale;
-ă, -ĭa casi neutri diretti plurali.

Il ***Cubile*** latino corrisponde all'omografo sardo "cu[b]ile" e significa dimora di campagna. Da "cubile" viene il "cubo", che è il letto del militare. In sardo "recu[b]ire" vuol dire ritornare alla dimora di riposo.

ABLATIVO SINGOLARE	ACCUSATIVO SINGOLARE (M. F.)	GENITIVO PLURALE	CASI DIRETTI NEUTRI PLURALI
-ĕ/-ī	***-e*** o ***consonante*** (***-al, -ar***)	***-ŭm, -ĭŭm***	***-ă, -ĭa***

Si declinano in questo modo:

ITALIANO	NOMINATIVO SINGOLARE	GENITIVO SINGOLARE	DATIVO SINGOLARE	ACCUSATIVO SINGOLARE	ABLATIVO SINGOLARE	SARDU COMUNE	GENITIVO PLURALE
animale	*ănĭmăl*	*animalis*	*animali*	*ănĭmăl*	*animali*	animale	*animalĭum*
calcare	*calcăr*	*calcaris*	*calcari*	*calcăr*	*calcari*	carcare	*calcarĭum*
capo	*căput*	*capitis*	*capiti*	*căput*	*capite, capiti*	cabita, conca	*capitum*
dimora rur.	*cŭbīlĕ*	*cubilis*	*cubili*	*cubile*	*cubili*	cubile	*cubilĭum*
farro	*far*	*farris*	*farri*	*far*	*farri*	farru/farre	*farrĭum*
illuminare	*iŭbăr*	*iubaris*	*iubari*	*iŭbăr*	*iubari*	giubare	*iubarĭum*
mare	*mărĕ*	*maris*	*mari*	*mărĕ*	*mare, mari*	mare	*marĭum, ŭm*
nettare	*nectăr*	*nectaris*	*nectari*	*nectăr*	*nectari*	nètare	*nectarĭum*
principale	*princĭpāle*	*principalis*	*principali*	*principale*	*principali*	printzipale	*principalĭum*

Il sostantivo *căput* (capo), che in sardo vuol dire "cabita, conca, cabu", corrisponde al sardo "cabita" (con la sonorizzazione della consonante **p** in **b**), come è indicato nei casi diretti neutri plurali. **Cabu** = capo (*caput*) viene detto al posto di **conca** (testa) nella parlata sardo corsa.

Il sostantivo latino neutro *pectus* (petto), in sardo **petu**, al plurale esce con *pectora*, come il sardo **petorra**, a significare le due parti del petto.

Come abbiamo visto, la III declinazione latina da a chi vuole imparare il latino l'idea della complessità di questa lingua. I Romani, per creare una koinè con la lingua greca dei territori conquistati nella penisola italiana, hanno cercato di imitare quello che aveva fatto Alessandro Magno con i dialetti della Grecia, inventando una lingua scritta strutturata con i casi importati dalla Magna Grecia. Tali casi, alla lunga, essendo estranei alle parlate latine e italiane, sono stati quelli che maggiormente hanno contribuito a arrestare ogni sviluppo orale della lingua latina, relegandola essenzialmente a lingua scritta.

Di fatto, noi non abbiamo acquisito in nessun luogo di Italia, Francia, Spagna e Portogallo, vale a dire dell'Europa romanza, alcun elemento dei casi latini. Questo è il segno più tangibile che la lingua latina che conosciamo attraverso gli scritti non è altro che una lingua inventata per unire le popolazioni dell'Impero romano. Il latino non ha mai avuto parlanti, se non i pochi governanti che trattavano la lingua negli affari di stato e i pochi letterati che la utilizzavano per tramandare il loro pensiero.

7.13 LA QUARTA CLASSE SARDA E LA IV DECLINAZIONE LATINA

In sardo, la **quarta classe** è composta da pochi nomi maschili e uno femminile (domo = casa) che terminano in **-o**, ed escono al plurale in **-os** (domos).

In latino, la **quarta declinazione** è composta da nomi per lo più maschili e femminile e qualche neutro. Nel **nominativo singolare** questi sostantivi escono in ***-ŭs*** (vocale corta) e nel **genitivo singolare** in ***-ūs*** (vocale lunga). I neutri hanno il **nominativo singolare** in ***-ū*** e il **genitivo singolare** che chiude in ***-ūs***.

In sardo la quarta classe corrisponde alla seconda declinazione latina. Infatti, a dimostrazione della vicinanza tra queste due classi, nomi come ***domus*** o ***domo*** = **domu** / **domo** (casa) e ***ficus*** = **figu** (fico) entrano in parte sia nella II sia nella IV declinazione latina.

Occorre dire che in sardo i nomi che fanno parte di questa classe si possono contare sulle dita di una mano e sono utilizzati nella parlata della Sardegna centro settentrionale (coro = cuore, domo = casa, sero = sera, oro = oro), perché nella parte centro meridionale escono in **-u** (coru, domu, seru, oru).

Queste alternanze le troviamo anche in latino, quando nell'accusativo plurale certi nomi escono in ***-us***, alla maniera del sardo meridionale, e altri in ***-os***, come nel sardo settentrionale.

I Latini potevano fare tranquillamente a meno della IV declinazione, dal momento che anche il greco presentava solo tre declinazioni, e collocare i nomi della quarta nella seconda, ma non lo hanno fatto. Perché? È probabile che abbiano mantenuto la IV declinazione per preservare un equilibrio consolidato nel tempo che prevedeva insieme alle uscite del plurale in -**os**, di marca prevalentemente sarda centro settentrionale, quelle in -**us** di provenienza sarda centro meridionale.

Di questi quattro sostantivi, **coro**, **domo**, **sero**, **oro**, in latino:
- **coro** (cuore) è venuto ad essere ***cor*** nell'accusativo singolare e fa parte della III declinazione;
- **domo** (casa) è l'unico sostantivo sardo che ha tenuto la vocale tematica in ***-o*** nella seconda declinazione latina, ma fa anche parte della IV;
- **sero** (sera), come sostantivo, è diventato ***vespĕrum*** (ac. sing.), più vicino al greco **ἑσπέραν** (esperan), che in sardo significa "sera precedente", ossia **pèsperu** (vespro), mentre la parola "**sero**" risulta in latino avverbio con il significato di "alla sera";
- **oro** (oro), invece, fa parte della seconda declinazione latina, ma nell'accusativo singolare esce in ***-um*** (***aurum***) e nell'ablativo singolare termina in ***-o*** con ***auro***. In questa parola, per allungare la **ó** chiusa dalla ***-u-*** di ***órum***, i Latini hanno mutato la **ó** nel dittongo **au** = ***aurum***.

C'è anche qualche altra parola in sardo che esce con la -**o**, come **groco**, il gancio per chiudere la porta.

In **sardo comune** la IV classe esce nel singolare in -**o** e nel plurale in -**os**:

il cuore = su cor-**o** = *cŏr* (ac. sing. n.), sos cor-**os** = *corda* (ac. plur. n.);
la casa = sa dom-**o** = *domum* (ac. sing.), sas dom-**os** = *domos* (ac. plur.);
la sera = su ser-**o** (vespro, sostantivo) = *sero* (avverbio), sos ser-os (*sero* è indeclinabile);
l'oro = s'or-**o** = *auro* (abl. sing. n.), sos or-**os** = *aura* (ac. plur. n.).

Pertanto tra la seconda e la quarta coniugazione latina c'è un filo che le lega una all'altra, ma la quarta declinazione latina non possiede aggettivi.

Il **genitivo singolare** della IV declinazione chiude in ***-ūs*** per il maschile e il femminile, e in ***-u*** per il neutro. Il **genitivo plurale** termina in ***-ŭŭm***:

la mano = sa manu = *man-**u*** (abl. sing.), sas manos = *man-**us*** (ac. sing.);
la casa = sa domo = *dom-**u*** (abl. sing.), sas domos = *dom-**us***, *dom-**os*** (ac. plur.);
la suocera = sa sogra = *socr-**u*** (abl. sing.), sas sogras = *socr-**ūs*** (ac. plur.).

Per **domo** (casa), essendo uno dei sostantivi più utilizzati dall'uomo, i Latini non hanno trovato un compromesso sulla sua declinazione, poiché potevano assegnarlo o alla seconda o alla quarta. Questo dimostra che le declinazioni sono state composte tenendo in considerazione le componenti linguistiche sia del logudorese (domo, domos) sia del campidanese (domu, domus).

Sogra = suocera (latino = *socru*) è un sostantivo collocato nella IV declinazione con la vocale tematica in ***-u***, come *manu*, e non, ad esempio, nella prima declinazione con la vocale tematica in ***-a*** (*socra*).

declinazione dei femminili **domo** (casa) = ***domu*** (abl. sing.) e maschili **agu** (ago) = ***acu*** (abl. sing.).

CASO	SINGOLARE	PLURALE	SINGOLARE	PLURALE	SINGOLARE	PLURALE
NOMINATIVO	-ŭs	-ūs	*dom-**ŭs***	*dom-**ūs***	*ac-**ŭs***	*ac-**us***
GENITIVO	-ūs	-ŭum	*dom-**ūs**, dom-**i***	*dom-**ŭum**, dom-**orum***	*ac-**ūs***	*ac-**ŭum***
DATIVO	-ui	-ubus	*dom-**ui**, dom-**ō***	*dom-**ĭbus***	*ac-**ui***	*ac-**ubus***
ACCUSATIVO	-um	-ūs	*dom-**ŭm***	*dom-**ūs**, dom-**os***	*ac-**um***	*ac-**ūs***
VOCATIVO	-ŭs	-ūs	*dom-**ŭs***	*dom-**ūs***	*ac-**ŭs***	*ac-**ūs***
ABLATIVO	-u	-ubus	*dom-**ū**, dom-**ō***	*dom-**ĭbus***	*ac-**u***	*ac-**ubus***

Nell'esempio seguente ci sono i sostantivi femminile **manu** (mano) = ***manu*** (abl. sing.) e maschile **risu** (riso) = ***risu*** (abl. sing.):

Alcuni nomi nel dativo e nell'ablativo plurale terminano in ***-ubus***. Se ne mostrano alcuni: *acus* (ago) = *ac**ubus*** (s'agu), *portus* (porto) = *port**ubus*** (portu), *quercus* (quercia) = *querc**ubus*** (chercu), *lacus* (lago) = *lac**ubus*** (lagu), *tribus* (tribù) = *trib**ubus*** (tribunos), *arcus* (arco) = *arc**ubus*** (arcu).

Ecco qui sotto la declinazione dei sostantivi *manus* = manu (mano) e *risus* = risu (riso).

CASO	SINGOLARE	PLURALE	SINGOLARE	PLURALE	SINGOLARE	PLURALE
NOMINATIVO	-ŭs	-ūs	*man-**ŭs***	*man-**ūs***	*ris-**ŭs***	*ris-**ūs***
GENITIVO	-ūs	-ŭum	*man-**ūs**, man-**uis***	*man-**ŭum***	*ris-**ūs***	*ris-**ŭum***
DATIVO	-ui	-ibus	*man-**ŭī**, man-**u***	*man-**ĭbus***	*ris-**ui***	*ris-**ĭbus***
ACCUSATIVO	-um	-us	*man-**ŭm***	*man-**ūs***	*ris-**um***	*ris-**ūs***
VOCATIVO	-ŭs	-ūs	*man-**ŭs***	*man-**ūs***	*ris-**ŭs***	*ris-**ūs***
ABLATIVO	-u	-ĭbus	*man-**ū***	*man-**ĭbus***	*ris-**u***	*ris-**ĭbus***

Nel **genitivo singolare neutro** i nomi terminano in ***-ūs***, mentre nel **plurale** escono in ***-ŭŭm***. I nomi neutri tengono la declinazione in ***-u*** in **tutti i casi del singolare, ad eccezione del genitivo**.

Ecco qui sotto la declinazione del nome neutro corru (corno) = *cornu* (abl. sing.):

CASO	SINGOLARE	SARDU	PLURALE	SARDU
NOMINATIVO	*corn-**u***	su corru	*corn-**ŭa***	sos corros
GENITIVO	*corn-**ūs***	de su corru	*corn-**ŭum***	de sos corros
DATIVO	*corn-**u***	a su corru	*corn-**ĭbus***	a sos corros
ACCUSATIVO	*corn-**u** - corn-**um***	su corru	*corn-**ŭa***	sos corros
VOCATIVO	*corn-**u***	o corru	*corn-**ŭa***	o corros
ABLATIVO	*corn-**u***	cun su corru	*corn-**ĭbus***	cun sos corros

Si declinano nello stesso modo: **tronu** (trono) = ***tonitru***, **ghelu** (gelo) = ***gelu***, **ghenugru** (ginocchio) = ***genu***.

Il sostantivo **genugru** (ginocchio) è composto da **genu+ogru**, vale a dire che la rotula è l'**occhio** del ***genu***. In latino è stato troncato **-ogru** da **genu-** per farlo avvicinare al greco **γóνυ** (gonu).

7.14 LA QUINTA CLASSE SARDA E LA V DECLINAZIONE LATINA

In sardo la **quinta classe** è composta da pochi nomi maschili e qualcuno femminile che terminano in **-s**. Questi nomi escono nel plurale in **-os** se la vocale che precede la **-s** finale è una **-u-** (temp**us** = tempo, temp**os** = tempi) e rimangono così senza mutare morfema se la vocale che precede la **-s** finale è una **-i-** (lap**is**, lap**is**). In **latino** i nomi sardi che finiscono in ***-is*** li troviamo principalmente nella terza declinazione.

In latino i sostantivi della V declinazione finiscono in ***-es* nel nominativo singolare**, in ***-ei* nel genitivo singolare** e in ***-erum* nel genitivo plurale.**

La quinta classe in sardo chiude come negli esempi che seguono:

il tempo = su temp-**us** = *tempŭs* (ac. sing.); i tempi = sos temp-**os** = *tempora* (ac. plur. n.);
il piano = su par-**is** = *paris* (num. sing.); le pianure = sos par-**is** (----- chentza plurale);
la pietra o la lapide = su lap-**is** = *lapis* (num. sing.); le lapidi = sos lap-**is** = *lapides* (num. plur.).

Il sostantivo **tempus** (tempo) lo troviamo in latino nella 3ª declinazione, in cui, nel genitivo plurale, diventa *temporum* (de sos tempos = dei tempi), e nel dativo plurale esce con *temporibus* (a sos tempos = ai tempi). In sardo, per indicare un **tempo antico** si dice utilizzando il plurale "**tempòrios**", termine molto vicino sia al genitivo sia al dativo plurali latini, così come al comparativo di maggioranza ***-ior***.

Il sostantivo **paris** (luogo pianeggiante), in latino, esce solo al singolare con la 3ª declinazione.

Il sostantivo **lapis** (pietra), in sardo, tiene la stessa parola per il plurale. In latino, invece, esce nel nominativo singolare della 3ª declinazione latina come in sardo e nel nominativo plurale con *lapides*. **Lapis**, in sardo e in latino, nel singolare significa "pietra che scrive", mentre nel plurale latino, *lapides*, ha in sardo il significato di "pietra già scritta", come quella per i morti.

Tutti i nomi della V declinazione latina sono di genere femminile, tranne due (*dies* = giorno e *meridies* = pomeriggio) che in determinati casi possono essere anche maschili. In sardo **die** è maschile solo quando è preceduto da "mesu = mezzo" (**mesudie**) o da "meri" (**meridies**). Il primo utilizzato nel sardo centro settentrionale, il secondo nel sardo centro meridionale. Se indichiamo un giorno particolare della settimana lo chiamiamo al maschile se il giorno è sottinteso, come ad esempio "**su lunis** = il lunedì"; ma se specifichiamo il giorno lo facciamo ritornare al femminile, come ad esempio: "**sa die de lunis** = il giorno di lunedì".

Il sostantivo **die** (giorno) = ***die*** (abl. sing), **dies** (giorni) = ***dies*** (ac. plur.), che troviamo nella terza classe del sardo, essendo come **domo** e come **deus** un nome sacro, è stato collocato dai Latini in una declinazione a parte, insieme a **res** (lo Stato), per non mescolarlo con i nomi tronchi della III declinazione.

Ecco qui sotto la declinazione dei nomi "dies = giorno" e "res = roba, istadu":

CASO	SINGOLARE	PLURALE	SINGOLARE	PLURALE	SINGOLARE	PLURALE
NOMINATIVO	-es	-es	*di-**es***	*di-**es***	*r-**es***	*r-**es***
GENITIVO	-ei	-ērum	*di-**ei**, di-**es***	*di-**ērum***	*r-**ei***	*r-**ērum***
DATIVO	-ei	-ēbus	*di-**ei**, di-**e***	*di-**ēbus***	*r-**ei***	*r-**ēbus***
ACCUSATIVO	-ĕm	-es	*di-**ĕm***	*di-**es***	*r-**em***	*r-**es***
VOCATIVO	-es	-es	*di-**es***	*di-**es***	*r-**es***	*r-**es***
ABLATIVO	-e	-ēbus	*di-**e***	*di-**ēbus***	*r-**e***	*r-**ēbus***

Si declinano allo stesso modo:

- su **gatzile** (punta, arnese affilato) = ***acie*** (abl. sing.) è l'osso del collo a forma di squadra. Di fatto in latino la parola *acie*, pronunciata */atzie/* significa "punta", come quella di una "squadra". Questo sostantivo in spagnolo è denominato "alguatzie" e ha il significato di "aguzzino". In sardo è detto in diversi modi a seconda del luogo: batile, catile, gatzile, ata, atza, ecc. che in italiano vengono tradotti con "collottola".
- sa **canesa** (canuto) = ***canitiem*** (ac. sing.) significa avere i capelli bianchi.
- sa **duresa** (durezza) = ***duritiem*** (ac. sing.) sta a significare il grado di durezza di un materiale.
- su **modditzu** (mollezza) = ***mollities*** (ac. plur.), pronunciato /modditzes/ è ciò che di molle si mette sotto cui sedersi.
- sa **proghenia** (pro genia) = ***progenies*** (ac. plur.) sono i nostri antenati.
- s'**arràbbiu** (la rabbia) = ***rabies*** (ac. plur.) tiene il significato di arrabbiatura.
- **sa cosa** (la roba) = ***res*** (ac. plur.) è in sardo **sa roba**, il bene. La **roba** è un bene indistinto che in latino possiamo indicare come *pluralia tantum*.

In sardo, per antonomasia, il latino **res**, sa **roba** (la roba), è il gregge, "sa gama" delle pecore. Troviamo questo termine come prefisso nella parola "**res**contru", che significa letteralmente "contro qualcosa", vale a dire in cambio di qualche altra cosa.

7.15 LA SESTA CLASSE SARDA

La **sesta classe sarda**, che non c'è in latino, è composta da nomi maschili che terminano in **–i** ed escono nel plurale in **-is**. Si tratta nella maggior parte dei casi di nomi che indicano un genere di lavoro, una qualità o un oggetto, che in latino possiamo trovare anche con il suffisso ***-ariu***: *armentārium* (armentàrgiu = armentario).

Mostriamo qui sotto alcuni esempi: carabiner-i (carabiniere), carabiner-is; carreter-i (carrettiere), carreter-is; furister-i (forestiero), furister-is; brajer-i (braciere), brajer-is.

LE CLASSI DEI NOMI SARDI

GENERE E NUMERO	I CLASSE	II CLASSE	III CLASSE	IV CLASSE	V CLASSE	VI CLASSE
MASCHILE SINGOLARE	poet-a	ferr-u	fror-e	cor-o	tempu-s	furister-i
FEMMINILE SINGOLARE	pobidd-a	man-u	muzer-e	dom-o	-----	
MASCHILE PLURALE	poet-as	ferr-os	fror-es	cor-os	temp-os	furister-is
FEMMINILE PLURALE	lan-as	man-os	muzer-es	dom-os	-----	

LE DECLINAZIONI DEI NOMI LATINI NEL CASO ACCUSATIVO

GENERE E NUMERO	I CLASSE	II CLASSE	III CLASSE	IV CLASSE	V CLASSE	VI CLASSE
MASCHILE SINGOLARE	*poet-am*	*dom-um*	*flor-em*	*ris-um*	-----	
FEMMINILE SINGOLARE	*puell-am*	*colubr-um*	*mulier-em*	*man-um*	*di-em*	
NEUTRO SINGOLARE	-----	*vin-um*	*cŭbīl-ĕ*	*gen-u*	-----	
MASCHILE PLURALE	*poet-as*	*dom-os*	*flor-es*	*ris-ūs*	-----	
FEMMINILE PLURALE	*puell-as*	*colubr-os*	*mulier-es*	*man-ūs*	*di-es*	
NEUTRO PLURALE	-----	*vin-a*	*cubil-ĭa*	*gen-ŭa*	-----	

LE DECLINAZIONI DEI NOMI LATINI NEL SINGOLARE

DECLINAZ.	GENITIVO	NOMINATIVO	DATIVO	ACCUSATIVO	VOCATIVO	ABLATIVO
I	*puell-ae*	*puell-ă*	*puell-ae*	*puell-ăm*	*puell-ă*	*puell-ā*
II	*fic-ī*	*fic-ŭs*	*fic-ō*	*fic-ŭm*	*fic-ĕ*	*fic-ō*
III	*flor-ĭs*	*flos*	*flor-ī*	*flor-ĕm*	*flos*	*flor-ĕ*
IV	*ac-ūs*	*ac-ŭs*	*ac-uī*	*ac-ŭm*	*ac-ŭs*	*ac-ū*
V	*di-ēī*	*di-ēs*	*di-ēī*	*di-ĕm*	*di-ēs*	*di-ē*

LE DECLINAZIONI DEI NOMI LATINI NEL PLURARE

DECLINAZ.	GENITIVO	NOMINATIVO	DATIVO	ACCUSATIVO	VOCATIVO	ABLATIVO
I	*puell-ārŭm*	*puell-ae*	*puell-īs*	*puell-ās*	*puell-ae*	*puell-īs*
II	*fic-ōrŭm*	*fic-ī*	*fic-īs*	*fic-ōs*	*fic-ī*	*fic-īs*
III	*flor-ŭm*	*flor-ēs*	*flor-ĭbŭs*	*flor-ēs*	*flor-ēs*	*flor-ĭbŭs*
IV	*ac-uŭm*	*ac-ūs*	*ac-ĭbŭs*	*ac-ūs*	*ac-ūs*	*ac-ĭbŭs*
V	*di-ērŭm*	*di-ēs*	*di-ēbŭs*	*di-ēs*	*di-ēs*	*di-ēbŭs*

LE DECLINAZIONI DEI NOMI LATINI NEI NEUTRI SINGOLARI

DECLINAZ.	GENITIVO	NOMINATIVO	DATIVO	ACCUSATIVO	VOCATIVO	ABLATIVO
I	-----	-----	-----	-----	-----	-----
II	*vin-ī*	*vin-ŭm*	*vin-ō*	*vin-ŭm*	*vin-ŭm*	*vin-ō*
III	*tempor-is*	*tempŭs*	*tempor-i*	*tempŭs*	*tempŭs*	*tempor-e*
IV	*gen-ūs*	*gen-ū*	*gen-ū*	*gen-ū*	*gen-ū*	*gen-ū*
V	-----	-----	-----	-----	-----	-----

LE DECLINAZIONI DEI NOMI LATINI NEI NEUTRI PLURALI

DECLINAZ.	GENITIVO	NOMINATIVO	DATIVO	ACCUSATIVO	VOCATIVO	ABLATIVO
I	-----	-----	-----	-----	-----	-----
II	*vin-ōrum*	*vin-a*	*vin-is*	*vin-a*	*vin-a*	*vin-is*
III	*tempor-um*	*tempor-a*	*tempor-ĭbus*	*tempor-a*	*tempor-a*	*tempor-ĭbus*
IV	*gen-ŭum*	*gen-ŭa*	*gen-ĭbus*	*gen-ŭa*	*gen-ŭa*	*gen-ĭbus*
V	-----	-----	-----	-----	-----	-----

7.16 AUMENTO DELLE SILLABE

Abbiamo visto in certi casi che i nomi mutano in numero di sillabe causando un aumento rispetto al nominativo singolare. Pertanto possiamo trovare parole che nel genitivo singolare hanno due sillabe, come *nave*, e che nel genitivo plurale possiedono tre sillabe, vale a dire *navĭum*.

La prima declinazione porta l'aumento solo nel genitivo plurale, che si manifesta con la **ā lunga**. Esempio: *rosae, rosārum*.

I nomi della seconda declinazione tengono invece l'aumento corto. Esempio: *gener, genĕri*.

Nelle altre declinazioni l'aumento è invece regolato generalmente da una sillaba in meno nel nominativo singolare. Esempio: *arbŏr, arbores*.

7.17 L'ACQUA, S'ABBA / S'ÀCUA, *IPSA AQUA*

Fra tutti i sostantivi l'**acqua** tiene un posto di privilegio. Nome bisillabico che contiene le prime due lettere dell'alfabeto antico: la **a**leph e la **b**et, vale a dire in greco la alfa e la beta.

L'acqua, in sardo **abba** (logudorese) e **àcua** (campidanese), è l'elemento sacro per eccellenza. I pozzi dell'antichità, numerosi e maestosi in Sardegna, che la facevano sgorgare da sottoterra filtrata dalle impurità si chiamavano per l'appunto sacri.

In latino "**abbas**" è il nominativo di "**abbate**" (ablativo singolare), ovverosia del sacerdote o della sacerdotessa che presiedeva al culto delle acque. Il luogo in cui gli abati e le abbattesse esercitavano i sacramenti è venuto a chiamarsi **abbazia**, in sardo "**abbadia**".

Il lavacro, la fonte battesimale, ovverosia il "**baptisma**" in greco antico (βάπτισμα), nato anch'esso dalla parola "abba", era la vasca in cui l'uomo si purificava con l'acqua sacra assolvendo al rito del battesimo (baptizo). Deriva da Baptisma il **Baptae**, Βάπται (Baptai), diventato con il betacismo (che trasforma la **b** in **v** e viceversa) il "**Vates**" in latino, il sacerdote che prediceva il futuro ispirato da Dio.

Nella mitologia greca, **Byblis** (Bublis) era la giovinetta trasformata in fonte. Il nome "bublis" ci riporta alla "**bulla**" (bolla), la pietra di fiume con la bolla scolpita dalla natura che in Sardegna si chiama "**sa pedra de s'ocru**" e che i giovani portano al collo come portafortuna incastonata da una borchia d'oro (***bulla aurea***), esattamente come facevano i loro coetanei romani più di duemila anni fa.

Abbondare, ***abundare*** in sardo e in latino, è l'azione di aggiungere acqua per aumentare il volume di un solido o di un liquido. Il "**bolus**" in latino è il getto della rete, la pescata, che fa intorpidire l'acqua, in sardo **abboluzare**, e costringe i pesci a dimenarsi, in sardo **abbolotare**.

L'acqua è sinonimo di bere e quindi di **vita**, in sardo **bida** o **vida**. Il confine che esiste tra **bìbere** (bere) e **bìvere** (vivere) è molto sottile, tanto è che si **bivet** (vive) se si **bi**[v]**et** (beve) o si **bufat** (beve). In latino questo verbo è come in sardo, ***bĭbĕre***, e nella diatesi passiva esce con ***bĭbi***, più o meno simile alla variante campidanese **biri**. In nu[g]orese il "bere" è chiamato anche **vìvere**, senza il betacismo di **bìbere** presente anche in latino, a dimostrazione che tra questi verbi in antichità non c'era differenza. Il significato era unico: non si **biviat** (viveva) se non si **bibiat** (beveva).

Il verbo sardo "**abbaidare**", in latino ***aqua videre***, ci fa ritornare indietro nel tempo fino al momento in cui l'uomo si specchiava nell'acqua, facendola vivere, vale a dire **abba bida** (acqua viva), con la sua immagine riflessa.

8. I NUMERALI

8.1. GLI AGGETTIVI NUMERALI

Sono **numerali** quegli **aggettivi** che precisano la quantità di uno o più nomi determinandoli numericamente. In sardo e in latino gli aggettivi numerali si distinguono in **cardinali**, **ordinali** e **moltiplicativi**.

- **Cardinali** sono considerati quegli aggettivi numerali più importanti che indicano il numero delle persone, animali o cose dette dal nome:

unu fidele = ***unum*** *fidelem* (un fedele)[1].
tres legiones = ***tres*** *legiones* (tre legioni)[2].

- Gli **ordinali** sono quegli aggettivi che precisano la posizione di una persona, animale o cosa fra le altre:

su **segundu** logu est = ***secundus*** *locus est* (è il secondo luogo)[3].
segunda domo = ***secunda*** *domus* (seconda casa)[4].

- **Moltiplicativi** sono quegli aggettivi che mostrano quante volte una persona, animale o cosa è più grande di un'altra:

cura **a dòpiu**, a duas bortas = ***duplicem*** *curam* (duplice cura)[5].

Può essere considerato moltiplicativo l'aggettivo *ambos* (tutte e due):

ambas sorres = ***ambas*** *sorores* (entrambe le sorelle)[6].

AGGETTIVI CARDINALI IN SARDO

unu	ùndighi	bintunu	trintunu	barantunu	chimbantunu	sessantunu	setantunu	otantunu	norantunu
duos	dòighi	bintiduos	trintaduos	barantaduos	chimbantaduos	sessantaduos	setantaduos	otantaduos	norantaduos
tres	trèighi	bintitres	trintatres	barantatres	chimbantatres	sessantatres	setantatres	otantatres	norantatres
bàtoro	batòrdighi	bintibàtoro	trintabàtoro	barantabàtoro	chimbantabàtoro	sessantabàtoro	setantabàtoro	otantabàtoro	norantabàtoro
chimbe	bìndighi	bintichimbe	trintachimbe	barantachimbe	chimbantachimbe	sessantachimbe	setantachimbe	otantachimbe	norantachimbe
ses	sèighi	bintises	trintases	barantases	chimbantases	sessantases	setantases	otantases	norantases
sete	deghesete	bintisete	trintasete	barantasete	chimbantasete	sessantasete	setantasete	otantasete	norantasete
oto	degheoto	bintioto	trintoto	barantaoto	chimbantaoto	sessantaoto	setantaoto	otantaoto	norantaoto
noe	deghenoe	bintinoe	trintanoe	barantanoe	chimabantanoe	sessantanoe	setantanoe	otantanoe	norantanoe
deghe	binti	trinta	baranta	chimbanta	sessanta	setanta	otanta	noranta	chentu

Chentueunu, chentueduos, chentuetres, chentuebàtoro, chentuechimbe, chentueses, chentuesete, chentueoto, chentuenoe, chentuedeghe, chentueùndighi, chentuedòighi, chentuetrèighi, chentuebatòrdighi, chentuebìndighi, chentuesèighi, chentuedeghesete, chentuedegheoto, chentuedeghenoe, chentubinti, chentutrinta, chentubaranta, chentuchimbanta, chentusessanta, chentusetanta, chentuotanta, chentunoranta, dughentos, treghentos, bàtorochentos, chimbighentos, seschentos, setighentos, otighen-

1 Marcus Tullius Cicero, *Orationes - Philippicae*, XI, 34.
2 Publius Cornelius Tacitus, *Annales*, Liber I, 18.
3 Marcus Tullius Cicero, *Rhetorica - De Inventione*, Liber I, 101.
4 Marcus Valerius Martialis, *Epigrammaton*, Liber IX, 79.
5 Gaius Svetonius Tranquillus, *De Vita Caesarum - Tiberius*, 8.
6 Titus Maccius Plautus, *Bacchides*, III, 6.

tos, noighentos, milli, millieunu, millieduos, millietres, milliebàtoro, ecc. Duamìgia, tresmìgia, bàtoromìgia, chimbemìgia, sesmìgia, setemìgia, otomìgia, noemìgia, deghemìgia.

8.2 AGGETTIVI CARDINALI IN LATINO

Gli aggettivi cardinali in latino e in greco non sono declinabili, ad eccezione di *unus* (uno), che diventa declinabile perché si presenta allo stesso modo dell'articolo indeterminativo. *Duo* (due) si declina solo al plurale, come *tres* (tre). Si declinano inoltre le centinaia, ad eccezione di cento, e le migliaia, tranne mille.

AGGETTIVI CARDINALI IN LATINO

unus	undecim	vigintiunus	trigintaunus	quadrigintaunus	quinquagintaunus	sexagintaunus	septuagintaunus	octogintaunus	nonagintaunus
duo	duodecim	vigintiduo	trigintaduo	quadrigintaduo	quinquagintaduo	sexagintaduo	septuagintaduo	octogintaduo	nonagintaduo
tres	tresdecim	vigintitres	trigintatres	quadrigintatres	quinquagintatres	sexagintatres	septuagintatres	octogintatres	nonagintatres
quatuor	quatordecim	vigintiquator	trigintaquator	quadrigintaquator	quinquagintaquator	sexagintaquator	septuagintaquator	octogintaquator	nonagintaquator
quinque	quindecim	vigintiquinque	trigintaquinque	quadrigintaquinque	quinquagintaquinque	sexagintaquinque	septuagintaquinque	octogintaquinque	nonagintaquinque
sex	sexdecim	vigintisex	trigintasex	quadrigintasex	quinquagintasex	sexagintasex	septuagintasex	octogintasex	nonagintasex
septem	septemdecim	vigintiseptem	trigintaseptem	quadrigintaseptem	quinquagintaseptem	sexagintaseptem	septuagintaseptem	octogintaseptem	nonagintaseptem
octo	decem et octo	vigintiocto	trigintaocto	quadrigintaocto	quinquagintaocto	sexagintaocto	septuagintaocto	octogintaocto	nonagintaocto
novem	underviginti	vigintinovem	trigintanovem	quadrigintanovem	quinquagintanovem	sexagintanovem	septuagintanovem	octogintanovem	nonagintanovem
decem	viginti	triginta	quadraginta	quinquaginta	sexaginta	septuaginta	octoginta	nonaginta	centum

Nella declinazione dell'articolo *unus* (uno) è presente anche il plurale, sebbene **uno** rappresenti il singolare per eccellenza. Però, come già abbiamo visto per l'articolo, gli accusativi plurali *unos* e *unas* costituiscono il plurale dei numerali indeterminati.

DECLINAZIONE DEL NUMERALE LATINO UNU = *UNUS*

	SINGOLARE			PLURALE		
CASO	MASCHILE	FEMMINILE	NEUTRO	MASCHILE	FEMMINILE	NEUTRO
NOMINATIVO	*unus, oenus*	*una*	*unum*	*uni,*	*unae*	*una*
GENITIVO	*unius, uni*	*unius, uni*	*unius, uni*	*unōrum*	*unārum*	*unōrum*
DATIVO	*uni*	*uni, unae*	*uni, uno*	*unis*	*unis*	*unis*
ACCUSATIVO	*unum*	*unam*	*unum*	*unos*	*unas*	*una*
VOCATIVO	-----	-----	-----	-----	-----	-----
ABLATIVO	*uno*	*una*	*uno*	*unis*	*unis*	*unis*

Il numero **duos** (due), che in sardo esce con la **-s** finale, in latino diventa ***duo***, come nel greco **δύο** (duo). Il numero **tres** (tre), invece, mantiene la **-s** finale come nel greco **τρεῖς** (treis).

Il numero **sete** (sette) in latino prende la **-p-** prima della **-t-**, ***septem***, per raddoppiare la **-t-** e avvicinarla al greco **ἑπτά** (epta). Così allo stesso modo il numero **oto** (otto) prende in latino la **-c-** prima della **-t-** (***octo***) per raddoppiare questa consonante ed essere uguale al greco **ὀκτώ** (octo).

Nei numerali latini si possono contare le ultime due unità togliendole dalla decina. Esempio: il numero **degheoto** (diciotto) si può contare dicendo **duos mancu binti** (due meno venti), vale a dire in latino ***duodeviginti*** = in sardo **duos a binti** (due a venti).

Per contare in maniera progressiva si possono mettere le unità seguite dalla congiunzione ***et*** e dalle decine, o le decine seguite dalle unità senza congiunzione. Esempio: bintiduos (ventidue) = *duo et viginti* o *viginti duo*.

DECLINAZIONE DEL NUMERALE LATINO *DUO* = DUOS (DUE)

	SINGOLARE			PLURALE		
CASO	MASCHILE	FEMMINILE	NEUTRO	MASCHILE	FEMMINILE	NEUTRO
NOMINATIVO	-----	-----	-----	*duo*	*duae*	*duo, dua*
GENITIVO	-----	-----	-----	*duōrum*	*duārum*	*duōrum*
DATIVO	-----	-----	-----	*duobus*	*duabus*	*duobus*
ACCUSATIVO	-----	-----	-----	*duos*	*duas*	*duo, dua*
VOCATIVO	-----	-----	-----	-----	-----	-----
ABLATIVO	-----	-----	-----	*duobus*	*duabus*	*duobus*

Come duos (due), anche **tres** (tre) si declina solo al plurale. In ogni caso, entrambe sono declinazioni fabbricate a tavolino, poiché in nessuna lingua romanza troveremo *duorum* o *duobus* e *tribus* o *trium*.

DECLINAZIONE DEL NUMERALE LATINO *TRES* = TRES (TRE)

	SINGOLARE			PLURALE		
CASO	MASCHILE	FEMMINILE	NEUTRO	MASCHILE	FEMMINILE	NEUTRO
NOMINATIVO	-----	-----	-----	*tres*	*tres*	*tria*
GENITIVO	-----	-----	-----	*trium*	*trium*	*trium*
DATIVO	-----	-----	-----	*tribus*	*tribus*	*tribus*
ACCUSATIVO	-----	-----	-----	*tres*	*tres*	*tria*
VOCATIVO	-----	-----	-----	-----	-----	-----
ABLATIVO	-----	-----	-----	*tribus*	*tribus*	*tribus*

8.3 ORDINALI, DISTRIBUTIVI, MOLTIPLICATIVI E FRAZIONARI

Ordinali in sardo: primu, segundu, su de tres, su de bàtoro, su de chimbe, su de ses, su de sete, su de oto, ecc. Il sardo segue il latino fino al secondo, poi utilizza s'articolo e la preposizione de + il numero cardinale per esprimere gli altri.

Ordinali in latino. Gli aggettivi ordinali si declinano come gli aggettivi della prima classe: *primus, secundus, tertĭus, quartus, quintus, sextus, septimus, octavus, nōnus, dĕcĭmus, vicesĭmus, centesĭmus*, ecc.

Gli aggettivi *primus* e *secundus* si utilizzano così quando indicano il primo o il secondo tra molti. *Alter* è più usato di *secundus* nei numeri che superano il venti. Esempio: *alter et vicesimus* (ventiduesimo).

Il numero ***tris*** è come il greco **τρίπος** (tripos), il ***sextus*** come **ἑκτός** (ectos), ***decimus*** come **δέκατος** (decatos). Allo stesso modo i Latini hanno preso il moltiplicativo ***triplex*** dal greco **τριπλῆ** (triple).

Distributivi in sardo: sìngulos (singoli). Da *binos* (bini) in poi in sardo non vengono utilizzati in questo modo, ma come indicato nei moltiplicativi.

Distributivi in latino. I distributivi in latino vengono declinati come gli aggettivi di prima classe, ma nel genitivo escono, ad eccezione di *singuli*, in ***-um*** al posto di ***-orum***, ***-arum***, ***-orum***: *singŭli, bīni, trini, quăterni, quini, seni, septēni, octōni, novēni, deni, viceni, centeni*, ecc.

Moltiplicativi in sardo: sìngulu (singolo), a dòpiu (a due volte), a tres bortas (a tre volte), a bàtoro bortas (a quattro volte), a chimbe bortas (a cinque volte), a ses bortas (a sei volte), ecc.

Moltiplicativi in latino: *duplex, triplex, quadruplex, quintuplex*, ecc. Come per gli ordinali, anche nei moltiplicativi il latino usa la forma sintetica, al contrario del sardo che utilizza quella analitica.

Frazionari in sardo: sa me[s]idade (la metà), una perra (una parte, solitamente la metà), de tres unu o una de tres partes (una di tre parti, un terzo), de bàtoro unu (una di quattro parti, un quarto), de chimbe unu (una di cinque parti, un quinto), de ses unu (una di sei parti, un sesto), ecc.

Frazionari in latino: *dimidium* (metà), *duas partes* (due parti), *una quintae partes* (una quinta parte). In questo caso *quintae* è genitivo e significa "di cinque", vale a dire "una de chimbe partes", come in sardo. Quando il denominatore supera di uno il numeratore, si dice solo il numeratore: *duae partes* = de duas partes (di due parti). Anche in questo caso *duae* è genitivo e vuol dire "de duas partes", come in sardo.

Collettivi in sardo: una pàriga, una paja (un paio), unu chemu (una quartina), una sestina o mesa dozina (in numero di sei), un'otava (in numero di otto), una deghina (una decina), una dozina (in numero di dodici), ecc. Come si vede dagli esempi, i collettivi in sardo vanno di due in due fino a 12, che è il numero perfetto.

Collettivi in latino: la dozzina in latino si rende con *duoděcim* = dodici.

Approssimativi: una decina, una ventina, una cinquantina. Ma anche: unos deghe (una decina), unos binti (una ventina), unos chentu (un centinaio), ecc.

Avverbi numerali in latino. Gli avverbi numerali non esistono in sardo, mentre in latino escono in questo modo: *semel* (una volta), *bis, ter, quater, quinquies, septies, octies, novies, decies, vicies, centies*, ecc.

Tempo da compiere in sardo: dae como a unu mese (da qui a un mese), dae como a duos meses (da qui a due mesi), dae como a pagas dies = ***cis** paucas dies* (**da qui a** pochi giorni), ecc.

Tempo compiuto in sardo: unu mese a como (un mese ad ora), duos meses a como (due mesi ad ora), un'annu a como (un anno ad ora), deghe annos a como (dieci anni ad ora), ecc.

I numeri romani: I (1), II (2), III (3), IV (4), V (5), VI (6), VII (7), VIII (8), IX (9), X (10), XX (20), L (50), C (100), D (500), M (1000). La linea sopra la lettera moltiplica il numero per mille. Il simbolo greco Π, P, simile all'ebraico ח, H, moltiplica la lettera per mille. I numeri romani rappresentano, probabilmente, una forma molto arcaica di conteggio, diversa da quella rappresentata dall'alfabeto greco-milesico, e simile a quella dell'alfabeto ugaritico e acrofonico attico. Le stanghette (**I, II, III, IIII**) disegnano le dita di una mano che si aprono in progressione fino al numero cinque, **V**, che segna la mano aperta. Il numero dieci **X** è la rappresentazione di due mani sovrapposte. Il numero cinquanta **L** potrebbe essere la raffigurazione della metà di cento, **C**, segnata con la lettera iniziale, come quella del mille, **M**.

Il **sesterzio** (in latino *sestertius*) è, tradotto letteralmente, sei unità di tre parti, vale a dire 18, ossia una dozzina e mezzo, che contato in lire diventa un soldo e mezzo, in quanto un soldo valeva 12 denari. In sardo, quando uno non possiede soldi, dice: «non giuto ses dinaris = non porto sei denari», ovverosia **mezzo soldo** o **un semisse**, che indicava un peso teorico di sei once.

Il termine italiano "oncia" gli Inglesi lo hanno preso in prestito dai Sardo-Romani adattando il latino "uncia" alla loro lingua con "ounce". Qualche secolo prima dei Romani, i Greci avevano coniato un calco simile dai Sardi chiamando questa unità di misura "οὐγκία" (ugchia).

Nel Mediterraneo antico, prima ancora della civiltà greca, l'unità di misura più piccola dei pesi e delle misure era proprio la "ùncia" (la C e la G in latino erano unite sotto l'unico grafema C), che altro non era che l'unghia delle dita di una mano.

Oggi l'oncia viene ancora utilizzata per pesare i metalli preziosi, ma gli Inglesi chiamano l'unghia delle dita della mano "nail", quando i Latini avevano già variato il nome in "unguis" o "ungula", mentre i Greci lo avevano apostrofato in "ὄνυξ" (onuz).

In altre parole, solo nel sardo è rimasto il significante originario "ùngia", che corrisponde al significato "ùnghia", intesa sia come elemento anatomico delle dita della mano sia come unità minima dei pesi e delle misure (oncia), marcando in questo modo l'effetto del "fondatore linguistico".

8.4 I GIORNI DELLA SETTIMANA

SAS DIES DE SA CHIDA (I GIORNI DELLA SETTIMANA) IN SARDO

lunis	martis	mèrcuris	giòbia	chenàbura	sàbadu	domìniga

SAS DIES DE SA CHIDA (I GIORNI DELLA SETTIMANA) IN LATINO

lunis (abl. plur.)	*martis (gen. sing.)*	*mercŭriis* (abl. p.)	*Iove* (abl. sing.)	*venĕris* (gen. sin.)	*saturnum* (ac. s.)	*dominĭca* (ac. p.)

Come si vede nel prospetto indicato sopra, i giorni della settimana sarda corrispondono per lo più a quelli latini:

su **lunis** (il lunedì) è dedicato alla luna;

martis (martedì) a Marte (dio della guerra);

mèrcuris (mercoledì) a Mercurio (protettore del commercio e dei ladri);

giòbia (giovedì) a Giove, re di tutti gli Dei. Nel nome latino ***Iove*** (abl. sing.) la **i-** iniziale seguita da una vocale diviene consonante e la **-v-** in sardo muta in **-b-** per mezzo del betacismo (**zobe**);

chenàbura (venerdì), *venĕris* in latino, in sardo ha mantenuto il significato antico del termine, vale a dire il giorno del digiuno (**chena pura** = cena pura), osservato anche dagli Ebrei;

su **sàbadu**, il sabato, (in ebraico ***shabbāt***, in greco ***σάββατον***, in latino ***sabbătum***) è il giorno del riposo; sa **domìniga**, la domenica, è il giorno consacrato alla preghiera per gli antenati, in sardo "sos donnos mannos", ovverosia in latino al ***domĭnum***, al Signore, in sardo **donnu** mannu).

I Sardi e i Latini, ma anche gli Ebrei, **dividevano il giorno in 12 ore**. Il giorno iniziava alla sei del mattino e terminava alle sei di sera, mentre la notte incominciava alla sette di sera e finiva alle cinque del mattino. Le metà di queste due parti si chiamavano, e si dicono, **mesudie** (mezzogiorno) e **mesanote** (mezzanotte).

Sa **borta de die** (il cambio del giorno) si chiama in latino ***orta luce***, più o meno come in sardo **'orta lughe**, quando con l'aferesi viene fatta fuori la consonante **b-** a inizio di parola se questa è preceduta da un lemma che termina per vocale. La notte veniva divisa in quattro vigilie (turni di guardia) di tre ore ciascuna.

La stessa durata di luce tra il giorno e la notte è l'**equinozio**, che cade il 21 di marzo quello di primavera, e il 23 di settembre quello dell'autunno.

8.5 I MESI DELL'ANNO

SOS MESES DE S'ANNU (I MESI DELL'ANNO) IN SARDO

ghennàrgiu GENNAIO	freàrgiu FEBBRAIO	martzu MARZO	abrile APRILE
maju MAGGIO	làmpadas GIUGNO	trì[b]ulas / argiolas LUGLIO	a[g]ustu AGOSTO
cabudanni SETTEMBRE	santu gaine / ladàmini OTTOBRE	santu andria / donniasanti NOVEMBRE	nadale / idas DICEMBRE

I MESI DELL'ANNO IN LATINO (ACCUSATIVO SINGOLARE)

ianuarĭum	*februarĭum*	*martĭum*	*aprilem*
maium	*iunium*	*iulium*	*augustum*
septembrem	*octobrem*	*novembrem*	*decembrem*

Il nome **calendario** viene da **Kalenda** (una delle pochissime parole latine scritte con la **K**), che era il primo giorno del mese. I Greci non indicano il primo giorno del mese con la Kalenda, per questo quando si vuole stabilire una data che non potrà mai arrivare si dice alle "**calende greche**".

Il calendario sardo e quello romano erano **lunisolari**, vale a dire tenevano conto delle 12 lunazioni all'anno e della rotazione della terra intorno al sole (in antichità si pensava il contrario). Siccome l'**anno lunare era di 354 giorni**, per giungere all'**anno solare di 365 giorni**, ogni pochi anni si aggiungeva un **mese intercalare** ai 12 lunari. Il cerchio durava 19 anni solari ed era composto da 12 anni di 12 mesi e da 7 anni di 13 mesi.

Questo sistema di contare il tempo si chiamava **metonico**, dal nome dello scienziato greco che lo aveva regolarizzato, ma si sa da fonti certe che era conosciuto in Mesopotamia almeno dal VI secolo avanti Cristo. Gli Ebrei, grazie alle fonti raccolte dalla Bibbia, lo mantengono ancora oggi come calendario religioso.

Ad Atene, oltre al calendario lunisolare e agricolo, esisteva un calendario politico, inaugurato da Solone nel 506 a.C., per far conoscere al popolo il sistema basato su 10 tribù. Nel 306/307 a.C. le tribù divennero 12, integrando di due mesi il calendario politico con l'ingresso di due tribù macedoni, che però si dissolsero nel 201 a.C. Per cui il calendario politico si sovrappose a quello lunare e agricolo, dando vita ad un calendario misto, composto da nomi di dei e da aggettivi ordinali.

Anche il calendario latino venne uniformato sulla base di quello greco. Gli dei andavano da Gennaio a Giugno e i 10 aggettivi da marzo (il quinto era luglio = *Quintīlis*) a dicembre (*December*).

Una prova che il calendario romano / latino era lunisolare è data da un affresco presente nella villa di Nerone, datato circa **60 anni prima di Cristo**, in cui è rappresentato il calendario di **12 mesi, più il mese intercalare**. In questo calendario sono indicati i mesi di *Ianuarius* (Ghennàrgiu = Gennaio), *Februarius* (Freàrgiu = Febbraio), *Martius* (Martzu = Marzo), *Aprilis* (Abrile = Aprile), *Maius* (Maju = Maggio), *Iunius* (Làmpadas = Giugno), *Quintīlis* (Trì[b]ulas / Argiolas = Luglio), *Sextīlis* (Agustu = Agosto), *September* (Cabudanni = Settembre), *October* (Santu Gaine / Ladàmini = Ottobre), *November* (Santu Andria / Donniasanti = Novembre), *December* (Nadale / Idas = Dicembre).

Un'indicazione importate per cui anche il **calendario sardo era lunisolare** ce la da il calendario ebraico per il fatto che i mesi sardi corrispondono del tutto a quelli documentati nella Bibbia. L'anno ebraico iniziava a **Cabudanni** (Settembre), come in Sardigna, e la notte del **24 di nadale** (dicembre) **si festeggiava la luce**, come la **messa di "puddu"** in Sardegna. Nel mese di aprile cadeva **sa Pasca** (la Pasqua) e in agosto si facevano i sacrifici di ringraziamento.

Ma a testimoniarci direttamente che il calendario era lunisolare è Titus Livius (Tito Livio), che nella sua opera "Ab Urbe Condita", liber I, 19, ci dice: «Numa [Pompilius], basandosi sul corso della luna, divise l'anno in dodici mesi. Ma, dato che i singoli mesi lunari non si compongono di trenta giorni e che ce ne sono "undici" [giorni] di differenza rispetto ad un intero anno calcolato in base alla rivoluzione del sole, egli aggiunse dei mesi intercalari in maniera tale che il ventesimo anno si trovasse rispetto al sole nella stessa posizione dalla quale erano partiti e così la durata di tutti gli anni tornasse perfettamente».

Con la **riforma del calendario fatta da Giulio Cesare**, chiamata per l'appunto **Giuliana**, per ordine di Marco Antonio, il mese di ***Quintīlis*** veniva mutato in ***Iulius***, in onore di Cesare. Pochi anni dopo, nell'anno 8 avanti Cristo, il mese di ***Sexstīlis*** veniva cambiato dal Senato romano in ***Augustus***, in onore dell'imperatore Augusto, così come avveniva per gli eroi greci.

Come abbiamo visto nel paragrafo sopra esposto, il calendario latino, rispetto a quello sardo, cambia nei mesi di làmpadas (giugno), trì[b]ulas / argiolas (luglio), a[g]ustu (agosto), cabudanni (settembre), santu gaine / ladàmini (ottobre), santu andria / donniasanti (novembre), nadale / idas (dicembre).

Non sappiamo i motivi per cui i Romani abbiamo tolto i nomi dei mesi che seguono il mese di maju (maggio), perché dopo questo i mesi sono stati numerati con aggettivi ordinali, ma è molto probabile che lo abbiano fatto per seguire il calendario greco, che, ugualmente, dopo maggio ordina i mesi con i numeri.

8.5.1 CABUDANNI = *SEPTEMBER* (SETTEMBRE), IN GRECO **ΣΕΠΤΕΜΒΡΙΟΣ** (SEPTEMBRIOS)

Nel mese di cabudanni (settembre), nel giorno sette o otto, incomincia il **novilunio** con la nascita della luna nuova, e con essa l'anno lunare. I Cristiani in questo giorno comandato dell'otto settembre hanno dato i natali a Maria, mamma di Gesù, sovrapponendo il culto della Madonna, in sardo "Nostra Sennora", a quello di Maia, Dea della fertilità.

Occorre dire, pertanto, che il calendario sardo e, probabilmente, anche il latino / romano erano **calendari agrari** che seguivano l'andamento delle stagioni e dei frutti. L'anno incominciava nel mese di **cabudanni** = ***septembrem*** (settembre), quando si firmavano i contratti per la gestione delle campagne e degli animali. Nel calendario ebraico, come già detto, questo era il mese da cui si contavano gli anni per giungere all'anno sabbatico, l'anno del riposo della terra, che si teneva ogni 7 anni. Al compimento di sette anni sabbatici, ossia ogni 49 anni, si teneva il Giubileo, in cui si annullavano tutti i contratti: si restituivano le terre ai proprietari, si condonavano i debiti e si liberavano gli schiavi.

8.5.2 LADÀMINI / SANTU GAINE = *OCTOBER* (OTTOBRE), IN GRECO "ΟΓΔΟΟΣ (OGDOOS)

Ladàmini / Santu Gaine = ***October*** (Ottobre), in sardo lo dice la stessa parola, è il mese destinato alla concimazione delle campagne. Infatti, in sardo, "su ladàmene" sono gli escrementi degli animali, che servono a fertilizzare la terra. Nella Sardegna settentrionale questo mese è dedicato a Santu Gaine (San Gavino), martire turritano (Porto Torres), per ricordare la sua morte avvenuta il giorno 25 dello stesso mese.

8.5.3 DONNIASANTI / SANTU ANDRIA = *NOVEMBER* (NOVEMBRE), IN GRECO "ΈΝΝΑΤΟΣ (ENNATOS)

Donniasanti, lo dice la parola "dònnia-santi = tutti i Santi" è il mese dei santi. Il primo giorno si festeggiano i santi e il giorno dopo i morti. Nella Sardegna settentrionale, con l'avvento del Cristianesimo, questo mese è stato dedicato a **Santu Andria** (Sant'Andrea), per ricordare la sua morte avvenuta il 30 dello stesso mese. In latino il nome di novembre prende la numerazione greca del numero nove (ἔνvατος).

Il 30 di Santu Andria, in gran parte della Sardegna settentrionale, si festeggia l'assaggio del vino nuovo. Questo giorno, probabilmente, in antichità era dedicato a Bacco (dio del vino e della vendemmia) e chiamato in latino *Bacchanalia*, in sardo quindi **Bachanàrgia**. Nel 186 avanti Cristo il Senato romano aveva proibito questo rito con il *Senatoconsulto de Bacchanalībus*. Pertanto, in Sardegna la "bachanàrgia" è continuata ad esistere mutando solo nome. Forse per questo, per eliminarne il ricordo, i Cristiani hanno voluto dedicare questo giorno a Santu Andria, donandogli anche il nome del mese. In latino Bacco si chiamava *Iacchus*, che con la zayin iniziale si legge **Zacu**, vale a dire Giagu (Giacomo), nome ricorrente in Sardegna.

8.5.4 NADALE / IDAS = *DECEMBER* (DICEMBRE), IN GRECO ΔΕΚΑΤΟΣ (DECATOS)

Nadale, in latino ***natalem***, è il mese della **nascita della luce** (solstizio di inverno). Nella Roma repubblicana si festeggiavano per il solstizio di inverno i *saturnales* dal 17 al 23 del mese per commemorare le *Dies Natalis Solis Invicti*, la festa dedicata alla nascita del sole. Nel 274 dopo Cristo, l'imperatore Aureliano ufficializzò questa data nel giorno **25 di nadale** (dicembre). Lo stesso giorno che i Cristiani avevano scelto per festeggiare la **nascita di Gesù** e gli Ebrei la **festa delle lanterne**.

In Sardegna la notte tra il 24 e il 25 di nadale (dicembre) si canta in chiesa la **messa de Puddu**, la stessa in cui nell'antichità si teneva per ringraziare il dio ***Apullu*** (Apollo), pronunciato **/a puddu/**, per l'appunto il dio della luce. In greco **Ἀπόλλων** (Apollion) è il nome di **Apuddu**, in italiano **Apollo**, e il mese di natale si chiamava sempre in greco ***Apellaios***, da cui **Apuddu**.

Nella parte meridionale dell'isola, questo mese viene chiamato anche mese di **idas** (in latino ***idus***). Nel calendario romano le ***idus*** erano i giorni che dividevano i mesi in due, cadendo il 15 in marzo, maggio, luglio e ottobre e il 13 negli altri mesi. Questo giorno corrisponde al plenilunio (il momento più alto della luna piena del circolo lunare di tutto l'anno), che nel mese di natale / idas cadeva il **giorno 13**. I Cristiani hanno dedicato questo giorno a **Santa Luchia** / lughia (Santa Lucia), **luchia** da **luche** (luce), prendendo dalla tradizione precedente il nome della festa della luce della luna nel giorno 13 di **Idas** (dicembre).

Nove giorni prima delle "idas" si tenevano le "nonas", da cui nascono le **novene** per aspettare l'arrivo della luna piena. Questa tradizione, con l'avvento del Cristianesimo, è continuata per aspettare la festa di qualsiasi santo. In Sardegna la giornata del 25 dicembre è detta anche **Pasca de Nadale**, il cui significato è spiegato nel mese di aprile, per la "pasqua di aprile".

> Nelle prime giornate di gennaio si apre il **perielio** quando il sole si avvicina di più alla terra e apre le **giannas** (porte) alla luce.

8.5.5 GHENNÀRGIU = *IANUARIUS* (GENNAIO)

Ghennàrgiu = ***Ianuarius*** (gennaio) era il mese dedicato alla dea **Giana** o **Jana** (in latino ***Iana***), protettrice della "gianna" = ***ianua*** (porta) che preservava le **zentes** o **ghentes** (nell'accusativo plurale latino ***gentes*** = genti), sia in terra, attraverso le fortezze chiuse da porte, sia nell'aldilà, con il passaggio delle anime dei morti dalla terra al cielo. Per questo in Sardegna le *domus* (case) dei morti scavate nella roccia si chiamano **domus de jana**. In greco questa dea si chiamava ***Geenna***, proprio come quella sarda nu[g]orese.

Se andiamo a leggere la parola latina ***ianuarius***, con le **-i-** consonantiche la pronunciamo /zannarzu/ o /giannàrgiu/ a seconda che sia in logudorese o in campidanese, capiamo che significa in sardo "Colui che apre o che fa la guardia alle porte", nel caso specifico di questo mese "le porte del tempo". Infatti, la statua di **ghennàrgiu** (gennaio) è raffigurata a due teste, che possono guardare nel tempo passato e in quello futuro, ma anche davanti e dietro la porta.

È collegata a **Jana** anche la dea **Diana**, nome che letto con la ***-i*** consonantica diviene ***Jana***. Secondo la mitologia, questa era la figlia di Giove e di Latona, protettrice della caccia, custode di fonti e sorgenti.

8.5.6 FREÀRGIU = *FEBRUARIUS* (FEBBRAIO), IN GRECO **ΦΕΒΡΟΥΑΡΙΟΣ** (FEBROUARIOS)

Freàrgiu = ***februarius*** (febbraio) è il mese della purificazione. Il ***februus*** era la festa romana della purificazione celebrata il giorno 15 di febbraio e che, secondo la tradizione, era stata istituita dal re Numa Pompilio (in sardo Pompilzu). In questo mese si purificano anche le piante, potandole. A proposito esiste un detto sardo che dice: "in ghennàrgiu muda, in freàrgiu puda (in gennaio muta, in febbraio pota)".

Febbraio è anche il mese del freddo e pertanto delle **frebas** (febbri); refreadu (raffreddato) si dice a chi si prende una "romadia" (vale a dire una febbre romana). Il Grecale era in antichità il vento freddo e veniva temuto come **sa frea**, così si dice ancora oggi in Sardegna, probabilmente, per indicare quella che in Etruria era la divinità degli inferi (*februus*). **Frea**, nella mitologia longobarda, era la temuta moglie di Wotan (la più grande divinità germanica, equivalente al mito scandinavo di Odino).

In Sardegna, il 7 di febbraio, è tradizione preparare dolci di sapa per le anime, siano esse buone o cattive. Se le anime erano buone si diceva: «Si ses ànima bona, bae in ora bona (se sei anima buona, vai in buonora)», se erano cattive si diceva: «Si ses ànima mala, bae in ora mala (se sei anima cattiva, vai in malora)». Il suffisso -***arius***, -**arzu** in sardo, presente in ***fre-arius***, significa "colui che" o "colei che" svolge qualcosa.

8.5.7 MARTZU = *MARTIUS* (MARZO), IN GRECO **ΜΑΡΤΙΟΣ** (MARTIOS)

Martzu = ***Martius*** (Marzo) era il mese dedicato al dio della guerra, **Marte**. Essendo in antichità il mese in cui la campagna incominciava a fiorire dopo la potatura e, pertanto, dal momento che i massai erano meno impegnati nei lavori agricoli, gli uomini potevano dedicare il tempo alle battaglie. In Sardegna il paese di **Martis** è chiamato così per ricordare il dio Marte.

Questo era il mese della guerra e nelle calende di marzo, quando i consoli prendevano potere, iniziava il calendario politico. Per cui i mesi da giugno in poi venivano chiamati con numeri: Quintilis, Sextilis, [...], fino a dicembre. Con l'unificazione del calendario agricolo con quello politico, come accaduto in Grecia, sappiamo che nel 153 a.C. i consoli entrarono in possesso dell'incarico il primo giorno di Gennaio.

8.5.8 ABRILE = *APRILIS* (APRILE), IN GRECO **ἈΠΡΙΛΙΟΣ** (APRILIOS)

Abrile = ***Aprilis*** (Aprile) era il mese in cui la natura iniziava a rinverdire. Il bestiame veniva fatto uscire dalla "mandra", vale a dire tolto dai recinti invernali, e fatto pascolare nei prati estivi. Questo era il tempo di aprire (*aperire*) le campagne agli animali. Nel mese di aprile, di fatto, con l'erba nasce l'agnello e si festeggia il **pasciale**, ovverosia la **Pasqua**, che è la pro[v]enda (cibo) per il bestiame. In aprile, in sardo anche "arbile", si uccideva l'agnello in sacrificio agli dei e in alimento agli uomini. La dea che si festeggiava in questo mese era Tellus o Tellure.

Nel mese di aprile in Sardegna è tuttora tradizione fare aprire i germogli del grano, rito chiamato "su nènneri", mantenendo i chicchi al buio per almeno 20 giorni prima della Pasqua. In aprile si aprono anche le gemme della vite, pianta che da all'uomo il nettare divino.

In questo mese gli Ebrei festeggiavano la Pasqua per ricordare l'esodo dall'Egitto. Dopo il mese di marzo dedicato alla guerra, aprile era il mese della pace, rappresentato dalle palme intrecciate, come le vediamo ancora oggi il giorno delle Palme. In questo giorno, Gesù era entrato a Gerusalemme, a cavallo di un asino, salutato dal popolo con i rami di palma, simbolo della pace.

8.5.9 MAJU = *MAIUS* (MAGGIO), IN GRECO **ΜΑΙΟΣ** (MAIOS)

Maju = ***Maius*** (Maggio) è il mese in cui sboccia la rosa, simbolo della femminilità e della fertilità. La dea che rappresentava questo mese era **Maia**, diventata con la religione cristiana la Madonna, **Maria**. Ancora oggi si tiene il **mese mariano**, in cui le donne chiedono a Maria / Maia la grazia di avere un marito o un figlio.

Maja era considerata la dea della fertilità, tanto è che in Grecia rappresentava anche l'ostetricia. Ogni primo giorno di maggio, secondo la mitologia, Vulcano offriva a Maja una scrofa gravida, in modo che anche la terra potesse essere gravida. Per questo motivo la scrofa si chiamava "majalis", vale a dire di maggio.

> Oggi in Sardegna il nome **Maja** è rimasto nella parlata per indicare una **majàrgia** (maga), quella che fa le magie, ma nella mitologia greca era una donna bellissima con gli occhi neri che catturavano e **ammajaiant** (ammaliavano) chi li guardava. **Majeddu** e **Majedda** sono i nomi in sardo dati ad Antonio **Maria** e Antonia **Maria** che riportano lo stesso nome della dea **Maja**, mentre i **Majores** erano gli antenati.

8.5.10 LÀMPADAS = *IUNIUS* (GIUGNO), IN GRECO **ἸΟΥΝΙΟΣ** (IOUNIOS)

Làmpadas = ***Iunius*** (Giugno) rappresentava la luce e il **solstizio d'estate**. In antichità questo era il mese della luce, **làmpadas** per l'appunto, e pertanto veniva dedicato ad **Apuddu** (Apollo), dio della luce. S'**impuddile**, da **Apuddu**, in sardo è sinonimo di **alba**, mattino di prima luce.

Ad un certo punto della storia di Roma questo mese, forse per avvicinarlo alla dea greca Era, protettrice delle donne, del matrimonio e del parto, come la nostra dea Maja, venne dedicato a Giunone, equivalente latino di Era. La parola latina ***Iunius*** (Giunone) viene tradotta in sardo con **zunzu**, che vuol dire "soprannome", forse per apostrofare Giunone (**in-zunzu**) di aver usurpato il mese alla "làmpadas" di Apollo.

Lampezia, in greco **Λάμπετίη** (Lampetie), era la figlia del dio del sole, Elio. ***Lampadium*** veniva detto alla donna focosa e la ***lampadias*** era in latino una specie di cometa che si accendeva come una meteora.

Con l'avvento del Cristianesimo, il giorno della luce, ossia il solstizio d'estate, che cade il giorno 23 di làmpadas (giugno), è stato dedicato a **San Giovanni Battista**, ma in tutta la Sardegna si è seguito a festeggiare il giorno della luce accendendo fuochi e annoverando il rito del comparaggio (***cum-pare***), dove uomini e donne diventano **comares** (comari) **e compares** (compari) **de fogarone**, stringendo un'amicizia che dura tutta la vita. A tale proposito il filosofo romano Titus Lucretius Carus (Lucrezio) nel primo secolo avanti Cristo parla dei corridori che passano uno con l'altro sulla fiamma della vita nel giorno di "**nova lampade**". Con questo voleva forse dire che nel mese di làmpadas (giugno) si teneva il rito del "fogarone" (fuoco)?

8.5.11 TRÌ[B]ULAS / ARGIOLAS = *IULIUS* (LUGLIO), IN GRECO **ΠΕΜΠΤΟΣ** (PEMPTOS) /**ἸΟΥΛΙΟΣ**

Trì[b]**ulas** / **Argiolas** = ***Iulius*** (Luglio) è il mese della trebbiatura, ovverosia della divisione del grano mietuto dalla paglia, con l'utilizzo del **tri[b]utu** (il forcone a tre denti). A questo mese sono legate le più importanti istituzioni romane, a cominciare dalle Tribù. Questo sostantivo è una parola tronca e manca dell'ultima sillaba, che può essere **-tu**, per dare forma a **tribu-tu** (*tributum*), o **-la** / **-lu** che compone la **trìbu-la** (*tribulam* o *tribulum*), che significa trebbiare il **trigu** = *triticum* (grano). In un modo o nell'altro, questi due sostantivi vengono dall'oggetto che serviva a trebbiare il grano, vale a dire il **tri[b]utu** o **tre[b]utu**, fatto di **tris** o **tres** (tre) denti. Dal **trìbutu** sono nati sostantivi quali **tribuno, tribunale, tributo** (imposta), e così di seguito. Per ordine di Marco Antonio, questo mese, che si chiamava *Quintīlis* nel primo secolo avanti Cristo, veniva dedicato alla figura di Giulio Cesare e chiamato ***Iulius***.

8.5.12 A[G]USTU = *AUGUSTUS* (AGOSTO), IN GRECO ἝΚΤΟΣ (EKTOS) / ἈΥΓΟΥΣΤΟΣ (AUGOUSTOS)

Infine, il mese di **A[g]ustu** = ***Augustus*** (Agosto), chiamato *Sextīlis* prima della riforma Giuliana, il Senato nell'anno 8 avanti Cristo lo ha dedicato all'imperatore Augusto. In questo caso c'è stato un incontro, non si sa se casuale, tra l'antico nome di questo mese e quello dell'Imperatore. Di fatto, in antichità, questo era il mese degli **agustos**, ovverosia dei sacrifici agli dei. In Agosto finiva l'anno e si concludevano i contratti agrari. I contadini e i pastori ringraziavano gli dei per le buone annate facendo dono in **agustu** (sacrificio) di animali scelti appositamente.

Nella religione ebraica questi sacrifici si chiamavano, per l'appunto, **oloc-austu**. Nelle feste che si facevano si offrivano le **agùstias**, chiamate in seguito nella religione cristiana **òstias**, da **au**[gu]**stias**, e chi era benestante poteva organizzare un **fr-austu** (sontuosità). Nel sardo centro settentrionale il pranzo, andare a pranzare, si dice, per l'appunto, andare **a gustare** (nu[g]orese) o **a bustare** (logudorese).

La medaglia aveva però due facce, perché chi in questo mese non riusciva a saldare il debito veniva fatto schiavo dal creditore. Fino a poco tempo fa, chi non rifondeva il debito entro il 24 di agosto apriva una lite con il creditore e poteva essere accoltellato. Per questo il 24 di agosto si festeggia San Bartolomeo, martire scarnificato, che tiene il coltello in mano grondante di sangue.

- **Fine del calendario Giuliano e inizio di quello Gregoriano**

Il calendario Giuliano, proposto da Cesare, veniva abolito nel 1582, quando Papa Gregorio XIII introdusse il calendario Gregoriano, che prendeva il suo nome. Questo è un calendario solare che non tiene conto delle turnazioni lunari. L'anno è composto da 365 giorni e ogni quattro anni si aggiunge un giorno al mese di febbraio, che per questo si chiama bisestile. Inoltre, vengono regolati periodicamente anche gli scarti minimi di tempo. Il calendario Gregoriano è oggi in uso in quasi tutti i paesi del mondo.

8.5.13 LE STAGIONI LATINE

Le stagioni latine dell'anno erano: ***vera***, per **beranu** (primavera), troncata di **-anu** per avvicinarla al greco **ἔαρ** (ear); ***aestate***, per **istiu** (estate), ***autumnum***, per **atòngiu** (autunno); ***hieme / hiberna***, per **i**[b]**erru** (inverno), anche in questo caso i Latini hanno voluto avvicinare il nome al greco **χειμών** (xeimon).

8.6 LA PROSA

I piedi. I piedi sono rappresentati dall'unione di due o più sillabe, disposte secondo l'ordine che segue:
Il **Pirrichio** è composto da due sillabe corte: *bĕnĕ*;
lo **Spondeo** è composto da due sillabe lunghe: *nōbīs*;
il **Giambo** è composto da una sillaba corta e una lunga: *rĕgūnt*;
il **Trocheo** è composto da una sillaba lunga e una corta: *mātrĕ*.

Il verso di otto piedi. Il **verso di otto piedi di tre sillabe** è disposto secondo l'ordine che segue:
il **Tribraco** è composto da tre sillabe corte: *lĕgĕrĕ*;
il **Molosso** è composto da tre sillabe lunghe: *vīrtūtēs*;
il **Dattilo** è composto da una sillaba lunga e due corte: *ōmnĭă*;
il **Bacchio** è composto da una sillaba corta e due lunghe: *bĕātōs*;
l'**Anapesto** è composto da due sillabe corte e una lunga: *pĕrĕānt*;
l'**Antibacchio** è composto da due sillabe lunghe e una corta: *prǣtūră*;
l'**Antimacro** è composto da due sillabe corte e una lunga: *pŏntĭfēx*;
l'**Antibraco** è composto da una sillaba lunga e due corte: pōĕmă.

Il verso di sedici piedi. Il verso di **sedici piedi di quattro sillabe** è disposto nell'ordine che segue:
il **Dispondeo** è composto da due spondei: *ōrātōrēs*;

il **Proceleusmaticus** è composto di due pirricchi: *hŏmĭnĭbŭs;*
il **Ditrocheo** è composto di due trochei: *cōmprŏbārĕ;*
il **Digiambo** è composto di due giambi: *sĕvērĭtās;*
il **Coriambo** è composto di un trocheo e di un giambo: *sīmplĭcĭtās;*
l'**Antispasto** è composto di un giambo e di un trocheo: *ălēxāndĕr;*
il **Gionico maggiore** è composto di uno spondeo e di un pirrichio: *Dēmētrĭŭs;*
il **Gionico minore** è composto di un pirrichio e di uno spondeo: *Dĭŏmēdēs.*

Quando l'**esametro** greco è stato introdotto in latino, gli scrittori hanno incominciato a utilizzare la composizione greca nella lingua latina.

8.7 I PUNTI CARDINALI

ORIENTE

"Aut oriente aut occidente" diceva Plinio il Vecchio per indicare in ablativo singolare i punti cardinali. "Ori-ente" è oggi un participio presente sostantivato, ma in origine era un participio presente che fungeva da aggettivo al nome, in questo caso al "sole" che rimane sottinteso. Quindi la frase completa è "il sole oriente", il sole che sorge.

In sardo, secondo le nostre regole grammaticali, il participio presente non esiste, perché noi non diciamo "in colore de cane fu[gh]-ente = in colore di cane fugg-ente" ma "in colore de cane fu[gh]-ende = in colore di cane fugg-endo o che fugge".

Il problema sta nel fatto che noi abbiamo mutato la /t/ sorda della sillaba atona del suffisso –ente in /d/ sonora (-ende), trasformando di fatto il participio presente in gerundio, quindi l'aggettivo in un verbo con tempo progressivo. Per cui invece di dire "su sole oriente" diciamo "su sole oriende".

La lingua latina e quella sarda sono lingue sillabiche, poiché non lasciano mai le vocali interne da sole. Di fatto, come nel caso presente, a volte le consonanti vengono sincopate, creando dei finti dittonghi. Nella voce "ori[z]ente" in latino è stata sincopata la consonante –z- che noi invece troviamo nel sardo "orizende".

Quindi quando sorge l'alba, il sole sta "orizende", ovverosia sta "orlando" la terra. Il sardo "oru" significa per l'appunto orlo, estremità, ciò che sta lontano da noi, come l'ori-gine da cui proveniamo o come "s'ori[b]olu", il pensiero o la preoccupazione estrema per qualcuno che sta lontano da noi.

Nell'occidente europeo è stata pertanto la civiltà sarda, nata prima dell'impero di Roma, a dare i natali al sole che sorge, coniando qui in Sardegna l'effetto del "fondatore linguistico" nella parola "Oriente-Orizende".

OCCIDENTE

Come l'Ori-ente, anche l'Occidente è oggi un participio presente sostantivato, ma in origine era un participio presente che fungeva da aggettivo al nome, in questo caso al "sole" che rimane sottinteso. Quindi la frase completa è "il sole occidente", il sole che tramonta.

In latino la parola "occidens" è il participio presente del verbo "occido", che declinato come un sostantivo diventa "occidente" in ablativo singolare. Tutti i nomi che nel vocabolario latino seguono la radice "occid-" hanno il significato di uccidere, cadere, morire, tramontare. C'è da specificare che la sillaba "ci" nel latino "restituto" è gutturale, quindi si legge /ochido/.

In sardo il significato è lo stesso, ma la voce "ochidu" la pronunciamo senza la b- iniziale (b-ochidu) quando la parola che precede termina per vocale. Per cui, ad esempio, diciamo "òmines bochidos" o "òmine ochidu". Pertanto si dice "su sole si nd'est bochidu = il sole se ne è ucciso" o "su sole ochende = il sole uccidendo, spegnendo".

Quando qualcosa si sta spegnendo, come ad esempio il fuoco o la luce, in sardo diciamo "su fogu si nd'est bochende = il fuoco se ne sta uccidendo". Così, allo stesso modo, quando il sole sta tramontando si dice "su sole si nd'est bochende = il sole se ne sta uccidendo", vale a dire si sta spegnendo o sta tramontando (transas in su monte).

Trasformando, come accade nella lingua sarda, il participio presente / sostantivo latino "occidente" in gerundio sardo otteniamo "ochidende" o "ochende", termine che i Sardi hanno coniato agli albori della loro civiltà.

8.8 UNITÀ DEI PESI E DELLE MISURE

IL CUBITO

Il cubito non è il cubo, per intenderci quello geometrico su cui a volte si esibiscono le ballerine nei locali notturni, e neppure il materasso contro le piaghe. In antichità il "cùbitu", in latino "cubitum" e in italiano "cubito", era l'unità di misura più conosciuta, corrispondente all'incirca a 44,44 cm (cubito romano), e misurava la distanza dalla punta del dito medio al gomito.

Era un metro a portata di mano, anzi di gomito, di tutti. Per misurare qualsiasi oggetto bastava poggiarvi il gomito sopra e allungare l'avambraccio fino al dito medio e si otteneva un cubito. In Egitto il "gomito" del faraone era più lungo rispetto a quello popolare, sicuramente per far pagare di più ai suoi sudditi.

In Sardegna si usava misurare le stoffe con il cubito fino al secolo scorso e anche nei paesi Anglo-Sassoni, prima dell'introduzione del sistema metrico decimale di qualche anno fa, si usava il "cubit" come unità di misura.

Per capire meglio l'origine del "cubito" occorre fare qualche considerazione di tipo linguistico. In sardo, ad eccezione di una parte del Nugorese, la consonante –t- quando si trova in sillaba atona e in posizione intervocalica viene sonorizzata in –d-. Esempio: "andatu" diventa "andadu". Mentre la consonante –b- in posizione intervocalica e in sillaba atona viene sincopata, vale a dire fatta fuori. Esempio: "ribu" diventa "riu".

Pertanto il "cubitum" latino, se togliamo la desinenza –m del nominativo e dell'accusativo diventa "cùbitu", trasformato in gran parte del sardo con le regole viste sopra in "cù[b]idu", che tradotto in italiano significa "gomito".

Il significante inglese "cubit" e l'italiano "cubito" rappresentano il significato "unità di misura", poiché il "gomito" (elemento anatomico del corpo umano) si traduce in inglese con "elbow" e in italiano con "gomito", mentre il significante "cù[b]itu" sardo rappresenta sia il significato "unità di misura" sia il significato "gomito = cù[b]idu".

Trattandosi di una misura utilizzata nel Mediterraneo antico secoli prima della nascita di Roma, è facile dedurre che non sono stati i Romani con la conquista dell'Impero a diffonderlo nell'Occidente e in Sardegna, ma la civiltà sarda nata prima.

Ecco il motivo per cui la parola "cubitu" è stata coniata in Sardegna ed è qui che tiene l'effetto del "fondatore linguistico".

9. L'AGGETTIVO

L'aggettivo (in latino *adiectīvum, adĭcĕre* = aggiungere) è la parte che muta del discorso che si accompagna ai nomi per precisarne una **qualità** (aggettivi qualificativi o di qualità) o per indicarne un'appartenenza o una **quantità** (aggettivi indicativi o di indicazione).

Gli aggettivi latini seguono la struttura di quelli greci. Per cui nella prima classe sono compresi i femminili, i maschili e i neutri che terminano come i nomi della prima e seconda declinazione, mentre nella seconda classe confluiscono gli altri che chiudono come i nomi della terza declinazione.

Tutti gli aggettivi concordano con il nome nel **genere** e nel **numero**. In latino gli aggettivi concordano anche nel **caso**. Esempi:

duas bacas làngias = *duas vaccas lanĭas* (due vacche magre);
tres fèminas bonas = *tres femĭnas bonas* (tre donne buone);
bàtoro òmines onestos = *quattŭor homĭnes honestos* (quattro uomini onesti);
ses truddas pertuntas = *sex trullas pertuntas* (sei mestoli bucati).

Gli aggettivi si dividono in **qualificativi** e **determinativi**. Sono **qualificativi** gli aggettivi che indicano una qualità o una proprietà del nome. Sono, invece, **determinativi** gli aggettivi che precisano altre qualità come il potere, le domande, i numeri e così via.

9.1 GLI AGGETTIVI QUALIFICATIVI

Sono **qualificativi** quegli aggettivi che servono ad indicare una qualità o una condizione di un nome:

malu libru apo lèghidu = ***malum*** *librum legi* (un brutto libro ho letto)[1].

> L'aggettivo latino ***lanius*** /lanzus/, in effetti, è un sostantivo e significa "macellaio, carnefice". In sardo l'aggettivo **lanzu / làngiu** vuol dire "magro", ovverosia spolpato dal macellaio o dal carnefice.

beros amigos = ***veros*** *amicos* (veri amici)[2].
malas artes = ***malas*** *artes* (cattive arti)[3].

> Aggettivi come *niger* (nieddu = nero), quando sono diminutivi, diventano *nigellum* (ni[gh]eddu), che in sardo troviamo anche come cognome: **Nieddu**.

Gli aggettivi possono stare davanti o dietro il nome; in sardo e in latino nella maggior parte dei casi vanno dopo il nome:

erva **arta** = *herbam* ***altam*** (erba alta)[4].
un'òmine **mannu** = ***magnum*** *hominem* (un grande uomo)[5].

C'è qualche aggettivo che può stare sia prima sia dopo il nome. Ecco qualche esempio (ac. sing.):

bonu = *bonum* (buono); forte = *fortem* (forte); malu = *malum* (cattivo); santu = *sanctum* (santo).
bona pobidda = *bonam puellam* (buona ragazza); bonu òmine = *bonum homĭnem* (buon uomo);
santa fèmina = *sanctam femĭnam* (santa donna).

Occorre stare attenti, perché, in sardo, suona male dire: una fea pobidda = *foedam puellam* (una brutta ragazza) o unu rassu òmine = *crassum hominem* (un grasso uomo).

1 Gaius Valerius Catullus, *Carmina Catulli*, Liber I, 44.
2 Marcus Tullius Cicero, *Rhetorica - Laelius De Amicitia*, 54.
3 Publius Cornelius Tacitus, *Annales*, Liber XIV, 57.
4 Gaius Plinius Secundus (su betzu), *Naturalis Historia*, Liber XVII, 6.
5 Marcus Tullius Cicero, *Epistuale - Ad Atticum*, II, 2.

In certi casi, a seconda della posizione che occupa, l'aggettivo muta il senso della frase. Infatti, un conto è dire **una bona fèmina** = *bonam femĭnam* (una buona donna), un altro **una fèmina bona** = *femĭnam bonam* (una donna buona); in questo secondo caso l'aggettivo va ad indicare una particolarità propria di quella donna.

L'aggettivo **mesu** = *medium* (mezzo) sta davanti al nome, perché quando è messo dopo può svolgere anche funzione di pronome:

mesu logu (mezzo luogo) - unu logu e mesu (un luogo e mezzo) =
medium locum - locum unum et medium[6].

L'aggettivo sardo **mesu** (mezzo) corrisponde a quello latino ***medium***. Infatti nella parola *medium* è contenuta la ***-i-*** consonantica, che, anticipata dalla ***-d-*** e seguita da una vocale, viene ad essere pronunciata come una /**s**/ sonora [**z**]. Pertanto il ***Mediu*[*m*]*terraniu*[*m*]** trae la sua origine dal nome **Mesuterranzu** (in mezzo alla terra).

9.1.1 PROSPETTO DI CONCORDANZA DEGLI AGGETTIVI CON IL NOME

In latino gli aggettivi concordano con il nome nel genere, nel numero e nel caso.

Nell'esempio: padre bonu (padre buono) = *patrem bonum* (ac. sing.).

CASO	SINGOLARE	SARDU	PLURALE	SARDU
NOMINATIVO	*pătĕr bonus*	su padre bonu	*patres boni*	sos padres bonos
GENITIVO	*patris boni*	de su padre bonu	*patrum bonōrum*	de sos padres bonos
DATIVO	*patri bono*	a su padre bonu	*patrĭbus bonis*	a sos padres bonos
ACCUSATIVO	*patrem bonum*	su padre bonu	*patres bonos*	sos padres bonos
VOCATIVO	*pătĕr bone*	o padre bonu	*patres boni*	o padres bonos
ABLATIVO	*patre bono*	cun su padre bonu	*patrĭbus bonis*	cun sos padres bonos

Alcuni **aggettivi** sono **indeclinabili**. Quelli che seguono escono **solo** al **plurale**: *totidem* = ateretantos, medas (altrettanto, molti); *quot* = cantos, cadaunu (quanti, qualcuno); *aliquot* = unos cantos (alcuni); *quotquot* = totu cantos (tutti quanti); *tot* = totus (tutti).

Questi altri che seguono escono **solo** al **singolare**: *fas* = permissu (permesso); *nefas* = proibidu, non permissu (proibito, non permesso); *necesse* = netzessàriu (necessario); *opus* = bisòngiu (bisogno).

9.2. LE CLASSI DEGLI AGGETTIVI

Nella **lingua sarda** gli **aggettivi** sono **divisi in tre classi**, mentre **in latino** sono ripartiti in **due**.

In sardo comune, la prima classe è composta dagli aggettivi che terminano in **–u** (maschili) e in **–a** (femminili).

I plurali degli uni e degli altri escono in **–os** (maschili) e in **–as** (femminili). Nella variante sarda meridionale i nomi che nel singolare escono in **-u** terminano nel plurale in **-us**:

sardo: bon-u (buono), bon-a (buona), bon-os (buoni), bon-as (buone);
mal-u (cattivo), mal-a (cattiva), mal-os (cattivi, mal-as (cattive).

latino: (accusativo: maschile, femminile e neutro - singolare e plurale):
bon-ŭm (buono), *bon-ăm* (buona), *bon-um* (buono n.), *bon-ōs* (buoni), *bon-ās* (buone), *bon-ă* (buoni n.);
mal-ŭm (cattivo), *mal-ăm* (cattiva), *mal-am* (cattiva n.), *mal-ōs* (cattivi), *mal-ās* (cattive), *mal-ă* (cattivi n.).

6 Marcus Tullius Cicero, *Rhetorica - De Natura Deorum*, Liber II, 84.

9.2.1 LA PRIMA CLASSE DEGLI AGGETTIVI SARDI E LATINI

Nella **prima classe latina** ci sono aggettivi maschili, femminili e neutri. I maschili terminano in ***-us*** nel nominativo singolare come i sostantivi della seconda declinazione, mentre i femminili chiudono in ***-a*** come i nomi della prima declinazione.

Nella **prima classe latina** troviamo anche aggettivi che terminano in ***-er,*** come i sostantivi che abbiamo visto nella seconda declinazione. Questi aggettivi si dividono in due parti: del primo gruppo fanno parte gli aggettivi che non perdono la ***-e-*** prima della ***-r-*** nella formazione del femminile e del neutro, come *asper-um* = aspru (aspro) - *asper-am* = aspra (aspra); *tener-um* = tènneru (tenero) - *tener-am* = tènnera (tenera).

Del secondo gruppo fanno parte gli aggettivi che, invece, perdono la ***-e-*** prima della ***-r-*** nella composizione del femminile e del neutro, come *pulchĕr* = bellu (bello), *pulchr-ă* = bella (bella), *pulchr-ŭm* (bello n.).

Gli **aggettivi neutri**, come si vede nel prospetto in basso, escono nel nominativo singolare in ***-ŭm***.

Gli aggettivi della prima classe posseggono tre desinenze differenti. Per il genere maschile si utilizzano le desinenze nominali della seconda declinazione; per quella del genere femminile si adoperano le desinenze nominali della prima declinazione; per quella del genere neutro si usano le desinenze nominali della seconda declinazione.

PROSPETTO DEGLI AGGETTIVI DELLA PRIMA DECLINAZIONE LATINA: *BONUS* = BONU (BUONO)

	SINGOLARE			PLURALE		
CASO	MASCHILE	FEMMINILE	NEUTRO	MASCHILE	FEMMINILE	NEUTRO
NOMINATIVO	*bon-**ŭs***	*bon-**ă***	*bon-**ŭm***	*bon-**ī***	*bon-**ae***	*bon-**ă***
GENITIVO	*bon-**ī***	*bon-**ae***	*bon-**ī***	*bon-**ōrŭm***	*bon-**ārŭm***	*bon-**ōrŭm***
DATIVO	*bon-**ō***	*bon-**ae***	*bon-**ō***	*bon-**īs***	*bon-**īs***	*bon-**īs***
ACCUSATIVO	*bon-**ŭm***	*bon-**ăm***	*bon-**ŭm***	*bon-**ōs***	*bon-**ās***	*bon-**ă***
VOCATIVO	*bon-**ĕ***	*bon-**ă***	*bon-**ŭm***	*bon-**ī***	*bon-**ae***	*bon-**ă***
ABLATIVO	*bon-**ō***	*bon-**ā***	*bon-**ō***	*bon-**īs***	*bon-**īs***	*bon-**īs***

ESEMPIO DI *ASPER* = ASPRU (ASPRO)

	SINGOLARE			PLURALE		
CASO	MASCHILE	FEMMINILE	NEUTRO	MASCHILE	FEMMINILE	NEUTRO
NOMINATIVO	*aspĕr*	*aspĕr-**ă***	*aspĕr-**ŭm***	*aspĕr-**ī***	*aspĕr-**ae***	*aspĕr-**ă***
GENITIVO	*aspĕr-**ī***	*aspĕr-**ae***	*aspĕr-**ī***	*aspĕr-**ōrŭm***	*aspĕr-**ārŭm***	*aspĕr-**ōrŭm***
DATIVO	*aspĕr-**ō***	*aspĕr-**ae***	*aspĕr-**ō***	*aspĕr-**īs***	*aspĕr-**īs***	*aspĕr-**īs***
ACCUSATIVO	*aspĕr-**ŭm***	*aspĕr-**ăm***	*aspĕr-**ŭm***	*aspĕr-**ōs***	*aspĕr-**ās***	*aspĕr-**ă***
VOCATIVO	*aspĕr*	*aspĕr-**ă***	*aspĕr-**ŭm***	*aspĕr-**ī***	*aspĕr-**ae***	*aspĕr-**ă***
ABLATIVO	*aspĕr-**ō***	*aspĕr-**ā***	*aspĕr-**ō***	*aspĕr-**īs***	*aspĕr-**īs***	*aspĕr-**īs***

ESEMPIO DI *PULCHER* = BELLU (BELLO)

	SINGOLARE			PLURALE		
CASO	MASCHILE	FEMMINILE	NEUTRO	MASCHILE	FEMMINILE	NEUTRO
NOMINATIVO	*pulchĕr*	*pulchr-**ă***	*pulchr-**ŭm***	*pulchr-**ī***	*pulchr-**ae***	*pulchr-**ă***
GENITIVO	*pulchr-**ī***	*pulchr-**ae***	*pulchr-**ī***	*pulchr-**ōrŭm***	*pulchr-**ārŭm***	*pulchr-**ōrŭm***
DATIVO	*pulchr-**ō***	*pulchr-**ae***	*pulchr-**ō***	*pulchr-**īs***	*pulchr-**īs***	*pulchr-**īs***
ACCUSATIVO	*pulchr-**ŭm***	*pulchr-**ăm***	*pulchr-**ŭm***	*pulchr-**ōs***	*pulchr-**ās***	*pulchr-**ă***
VOCATIVO	*pulchĕr*	*pulchr-**ă***	*pulchr-**ŭm***	*pulchr-**ī***	*pulchr-**ae***	*pulchr-**ă***
ABLATIVO	*pulchr-**ō***	*pulchr-**ā***	*pulchr-**ō***	*pulchr-**īs***	*pulchr-**īs***	*pulchr-**īs***

Tengono questo modello di declinazione anche il participio passato (*perfectum*) e futuro (*futurum*).

Come si vede dai prospetti mostrati sopra, ogni aggettivo viene scritto in 36 modi differenti per rappresentare la funzione sintattica che ciascuno di essi tiene all'interno della frase.

9.2.2 LA SECONDA CLASSE DEGLI AGGETTIVI SARDI E LATINI

In **sardo la seconda classe** è composta dagli aggettivi che terminano in **–e** (maschili e femminili) e che nel plurale finiscono in **–es** (maschili e femminili). Nella variante sarda meridionale questi aggettivi terminano in **-i** nel singolare e in **-is** nel plurale:

sardo settentrionale: fort-e (forte), fort-es (forti); **sardo meridionale**: fort-i (forte), fort-is (forti).
latino (acusativu): *fort-em*, *fort-es* (maschile); *fort-em*, *fort-es* (femminile); *fort-e*, *fort-ĭa* (neutro).

Certi aggettivi che vengono dalla seconda classe latina dei sostantivi escono nel **vocativo singolare** in ***-i*** e nell'**accusativo singolare** in ***-em***, ricalcando più o meno le uscite del sardo centro settentrionale e del sardo centro meridionale:

ambulant-**e** (sardo s.) = *ambulant-**em*** (ac. sing.), ambulant-**i** (sardu m.) = *ambulant-**i*** (voc. sing.).

Altri aggettivi che vengono dalla seconda classe latina dei sostantivi escono nell'**ablativo neutro** in ***-i*** e nel **vocativo neutro** in ***-e***, riprendendo più o meno le desinenze del sardo centro settentrionale e del sardo centro meridionale:

fort-**e** (sardo s.) = *fort-**e*** (voc. n. sing.), fort-**i** (sardo m.) = *fort-**i*** (abl. sing.).

Nella **seconda classe latina** gli aggettivi escono come i nomi della terza declinazione e, nel caso accusativo (maschile e femminile), terminano per lo più come i corrispondenti sardi.

Gli **aggettivi** della **seconda classe latina si dividono in tre parti**:
- il **primo gruppo** è composto dagli aggettivi che posseggono tre terminazioni nel nominativo singolare (***-er*** per il maschile, ***-is*** per il femminile, ***-e*** per il neutro);
- il **secondo gruppo** è composto da aggettivi che hanno due terminazioni (***-is*** per il maschile e per il femminile, ***-e*** per il neutro);
- il **terzo gruppo** è formato da aggettivi ad una sola terminazione (***-x***, ***-l***, ***-r***, ***-s*** per il maschile, per il femminile e per il neutro).

Mostriamo qui sotto il **primo gruppo a tre terminazioni** rappresentato dall'aggettivo *ac-**er***, *acr-**is***, *acr-**e*** = acuto, acre, agru (agro).
Gli aggettivi di seconda classe latini seguono lo schema greco a tre, due e una terminazione.

	SINGOLARE			PLURALE		
CASO	MASCHILE	FEMMINILE	NEUTRO	MASCHILE	FEMMINILE	NEUTRO
NOMINATIVO	*ac-ĕr*	*acr-ĭs*	*acr-ĕ*	*acr-ēs*	*acr-ēs*	*acr-ĭa*
GENITIVO	*acr-ĭs*	*acr-ĭs*	*acr-ĭs*	*acr-ĭum*	*acr-ĭum*	*acr-ĭum*
DATIVO	*acr-ī*	*acr-ī*	*acr-ī*	*acr-ĭbus*	*acr-ĭbus*	*acr-ĭbus*
ACCUSATIVO	*acr-ĕm*	*acr-ĕm*	*acr-ĕ*	*acr-ēs*	*acr-ēs*	*acr-ĭa*
VOCATIVO	*acĕr*	*acr-ĭs*	*acr-ĕ*	*acr-ēs*	*acr-ēs*	*acr-ĭa*
ABLATIVO	*acr-ī*	*acr-ī*	*acr-ī*	*acr-ĭbus*	*acr-ĭbus*	*acr-ĭbus*

Si declinano nello stesso modo gli aggettivi che seguono: *ălăcer, alăcris, alăcre* = allegru (allegro); *campester, campestris, campestre* = campestre (campestre); *celĕber, celĕbris, celĕbre* = tzèlebre (celebre); *celer, celĕris, celĕre* = chèlere (celere); *equester, equestris, equestre* = echestre (equestre); *paluster, palustris, pa-*

lustre = palustre (palustre); *pedester, pedestris, pedestre* = pedestre (pedestre); *puter, putris, putre* = pùdidu (putrido); *salūber, salūbris, salūbre* = sàlubre (salubre); *silvester, silvestris, silvestre* = silvestre (silvestre); *terrester, terrestris, terrestre* = terrestre (terrestre); *volŭcer, volŭcris, volŭcre* = boladore (volatile).

Come si vede dall'esempio mostrato sopra, questi aggettivi seguono la terminazione dei nomi della terza declinazione latina, quella del secondo gruppo, in cui l'ablativo singolare esce in ***-i***, il genitivo plurale in ***-ĭŭm*** e i neutri plurali dei casi diretti in ***-ĭa***.

Mostriamo qui sotto il secondo gruppo a due uscite con l'aggettivo *fort-ĭs*, *fort-ĕ* (forte).

	SINGOLARE		PLURALE	
CASO	MASCHILE e FEMMINILE	NEUTRO	MASCHILE e FEMMINILE	NEUTRO
NOMINATIVO	*fort-ĭs*	*fort-ĕ*	*fort-ēs*	*fort-ĭa*
GENITIVO	*fort-ĭs*	*fort-ĭs*	*fort-ĭum*	*fort-ĭum*
DATIVO	*fort-ī*	*fort-ī*	*fort-ĭbus*	*fort-ĭbus*
ACCUSATIVO	*fort-ĕm*	*fort-ĕ*	*fort-ēs*	*fort-ĭa*
VOCATIVO	*fort-ĭs*	*fort-ĕ*	*fort-ēs*	*fort-ĭa*
ABLATIVO	*fort-ī*	*fort-ī*	*fort-ĭbus*	*fort-ĭbus*

Si declinano nello stesso modo alcuni mesi dell'anno: *ăprīlis-**is***, *april-**is***, *april-**e*** (de abrile = di aprile); *quintilisis, quintilis, quintile* (de cuintile, trì[b]ulas = di luglio); *sextilisis, sextilis, sextile* (de sestile, a[g]ustu = di agosto).

Anche in questo caso, gli aggettivi a due terminazioni sono caratterizzati dall'ablativo singolare in ***-i***, dal genitivo plurale in ***-ĭŭm*** e dai casi diretti neutri in ***-ĭa***, come abbiamo visto nei nomi della terza declinazione che fanno parte del secondo gruppo.

Mostriamo qui sotto il terzo gruppo ad una sola terminazione con l'aggettivo *pār* (pare, paris = uguale).

	SINGOLARE	PLURALE
CASO	MASCHILE, FEMMINILE e NEUTRO	MASCHILE, FEMMINILE e NEUTRO
NOMINATIVO	*pār, paris (f)*	*par-es / par-ĭa*
GENITIVO	*par-ĭs*	*par-ĭum*
DATIVO	*par-ī*	*par-ĭbus*
ACCUSATIVO	*par-ĕm / par*	*par-es / par-ĭa*
VOCATIVO	*pār*	*par-es / par-ĭa*
ABLATIVO	*par-ĕ*	*par-ĭbus*

In questo caso ugualmente, essendoci più di una uscita nel nominativo singolare, questi aggettivi declinano come i nomi della terza declinazione che sono nel secondo gruppo, vale a dire con l'uscita del nominativo e del vocativo singolari in consonante, il genitivo plurale in ***-ĭŭm*** e i casi diretti neutri in ***-ĭa***.

Di sicuro l'aggettivo latino ***vetus*** (vecchio) in origine possedeva la ***-i-*** consonantica dopo la ***-t-*** (*vetius*), perché nel sardo centro settentrionale è pronunciato **betzu**, con la **-tz-**, e nel sardo centro meridionale **bèciu**, con la **ci**+ **vocale**.

Si declinano alla stessa maniera: *simplex* = simple (semplice). Anche gli aggettivi ad una uscita che terminano in ***-i*** nell'ablativo singolare, come *felīx* = felitze (felice), escono in ***-ĭŭm*** nel genitivo plurale e in ***-ĭa*** nei casi neutri diretti plurali.

Mostriamo appresso **il terzo gruppo ad una sola terminazione** rappresentato dall'aggettivo *vetus* = betzu (vecchio).

	SINGOLARE	PLURALE
CASO	MASCHILE, FEMMINILE e NEUTRO	MASCHILE, FEMMINILE e NEUTRO
NOMINATIVO	*vĕtŭs*	*veter-es / veter-a*
GENITIVO	*veter-is*	*veter-um*
DATIVO	*veter-ī*	*veter-ĭbus*
ACCUSATIVO	*veter-ĕm*	*veter-es / veter-a*
VOCATIVO	*vĕtŭs*	*veter-es / veter-a*
ABLATIVO	*vetere*	*veter-ĭbus*

La maggior parte degli aggettivi della seconda classe corrisponde nella desinenza ai nomi della terza declinazione che fanno parte del primo gruppo, quello con l'uscita in ***-e*** nell'ablativo singolare, l'uscita in ***-um*** nel genitivo plurale e la terminazione in ***-a*** nei casi diretti neutri.

- **Aggettivi con declinazione pronominale**

In latino ci sono alcuni aggettivi che si dicono pronominali perché vengono dai pronomi e hanno al singolare una declinazione a parte: genitivo singolare in ***-īus*** e dativo singolare in ***-ī***. Ecco alcuni esempi: àteru (fra molti) = *alius, alia, alius* (altro); àteru (fra due) = *alter, altera, alterum* (altro); neutro (né uno né l'altro) = *neuter, neutra, neutrum* (neutro); niunu = *nullus, nulla, nullum* (nessuno); solu = *solus, sola, solum* (solo); totu = *totus, tota, totum* (tutto); calicunu = *ullus, ulla, ullum* (qualcuno); unu = *unus, una, unum* (uno).

9.2.3 LA TERZA CLASSE DEGLI AGGETTIVI SARDI

In sardo, **la terza classe** è composta da pochi aggettivi che terminano in **–eri** (maschile) e in **-era** (femminile); il plurale esce in **–eris** (maschile) e in **-eras** (femminile). In latino non esiste la terza classe degli aggettivi, sebbene, come nel caso di **fa**[**ch**]**inera**, troviamo la stessa voce sostantivata nell'accusativo neutro plurale: ***facinora*** (violenta). Esempi di aggettivi della terza declinazione sarda:

bandul-eri (bandito), bandul-eris (banditi);
bardan-eri (razziatore), bardan-eris (razziatori);
trajul-era (traditrice), trajul-eras (traditrici);
fain-era (violenta), fain-eras (violente).

In latino troviamo sostantivato anche ***tragulārium***, in sardo **tragularzu**, aggettivo usato ancora oggi in Sardegna per indicare un traditore, vale a dire un **trajuleri** (lanciatore di tràgula, particolare giavellotto).

LE CLASSI DEGLI AGGETTIVI IN SARDO

GENERE E NUMERO	PRIMA CLASSE	SECONDA CLASSE	TERZA CLASSE
MASCHILE SINGOLARE	bon-u	fort-e	bardan-eri
FEMMINILE SINGOLARE	bon-a	fort-e	trajul-era
MASCHILE PLURALE	bon-os	fort-es	bardan-eris
FEMMINILE SINGOLARE	bon-as	fort-es	trajul-eras

LE CLASSI DEGLI AGGETTIVI IN LATINO

GENERE E NUMERO	PRIMA CLASSE	SECONDA CLASSE	CASO
MASCHILE SINGOLARE	*bon-um*	*fort-em*	accusativo singulare m.
FEMMINILE SINGOLARE	*bon-am*	*fort-em*	accusativo singulare f.
NEUTRO SINGOLARE	*bon-um*	*fort-e*	accusativo singulare n.
MASCHILE PLURALE	*bon-os*	*fort-es*	accusativo plurale m.
FEMMINILE PLURALE	*bon-as*	*fort-es*	accusativo plurale f.
NEUTRO PLURALE	*bon-a*	*fort-ĭa*	accusativo plurale n.

9.3. IL GRADO DEGLI AGGETTIVI

> La parola "comparare" è presente in sardo e in latino: ***cum parare***, vale a dire **parare cum-pare** (confrontarsi, fare forza insieme).

Un nome può avere una qualità indicata dagli aggettivi. Il grado degli aggettivi serve a dire in quale misura è tenuta questa qualità.

I gradi degli aggettivi sono tre: grado **positivo**, grado **comparativo** e grado **superlativo**.

- Il **grado positivo** è la misura naturale dell'aggettivo:

un'innotzente amigu = *innocens amicus* (un innocente amico)[7].

- Il **grado comparativo** è la misura che l'aggettivo da ad almeno due nomi, confrontandoli.

I gradi del comparativo sono:

- **di uguaglianza** - il comparativo di uguaglianza si forma mettendo l'aggettivo di grado positivo in mezzo a due avverbi. La costruzione del comparativo in sardo può essere fatta in tre modi:

su cane est forte **che**, **cantu** o **comente** s'òmine =
il cane è forte **allo stesso modo**, **quanto** o **come** l'uomo.

In latino si ha: **primo termine di paragone** + ***tam*** + **aggettivo positivo** + ***quam*** + **secondo termine di paragone**:

Luisa est **tantu** larga **cantu** su culu = *Lydia* (num. sing.) ***tam*** *laxa est* (num. sing.) ***quam*** *culus* (num. sing.);
(Luisa è **tanto** larga **quanto** il culo)[8].

O anche: **primo termine di paragone** + ***ita*** + **aggettivo positivo** + ***ut*** + **secondo termine di paragone:**

su cane est **gasi** forte **che** s'òmine = *canis* (num. sing.) ***ita*** *fortis est* (num. sing.) ***ut*** *homo* (num. sing.);
(il cane è **così** forte **allo stesso modo** dell'uomo).

Ma anche: **primo termine di paragone** + ***aeque*** + **aggettivo positivo** + ***ac*** + **secondo termine di paragone**.
In latino troviamo la particella ***ac*** con la stessa funzione che tiene in sardo l'avverbio **che** (comente):

caru **ateretantu** giucundu sias **che** a su padre = *carus* ***aeque*** *iucundus sis* ***ac*** *patri;*
(caro **altrettanto** giocondo sia **allo stesso modo** del padre)[9].

- **di minoranza** - il comparativo di minoranza si forma mettendo l'avverbio ***minus***, che riproduce quello greco ***micros***, davanti all'aggettivo positivo, seguito da ***quam*** e appresso dal secondo termine di paragone. Pertanto, **primo termine di paragone** + ***minus*** + **aggettivo positivo** + **quam** + **secondo termine di paragone**:

nudda est **prus pagu** ferotze **de** sa severidade = *nihil* (num. sing.) ***minus*** *fero* ***quam*** *severitatem* (ac. sing.);
(nulla è **meno** feroce **de**lla severità)[10].

L'avverbio ***quăm*** tiene la stessa funzione del sardo **cantu**. Occorre ricordare che la parola *qua-m* si legge **/ca/**, e non è altro che l'abbreviazione di **cantu** (quanto).

Come in quello di uguaglianza, il comparativo di minoranza utilizza il primo e il secondo termine con lo stesso caso. *Minus*, c'è da dire, non è un vero e proprio comparativo e il suo significato viene dalla parola "minudu", tanto è che anche in greco è espresso in forma verbale come "μινύθω" (minutho).

---

7 Marcus Valerius Martialis, *Epigrammaton*, Liber X, 76.
8 Marcus Valerius Martialis, *Epigrammaton*, Liber XI, 21.
9 Marcus Tullius Cicero, *Epistulae - Ad Familiares*, II, 2.
10 Marcus Tullius Cicero, *Epistulae - Ad Familiares*, IX, 5.

- **di maggioranza** - il **comparativo di maggioranza** si forma legando al tema dell'aggettivo positivo il suffisso ***-iŏr*** per il maschile e il femminile, e il suffisso ***-iŭs*** per il neutro. Il comparativo di maggioranza latino segue quello greco, che per esprimere "prus bellu (più bello)" scrive **καλλ-ίον** (***callion***), con la terminazione in **-ion**, simile al latino ***-ior***.

Dall'aggettivo greco ***callion*** viene il napoletano **quagliò**, che significa **[bel] ragazzo**.

Anche in sardo possiamo trovare il suffisso ***-ior*** in aggettivi come: "durc-**ore**", che significa "molto dolce"; "murg**ore**", in latino *mucore* = muffa, o "temp**òriu**", che vuol dire "da molto tempo", e nella stessa parola che rappresenta la maggioranza: **majore** (maggiore). Se andiamo a pronunciare la **-i-** consonantica intervocalica del latino "*ma**i**ore*" la pronunceremo /ma**j**ore/, mentre se leggiamo la **-i-** consonantica di "*dulc**i**or*", che non è intervocalica, diremo / *dul**tz**or*/.

In sardo il suffisso ***-ior*** lo possiamo confrontare con ciò che contraddistingue la terza declinazione degli aggettivi, che in latino non esiste: bandul-**eri** (latitante), bardan-**eri** (razziatore); ecc.

Il comparativo di maggioranza si declina come i nomi imparisillabi della III declinazione, vale a dire quelli che tengono solo una consonante prima della desinenza ***-is*** del genitivo singolare.

Esempio: *dulc-is* = dolce (gen. sing.) diventa ***dulc-ior*** (comparativo di maggioranza). Così come in greco γλυκ-**ύς** (gluchìus = dolce) diventa γλυκ**ίων** (più dolce). Il comparativo latino *dulcior* viene declinato come i nomi della terza declinazione, ovverosia:

- ablativo singolare in ***-ĕ***;
- genitivo plurale in ***-ŭm***;
- casi diretti neutri plurali in ***-ă***.

Il suffisso ***-ior*** è rimasto in italiano fino ai nostri giorni in alcuni modi di dire, come "a poster-**iori**", o "a pr-**iori**".

Nel prospetto che segue: declinazione latino / greco di ***dulc-iŏr*** = durcore (più dolce, molto dolce).

	SINGOLARE			PLURALE		
CASO	MASCHIO e FEM. latino e greco		NEUTRO	MASCHIO e FEM. latino e greco		NEUTRO
NOMINATIVO	*dulc-iŏr*	γλυκ-ίων	*dulc-iŭs*	*dulc-iōrēs*	γλυκ-ίονες	*dulc-iōră*
GENITIVO	*dulc-iōrĭs*	γλυκ-ίονος	*dulc-iōrĭs*	*dulc-iōrŭm*	γλυκ-ιόνως	*dulc-iōrŭm*
DATIVO	*dulc-iōrī*	γλυκ-ίονῐ	*dulc-iōrī*	*dulc-iorĭbŭs*	γλυκ-ίοσῐ(ν)	*dulc-iorĭbŭs*
ACCUSATIVO	*dulc-iōrĕm*	γλυκ-ίονᾰ	*dulc-iŭs*	*dulc-iōrēs*	γλυκ-ίονᾰς	*dulc-iŏră*
VOCATIVO	*dulc-iŏr*	γλυκ-ίον	*dulc-iŭs*	*dulc-iōrēs*	γλυκ-ίονες	*dulc-iōră*
ABLATIVO	*dulc-iōrĕ*	------	*dulc-iōrĕ*	*dulc-iorĭbŭs*	------	*dulc-iorĭbŭs*

La **comparazione di maggioranza** si può fare **tra due sostantivi o due aggettivi**. Quando si tratta di **due sostantivi**, in latino si possono utilizzare **tre maniere differenti**:

- La **prima maniera** si ha con:

primo termine di paragone + **comparativo** + ***quam*** + **secondo termine**. Il primo termine va nello stesso caso del secondo:

reu **prus** forte so **cantu** assòlvidu = *reus* (num. sing.) *fort**ior** sum **quam** absolutus* (num. sing.)
(reo **più** forte sono **quanto** assolto)[11].

- La **seconda maniera** si ha con la forma:

primo termine di paragone + **comparativo** + **ablativo semplice**. In questo modo l'ablativo tiene nella funzione sintattica il posto della preposizione **de**:

su meu est **prus** forte **de** issu = *meus* (num. sing.) *fort**ior** est eoque ips**o*** (abl. sing.)
(il mio è **più** forte del suo - **di** lui -)[12].

11 Marcus Fabius Quintilianus, *Declamationes Maiores - Declamatio Maior*, XVII, 2.
12 Marcus Tullius Cicero, *Epistulae - Ad Atticum*, X, 9.

- Quando si tratta di altre parti del discorso, si può adottare la forma del comparativo con ***quam***.

Negli esempi che mostriamo sotto troviamo sempre ***quam*** quando il primo termine è nei casi genitivo, dativo e ablativo o quando il secondo termine è un verbo:

cun cuddos est **prus** forte sa cura de mudòngiu **che** de sa vida =
illis (abl. sing.) *fort**ior** taciturnitatis cura* (gen. sing.) ***quam*** *vitae* (abl. sing.)
(con quelli è **più** forte la cura del silenzio **che** della vita)[13].

tua est **prus** sìmile immàgine **che** de sos Pireneos =
tua (abl. sing.) *simil**ior** est imago* (dat. sing.) ***quam*** *Pyrenaei* (gen. sing.)
(la tua è la **più** simile immagine **che** dei Pirenei)[14].

lietu est a bìnchere **che** tristu a èssere bìnchidos = *laetum vincere* ***quam*** *triste vinci* (verbu)
(lieto è vincere **che** triste essere vinti)[15].

Il pronome relativo latino ***qui***, che si legge come il sardo /**chi**/, nell'ablativo singolare esce in due forme: ***quo*** e ***qui***. Se noi lo utilizziamo con la prima forma, come nell'esempio che abbiamo fatto sopra, "***quo*** *maior eorum fuit*", stiamo facendo la costruzione della frase latina uguale a quella sarda, che dice: "**chi** prus mannu de issos fiat = che più grande di loro era".

- Un'altra forma si costruisce con il **pronome relativo**.

Il caso ablativo semplice si adopera più che altro quando il secondo termine di paragone è un pronome relativo; in più, quando le frasi sono negative e interrogative, o sono presenti locuzioni avverbiali:

chi prus mannu de issos fiat =
quo (abl. sing.) ***maior*** *eorum* (gen. pl.) *fuit;*
(**di cui più** grande di loro è stato)[16].

no est a tie **prus** amigu **che** (comente) so deo = *neque tibi amic**ior*** ***quam*** *ego sum;*
(non è a te più amico di come sono io)[17].

chie de issu est **prus** mannu? = *quis ipso* (abl. sing.) ***maior*** *est?* (chi di lui è **più** grande?)[18].

COMPARAZIONE TRA SOSTANTIVI

COMPARATIVO DI UGUAGLIANZA	COMPARATIVO DI MINORANZA	COMPARATIVO DI MAGGIORANZA
primo termine di paragone + ***tam*** + **aggettivo positivo** + ***quam*** + **secondo termine di paragone.**	**primo termine di paragone** + ***minus*** + **aggettivo positivo** + ***quam*** + **secondo termine di paragone.**	1ª maniera due aggettivi: **primo termine di paragone** + **comparativo** + ***quam*** + **secondo termine.**
primo termine di paragone + ***ita*** + **aggettivo positivo** + ***ut*** + **secondo termine di paragone.**		2ª maniera due aggettivi: **primo termine di paragone** + **comparativo** + **ablativo semplice.**
primo termine di paragone + ***aeque*** + **aggettivo positivo** + ***ac*** + **secondo termine di paragone.**		3ª maniera con ***quam***: 4ª maniera con il **pronome relativo.**

9.4 COMPARATIVO TRA AGGETTIVI O AVVERBI

In latino e in sardo la comparazione si può ottenere anche tra aggettivi o avverbi.

- Il **comparativo di uguaglianza** è espresso in latino da ***tam*** + **primo aggettivo** o **avverbio** + ***quam*** + **secondo aggettivo** o **avverbio**:

13 Marcus Iunianus Iustinus, *Historiarum Philippicarum T. Pompeii Trogi, Libri XLIV*, Liber XLIV, 2.
14 Gaius Plinius Secundus (su betzu), *Naturalis Historia*, Liber XXXVII, 6.
15 Titus Livius, *Ab Urbe Condita Libri*, Liber XXVI, 4.
16 Gaius Plinius Secundus (su betzu), *Naturalis Historia*, Liber XI, 11.
17 Marcus Tullius Cicero, *Epistulae - Ad Familiares*, III, 2.
18 Augustinus Hipponensis, *De Trinitate*, Liber I, 14.

sias **tantu** pòveru **cantu** non miseràbile = *sis **tam** pauper **quam** nec miserabilis;*
(sia **tanto** povero **quanto** non miserabile)[19].

- Il **comparativo di minoranza** è espresso in latino da ***minus*** + **primo aggettivo** o **avverbio** + ***quam*** + **secondo aggettivo** o **avverbio**:

prus pagu manna est **che** uguale = ***minus** magna est **quam** aequalis;*
(**meno** grande è **allo stesso modo** uguale)[20].

- Il **comparativo di maggioranza** è espresso in latino da ***magis*** + **primo aggettivo** o **avverbio** + ***quam*** + **secondo aggettivo** o **avverbio**:

familia **prus** antiga **che** famada =
*familia **magis** antiqua **quam** clara;*
(famiglia **più** antica **che** famosa)[21].

> L'aggettivo, pronome, avverbio **meda**, utilizzato in tutte le varianti del sardo (ad eccezione di una parte del nugorese in cui si pronuncia "meta"), in latino lo troviamo solo come sostantivo, ***meta***, e vuol dire in senso figurato "traguardo, fine, meta".

Gli aggettivi della prima classe che terminano in ***-ĕus***, ***-ĭus***, ***-ŭus*** ottengono il **comparativo di maggioranza** con *magis* + aggettivo positivo. Esempio:

prus dotu = ***magis doctius*** (più dotto)[22].

I comparativi di uguaglianza e di minoranza tra aggettivi possono essere rafforzati in sardo dall'avverbio **meda** (***meta***), che in latino corrisponde all'avverbio ***magis*** (più).

Alcuni avverbi che derivano da aggettivi hanno l'uscita del comparativo di maggioranza in ***-ius***, come il neutro dell'aggettivo corrispondente e similmente all'uscita del genitivo plurale maschile greco (**-ως**).

Esempio: *clar**us**, clar**e**, clar**ius*** (comparativo) = più chiaramente.

- Il **comparativo assoluto** si forma senza il secondo termine di paragone.
  Esempio: Marcu est su **prus forte** = *Marcus **fortior** est* (Marco è il **più forte**).

COMPARAZIONE TRA AGGETTIVI

COMPARATIVO DI UGUAGLIANZA	COMPARATIVO DI MINORANZA	COMPARATIVO DI MAGGIORANZA
Luchia est **tantu** bona **cantu** inteligente = *Lucia est **tam** bonă **quam** intellegens;* (Lucia è **tanto** buona **quanto** intelligente).	Luchia est **prus pagu** bona **che** inteligente = *Lucia est **minus** bonă **quam** intellegens;* (Lucia è **meno** buona **che** intelligente).	Luchia est **prus** bona **che** inteligente = *Lucia est **magis** bona **quam** intellegens;* (Lucia è **più** buona **che** intelligente).

9.5 IL GRADO SUPERLATIVO

Il **grado superlativo** indica il grado più alto, sia in assoluto, sia paragonando un aggettivo con un altro.

- In sardo il **superlativo assoluto** si forma in due modi: o ripetendo l'aggettivo positivo (bella bella) o rafforzando l'aggettivo positivo con l'avverbio **meda** (bella meda = molto bella).

- Il **superlativo relativo**, invece, si compone utilizzando il primo termine di paragone + l'avverbio **su prus** (il più) o **su prus pagu** (il meno) + l'aggettivo positivo + il secondo termine di paragone, che tiene il grado più piccolo e si dice complemento partitivo (totalità).

19 Marcus Valerius Martialis, *Epigrammaton*, Liber VI, 77.
20 Augustinus Hipponensis, *De Trinitate*, Liber VI, 7.
21 Flavius Eutropius, *Breviarium Ab Urbe Condita*, Liber VIII, 2.
22 Henrich Keil, *Probi Donati Servii qui feruntur de Arte Grammatica Libri*, In *Aedibus* B. G. Tevbneri, Lipsiae, 1864, p. 363.

9.5.1 SUPERLATIVO ASSOLUTO

Il **latino**, seguendo l'esempio del greco, possiede **una sola forma di superlativo**, che va bene sia per il superlativo assoluto sia per il superlativo relativo, e viene composta aggiungendo al tema dell'aggettivo (che si ricava dal genitivo singolare togliendo la terminazione) il suffisso ***-issĭmus*** (maschile), ***-issĭma*** (femminile), ***-issĭmum*** (neutro). Il superlativo si declina come gli aggettivi di prima classe. Esempio:

sa die est longa longa - sa die est longa meda - sa die est longhìssima = *long**issimus** dies est;* (il giorno è lunghissimo)[23].

òmine insuperabilìssimu est = *homo exsuperant**issimus** est;* (l'uomo è insuperabilissimo)[24].

bellissima ocasione est = *bell**issima** occasio est*; (è una bellissima occasione)[25].

Gli aggettivi di prima classe che terminano in ***-ĕus***, ***-ĭus***, ***-ŭus*** nel nominativo singolare tengono il **superlativo** con *maxime* + aggettivo positivo. Esempio: su prus anneuladu = *maxime aeneus* (il più bronzeo).

Non seguono questa regola gli aggettivi che finiscono in ***-quus***.

Fanno eccezione a questa norma gli aggettivi che terminano in ***-er***, che formano il superlativo per lo più aggiungendo al tema il suffisso ***-rimus*** (maschile), ***-rima*** (femminile), ***-rimum*** (neutro). Ecco alcuni esempi:

dònnia iscrita tua bellissima istimo = *omnia scripta tua pulcher**rĭma** existimo;* (ogni tua scritta bellissima stimo)[26].

istigadore achèrrimu = *extimulator acer**rĭmus***; (istigatore acerrimo)[27].

làngiu tenerìssimu = *macer tener**rĭmus**;* (magro tenerissimo)[28].

Fanno inoltre eccezione alle regole generali gli aggettivi che nel nominativo singolare escono in ***-dicus***, ***-ficus***, ***-volus***. Questi aggettivi prendono il comparativo in ***-entior***, ***-entius*** e il superlativo in ***-entissimus***, ***-a***, ***-um***. Ecco alcuni esempi:

POSITIVO	COMPARATIVO	SUPERLATIVO
maladitu = *mălĕ**dĭcus*** (maledetto)	*maledic**entior**, maledic**entius***	*maledic**entissimus**, **-a**, **-um***
malèficu = *mălĕ**fĭcus*** (malefico)	*malefic**entior**, malefic**entius***	*malefic**entissimus**, **-a**, **-um***
malintentzionadu = *mălĕ**vŏlus*** (malevolo, malintenzionato)	*malevol**entior**, malevol**entius***	*malevol**entissimus**, **-a**, **-um***

Il superlativo può essere rafforzato da avverbi di questo genere: ***multo*** = meda (molto), ***longe*** = longu , meda (molto, lungo), ***facile*** = fàtzile (facile), ecc. Esempio:

peri sos Elvèticos **meda meda** nòbile fiat Orgetorige = *apud Helvetios **longe nobilissimus** fuit Orgetorix* (presso gli Elvetici molto nobilissimo era Orgetorige)[29].

Il superlativo latino si forma anche mettendo un **prefisso** all'aggettivo positivo che termina in ***-us***, ***-ius***, ***-uus***:

peri sos mannos, mannu meda = *magnus* → ***per**magnus* (presso i grandi, molto grande);
peri sos onestos, onestìssimu = *honestus* → ***per**honestus* (presso gli onesti, onestissimo).

---

23 Gaius Plinius Secundus (su betzu), *Naturalis Historia*, Liber VI, 39.
24 Lucius Apuleius Madauresis (Saturninus), *De Mundo*, 27.
25 Gaius Petronius Arbiter, *Satyricon*, 25.
26 Gaius Plinius Caecilius Secundus (su giòvanu), *Epistularum Libri Decem*, Liber IX, 8.
27 Publius Cornelius Tacitus, *Annales*, Liber III, 40.
28 Marcus Terentius Varro, *De Lingua Latina*, Liber VIII, 39.
29 Gaius Iulius Caesar, *De Bello Gallico*, Liber I, 2.

Alcuni aggettivi, sebbene abbiano il comparativo e il superlativo, mancano del positivo:

postu a custa ala, chito, prus a curtzu a nois = ***citerior*** (posto da questa parte, più vicino a noi);
postu a cudda ala, àtera, prus a tesu dae a nois = ***ulterior*** (posto da quella parte, più distante da noi).
Pertanto abbiamo:

citerior (comparativo), *citimus* (superlativo);
ulterior (comparativo), *ultimus* (superlativo).

Il superlativo ***citimus***, che si legge /chitimus/, in sardo ha il significato di "pareggiare", quindi di restituire qualcosa (avvicinamento).

In latino, insieme alla forma con **-issimu**, è utilizzato anche il **superlativo alla sarda**, vale a dire ripetendo l'aggettivo positivo o l'avverbio. Ecco qualche esempio:

mannu mannu su nùmeru de sos archeris = ***magnum magnum*** *numerum sagittariorum;*
(**grande grande** - grandissimo - il numero degli arcieri)[30].

in **artu artu** devasto su cùcuru de su monte = *in* ***altum altum*** *vasto cornu promunturium;*
(in **alto** in **alto** - altissimo - devasto la cima del monte)[31].

cun presse **curre curre** a Pamphilu = *propere* ***curre curre*** *ad Pamphilum;*
(in fretta **corri corri** - corri velocemente - a Pamphilo[32].

9.5.2 SUPERLATIVO RELATIVO DI MAGGIORANZA

de sa corza sa **prus arta** de sa rete sica est = *cortice* ***altior*** *plaga sicca est* (se sono due);
(della corteccia la **più alta** della rete è secca)[33].

sa **prus arta** de sos papàveros = ***altissima*** *papaverum* (se sono più di due);
(la **più alta** - altissima - dei papaveri)[34].

9.5.3 SUPERLATIVO RELATIVO DI MINORANZA

s'iscèntzia est sa **prus minore** de custas cosas = *scientia* ***minor*** *harum rerum* (se sono due);
(la scienza è la **più piccola** di queste cose)[35].

esseret istada sa **prus minore** cun contàgiu de sos corpos =
fuisset ***minima*** *cum corporibus contagio* (se sono più di due);
(sarebbe stata la **più piccola** con contagio dei corpi)[36].

9.5.4 SUPERLATIVO RELATIVO CON COMPLEMENTO PARTITIVO

Il superlativo relativo vuole il nome plurale o collettivo che lo segue in genitivo, nell'ablativo con ***ex*** (La particella latina ***ex*** è stata presa da quella greca **ἐξ**) o ***de*** e nell'accusativo con ***inter*** o ***ante***. Esempi:

su laru est su prus artu **de sas** àrbures = *laurus altissima est arbor**um*** (l'alloro è il più alto degli alberi);
su laru est su prus artu **de sas** àrbures = *laurus altissima est* ***e*** *arboribus* (l'alloro è il più alto degli alberi).
su laru est su prus artu **intre sas** àrbures = *laurus altissima est* ***inter*** *arbores* (l'alloro è il più alto tra gli alberi).

30 Gaius Iulius Caesar, *De Bello Civili*, Liber I, 56.
31 Gaius Plinius Secundus (su betzu), *Naturalis Historia*, Liber IV, 21.
32 Publius Terentius Afer, *Hecyra*, V, 3.
33 Gaius Plinius Secundus (su betzu), *Naturalis Historia*, Liber XXIII, 70.
34 Valerius Maximus, *Factorum et Dictorum Memorabilium Libri Novem*, Liber VII, 4.
35 Lucius Iunius Moderatus Columella, *Res Rustica*, IX, 13.
36 Marcus Tullius Cicero, *Rhetorica - Tusculanae Disputationes*, Liber I, 72.

In sardo come in latino ci sono cinque aggettivi che formano il comparativo e il superlativo in modo irregolare, vale a dire con altri aggettivi che possiedono il grado intrinseco più grande.

Ecco qui appresso il prospetto che li rappresenta: *bonus* = bonu (buono); *malus* = malu (cattivo); *magnus* = mannu (grande); *parvus* = minore (piccolo); *multus* = meda (molto).

POSITIVO		COMPARATIVO		SUPERLATIVO	
LATINO	SARDU	LATINO	SARDU	LATINO	SARDU
bonus, -a, -um	bonu, bona	*melior, melius*	mezus / mellus	*optĭmus, -a, -um*	òtimu, -a
malus, -a, -um	malu, mala	*peior, peius*	peus	*pessimus, -a, -um*	pèssimu, -a
magnus, -a, -um	mannu, manna	*maior, maius*	majore	*maxĭmus, -a, -am*	màssimu, -a
parvus, -a, -um	minore	*minor, minus*	minore	*minĭmus, -a, -am*	mìnimu, -a
multus, -a, -um	meda	*plus, pluris*	prus, prus meda	*plurĭmus, -a, am*	plùrimu, -a

RIASSUNTO DEL GRADO DEGLI AGGETTIVI IN SARDO

GRADO	POSITIVO	COMPARATIVO	SUPERLATIVO
NATURALE	unu cane amigu (un cane amico).		
DI UGUAGLIANZA		su cane est amigu che/ comente/cantu su gatu (il cane è amico come, quanto il gatto).	
DI MAGGIORANZA		su cane est prus amigu de su gatu (il cane è più amico del gatto).	
DI MINORANZA		su cane est prus pagu amigu de su gatu (il cane è meno amico del gatto).	
ASSOLUTO			sa fèmina est bellissima; sa fèmina est bella bella/meda (la donna è bellissima).
RELATIVO DI MAGGIORANZA			sa fèmina est sa prus bella de totu su criadu (la donna è la più bella di tutto il creato).
RELATIVO DI MINORANZA			sa fèmina est sa prus pagu fea de totu su criadu (la donna è la meno brutta di tutto il creato).

9.6 AGGETTIVI SOSTANTIVATI E VERBALI

Alcuni **aggettivi** possono andare **da soli**, senza essere accompagnati da un nome, e per questo si chiamano **sostantivati**. In latino come in sardo gli aggettivi vengono sostantivati generalmente quando sono indicati con il plurale:

sos **pòberos** sunt òmines chi bivent de misèria = ***pauperes*** *sunt homines miseri vivunt*
(i **poveri** sono uomini che vivono di miseria)[37].

37 Titus Maccius Plautus, *Rudens*, II, 2.

Fanno da sostantivi anche gli aggettivi neutri al singolare, quando indicano:

su bonu = *bonum* (il buono), su giustu = *iustum* (il giusto),
su beru = *verum* (il vero), su mannu = *magnum* (il grande), ecc.

9.6.1 AGGETTIVI VERBALI

Ci sono alcuni **aggettivi** che si dicono **verbali** perché si formano dai verbi. Fanno parte di questi aggettivi alcuni participi passati e presenti:

arrodadu = *rotatum* (affilato), amadu = *amatum* (amato).

9.7 AGGETTIVI POSSESSIVI

Gli **aggettivi possessivi** si legano ad un nome di persona, animale o cosa per precisarne l'appartenenza. Come tutti gli aggettivi, pure i possessivi concordano con il nome nel genere (maschile o femminile) e nel numero (singolare o plurale), quelli latini anche nel caso.

Gli aggettivi possessivi vanno quasi sempre dopo il nome:

fiat non solu domo **mea** = *erat non solum domus **mea*** (era non solo casa **mia**)[38].
Vènere in manos **meas** = *Venere in manus **meas*** (Venere in mani **mie**)[39].
parente **meu** ant trucidadu = *parentem **meum** trucidaverunt* (un **mio** parente è stato trucidato)[40].
o amigos **tuos** o inimigos **meos** = *aut amicos **tuos** aut inimicos **meos*** (o amici **tuoi** o nemici **miei**)[41].

Gli aggettivi possessivi in sardo e in latino non vogliono l'articolo davanti a nomi di parentela:

fratile **meu** = *fratruelem **meum*** (**mio** cugino); sogru **meu** = *socerum **meum*** (**mio** suocero);
neta **mea** = *neptem **meam*** (**mia** nipote).

AGGETTIVI POSSESSIVI IN SARDO

num. e gen.	1ª singolare	2ª singolare	3ª singolare	1ª plurale	2ª plurale	3ª plurale
sing. masch.	meu (L), miu (C)	tuo (N), tou (L), tuu (C)	suo (N), sou (L), suu (C)	nostru (L), nostu (C)	bostru (L), bostu (C)	issoro (L) insoru (C)
sing. femm.	mea (L), mia (C)	tua (L), (C)	sua (L), (C)	nostra (L), nosta (C)	bostra (L), bosta (C)	
plur. masch.	meos (L), mius (C)	tuos (L), tuus (C)	suos (L), suus (C)	nostros (L), nostus (C)	bostros (L), bostus (C)	
plur. femm.	meas (L), mias (C)	tuas (L), (C)	suas (L), (C)	nostras (L), nostas (C)	bostras (L), bostas (C)	

Come si vede dalla tabella, **issoro** / **insoru** è l'unico aggettivo indeclinabile, ovverosia che non muta morfema. Nella stessa tabella i termini sono espressi in sardo comune e nelle altre varianti del sardo (sardo **L**ogudorese, **C**ampidanese e **N**u[g]orese). Questo ci aiuterà a comprendere le forme equivalenti latine.

Come per l'articolo e il nome, gli aggettivi possessivi sardi in ogni persona possono essere rappresentati in quattro modi, due per il genere (maschile e femminile) e due per il numero (singolare e plurale). In latino, invece, gli aggettivi vengono rappresentati, oltre che nel genere e nel numero, anche nel caso (la funzione sintattica che la parola ha nella frase). Pertanto ogni persona possiede 31 forme differenti (perché il vocativo tiene solo la forma del singolare maschile) per definirsi nel discorso.

Che il latino sia una koinè composta da lingue differenti, si vede proprio dagli aggettivi possessivi. Nel

38 Marcus Tullius Cicero, *Orationes - In Pisones*, 5.
39 Gaius Svetonius Tranquillus, *De Vita Caesarum - Nero*, 52.
40 Gaius Iulius Caesar Octavianus Augustus, *Res Gestae*, I, 2.
41 Marcus Tullius Cicero, *Orationes - Pro Cn. Plancio*, 40.

nominativo singolare, ad esempio, troviamo il possessivo ***meus*** = **meu** (mio), senza la desinenza **-s** del nominativo, preso dalla **variante sarda centro settentrionale**, insieme all'altro possessivo ***mius*** = **miu** (mio), senza la desinenza **-s** del nominativo, preso dalla **variante sarda centro meridionale**.

L'accusativo singolare ***meum*** (il mio), senza la desinenza ***-m***, corrisponde al **sardo centro settentrionale meu**, e il genitivo singolare ***mei*** (di me) è uguale alla forma tonica del pronome personale complemento "**mei**" del **sardo meridionale**. Corrispondono in più al **sardo centro settentrionale** gli accusativi plurali latini (***meos***, ***meas***) e il nominativo e ablativo singolari femminili latini (***mea***).

I possessivi indicati negli altri casi (singolari e plurali) non appartengono ad alcuna lingua, e sono un'invenzione dei grammatici latini.

In latino, gli aggettivi possessivi seguono la declinazione degli aggettivi di prima classe.

AGGETTIVI POSSESSIVI IN LATINO: PRIMA PERSONA SINGOLARE

CASO	SINGOLARE			PLURALE		
	MASCHILE	FEMMINILE	NEUTRO	MASCHILE	FEMMINILE	NEUTRO
NOMINATIVO	*meus, mius*	*mea*	*meum*	*mei*	*meae*	*mea*
GENITIVO	*mei*	*meae*	*mei*	*meōrum, meum*	*meārum*	*meōrum*
DATIVO	*meo*	*meae*	*meo*	*meis*	*meis*	*meis*
ACCUSATIVO	*meum*	*meam*	*meum*	*meos*	*meas*	*mea*
VOCATIVO	*mi, meus*	----	----	----	----	----
ABLATIVO	*meo*	*mea*	*meo*	*meis*	*meis*	*meis*

Il nominativo singolare latino ***tuus*** (tuo) viene da un più antico ***touos*** e ***suus*** (suo) da ***souos***, che sono simili agli equivalenti sardi. La variante logudorese presenta gli aggettivi possessivi singolari **tou** e **sou**, la variante nu[g]orese mantiene gli aggettivi possessivi **tuo** e **suo**, mentre **tuu** e **suu** fanno parte della variante sarda centro meridionale. In greco gli aggettivo possessivi escono al nominativo con la desinenza -s come in latino e al genitivo singolare fanno: ἐμοῦ per la prima persona e σοῦ (sou) per la seconda, come il sardo "sou" = suo.

Come per **miu**, la variante sarda meridionale è rappresentata da **tui** (de **tui**), che corrisponde al pronome personale complemento. Il nominativo latino singolare ***tuus*** e l'accusativo latino singolare ***tuum*** sono come i possessivi sardi di area centro meridionale (**tuu**), mentre il dativo e l'ablativo singolari ***tuo*** prendono la variante sarda centrale nu[g]orese (**tuo**). I plurali accusativi latini ***tuos*** e ***tuas*** e il singolare nominativo e ablativo femminile ***tua*** corrispondono al sardo comune **tuos, tuas** e **tua**.

AGGETTIVI POSSESSIVI IN LATINO: SECONDA PERSONA SINGOLARE

CASO	SINGOLARE			PLURALE		
	MASCHILE	FEMMINILE	NEUTRO	MASCHILE	FEMMINILE	NEUTRO
NOMINATIVO	*tuus, tuos*	*tua*	*tuum*	*tui*	*tuae*	*tua*
GENITIVO	*tui*	*tuae*	*tui*	*tuōrum, tuum*	*tuārum*	*tuōrum*
DATIVO	*tuo*	*tuae*	*tuo*	*tuis*	*tuis*	*tuis*
ACCUSATIVO	*tuum*	*tuam*	*tuum*	*tuos*	*tuas*	*tua*
VOCATIVO	----	----	----	----	----	----
ABLATIVO	*tuo*	*tua*	*tuo*	*tuis*	*tuis*	*tuis*

Nella terza persona, che mostriamo nel prospetto in basso, il nominativo latino ***suus*** e l'accusativo ***suum*** singolari sono uguali al sardo centro meridionale (**suu**), mentre il dativo ***suo*** e l'ablativo ***suo*** singolari prendono la variante sarda centrale nu[g]orese (**suo**). I plurali ***suos*** e ***suas*** dell'accusativo escono come nel sardo comune (**suos, suas**).

AGGETTIVI POSSESSIVI IN LATINO: LE TERZA PERSONA SINGOLARE

CASO	SINGOLARE			PLURALE		
	MASCHILE	FEMMINILE	NEUTRO	MASCHILE	FEMMINILE	NEUTRO
NOMINATIVO	*suus*	*sua*	*suum*	*sui*	*suae*	*sua*
GENITIVO	*sui*	*suae*	*sui*	*suōrum, suum*	*suārum*	*suōrum*
DATIVO	*suo*	*suae*	*suo*	*suis*	*suis*	*suis*
ACCUSATIVO	*suum*	*suam*	*suum*	*suos*	*suas*	*sua*
VOCATIVO	----	----	----	----	----	----
ABLATIVO	*suo*	*sua*	*suo*	*suis*	*suis*	*suis*

Gli aggettivi possessivi della prima persona plurale in sardo comune sono **nostru** (nostro), **nostra** (nostra), **nostros** (nostri), **nostras** (nostre), come li troviamo nell'accusativo singolare (+ la desinenza **-m**) e plurale. Nella variante sarda meridionale questi aggettivi escono senza la **-r-** (**nostu**, **nosta**, **nostus**, **nostas**) ricalcando il caso nominativo maschile in cui la **-r** è posticipata: ***noste-r***.

I genitivi plurali latini ***nostrorum***, ***nostrarum*** e ***nostrorum*** prendono la traccia dei corrispondenti sardi **nosàterus** e **nosàteras** di area centro meridionale.

AGGETTIVI POSSESSIVI IN LATINO: LA PRIMA PERSONA PLURALE

CASO	SINGOLARE			PLURALE		
	MASCHILE	FEMMINILE	NEUTRO	MASCHILE	FEMMINILE	NEUTRO
NOMINATIVO	*noster*	*nostra*	*nostrum*	*nostri*	*nostrae*	*nostra*
GENITIVO	*nostri*	*nostrae*	*nostri*	*nostrōrum*	*nostrārum*	*nostrōrum*
DATIVO	*nostro*	*nostrae*	*nostro*	*nostris*	*nostris*	*nostris*
ACCUSATIVO	*nostrum*	*nostra*	*nostrum*	*nostros*	*nostras*	*nostra*
VOCATIVO	*noster*	----	----	----	----	----
ABLATIVO	*nostro*	*nostra*	*nostro*	*nostris*	*nostris*	*nostris*

Già dalla scrittura arcaica di Plauto troviamo ***vostrorum*** e ***vostrarum*** che, allo stesso modo di ***nostrorum***, sembrano gli equivalenti delle forme sarde **bosàterus** e **bosàteras** presenti nella variante sarda centro meridionale.

AGGETTIVI POSSESSIVI IN LATINO: LA SECONDA PERSONA PLURALE

CASO	SINGOLARE			PLURALE		
	MASCHILE	FEMMINILE	NEUTRO	MASCHILE	FEMMINILE	NEUTRO
NOMINATIVO	*voster, vester*	*vostra, vestra*	*vostrum*	*vostri*	*vostrae*	*vostra*
GENITIVO	*vostri, vestri*	*vostrae*	*vostri*	*vostrōrum*	*vostrārum*	*vostrōrum*
DATIVO	*vostro, vestro*	*vostrae*	*vostro*	*vostris*	*vostris*	*vostris*
ACCUSATIVO	*vostrum*	*vostra*	*vostrum*	*vostros*	*vostras*	*vostra*
VOCATIVO	----	----	----	----	----	----
ABLATIVO	*vostro*	*vostra*	*vostro*	*vostris*	*vostris*	*vostris*

I grammatici latini hanno utilizzato le desinenze di questo possessivo plurale anche per comporre il genitivo plurale di ***meorum*** (dei **miei**), ***tuorum*** (dei **tuoi**) e ***suorum*** (dei **suoi**), che sono tutti inventati. Infatti, accanto a questi possessivi genitivi plurali, troviamo le forme ***meum***, ***tuom*** / ***tuum***, ***suum***.

Il nominativo singolare ***voster*** lo troviamo nel sardo **voste'**, quando viene utilizzato in forma di rispetto per una persona più anziana o presa in considerazione da chi parla.

9.7.1 *IPSORUM* = ISSORO - INSORU (LORO)

I grammatici latini non hanno declinato il possessivo della terza persona plurale ***ipsorum***, ***ipsarum***, ***ipsorum*** (loro), corrispondente alla forma sarda **issoro** (L) / **insoru** (C), lasciandolo solo nel genitivo plurale (maschile, femminile e neutro). Il motivo può essere dato dal fatto che anche in sardo non muta né in genere né in numero (**issoro**). Come già esposto nei capitoli riguardanti le consonanti doppie, la ***-p-*** di *ipsorum* non è altro che il raddoppiamento della consonante ***-s-***.

In Ennio, nella terza persona plurale, troviamo anche il possessivo ***illorum***, che è la variante latinizzata o sardizzata di ***illos*** /***iddos***/.

9.7.2 AGGETTIVI PRONOMINALI

In latino ci sono 10 aggettivi che vengono chiamati pronominali e sono:
Unus, ***-a***, ***-um*** (uno); ***totus***, ***-a***, ***-um*** (tutto); ***alius***, ***-a***, ***-ud*** (altro fra molti); ***alter***, ***-era***, ***-erum*** (altro fra due); ***solus***, ***-a***, ***-um*** (solo); ***nullus***, ***-a***, ***-um*** (nessuno, nullo); ***ullus***, ***-a***, ***-um*** (alcuno); ***uter***, ***utra***, ***utrum*** (chi dei due); ***neuter***, ***neutra***, ***neutrum*** (nessuno dei due); ***uterque***, ***utraque***, ***utrumque*** (ciascuno dei due).

Gli aggettivi pronominali si declinano come l'aggettivo ***bonus***, ma nel genitivo e dativo singolari tengono le desinenze proprie dei pronomi ***-ius*** per il genitivo e ***-i*** per il dativo.

9.8 AGGETTIVI DIMOSTRATIVI

Gli **aggettivi dimostrativi** si aggiungono a un pronome di persona, animale o cosa per indicarne la posizione nel tempo e nel luogo rispetto a chi parla e a chi ascolta.

Come gli altri aggettivi, anche i dimostrativi concordano nel genere e nel numero con il nome. In latino, questi aggettivi concordano anche nel caso.
Gli aggettivi dimostrativi vanno sempre davanti al nome:

bido **cuddu** esèrtzitu = *video* ***illum*** *exercitum* (vedo quell'esercito)[42].

AGGETTIVI / PRONOMI DIMOSTRATIVI IN SARDO

SINGOLARE MASCHILE	SINGOLARE FEMMINILE	PLURALE MASCHILE	PLURALE FEMMINILE
custu (questo)	custa (questa)	custos (questi)	custas (queste)
cussu (codesto)	cussa (codesta)	cussos (codesti)	cussas (codeste)
cuddu (quello)	cudda (quella)	cuddos (quelli)	cuddas (quelle)

AGGETTIVI / PRONOMI DIMOSTRATIVI IN LATINO (NOMINATIVO SINGOLARE)

SARDU / ITALIANO	MASCHILE	FEMMINILE	NEUTRO
custu, custa / questo, questa	*hic*	*haec*	*hoc*
cussu, cussa / codesto, codesta	*iste*	*ista*	*istud*
cuddu, cudda / quello, quella	*ille*	*illa*	*illud*

Come in sardo, anche in latino si utilizzano tre forme di dimostrativo, a seconda della posizione che assume la persona che parla o che ascolta.

42 Marcus Tullius Cicero, *Orationes - Pro Murena*, 79.

- **Custu** (questo) si utilizza per indicare il nome che è vicino a chi parla;
- **Cussu** (codesto) si usa per indicare il nome che è distante da chi pare e vicino a chi ascolta;
- **Cuddu** (quello) si adopera per indicare il nome che è distante da chi parla e da chi ascolta.

DECLINAZIONE PRONOMINALE LATINA DELL'AGGETTIVO DIMOSTRATIVO *HIC* = CUSTU (QUESTO)

CASO	SINGOLARE			PLURALE		
	MASCHILE	FEMMINILE	NEUTRO	MASCHILE	FEMMINILE	NEUTRO
NOMINATIVO	*hic*	*haec*	*hoc*	*hī*	*hae*	*haec*
GENITIVO	*huiŭs*	*huiŭs*	*huiŭs*	*hōrŭm*	*hārŭm*	*hōrŭm*
DATIVO	*huic*	*huic*	*huic*	*his*	*his*	*his*
ACCUSATIVO	*hunc*	*hanc*	*hōc*	*hōs*	*hās*	*haec*
VOCATIVO	----	----	----	----	----	----
ABLATIVO	*hōc*	*hāc*	*hōc*	*hīs*	*hīs*	*hīs*

I dimostrativi latini ***hic***, ***haec*** e ***hoc*** (in sardo: **iche**, **ache**, **oche**) hanno in sardo, prevalentemente, funzione di avverbi di luogo e, in qualche caso, anche di dimostrativo. Per una questione che ancora non è chiara, i grammatici latini li hanno utilizzati come dimostrativi al posto di **custu** (questo), **cussu** (codesto), **cuddu** (quello).

Hic in latino ha funzione sia di aggettivo / pronome dimostrativo, sia di avverbio di luogo e vuol dire "in questo luogo", "in questo momento".

Come pronome dimostrativo, la forma arcaica ***heic*** potrebbe essere stata legata a ***istum*** per formare il pronome **custu** (***heic-istum***), come si dice in sardo quando il dimostrativo è preceduto dalla congiunzione **e** (**ei custu** = ***hei-c-istum***). Di conseguenza, ***heic*** insieme a ***illum*** dovrebbe formare ***heic-illum*** (**ei cuddu** = ***hei-c-illum***).

In questo caso, però, i conti non tornano, perché manca all'appello il dimostrativo **cussu** (codesto), che in latino è rappresentato, con errore, da ***istum*** (ac. sing. m.), che vuol dire **custu** (questo) e non **cussu** (codesto). Ad esempio: **ista-note** in sardo significa **custa note** (questa notte).

A proposito occorre dire che nella maggior parte delle lingue italiche non esiste il dimostrativo **cussu** (codesto), se non nella rappresentazione toscana di **codesto**, pertanto i Latini, nella costruzione della lingua comune, hanno scelto ***hic*** per **custu** (questo), ***iste*** per **cussu** (codesto) e ***ille*** per **cuddu** (quello).

Potrebbe essere che questa scelta sia dovuta al fatto che il dimostrativo ***hic*** sia stato adoperato anche come articolo determinativo in funzione dimostrativa e sia stato troncato dall'originario **iche** per ridurlo da due a una sillaba, come è l'articolo in greco, in modo che potesse essere tradotto dal greco al latino con lo stesso numero di sillabe. Esempio: ὁ ἀνήρ = *hic hŏmo* (l'uomo), tengono lo stesso numero di sillabe[43].

> Lo scrittore latino Ennio utilizzava gli articoli ***som***, ***sam***, ***sos***, ***sas***, che corrispondono ai dimostrativi e agli articoli della lingua sarda e di quella sanscrita ***sas***, ***sa***, in funzione di dimostrativi, probabilmente anche per mantenere le stesse sillabe dell'articolo greco.

Anche in sardo si adoperano gli articoli **su** (il), **sa** (la), **sos** (i, gli), **sas** (le), in cambio dei dimostrativi **cussu** (codesto), **cussa** (codesta), **cussos** (codesti), **cussas** (codeste), quando si vuole abbreviare la parola o la frase. Ad esempio: **su** chi t'apo naradu = **cussu** chi t'apo naradu (**codesto** che ti ho detto).

Hic, quando è avverbio di luogo, in sardo tiene la posizione di suffisso (**-iche**), ovverosia collocato al termine della parola di cui fa parte. Ad esempio: **essi·t·iche** = ***exi te hic*** = essi tue dae inoghe (esci tu di qui), allontanamento (moto a luogo).

La particella avverbiale **-iche** si contrappone a quella **-inde**, avvicinamento (moto da luogo). Ad esempio: **intra·t·inde** = ***intra te inde*** = intra tue a inoghe (entra tu qui).

43 Quintus Ennius, *Annales*, I, 48.

Haec, hac, in latino tiene la funzione sia di avverbio sia di dimostrativo. Quando è collocato prima del verbo ha la funzione di dimostrativo. In sardo è collocato in posizione proclitica nella parola **acudide** = ***hac-audite***, che vuol dire **custu intendide** (sentite questo) o "venite ad ascoltare questo".

Il pronome dimostrativo latino ***hoc*** (**oche**) in sardo ha valore avverbiale, quando è posto dopo la preposizione **in** (stato in luogo) e compone l'avverbio sardo **inoche / inoghe** (***in-hoc***), che vuol dire in **custu logu** (in questo luogo). Svolge invece funzione di dimostrativo se si trova prima del sostantivo, come nell'esempio **ocannu** = ***hoc-annum***, che significa **in custu annu** (in questo anno).

DECLINAZIONE PRONOMINALE LATINA DEL DIMOSTRATIVO *ISTE* = CUSSU (CODESTO).

CASO	SINGOLARE			PLURALE		
	MASCHILE	FEMMINILE	NEUTRO	MASCHILE	FEMMINILE	NEUTRO
NOMINATIVO	*istĕ*	*istăd*	*istŭd*	*istī*	*istae*	*istă*
GENITIVO	*istīŭs*	*istīŭs*	*istīŭs*	*istōrŭm*	*istārŭm*	*istōrŭm*
DATIVO	*istī*	*istī*	*istī*	*istīs*	*istīs*	*istīs*
ACCUSATIVO	*istŭm*	*istăm*	*istŭd*	*istōs*	*istās*	*istă*
VOCATIVO	----	----	----	----	----	----
ABLATIVO	*istō*	*istā*	*istō*	*istīs*	*istīs*	*istīs*

In latino il pronome / aggettivo ***istum*** tiene il significato di **cussu**, in italiano **codesto**, ma in sardo vuol dire **questo**. In tale forma viene utilizzato come dimostrativo in **ista-note**, che vuol dire, per l'appunto, **custa note** (questa notte), non **cussa** (non codesta), e **ista-sero**, che significa **custu sero** (questa sera).

DECLINAZIONE PRONOMINALE LATINA DEL DIMOSTRATIVO *ILLE* = CUDDU.

CASO	SINGOLARE			PLURALE		
	MASCHILE	FEMMINILE	NEUTRO	MASCHILE	FEMMINILE	NEUTRO
NOMINATIVO	*illĕ*	*illă*	*illŭd*	*illī*	*illae*	*illă*
GENITIVO	*illīŭs*	*illīŭs*	*illīŭs*	*illōrŭm*	*illārŭm*	*illōrŭm*
DATIVO	*illī*	*illī*	*illī*	*illīs*	*illīs*	*illīs*
ACCUSATIVO	*illŭm*	*illăm*	*illŭd*	*illōs*	*illās*	*illă*
VOCATIVO	----	----	----	----	----	----
ABLATIVO	*illō*	*illā*	*illō*	*illīs*	*illīs*	*illīs*

Il dimostrativo sardo "cuddu = quello" è rappresentato in greco da "ἐ-κεῖνος", come nel sardo **e-i cuddos**, quando si mette la congiunzione **e** seguita dalla vocale paragogica **-i-** che serve da collegamento eufonico.

Visto quello che abbiamo analizzato, possiamo dire che i grammatici latini, componendo i dimostrativi, hanno tenuto in considerazione l'avverbio ***hic*** in funzione di **custu** (questo), il dimostrativo ***istum*** in funzione di **cussu** (codesto) e ***illu*** per rappresentare **cuddu** (quello). In poche parole, anche i dimostrativi sono stati per lo più inventati e, nella maggior parte dei casi, non sono presenti in nessuna lingua romanza.

Nella variante sardo corsa possiamo trovare il dimostrativo **edda** in corrispondenza di quello latino ***illa***, in cui, come già riportato, la doppia ***-ll-*** ha il suono cacuminale rappresentato dalla doppia **-dd-**.

Si possono considerare come dimostrativi anche alcuni aggettivi meno utilizzati in sardo, che troviamo anche in latino: **tale** e **simile**.

Esempio: **tale** vida = ***talem*** *vitam* (tale vita)[44]; **sìmile** frutu = ***similem*** *fructum* (simile frutto)[45].

44 Augustinus Hipponensis, *Confessiones*, Liber VIII, 15.
45 Gaius Plinius Secundus (su betzu), *Naturalis Historia*, Liber XIII, 37.

9.9 AGGETTIVI INDEFINITI

Sono **indefiniti** quegli aggettivi che si aggiungono ad un nome senza precisarne esattamente una qualità o una quantità. In latino la maggior parte degli aggettivi indefiniti si declina come gli aggettivi di prima classe.

L'indefinito sardo "**cale si siat** (quale che sia, qualsiasi cosa)", riferito a cosa, viene espresso in latino con ***quis quid***, mentre "**chie si siat** (chi che sia, qualsiasi persona)", riferito a persone, viene espresso in latino con ***quis quis***. Lo scrittore Quintus Ennius (Ennio) usava l'indefinito latino ***quis quis siet***, simile al sardo **chie si siat** o **chie chi siet** (chi che sia)[46].

La stessa regola vale per l'indefinito "**calicunu** (qualcuno)", che troviamo in latino con ***aliquis***, quando è pronome riferito a persona, e ***aliquid***, quando è pronome riferito a cosa. Se è aggettivo, invece, ***aliqui***, ***aliqua***, vale a dire **calicunu**, è riferito a persona e ***aliquod*** a **carchi cosa** (qualche cosa).

Calicunu, in sardo, non è altro che l'incontro latino di ***aliquis+unus***:

calicunu o de prus = ***aliquis unus*** *pluresve* (**qualcuno** o di più)[47].

Calicuna (qualcuna) = ***alĭqua*** (num. sing. f.). Se noi posticipiamo la particella ***qua*** ad ***ali*** otteniamo ***quali***, che sommato ad ***unum*** diventa ***qua-li-c-unum***:

dae calicuna parte = *ex* ***aliqua*** *parte* (da **qualche** parte)[48].

In latino, quando si vuole indicare una persona o una cosa certa ma indefinita, che non si può o non si vuole citare, si utilizza ***quidam***, ***quaedam***, ***quiddam***, quando l'infinito è pronome, e ***quidam***, ***quaedam***, ***quoddam***, quando l'infinito è aggettivo. Esempio:

bido pro tantu **calicunos** crarissimos chìberos = *video enim* ***quosdam*** *clarissimos viros;*
(vedo quindi **alcuni** chiarissimi viri)[49].

L'indefinito sardo **chie si siat** (chi che sia, qualsiasi) o **cale si siat cosa** (quale che sia, qualsiasi cosa) si può anche tradurre con l'aggettivo latino ***quipiam***, ***quaepiam***, ***quodpiam***.

o forsis àteru **chiesisiat** membru = *aut num alius* ***quodpiam*** *membrum;*
(o forse altri **qualsiasi** membri)[50].

Un altro indefinito latino è ***quisque***, ***quidque*** = **calicunos**, **cada cosa** (alcuni, ogni cosa), quando è pronome, e ***quisque***, ***quaeque***, ***quodque***, quando è aggettivo. Queste forme si utilizzano quando accompagnano un pronome riflessivo, possessivo, relativo e interrogativo e si possono trovare anche dopo un superlativo o un numerale ordinale. Esempio:

calicunos cossìgios nostros in s'acampamentu ant iscobertu = *nostra consilia* ***quaeque*** *in castris gerantur;*
(**alcune** nostre decisioni nell'accampamento sono state scoperte)[51].

L'indefinito latino ***quivis***, ***quaevis***, ***quodvis***, che vuol dire **chiesisiat** (chi che sia, qualsiasi), **calesisiat** (quale che sia, qualsiasi cosa), è formato da ***quis+vis***. Il suffisso ***vis*** è la seconda persona singolare del presente indicativo del verbo ***volo*** (voglio), che tiene ***velle*** (volere) come infinito presente, corrispondenti al sardo meridionale **bollu**, infinito presente **bolli**. Pertanto il costrutto latino ***quis+vis*** lo troviamo con la stessa struttura nella variante sarda meridionale con **cali+si**+[b]**ollat**, ma con la differenza che in sardo il

46 Quintus Ennius, *Annales*, VIII, 153.
47 Marcus Tullius Cicero, *Rhetorica - De Re Publica*, Liber I, 48.
48 Marcus Terentius Varro, *De Lingua Latina*, Liber V, 12.
49 Marcus Tullius Cicero, *Orationes - De Domo Sua*, 42.
50 Marcus Tullius Cicero, *Rhetorica - Tusculanae Disputationes*, Liber III, 19.
51 Gaius Iulius Caesar, *De Bello Gallico*, Liber I, 17.

corrispondente suffisso latino ***vis***, invece di essere usato nella seconda persona singolare del presente indicativo, è utilizzato nella terza persona singolare del congiuntivo presente: **bollat** = voglia.

Esempio: ***quavis*** (ablativo singolare femminile) = **calisiollat** (qualsivoglia):

calesisiat ànimu podent mòvere = ***cuiusvis*** *animum possunt movere;*
(**qualsiasi** animo possono muovere)[52].

Sono regolari quegli aggettivi indefiniti che concordano nel genere e nel numero con il nome: pagu, paga, pagos, pagas (poco, poca, pochi, poche) = *paucum, paucam, paucos, paucas* (ac. sing. e pl.).

Esempio:

verbu (peràgula) **pagu** = *verbum* ***paucum*** (**poco** verbo, inteso come parola)[53].

L'aggettivo sardo **paritzu** (parecchio) può essere composto, con un po' di inventiva, da ***pare*** + ***eccum*** / parecu/. È probabile che "eccum" in origine fosse composto con la **I** consonantica "ecium = etzu".

In latino i pronomi e gli aggettivi composti da ***uter*** = àteru (L), atru (C) = altro, vengono declinati nell'accusativo con *utrum, utram, utrum - utros, utras, utra*. Come nel sardo meridionale, questi indefiniti significano "unu e s'àteru (uno e l'altro)" e, nel plurale, "unos e àteros (gli uni e gli altri)".

Uter si può legare a suffissi e prefissi: *uter+que, uter+vis, uter+libet - alter-uter, ne-uter:*

s'**àteru** (de duos) onestu o turpe siat = ***utrum*** *honestus an turpe sit* (l'**altro** onesto o turpe sia)[54].

Sempre con il significato dell'infinito "àteru = altro" è presente in latino ***ceteri***, *ceterae, cetera*, che viene declinato nell'accusativo singolare con ***ceterum***, *ceteram, ceterum*, che si pronuncia /chèteru/ e vuol dire in sardo **quello che resta dell'altro**, **"che àteru"**:

gasi a **su chi restat** de sa fide addughiant = *ut ad* ***ceteram*** *fidem ferebant*
(così **quello che resta** della fede sostenevano)[55].

L'infinito che, più degli altri, corrisponde al sardo **àteru** = altro (con assimilazione regressiva o raddoppiamento della **l**) è *alter, altera,* ***alterum*** (l'altro, tra i due), che nell'accusativo singolare viene declinato con *altĕrum, altĕram, altĕrum* e nel plurale con *altĕros, altĕras, altĕra* (ac. sing. e pl.); in sardo comune: àteru, àtera, àteros, àteras = altro, altra, altri, altre. Esempio:

nen **àteros** a impidire (impedientes) = *neutri* ***alteros*** *impedientes* (né **altri** a impedire)[56].

L'aggettivo **pernunu** (peruno) è composto da ***per*** + ***unum*** /perunu/, vale a dire che non ce n'è per uno. In latino, nell'accusativo, *unum* tiene anche il neutro *una*: perunu, peruna, perunos, perunas = *per + unum, per + unam, per + unos, per + unas*. Esempio:

ube sa lege **perunu** (da unu) aiat dadu = *ubi lex* ***per unum*** *dabatur* (dove legge **per-una** era stata data)[57].

Un altro indefinito latino che significa **àteru** (altro) è ***alium***, *aliam, aliud* (ac. sing.). Questo aggettivo / pronome viene da *alienum* /alzenu/, in sardo **anzenu**, **allenu**, che significa di altro genere, zenia / genia. L'aggettivo sardo **anzenu** (estraneo) in latino possiede in più il neutro *alienum* (singulare) e *aliena* (plurale). Anzenu, anzena, anzenos, anzenas = *alienum, alienam, alienos, alienas* (ac. sing. e pl.). Esempio:

insulende in domo **anzena** = *insolens in* ***aliena*** *domum* (insolito in casa d'**altri**)[58].

---

52 Marcus Tullius Cicero, *Orationes - In Verrem*, Liber III, 7.
53 Aulus Gellius, *Noctes Atticae*, XII, 4.
54 Marcus Tullius Cicero, *Rhetorica - De Officiis*, Liber I, 10.
55 Titus Livius, *Ab Urbe Condita Libri*, Liber XXXIV, 36.
56 Titus Livius, *Ab Urbe Condita Libri*, Liber XI, 30.
57 Augustinus Hipponensis, *De Civitate Dei*, Liber X, 13.
58 Marcus Tullius Cicero, *Orationes - Pro Roscio Amerino*, 23.

AGGETTIVI INDEFINITI REGOLARI IN SARDO E IN LATINO (COMPOSTI IN MODO ARBITRARIO)

SINGOLARE MASCHILE	SINGOLARE FEMMINILE	PLURALE MASCHILE	PLURALE FEMMINILE
anzenu = *alienum (estraneo)*	anzena = *alienam (estranea)*	anzenos = *alienos (estranei)*	anzenas = *alienas (estranee)*
àteru = *altĕrum (altro)*	àtera = *altĕram (altra)*	àteros = *altĕros (altri)*	àteras = *altĕras (altre)*
isvàriu = *is + varius (vario)*	isvària = *is + varias (varia)*	isvàrios = *is + varios (vari)*	isvàrias = *is + varias (varie)*
pagu = *paucum (poco)*	paga = *paucam (poca)*	pagos = *paucos (pochi)*	pagas = *paucas (poche)*
perunu = *per + unum (per uno)*	peruna = *per + unam (per una)*	perunos = *per + unos (per uni)*	perunas = *per + unas (per une)*
totu = *totum (tutto)*	tota = *totam (tutta)*	totos = *totos (tutti)*	totas = *totas (tutte)*

Sono **irregolari** (*dis regulares*), e pertanto possono essere paragonati ad avverbi che non mutano genere e numero, quegli aggettivi indefiniti che vengono utilizzati con una sola forma.

C'è qualche aggettivo, come **cada** (ogni), che si allontana un poco dagli indefiniti perché precisa in parte la quantità. L'aggettivo indefinito sardo **cada**, utilizzato nella variante nu[g]orese, corrisponde al latino *qua* (avverbio, che si pronuncia /ca/) + *dam* (che serve a precisare un termine precedente), e si legge /**cada**/:

peri **cada** acrimonia durche = *cum* ***quadam*** *acrimonia dulcem* (per **ogni** acrimonia dolce)[59].

In latino ***omnis*** = ***onni*** (ogni) possiede sia il significato di "tutto" sia quello di "uno" indeterminato. A differenza di *totus*, *tota*, *totum*, che vengono impiegati per quantità non numerata, *omnis*, si utilizza per le cose che si possono numerare. Esempi:

aiat devastadu **totu** s'agru Calaritanu= ***totum*** *Calaritanum agrum vastavit*
(aveva devastato **tutto** l'agro Cagliaritano)[60];

onni de sos nostros imperadores = ***omnis*** *nostrorum imperatorum*
(**ogni** uno dei nostri imperatori)[61].

l'aggettivo indefinito *omnis* = onzi / onni / ònnia (ogni) si declina nel modo mostrato in basso. Come si vede nel prospetto, il nominativo e accusativo neutri plurali sono precisi al sardo di area centro meridionale (ònnia).

CASO	SINGOLARE			PLURALE		
	MASCHILE	FEMMINILE	NEUTRO	MASCHILE	FEMMINILE	NEUTRO
NOMINATIVO	*omnis*	*omnis*	*omne*	*omnes*	*omnes*	*omnĭa*
GENITIVO	*omnis*	*omnis*	*omnis*	*omnĭum*	*omnĭum*	*omnĭum*
DATIVO	*omni*	*omni*	*omni*	*omnĭbus*	*omnĭbus*	*omnĭbus*
ACCUSATIVO	*omnem*	*omnem*	*omne*	*omnes*	*omnes*	*omnĭa*
VOCATIVO	*omnis*	*omnis*	*omne*	*omnes*	*omnes*	*omnĭa*
ABLATIVO	*omni*	*omni*	*omni*	*omnĭbus*	*omnbĭbus*	*omnĭbus*

Altri aggettivi indefiniti mutano solo nel **numero**, singolare e plurale, e non nel genere.

Meda (molto) è un aggettivo che in latino troviamo con il sostantivo ***meta***, che significa "colonnina", limite in cui nel circo giravano i cavalli, e, pertanto, rappresenta l'ultimo punto di traguardo. Di fatto, il ***metatorium*** era il luogo in cui era posta la ***meta*** per la corsa dei cavalli. In sardo la **-t-** di **meta** è stata sonorizzata in **-d-** nel logudorese e nel campidanese, ma non nel nu[g]orese (**meta**), e l'indefinito è venuto ad essere **meda**. Pertanto, la costruzione della frase nell'esempio seguente è arbitraria.

meda - medas = ***meta - metas***
pane meda = *panem metam* (molto pane); chibuddas medas = *caepas metas* (molte cipolle).

59 Gaius Plinius Secundus (su betzu), *Naturalis Historia*, Liber XXIV, 78.
60 Titus Livius, *Ab Urbe Condita Libri*, Liber XXVII, 6.
61 Marcus Tullius Cicero, *Orationes - Pro Marcello*, 5.

Altri aggettivi indefiniti mutano solo nel **genere**, maschile e femminile, e non nel numero, come **unos cantos**, che troviamo in latino discomposto in ***unos quantus*** = **unos cantos** (alcuni), **unas cantas** (alcune):

unas cantas a pustis de sas Idas de Martzu = ***unas*** *enim post Idus Martias*
(**alcune** quindi dopo le idi di Marzo)[62].

In sardo, l'indefinito **totu** (tutto), quando è aggettivo, muta nel genere quando è singolare (**totu** s'òmine, **tota** sa fèmina), ma non fa altrettanto quando è plurale (**totus** sos òmines, **totus** sas fèminas). Non muta, invece, né nel numero né nel genere quando è pronome plurale (semus bènnidos **totus** = siamo venuti **tutti**; semus bènnidas **totus** = siamo venute **tutte**). In latino l'aggettivo / pronome indefinito ***totus*** viene declinato nell'accusativo singolare come in sardo (*totum*), mentre nel plurale tiene anche il femminile e il neutro (*totos, totas, tota*). Esempio:

afidadu aiat a s'àteru cònsule un'esèrtzitu **totu** no[v]u = *alteri consuli* ***totus*** *novus exercitus decretus;*
(affidato aveva all'altro console un esercito **tutto** nuovo)[63].

L'indefinito latino ***nihil, nil*** (nominativo), ***nullius rei*** (genitivo), ***nulli rei*** (dativo), ***nihil, nil*** (accusativo), ***nulla re*** (ablativo) si traduce in sardo non come **niunu** (nessuno), ma come **nudda** (nulla). Pertanto è solo pronome. Esempio:

nudda de sos òmines esseret mèngius =
nihil *homine esset melius*
(**nulla** degli uomini sarebbe meglio)[64].

Lo scrittore latino Quintus Ennius (Ennio), dice Marcus Tullius Cicero (Cicerone), utilizza nella sua opera *Annales* l'indefinito arcaico ***noenum***, come il logudorese **neunu**.

neunu malu faveddu poniat in antis de sa salude = ***noenum*** *rumores ponebat ante salutem*
(**nessuna** cattiva parlata metteva prima della salute)[65].

AGGETTIVI INDEFINITI IRREGOLARI SARDI e LATINI

SINGOLARE MASCHILE	SINGOLARE FEMMINILE	PLURALE MASCHILE	PLURALE FEMMINILE
	cada = *quadam* (ogni)		
carchi = *aliqui* (qualche)			
calicunu = *aliquis* (qualcuno)	calicuna = *aliqua* (qualcuna)		
	meda = *meta* (molto)	medas = *metas* (sostant.)	
		unos cantos = *unos enim* (alcuni)	unas cantas = *unas enim* (alcune)
	nudda = *nihil, nullam* (nulla, solo pronome)		

9.10 GLI AGGETTIVI IDENTIFICATIVI

Sono **identificativi** quegli aggettivi che si appoggiano ad un nome per rafforzarne l'identità. Gli aggettivi identificativi vanno quasi sempre dopo il nome e sono indeclinabili, comportandosi come un avverbio. In sardo sono: **etotu** = ***tūtĕ*** (tu stesso), **matessi** = ***met*** (lo stesso), **pròpiu** = ***propius*** (proprio).

beru gasi a manera chi tue **etotu** l'as naradu = *verum ut modo* ***tute*** *dixisti*[66].

62 Marcus Tullius Cicero, *Epistulae - Ad Familiares*, X, 31.
63 Titus Livius, *Ab Urbe Condita Libri*, Liber XXXVII, 2.
64 Marcus Tullius Cicero, *Rhetorica - De Natura Deorum*, Liber III, 26.
65 Quintus Ennius, *Annales*, VIII, 154.
66 Marcus Tullius Cicero, *Rhetorica - De Legibus*, Liber II, 17.

L'aggettivo identificativo sardo **etotu**, che corrisponde al pronome latino ***tute*** (riferito alla seconda persona singolare, nominativo) o ***tete*** (accusativo), probabilmente, è indicato con ***totus*** in una espressione di Petronius, ma potrebbe trattarsi anche dell'aggettivo numerale **totu intreu** (tutto intero):

forsis chi hodie **etotu** ses bènnidu? = *ecquid hodie* ***totus*** *venisti?* (sei forse venuto oggi **stesso**?)[67]

Lo stesso risultato si trova con l'identificativo **me** (stesso), che si usa nella variante sarda meridionale, e che in latino corrisponde al rafforzativo invariabile ***met***, che troviamo anche nel greco con **μὲν** (men):

deo matessi apo rapidu a issu, **deo matessi** apo isòlvidu s'arghentu =
egomet *rapui ipse,* ***egomet*** *solvi argentum* (**io stesso** ho rapito lui, **io stesso** ho sciolto l'argento)[68].

Il latino ***met*** (stesso) tiene la stessa funzionalità ed è acronimo del sardo comune **matessi**. Esempio:

agiudanos duncas Putzius Apuddu a connoschere nois **matessi** a issos =
*iubet igitur nos Pythius Apollo noscere nos**met** ipsos* (aiutaci Pythius Apollo a conoscere noi **stessi** loro)[69].

In questa frase di Cicerone che mostriamo sotto è chiaro quale è il pronome, quale l'aggettivo identificativo e quale l'articolo: in ***nos-met*** sono presenti il pronome ***nos*** = **nois** (noi) e l'aggettivo identificativo ***met*** = **matessi** (stesso); l'articolo maschile plurale ***ipsos*** = **sos** (i) è riferito al sostantivo maschile plurale ***usus*** = **usos** (usi); il nominativo ***vetus*** = ***betzu*** (vecchio) è legato al verbo ***intercedit*** = **intertzedit** (intercede):

e intre nois **matessi** sos usos su betzu intertzedet = *et inter nos**met** ipsos vetus usus intercedit*
(e tra noi **stessi** gli usi il vecchio intercede)[70].

L'aggettivo identificativo **pròpiu** (proprio) può andare sia davanti sia dietro il nome. Anche in latino ***propius*** viene ad essere indeclinabile:

chimbe de sas terras de domìniu **pròpiu** bidet issu = *V terrarum dominum* ***propius*** *videt ille*
(cinque delle terre di **proprio** dominio egli vede)[71].

In latino ***idem*** = **gasi, su matessi** (lo stesso) è uno degli aggettivi identificativi più usati. *Idem* è una parola composta dal pronome personale ***is*** o ***id*** + la preposizione ***dem***, che, se messa davanti al pronome, diventa ***dem+is*** = **de issu** (di lui), vale a dire **issu etotu** (egli stesso), ed è un calco del greco **ἧδε**:

de cussu **matessi** efetu de Samo = *effectus eius* ***idem*** *qui Samiae* (di quello **stesso** effetto di Samo)[72].

Viene spesso considerato, a torto, aggettivo identificativo il pronome *ipsĕ, ipsă, ipsŭm* = issu, issa (egli, ella), di cui diamo una spiegazione nei capitoli che riguardano gli articoli e i pronomi.

AGGETTIVO IDENTIFICATIVO LATINO *IDEM* = SU MATESSI (STESSO)

CASO	SINGOLARE			PLURALE		
	MASCHILE	FEMMINILE	NEUTRO	MASCHILE	FEMMINILE	NEUTRO
NOMINATIVO	*īdem*	*eădem*	*ĭdem*	*iīdem*	*eaedem*	*eădem*
GENITIVO	*aiusde*	*eiusdem*	*eiusdem*	*eorŭndem*	*eārŭndem*	*eōrŭndem*
DATIVO	*eīdem*	*eīdem*	*eīdem*	*iīsdem*	*iīdems*	*iīsdem*
ACCUSATIVO	*eundem*	*eandem*	*ĭdem*	*eōsdem*	*eāsdem*	*eădem*
VOCATIVO	----	----	----	----	----	----
ABLATIVU	*eōdem*	*eādem*	*eōdem*	*iīsde*	*iīsdem*	*iīsdem*

67 Gaius Petronius Arbiter, *Satyricon*, 131.
68 Publius Terentius Afer, *Adelphoe*, Actus IV, Scaena IV.
69 Marcus Tullius Cicero, *Rhetorica - De Finibus*, Liber V, 44.
70 Marcus Tullius Cicero, *Epistulae - Ad Familiares*, XIII, 23.
71 Marcus Valerius Martialis, *Epigrammaton*, Liber VII, 5.
72 Gaius Plinius Secundus (su betzu), *Naturalis Historia*, Liber XXXV, 56.

A dimostrazione che tutte queste voci sono inventate, lasciando da parte *idem* che è entrato nel vocabolario italiano, c'è il fatto che neppure un termine rappresentato nel prospetto mostrato sopra è utilizzato nelle lingue romanze.

Come si può riscontrare, la declinazione dell'identificativo *idem* ricalca quella dei pronomi latini *ĭs, eă, ĭd* = iddu, edda (egli, ella) e *hĭc, haec, hŏc = custu, custa* (questo, questa).

Idem corrisponde all'aggettivo identificativo greco αὐτός (stesso) quando è in posizione attributiva.

AGGETTIVI IDENTIFICATIVI IN SARDO E IN LATINO

tue etotu = *tūtĕ* (tu stesso)	matessi = *met* (stesso)	*gasi = idem* (idem, stesso)	pròpiu = *propius* (proprio)

9.11 AGGETTIVI INTERROGATIVI E ESCLAMATIVI

Sono aggettivi **interrogativi** o **esclamativi** quelli che precedono il nome e introducono una domanda o un'esclamazione per indicare la quantità, la qualità o l'identità di quel nome.

In sardo sono aggettivi interrogativi e esclamativi: **ite** (cosa?), **cale** (quale?), **cantu** (quanto?):

pro**ite** acusas a issu chi deo defendo? = ***quod*** *accusas eum quem ego defendo?*
(**perché** - **per cosa** - accusi lui che io difendo?)[73]

In latino *Uter?, Utra?, Utrum?* possono tenere funzione sia di pronome sia di aggettivo pronominale:

gasi chi sulat cun sos ogros a s'**àtera** parte (una delle due) non potzat èssere giudicadu =
ita ut oculis in ***utram*** *parte fluat iudicari non possit;*
(dal momento che soffi con gli occhi dall'**altra** parte non possa essere giudicato?)[74].

cale amparu pro sa pàtria sos deos cun tegus ant generadu! = ***qualem*** *te patriae custodem di genuerunt!*
(**quale** protezione della patria gli dei con te generarono!)[75].

oh **canta** misèria collit! = *o* ***quantum*** *cogit egestas!* (o **quanta** miseria raccogli!)[76]

La particella interrogativa **ite**, che in nu[g]orese nella forma completa diventa **a ghite**, in latino la troviamo come interiezione, ***ăgĭte*** / aghite/, e significa "forza", "coraggio". Pertanto, con ***ăgĭte*** si può esprimere un'interrogativa e un'esclamativa allo stesso tempo.

L'aggettivo interrogativo latino che ha preso il posto di [gh]**ite** (cosa?, che genere?) è: ***qui?***, ***quae?***, ***quod?*** L'aggettivo interrogativo ***qui***, pronunciato / ***chi***/, lo troviamo nelle domande e nelle esclamazioni di parlata italica e, anche, sardo corsa: ***chi femmina***! (che donna!).

AGGETTIVI INTERROGATIVI ED ESCLAMATIVI SARDI E LATINI

a [gh]ite = *ăgĭte / qui* (cosa)	cale de sas duas = *uter* (quale delle due)	cale = *qualis* (quale)	cantu = *quantus* (quanto)

9.12 AGGETTIVI DERIVATI

Sono **derivati** quegli aggettivi che aggiungono una radice a un suffisso. Il suffisso può indicare un'abilità, un'attitudine, una possibilità, un difetto, un eccesso, un disprezzo, un peggioramento o un luogo da cui si proviene. Molti degli aggettivi derivati indicati nel prospetto in basso sono costruiti arbitrariamente.

73 Marcus Tullius Cicero, *Orationes - Pro Sulla*, 48.
74 Gaius Iulius Caesar, *De Bello Gallico*, Liber I, 12.
75 Quintus Ennius, *Annales*, Liber I, 3.
76 Marcus Valerius Martialis, *Epigrammaton*, Liber XI, 87.

AGGETTIVI DERIVATI

SUFFISSO	**Esempio: a volte solo la radice in latino**	**Esempio: a volte solo la radice in latino**
-àbile	curàbile = *cura -abilis* (curabile)	negàbile = *negare* (negabile)
-èvole	lodèvole = *laud-abilis* (lodevole)	favorèvole = *favor-abilis* (favorevole)
-ìbile	legìbile = *leg-ibilis* (leggibile)	fallìbile = *fallĕre* (fallibile)
-anu	chitul-anu = *cito* (mattiniero)	mangi-anu = *mane* (mattino)
-eddu	minor-eddu = *minor-ellus* (piccolo)	pupigh-eddu = *pupus* (pupetto)
-itu	banch-itu = *sedile* (sedile)	sorigh-itu = *soric-inus* (topolino)
-inu	pudd-inu = *pullus* (galletto)	mari-nu = *mar-inus* (marino)
-ale	music-ale = *musica* (musicale)	cunvivi-ale = *convivi-alis* (conviviale)
-esu	mur-esu = *mura-lis* (murario)	nurr-esu = *Nurra* (Nurrese)
-osu	madrig-osu = *matrix* (viziato infantile)	gaddin-osu = *gallin-arius* (capogiro)
-one	le-one = *leo* (leone)	trudd-one = *trulla* (sbadato)
-àriu	solit-àriu = *solit-arius* (solitario)	avi-àriu = *avi-arius* (volatile)
-òriu	merit-òriu = *merit-orius* (meritevole)	illus-òriu = *illus-orius* (illusorio)

Come si vede dal prospetto in alto, il suffisso sardo non sempre corrisponde a quello latino. Alcuni suffissi fanno parte delle lingue moderne e non erano contemplati in antichità.

Come abbiamo mostrato nella tabella, in sardo le uscite più frequenti degli aggettivi derivati sono quelle che seguono:

chitulanu = chitulu+anu (mattiniero), mandrone = mandra+one (poltrone), banchitu = banca+itu (tavolino), puddighinu = puddu+ghinu (galletto), nurresu = Nurra+esu (Nurrese), licàrgiu = lica+argiu (goloso), russatzu = russu+atzu (grossolano), minoreddu = minore+eddu (piccolino).

Insieme agli aggettivi con il suffisso in **-àbile**, in sardo si utilizza molto la costruzione: **verbo servile + infinito** del verbo lessicale:

est una fèmina am**àbile** = est una fèmina chi si **faghet amare** (è una donna che si **fa amare**);
si sena cun ogros narat non **podes istare** = *si sine oculis inquit non* ***potest exstare***
(se senza occhi dici che non **puoi stare**)[77].

9.13 AGGETTIVI COMPOSTI

Sono **composti** quegli aggettivi che mettono insieme un sostantivo e un aggettivo. In questo caso, generalmente, il primo termine cambia morfema, mutando la vocale finale in **-i** (barr**a**→barr**i**):

barr**i**mannu (guancia grande), mat**i**bbullosu (pancia bullonata), anch**i**fine (gamba fine),
conch**i**russu (testa grossa), limb**i**longu (lingua lunga), pil**i**canu (capello bianco), ecc.

AGGETTIVI COMPOSTI IN SARDO

barrimannu (guancia grande)	matibullosu (pancia bullonata)	anchifine (gamba fine)
conchirussu (testa grossa)	limbilonga (lingua lunga)	pilicanu (capello bianco)
origrisurdu (orecchio sordo)	ogribassu (occhio basso)	peipiàtinu (piede piatto)
culilena (culo leno, pettegola)	boghirussa (voce grossa)	bratzifalada (braccia scese)

77 Marcus Tullius Cicero, *Rhetorica - De Divinatione*, Liber II, 52.

10. IL PRONOME

Il **pronome** (in latino *pronōmen* = al posto del nome) è quella parte del discorso che muta e che viene utilizzata al posto di un'altra parola per non ripeterla o lasciarla sottintesa quando l'indicazione ad essa è sufficientemente chiara:

non fiat in carchi manera ***tua*** *= nec erat usquam* ***tua*** (non era in qualche modo **tua**)[1].

Il pronome **tua** lascia intendere in modo chiaro che si parla di qualcosa pertinente a "chi ascolta" (tua).

10.1 CLASSIFICAZIONE DEI PRONOMI

Nel discorso troviamo parecchi tipi di pronome che vengono classificati in relazione a come sono collocati al posto del nome. Pertanto li distinguiamo in:

Pronomi personali: vengono utilizzati al posto del nome della persona che nel discorso parla, di quella che ascolta o della persona, animale o casa di cui si parla: de[g]o = *ego* (io), tue = *tu* (tu), issu-a = *ipsum, is, ea, id* (egli), nois = *nos* (noi), bois = *vos* (voi), issos-as = *ipsos, eos, eas, ea* (loro).

Pronomi possessivi: vengono utilizzati al posto del nome della persona o persone che posseggono quello di cui si parla (gli esempi sono espressi in latino nel caso accusativo): meu (L), miu (C) = *meum* (mio); tuo (N), tou (L), tuu (C) = *tuum* (tuo); suo (N), sou (L), suu (C) = *suum* (suo); nostru (L), nostu (C) = *nostrum* (nostro); bostru (L), bostu (C) = *vestrum* (vostro); issoro (L), insoru (C) = *ipsorum* (loro).

Pronomi dimostrativi: vengono utilizzati al posto dei nomi che rappresentano qualcosa indicata in modo diretto (gli esempi sono espressi in latino nel caso accusativo): custu = *hunc* (questo), cussu = *istum* (codesto), cuddu = *illum* (quello).

Pronomi indefiniti: vengono impiegati al posto dei nomi che nel discorso sono indicati in modo indeterminato (gli esempi sono espressi in latino nel caso accusativo): pagu = *paucum* (poco), meda = *metam* (molto - sostantivo), calicunu = *alĭquam* (qualcuno), perunu = *per unum* (nessuno), ecc.

Pronomi relativi: vengono usati al posto dei nomi che nel discorso stabiliscono una relazione tra due proposizioni: chi = *qui* (che, quanto, tutto quello che, dove, il luogo che, quando, nel momento che).

Pronomi interrogativi ed esclamativi: vengono utilizzati al posto dei nomi nelle domande o nelle esclamazioni: chie = *quis* (chi), cale = *qualis* (quale), cantu = *quantus* (quanto), ite = *ăgĭte, uter* (cosa).

In latino i pronomi sono declinati nella forma chiamata **declinazione pronominale**, che è differente da quella che abbiamo visto per i nomi e per gli aggettivi. La declinazione pronominale latina trova maggiore corrispondenza con quella sarda nei pronomi personali complemento.

10.2 I PRONOMI PERSONALI

I **pronomi personali** indicano la persona che parla, la persona che ascolta e la persona, l'animale o la cosa di cui si parla. In sardo, solitamente, il pronome va davanti al verbo quando la frase è affermativa e dopo il verbo quando questa è imperativa o interrogativa:

deo a cale nùmene bos apeddedas no isco = ***ego*** *quo nomine appelletis nescio*
(**io** a quale nome vi appelliate non so)[2].

1 Marcus Tullius Cicero, *Orationes - Philippicae*, II, 48.
2 Marcus Tullius Cicero, *Orationes - In Verrem*, Liber IV, 1.

a oras de sas chimbe su pitzinnu duncas non ti nùntziat, e **tue** giai cùmbida a mie =
horas quinque puber non dum tibi nuntiat, et ***tu*** *iam conviva mihi;*
(alle ore cinque il ragazzo dunque non ti chiama, e **tu** già invita [a] me)[3].

issu benit a su babbu = ***ipse*** *venit ad patrem* (**egli** viene al padre)[4].

PRONÙMENES Pessonales - PRONOMI Personali

Pessone chi faveddat (persona che parla)	**Deo** curro = ***ego*** *curro* (**io** corro)
Pessone chi iscurtat (persona che ascolta)	**Deo** curro, **tue** curres = ***ego*** *curro,* ***tu*** *curris* (**io** corro, **tu** corri).
Pessone, animale o cosa chi si faveddat (Persona, animale o cosa di cui si parla)	Semus cùrridos cun **issos** = *cum* ***ipsis*** *cucurrimus.* (Siamo corsi con **loro**)

10.2.1 I PRONOMI PERSONALI SOGGETTO

Il **pronome personale** si chiama **soggetto** quando nella frase comanda l'azione che tiene il verbo:

deo apo a dare a issu talentu (dinari), a su primu dispostu a pigare in sa rughe =
ego *dabo ei talentum, primus qui in crucem excucurrerit;*
(**io** darò a lui il talento (denaro), al primo disposto a salire sulla croce)[5].

PRONOMI PERSONALI SOGGETTO IN SARDO E IN LATINO

persona	**singolare**	**plurale**
1ª persona	deo (L), deu (C), ego (N) = ***egŏ*** (io)	nois (L), nosu (C) = ***nos*** (noi), (nom. pl.)
2ª persona	tue (L), tui (C) = ***tu*** (tu), (nom. sing.)	bois (L), bosàterus (C) = ***vos*** (voi), (nom. pl.)
3ª persona	mascru: issu = ***ipsum, eum*** (egli), (ac. sing.) fèmina: issa = ***ipsam, eam*** (ella), (ac. sing.) nèutru: ----- = ***ipsum, id*** (ac. sing.)	maschile: issos = ***ipsos, eos*** (essi), (ac. sing.) femminile: issas = ***ipsas, eas*** (esse), (ac. sing.) neutro: ----- = ***ipsa, ea*** (ac. sing.)

Il pronome di prima persona latino e sardo nu[g]orese, **ego**, che tiene il corrispondente greco con **ἐγὼ** (egò), viene da un primitivo **dego**, che ha perso la **d-** in nu[g]orese, [d]**ego**, e sa **-g-** in logudorese, **de**[g] **o**, e campidanese, **de**[g]**u**. Nella variante meridionale, come sappiamo, la **-o** a fine parola diventa **-u**. Il pronome personale di prima persona, ***ĕgō***, con la *correptio iambica* (correzione giambica), ha mutato la ***-ō*** lunga della sillaba finale in ***-ŏ*** corta, per essere uguale al greco.

La seconda persona singolare latina, ***tu***, è stata apocopata rispetto alla sarda **tue** della vocale **-e**, forse per farla avvicinare all'italico **tu** e al greco **σὺ**. Se in latino e in greco questo pronome ha subito l'apocope della sillaba finale, in sardo è stato sincopato della consonante di sillaba finale, tanto è che la forma sarda **tue** viene da un originario **tuve** o **tube**, che troviamo ancora oggi nel nu[g]orese.

La prima e la seconda persona plurale latina, ***nos*** (noi) e ***vos*** (voi), corrispondono a quelle sarde meridionali dei pronomi personali soggetto (**nos**u, **bos**àterus) e a quelle sarde settentrionali delle forme pronominali atone (**nos**, **bos**).

I pronomi personali soggetto del sardo centro settentrionale, **nois** e **bois**, invece, corrispondono ai pronomi personali complemento latini delle forme toniche del caso dativo: ***nobis*** = a nois (a noi); ***vobis*** = a bois (a voi). Occorre tenere in considerazione che in origine anche in sardo la vocale **-i** era preceduta dalla consonante **b-**: **no**[b]**is** e **bo**[v]**is**. Qui la -**v-** di **vo**[v]is, per effetto del betacismo, è mutata in -**b-**.

3 Marcus Valerius Martialis, *Epigrammaton*, Liber VIII, 67.
4 Marcus Fabius Quintilianus, *Declamationes Maiores - Declamatio Maior*, VI, 3.
5 Titus Maccius Plautus, *Mostellaria*, II, 1.

Nei pronomi personali soggetto il sardo utilizza anche la forma **Vostè** in funzione di rispetto per una persona più anziana o di riguardo. Questa corrisponde al latino ***voster*** o ***vos-ter***, che abbiamo già visto negli aggettivi possessivi, ma che troviamo anche come sostantivo con ***vester*** per tradurre la voce "parente", "padrone" o "vecchio".

mere, custu **vostè** bibet? = *erus, hic* ***voster*** *potat* (padrone, questo **lei** beve?)[6]

Un'altra forma di rispetto è il sardo **bois** (voi), che si da ad un compare o ad un parente stretto. In latino questo trova il corrispondente in ***vos***, ma non nel significato con cui è usato in sardo.

- **Il pronome issu, issa =** ***ipse, ipsa, ipsum*** **(egli, ella).**

Nel prospetto riguardante i pronomi personali soggetto e complemento, nella terza persona, abbiamo esposto le forme chiamate dai grammatici latini moderni "pronomi determinativi": ***ipsum***, ***ipsam***, ***ipsos*** e ***ipsas*** (ac. sing. e pl.). Questo pronome, forse ma a torto, è stato equiparato a quello greco ***αὐτός***, quando quest'ultimo ha funzione predicativa, vale a dire con valore intensivo.

Gli studiosi latini moderni chiamano i pronomi della terza persona **issu** = ***ipse*** (egli), **issa** = ***ipsa*** (ella), ***ipsum*** (neutro) "determinativi" o "identificativi". Come già accennato per l'articolo e per l'aggettivo, questa parte del discorso non può essere allo stesso tempo pronome, articolo e aggettivo, o è l'uno o è l'altro o è l'altro ancora. Pertanto, seguendo le normali regole grammaticali, possiamo dire:

1) quando **è pronome** prende il posto del nome. Esempio:

su cònsule supressat su mustu e **issu** [lu] bibet = *expressit mustum consul et* ***ipse*** *bibit*
(il console pressa il mosto e **egli** [lo] beve)[7].

2) quando **è articolo** accompagna il nome. Esempio:

argumentu est **sa** mannidade de sa tzitade nova = *argumento est* ***ipsa*** *magnitudo novae urbis*
(argomento è **la** grandezza della città nuova)[8].

3) quando **è aggettivo identificativo** rafforza il nome. Esempio:

e chi **sa** vida, chi fruimus, breve est = *quoniam vita* ***ipsa****, qua fruimur, brevis est*
(e che **la** vita, che fruiamo, è breve)[9].

Forse solo in questo caso *ipsa,* che è posticipato al nome (vita), potrebbe essere un aggettivo identificativo.

propriu in custa manera **nois matessi** a **issos** amemus = *aeque ac nos****met ipsos*** *amemus*
(proprio in questo modo **noi stessi** amiamo **loro**)[10].

Nell'esempio in alto abbiamo sia l'aggettivo identificativo ***-met***, che rafforza il pronome ***nos-***, sia il pronome ***ipsos***, che tiene solo funzione di pronome atono: "nois matessi **los** amemus = noi stessi **li** amiamo".

Il problema di classificare questi pronomi è nato dal fatto che insieme a ***ipsus*** (egli) vengono utilizzati dagli scrittori latini i sinonimi ***is*** (num. sing.) e ***eum*** (ac. sing.), che altro non sono che i pronomi di provenienza italica, come ***illum***, pronunciato **/iddu/**, sincopato delle due ***-ll-*** cacuminali. Esempio:

issu est **issu** = ***is*** *est* ***ipsus*** **(egli** è **lui)**[11].

Nell'esempio in basso, ***ipse*** (egli) ha funzione di pronome personale soggetto e ***ib-idem*** di aggettivo

6 Titus Maccius Plautus, *Mostellaria*, IV, 3.
7 Marcus Valerius Martialis, *Epigrammaton*, Liber VIII, 113.
8 Titus Livius, *Ab Urbe Condita Libri*, Liber V, LIV.
9 Gaius Sallustius Crispus, *De Catilinae Coniuratione*, I, 1.
10 Marcus Tullius Cicero, *Rhetorica - Tusculanae Disputationes*, Liber III, 73.
11 Publius Terentius Afer, *Adelphoe*, Actus IV, Scaena 1.

identificativo. Pertanto, la dizione di "pronome determinativo" è inappropriata, poiché ***ipse***, come abbiamo visto dagli esempi, ha la funzione di pronome a tutti gli effetti:

issu matessi at detzisu de imbarare = ***ipse ibidem*** *manere decrevit* (**egli stesso** ha deciso di rimanere)[12].

Nella frase di Cicerone che mostriamo sotto troviamo il pronome latino ***eum*** (egli), seguito dal sinonimo ***ipsum***, che in questo caso ha però funzione di pronome dimostrativo e non di aggettivo identificativo:

issu (**eddu**), **su** chi cum onniunu de sos creditores suos [...]=
eum, ***ipsum*** *qui cum omnibus creditoribus suis [...];*
(**egli**, **quello** (colui che) con ognuno dei suoi creditori [...])[13].

Nell'esempio mostrato sotto troviamo, invece, ***ipsa*** (ella, lei) in funzione di pronome:

feminàrgiu t'abbòghinat muzere tua, e **issa** carriolàrgia de letu est =
ancillariolum tua te vocat uxor, et ***ipsa*** *lecticariola est*
(donnaiolo ti grida tua moglie, e **lei** cocchiera - corriera - di letto è)[14].

Nel nominativo singolare latino troviamo le due forme di pronome ***ipse*** = isse (egli), e ***ipsus*** = issu (egli), che in sardo hanno lo stesso significato, ma sono parlate in Sardegna in territori differenti. In questo caso gli scrittori latini usano quando l'una quando l'altra per la stessa forma pronominale, ma scegliendo in particolare ***ipse*** per i pronomi atoni. Il pronome ***ipsus*** è preferito a ***ipse*** dagli scrittori arcaici Plauto e Terenzio.

Esempio: ube est **issu**? = *ubi est* ***ipsus****?* (dove è **lui**?)[15].

DECLINAZIONE PRONOMINALE DI *IPSE* = ISSE (EGLI)

CASO	SINGOLARE			PLURALE		
	MASCHILE	FEMMINILE	NEUTRO	MASCHILE	FEMMINILE	NEUTRO
NOMINATIVO	*ipsĕ, ipsus*	*ipsă*	*ipsŭm*	*ipsī*	*ipsae*	*ipsă*
GENITIVO	*ipsīus*	*ipsīus*	*ipsīus*	*ipsōrum*	*ipsārum*	*ipsōrum*
DATIVO	*ipsī*	*ipsī*	*ipsī*	*ipsīs*	*ipsīs*	*ipsīs*
ACCUSATIVO	*ipsŭm*	*ipsăm*	*ipsŭm*	*ipsōs*	*ipsās*	*ipsă*
VOCATIVO	-----	-----	-----	-----	-----	-----
ABLATIVO	*ipsō*	*ipsā*	*ipsō*	*ipsīs*	*ipsīs*	*ipsīs*

10.2.2 I PRONOMI PERSONALI COMPLEMENTO.

- Il **pronome personale** si dice **complemento** quando nella frase tiene la funzione di complemento. I complementi in sardo si dividono in:

- complemento oggetto:

ma **la** giùdico èssere turpe = *sed* ***eam*** *esse iudico turpem* (ma **la** giudico essere turpe)[16].

Quando si tratta di complemento oggetto che riguarda una persona, come abbiamo visto, in sardo si usa mettere davanti al pronome la preposizione **a**.

- complemento di termine:

chi **a issu** achidet (achidare = dae chida in chida) - sutzedat = *qui* ***ipsi*** *accidat* (che **a egli** accada)[17].

12 Cornelius Nepos, *Liber De Excellentibus Decibus Exterarum Gentium - Miltiades*, 2.
13 Marcus Tullius Cicero, *Orationes - Pro Quinctio*, 27.
14 Marcus Valerius Martialis, *Epigrammaton*, Liber XII, 58.
15 Titus Maccius Plautus, *Curculio*, I, 2.
16 Marcus Tullius Cicero, *Orationes - In Catilinam*, Liber IV, 20.
17 Marcus Tullius Cicero, *Rhetorica - De Inventione*, Liber I, 36.

- **complementi indiretti**:

ca a càusa de **issu** cun tratadu allego = *quod ex **ipso** tractatu intellego* (a causa **di lui** con trattato parlo)[18].

La tabella mostrata qui sotto elenca le altre flessioni latine che in sardo rappresentano le forme dei **pronomi personali complemento**.

PRONOMI PERSONALI COMPLEMENTO IN SARDO E IN LATINO

	forme toniche (complementi indiretti)		**forme atone (complementi diretti)**	
persona	**singolare** **dativo / ablativo**	**plurale** **dativo / ablativo**	**singolare** **accusativo**	**plurale** **accusativo**
1ª persona	a mie = *mihī* (a me); cun megus = *mecum* (con me)	a nois - *nobīs* (a noi); cun nois - *nobiscum* (con noi)	mi (m') = *mē* (mi)	nos (L), [no]si (C) = *nōs* (ci)
2ª persona	- a tie = *tibī* (a te); - cun tegus = *tecum* (con te)	a bois - *vobīs* (a voi); cun bois - *vobiscum* (con voi)	ti (t') = *tē* (ti)	bos (L), [bo]si (C) = *vōs* (vi)
3ª persona	a issu = *ipsi, ipso* (a lui) a issa = *ipsi, ipsae* (a lei) cun issu = *cum ipso* (con lui) cun issa = *cum ipsa* (con lei) cun segus = *secum* (con se) sibi (refles. = *sibi*	a issos = *ipsis* (a loro, maschi) a issas = *ipsis* (a loro, femmine) cun issos = *cum ipsis* (con loro, maschi) cun issas = *cum ipsis* (con loro, femmine) sibi (refles. = *sibi*	lu, ddu = *ipsum, eŭm* (lo) la, dda = *ipsam, eăm* (la) si (refles.) = *sē* (se)	los, ddos = *ipsos, eōs* (gli) las, ddas = *ipsas, eās* (le) si (refles.) = *sē* (se)

Come si vede in questo prospetto in alto, le forme pronominali sarde dei complementi indiretti sono perifrastiche, ovverosia analitiche, composte da due elementi (a mie, a tie, a issu, cun megus, cun tegus, ecc.).

Le forme latine, invece, sono state costruite in modo sintetico (*mihi*, *tibi*, *mecum*, *tecum*, ecc.) per adattarle alla lingua greca, ma di sardo si tratta. Per quanto concerne l'ablativo, la preposizione **cun** = ***cum*** (con) è posticipata al pronome: **cun megus** è diventato ***mecum***, **cun tegus** = ***tecum***, **cun segus** = ***secum***.

I dativi ***mihi*** (a me), ***tibi*** (a te), ***sibi*** (a se) vengono dalle forme più arcaiche ***mihei***, ***tibei***, ***sibei***, tali e quali alle forme equivalenti sarde perifrastiche senza preposizione: **mie**, **tie**, **si bi**. Anche in questo caso i Latini hanno voluto sintetizzare i pronomi di origine sarda per adattarli alla lingua greca.

Pertanto i pronomi latini hanno subito mutamenti che li hanno portati, prima, a sincopare la ***-e-*** della penultima sillaba e, dopo, a portare la ***-i*** finale da lunga a corta. Di fatto troviamo in greco **μοι** (moi) per ***mihi*** = **a mie** (a me).

Il sostantivo ***pĕcūnĭa***, denaro e beni per i Romani, che viene da ***pecus***, sa roba (il gregge), è rimasto in sardo come **picònia**, vale a dire il desiderio per qualcosa che non si ha. Alla *pecunia* i Latini avevano dedicato anche una divinità, chiamata per l'appunto **Pecunia**.

In latino il **dativo di possesso** non è altro che l'impiego nella frase dell'ausiliare essere al posto di quello avere, come è la costruzione del dativo in greco. Esempio:

su dinari (picònia) pro **a mie** no est roba =
*pecunia **mihi** non opus est*
(il danaro per me non è un bene)[19].

I pronomi personali complemento **a mie** (a me), **a tie** (a te) li troviamo nel nu[g]orese con **a mimme**, **a tive**, che sono forme originarie di pronomi che ancora non hanno perso la consonante di appoggio alla vocale **-e** dell'ultima sillaba.

18 Gaius Plinius Caecilius Secundus (su giòvanu), *Epistularum Libri Decem*, Liber X, 17.
19 Cornelius Nepos, *Vita Epaminondae*, IV, 8.

Ma, per comprendere i meccanismi adottati dai grammatici latini per i pronomi nella costruzione della lingua comune, occorre andare a vedere il pronome dimostrativo ***illum* = cuddu** (quello) e i pronomi personali ***ĭs, eă, ĭd*** = **issu, issa, nèutru** (egli, ella, neutro).

Il pronome ***eiŭs*** (di lui) nel genitivo significa in sardo **de issu** (possessivo) e può svolgere anche funzione di aggettivo dimostrativo. Iniziando ora da questi ultimi, mostriamo qua sotto il prospetto della loro declinazione.

PRONOMI PERSONALI SOGGETTO E COMPLEMENTO: *ĬS, EĂ, ĬD* = ISSU, ISSA, N. (EGLI, ELLA, N.)

CASO	SINGOLARE			PLURALE		
	MASCHILE	FEMMINILE	NEUTRO	MASCHILE	FEMMINILE	NEUTRO
NOMINATIVO	*ĭs*	*eă*	*ĭd*	*iī (eī)*	*eae*	*eă*
GENITIVO	*eiŭs*	*eiŭs*	*eiŭs*	*eōrum*	*eārum*	*eōrum*
DATIVO	*eī*	*eī*	*eī*	*iīs (eīs)*	*iīs (eīs)*	*iīs (eīs)*
ACCUSATIVO	*eŭm*	*eăm*	*ĭd*	*eōs*	*eās*	*eă*
VOCATIVO	-----	-----	-----	-----	-----	-----
ABLATIVO	*eō*	*eā*	*eō*	*iīs (eīs)*	*iīs (eīs)*	*iīs (eīs)*

Tiene, invece, funzione di aggettivo identificativo e di pronome ***idem*, *eadem*, *idem*** (egli stesso, di lui). Qui sotto mostriamo la declinazione del pronome e aggettivo identificativo ***īdem*, *eădem*, *ĭdem***:

PRONOMI PERSONALI COMPLEMENTO: *ĪDEM, EĂDEM, ĬDEM* = SU MATESSI (LO STESSO)

CASO	SINGOLARE			PLURALE		
	MASCHILE	FEMMINILE	NEUTRO	MASCHILE	FEMMINILE	NEUTRO
NOMINATIVO	*īdem*	*eădem*	*ĭdem*	*iīdem*	*eaedem*	*eădem*
GENITIVO	*eiusdem*	*eiusdem*	*eiusdem*	*eorŭndem*	*earŭndem*	*eorŭndem*
DATIVO	*eīdem*	*eīdem*	*eīdem*	*iīsdem*	*iīsdem*	*iīsdem*
ACCUSATIVO	*eundem*	*eandem*	*ĭdem*	*eōsdem*	*eāsdem*	*eădem*
VOCATIVO	-----	-----	-----	-----	-----	-----
ABLATIVO	*eōdem*	*eādem*	*eōdem*	*iīsdem*	*iīsdem*	*iīsdem*

Confrontando questo prospetto con quello di prima non occorre molto per capire che le forme dell'identificativo ***īdem*, *eădem*, *ĭdem*** (**egli stesso**) sono derivate da quelle pronominali ***ĭs*, *eă*, *ĭd*** con l'aggiunta suffissale della preposizione ***i+de+m*** = ***īdem***; ***eă*** + ***dem*** = ***eădem***; ***ĭd*** + ***dem*** = ***ĭdem***. Vale a dire "**de issu** (**di lui**)".

I pronomi latini ***ĭs*, *eă*, *ĭd*** non sono altro che le forme sincopate dalla doppia ***-ll-*** (*eum* = *e-**ll**-um*) di ***illum*** (**iddu**), ***ellum*** (**eddu**), ***illam*** (**idda**), ***ellam*** (**edda**), che ancora troviamo nell'Italia centro meridionale e nella variante sardo-corsa. Questi pronomi hanno corrispondenza con le forme atone sarde **lu** (il-lo), **la** (la), centro settentrionali, e **ddu** (il-lo), **dda** (la), centro meridionali.

Di fatto, in latino troviamo questi pronomi complemento per rappresentare l'accusativo del complemento oggetto, così come avviene in sardo. Li incontriamo, pure, come pronomi dimostrativi, con la stessa funzione che tengono in sardo: **su** = cussu (quello), **sa** = cussa (quella), **sos** = cussos (quelli), **sas** = cussas (quelle), e anche come complementi indiretti, come indicato nei tre esempi mostrati qui sotto:

in cale manera duncas **ti** chèrgio, o donnu? = *quomodo ergo **te** quaero, domine?*
(in quale modo dunque **ti** voglio, o padrone?)[20]

20 Augustinus Hipponensis, *Confessiones*, Liber X, 29.

non comente sos prus de **a issos**, chi apo atu[g]adu = *non ut plerique ex **iis**, quos attigi;*
(non come la maggior parte **di loro**, che ho controllato)[21].
cretende de suddisfàghere su disìgiu **de issa** = *ad supplendam **eius** libidinem crederem;*
(credere di soddisfare il suo - **di lei** - desiderio)[22].

Il verbo latino ***attigo***, ***attigere***, corrisponde al sardo **atu[g]are** e vuol dire "dare una mano", "dare o fare attenzione per qualcosa o qualcuno".

In latino e in sardo si usa rafforzare il pronome riflessivo con la forma **sese**.

e pàrrere meda àteros males de **sese** =
*et multa alia malaparere ex **sese**;*
(e sembrare molti altri mali di **se**)[23].

Il pronome sardo **sibi**, che indica per lo più un riflessivo sul luogo, lo troviamo anche in latino:

Valèrius Publìcola a Spùrius Lucrètzius Tricipitinus comente collega **si b'**aiat fatu =
*Valerius Publicola Spurius Lucretium Tricipitinum collegam **sibi** fecit;*
(Valerius Publicola a Spurius Lucretius Tricipitinus come collega **vi** [**in quel luogo**] **si** era fatto)[24].

PRONOMI PERSONALI COMPLEMENTO IN SARDO E IN LATINO (GENITIVO)

	PRONOMI PERSONALI COMPLEMENTO: SARDO - LATINO (GENITIVO)	
persona	**sardo: pronomi complemento**	**pronomi latini: caso genitivo**
1ª singolare	de a mie (L), de mei (C)	*meī* (di me)
2ª singolare	de a tie (L), de tui (C)	*tuī* (di te)
3ª singolare	de a issu / issa (L), de issu /issa (C); de sese (refles.)	*ipsīus* (m.), *ipsīus* (f.), *ipsīus* (n.); ***sui*** (ref.) (di lui, di lei, di se stesso)
1ª plurale	de a nois (L), de nosu (C)	*nostrī*, *nostrŭm* (di noi)
2ª plurale	de a bois (L), de bosàterus (C)	*vestri*, *vestrŭm* (di voi)
3ª plurale	de a issos / issas (L), de issus / issas (C), issoro / insoru	*ipsōrum* (m.), *ipsārum* (f.), *ipsōrum* (n.) (di loro)

I pronomi personali complemento, che troviamo in latino nel caso genitivo singolare (***mei***, ***tui***, ***sui***), non sono altro che gli stessi presenti nella lingua sarda centro meridionale: **mei** (di me), **tui** (di te), **issu** (di lui), **sei** (di se, riflessivo). Mentre gli accusativi plurali, come abbiamo visto, corrispondono al sardo comune. Il possessivo sardo della terza persona plurale, **issoro** / **insoru** (di loro), lo troviamo in latino nel genitivo plurale (***ipsorum***).

I pronomi personali complemento plurali, in sardo **de a nois** (di noi) - **de a bois** (di voi), in latino possegono due forme: ***nostrī***, ***nostrŭm*** - ***vestrī***, ***vestrŭm***. La prima tiene valore oggettivo, vale a dire rappresenta quello che gli altri mostrano nei nostri confronti (rispetto di voi = *reverentia vostra*); la seconda ha valore partitivo, ossia che fa parte **di noi**.

Quando si tratta di persone, il sardo utilizza la preposizione **a** davanti al pronome anche quando questo svolge funzione di complemento oggetto:

pro custu brava meda cramat **a tie** cummèdia = *quod tam grande sophos clamat **tibi** turba togata;*
(per questo molto brava chiama [**a**] **te** commedia)[25].

21 Gaius Plinius Secundus (su betzu), *Naturalis Historia - Praephatio*, 21.
22 Lucius Apuleius Madauresis (Saturninus), *Metamorphoses*, Liber, X, 22.
23 Aulus Gellius, *Noctes Atticae*, IX, 5.
24 Flavius Eutropius, *Breviarium Ab Urbe Condita*, Liber I, 10.
25 Marcus Valerius Martialis, *Epigrammaton*, Liber, VI, 48.

- In sardo tutte le forme atone dei pronomi personali complemento precedono il verbo (proclitici), ad eccezione dell'imperativo e del gerundio, mentre in latino talvolta lo possono anche seguire:

e como **nos** beatificamus anzenos = *et nunc* ***nos*** *beatificamus alienos*
(e ora **ci** beatifichiamo estranei)[26].

I pronomi sardi atoni seguono il verbo (enclitici) quando questo è all'imperativo o al gerundio. Nella scrittura, per riconoscerli facilmente, questi pronomi vengono divisi dal verbo con un puntino centrale:

ma nara·**mi** tue **a mie** = *sed narra tu* ***mihi*** (ma dim**mi** tu **a me**)[27].
a cussu pitzinnu da**te** sa mama = *puero isti da* ***te*** *mammam* (a codesto bambino da**te** la mamma)[28].
dade·**mi** - **a mie** - su logu = *date* ***mihi*** *locum* (date**mi** - **a me** - il luogo)[29].

I Latini, in qualche caso, hanno mutato i pronomi atoni adattandoli al greco e all'italico. Ad esempio il pronome sardo "**mi**" è diventato "**me**", come il greco **με** (me).

10.2.3 ALTRE FORME PRONOMINALI

- La particella pronominale **nde**, che è pronome di terza persona (singolare e plurale), equivale ai complementi preceduti dalla preposizione **de**: de issa (di lei), de issu (di lui), de issos, de issas (di loro, m.f.):

Comporadu l'as su pane? Emmo! **Nd'**apo (de pane) comporadu unu chilu;
(lo hai comprato il pane? Si! **Ne** ho comprato - di pane - un chilo).

"**Nde**" vale anche per i complementi preceduti dalla preposizione **dae** (da): dae issu (da lui), dae issa (da lei), dae issos, dae issas (da loro, m.f.):

intesu l'as su chi est sutzessu a Giu[v]anna? Emmo! **Nde** so restadu sicu - dae cussu chi est sutzessu;
(hai sentito quello che è successo a Giovanna? Si! **Ne** sono rimasto secco - da quello che è successo).

- Le particelle pronominali atone mi, ti, ecc. accompagnano gli avverbi **nde** = ***inde*** (verso qua) e **nche** = ***hinc*** (verso la), che si utilizzano, il primo, per indicare qualcosa chi si sta avvicinando, il secondo, per indicare qualcosa chi si sta allontanando:

chircund**ende** s'àteru ladu calaritanu de s'ìsula s'agru aiat devastadu =
circumacta ***inde*** ad *alterum insulae latus calaritanum agrum vastavit*
(circondando **ivi** l'altro lato cagliaritano dell'isola devastò l'agro)[30].

l'apo a nàrrere in s'interis, como a manera move·**ti**·**nche** = *dicam in itinere: modo* ***te hinc*** *amove*
(lo dirò in itinere, in modo che **ti** muova **di qui**)[31].

COMBINAZIONI DELLE FORME PRONOMINALI SARDE

	singolare		plurale	
	proclitiche	**enclitiche**	**proclitiche**	**enclitiche**
1ª persona	mi lu / mi ddu (me lo)	mi·lu / mi·ddu (melo)	nos lu / nos ddu (ce lo)	nos·lu / nos·ddu (celo)
2ª persona	ti lu / ti ddu (te lo)	ti·lu / ti·ddu (telo)	bos lu / bos ddu (ve lo)	bos·lu / bos·ddu (velo)
3ª persona	bi lu / si ddu (glielo)	bi·lu / si·ddu (glielo)	si lu / si ddu (glielo)	si·lu / si·ddu (glielo)

26 Augustinus Hipponensis, *De Civitate Dei*, Liber XVIII, 35.
27 Gaius Petronius Arbiter, *Satyricom*, 48.
28 Titus Maccius Plautus, *Truculentus*, II, 5.
29 Titus Maccius Plautus, *Stichus*, I, 5.
30 Titus Livius, *Ab Urbe Condita Libri*, Liber XXVII, 6.
31 Publius Terentius Afer, *Commediae*, Actus III, 565.

In sardo e in latino esistono quelle che vengono chiamate particelle pronominali, nelle cui combinazioni il pronome tonico (mi, ti, ecc.) va sempre prima del pronome atono (lu). In sardo queste combinazioni sono composte da **mi lu** (me lo), **ti lu** (te lo), ecc.; le stesse forme valgono al singolare femminile: **mi la** (me la), **ti la** (te la), ecc.; al plurale maschile e femminile: **mi los** (me li), **ti los** (te li), **mi las** (me le), **ti las** (te le), ecc.). Le forme citate sopra valgono anche per: **mi nde** (me ne), **mi che** (me ne) o **mi nche** (me ne), ecc.

In latino, per comporre queste forme pronominali, troviamo le stesse combinazioni del sardo, strutturate principalmente con i pronomi ***me***, ***te***, ***se***, ***nos*** seguiti da ***ipse***, che tiene la funzione di pronome atono: ***me ipse*** (me lo), ***te ipse*** (te lo), ***se ipse*** (se lo), ***nos ipse*** (ce lo); o, come abbiamo visto nell'esempio precedente, *te hinc amove* = movetinche (muoviti). Esempi:

pro tantu **mi l'**apo a ammentare = *itaque* ***me ipse*** *revocabo* (pertanto **me lo** ricorderò)[32];
calicunos pro **si nde** dare benefitzios = *aliis per* ***se ipse*** *dare beneficia* (qualcuno per dar**sene** benefici)[33].

10.3 I PRONOMI POSSESSIVI

Si dicono **possessivi** quei **pronomi** che precisano **a chi appartiene** la persona, l'animale o la cosa indicata dal nome. I pronomi possessivi **concordano nel genere e nel numero** con il nome, che rimane sottinteso:

cussu libru est su **meu** = *iste liber* ***meus*** *est* (codesto libro è **mio**)[34].

Meu = ***meus*** (mio) concorda con il libro nel genere (maschile) e nel numero (singolare). In latino anche nel caso. C'è da precisare nel prospetto in basso che "ipsorum" in latino è solo genitivo.

PRONOMI POSSESSIVI IN SARDO E IN *LATINO* (ACCUSATIVO MASCHILE E FEMMINILE)

pers.	maschile singolare	maschile plurale	femminile singolare	femminile plurale
1ª sing.	meu (L), miu (C) = ***meum***	meos (L), mius (C) = ***meos***	mea (L), mia (C) = ***meam***	meas (L), mias (C) = ***meas***
2ª sing.	tuo (N), tou (L), tuu (C) = ***tuum***	tuos (L), tuus (C) = ***tuos***	tua (L, C) = ***tuam***	tuas (L, C) = ***tuas***
3ª sing.	suo (N), sou (L), suu (C) = ***suum***	suos (L), suus (C) = ***suos***	sua (L, C) = ***suam***	suas (L, C) = ***suas***
1ª pl.	nostru (L), nostu (C) = ***nostrum***	nostros (L), nostos (C) = ***nostros***	nostra (L), nosta (C) = ***nostram***	nostras (L), nostas (C) = ***nostras***
2ª pl.	bostru (L), bostu (C) = ***vostrum***	bostros (L), bostos (C) = ***vostros***	bostra (L), bosta (C) = ***vostram***	bostras (L), bostas (C) = ***vostras***
3ª pl.	issoro (L), insoru (C) = ***ipsorum***	issoro (L), insoru (C) = ***ipsorum***	issoro (L), insoru (C) = ***ipsarum***	issoro (L), insoru (C) = ***ipsarum***

Nei pronomi possessivi sardi ciascuna persona tiene quattro modi di rappresentarsi, due per il genere (maschile e femminile) e due per il numero (singolare e plurale). In latino, invece, questa viene rappresentata in più nei casi (la funzione sintattica che la parola tiene nella frase). Pertanto ogni persona ha 31 forme differenti (poiché il vocativo possiede solo la forma del singolare maschile).

PRONOMI POSSESSIVI IN LATINO: DECLINAZIONE DI *MEUS* = MEU (MIO)

CASO	SINGOLARE			PLURALE		
	MASCHILE	FEMMINILE	NEUTRO	MASCHILE	FEMMINILE	NEUTRO
NOMINATIVO	*meus*	*mea*	*meum*	*mei*	*meae*	*mea*
GENITIVO	*mei*	*meae*	*mei*	*meōrum*	*meārum*	*meōrum*
DATIVO	*meo*	*meae*	*meo*	*meis*	*meis*	*meis*
ACCUSATIVO	*meum*	*meam*	*meum*	*meos*	*meas*	*mea*
VOCATIVO	*mi, meus*	----	----	----	----	----
ABLATIVO	*meo*	*mea*	*meo*	*meis*	*meis*	*meis*

Per declinare i pronomi possessivi, ossia creare 31 forme differenti della stessa persona, i grammatici

32 Valerius Maximus, *Factorum et Dictorum memorabilium Libri Novem*, Liber III, 6.
33 Gaius Sallustius Crispus, *Bellum Iugurthinum*, 96.
34 Marcus Valerius Martialis, *Epigrammaton*, Liber, XI, 2.

latini hanno preso un poco da tutte le parti, molto dalle varianti del sardo, altre dall'italiano e altre ancora sono state inventate.

Il nominativo singolare maschile latino ***meus*** (mio), senza la desinenza ***-s*** del nominativo, corrisponde al sardo comune **meu**. I nominativi singolari ***tuus*** (tuo) e ***suus*** (suo) corrispondono ai possessivi singolari e plurali di area sarda meridionale (**tuu, tuus** e **suu, suus**); mentre i nominativi singolari femminili ***mea*** (mia), ***tua*** (tua) e ***sua*** (sua) a quelli del sardo comune (**mea, tua, sua**). I genitivi latini ***mei*** (di me), ***tui*** (di te) e ***sui*** (di se) corrispondono ai pronomi personali complemento del sardo centro meridionale (**mei**, **tui e sei**), mentre gli accusativi plurali maschili ***meos*** (miei), ***tuos*** (tuoi), ***suos*** (suoi) riproducono in modo identico i possessivi del sardo centro settentrionale (**meos, tuos, suos**).

PRONOMI POSSESSIVI IN LATINO: DECLINAZIONE DI *TUUS* (TUO) = **TOU** (L), **TUU** (C), **TUO** (N)

CASO	SINGOLARE			PLURALE		
	MASCHILE	FEMMINILE	NEUTRO	MASCHILE	FEMMINILE	NEUTRO
NOMINATIVO	*tuus*	*tua*	*tuum*	*tui*	*tuae*	*tua*
GENITIVO	*tui*	*tuae*	*tui*	*tuōrum*	*tuārum*	*tuōrum*
DATIVO	*tuo*	*tuae*	*tuo*	*tuis*	*tuis*	*tuis*
ACCUSATIVO	*tuum*	*tuam*	*tuum*	*tuos*	*tuas*	*tua*
VOCATIVO	----	----	----	----	----	----
ABLATIVO	*tuo*	*tua*	*tuo*	*tuis*	*tuis*	*tuis*

Il dativo e l'ablativo singolari latini ***tuo*** (a te, con te) e ***suo*** (a se, con se) sono uguali ai pronomi possessivi del sardo nu[g]orese e dell'italico (**tuo, suo**), mentre i genitivi singolari latini ***tui*** (di te) e ***sui*** (di se) corrispondono ai pronomi personali complemento di area campidanese (de **tui**, de **sei**).

Il pronome possessivo logudorese **tou** somiglia a quello greco **σοῦ** (sou) del caso genitivo.

PRONOMI POSSESSIVI IN LATINO: DECLINAZIONE DI *SUUS* (SUO) = **SOU** (L), **SUU** (C), **SUO** (N)

CASO	SINGOLARE			PLURALE		
	MASCHILE	FEMMINILE	NEUTRO	MASCHILE	FEMMINILE	NEUTRO
NOMINATIVO	*suus*	*sua*	*suum*	*sui*	*suae*	*sua*
GENITIVO	*sui*	*suae*	*sui*	*suōrum*	*suārum*	*suōrum*
DATIVO	*suo*	*suae*	*suo*	*suis*	*suis*	*suis*
ACCUSATIVO	*suum*	*suam*	*suum*	*suos*	*suas*	*sua*
VOCATIVO	----	----	----	----	----	----
ABLATIVO	*suo*	*sua*	*suo*	*suis*	*suis*	*suis*

Tutte le altre forme pronominali possessive latine, ad eccezione di quelle citate per le varianti del sardo, sono inventate e non trovano riscontro in alcuna lingua romanza, come ad esempio ***suae*** o ***suarum***.

PRONOMI POSSESSIVI IN LATINO: DECLINAZIONE DI *NOSTER* (NOSTRO) = **NOSTRU** (L), **NOSTU** (C)

CASO	SINGOLARE			PLURALE		
	MASCHILE	FEMMINILE	NEUTRO	MASCHILE	FEMMINILE	NEUTRO
NOMINATIVO	*noster*	*nostra*	*nostrum*	*nostri*	*nostrae*	*nostra*
GENITIVO	*nostri*	*nostrae*	*nostri*	*nostrōrum*	*nostrārum*	*nostrōrum*
DATIVO	*nostro*	*nostrae*	*nostro*	*nostris*	*nostris*	*nostris*
ACCUSATIVO	*nostrum*	*nostram*	*nostrum*	*nostros*	*nostras*	*nostra*
VOCATIVO	*noster*	----	----	----	----	----
ABLATIVO	*nostro*	*nostra*	*nostro*	*nostris*	*nostris*	*nostris*

L'accusativo singolare latino ***nostrum*** (nostro) è uguale a quello del sardo centro settentrionale (**nostru**), mentre il nominativo singolare ***noster***, senza la ***-r*** finale, corrisponde al sardo centro meridionale (**nostu**).

PRONÙMENES POSSESSIVOS IN LATINU: DECLINATZIONE DE *VESTER* (VOSTRO) = **BOSTRU** (L), **BOSTU** (C)

CASO	SINGOLARE			PLURALE		
	MASCHILE	FEMMINILE	NEUTRO	MASCHILE	FEMMINILE	NEUTRO
NOMINATIVO	*voster, vester*	*vostra, vestra*	*vostrum*	*vostri, vestri*	*vostrae*	*vostra*
GENITIVO	*vostri*	*vostrae*	*vostri*	*vostrōrum*	*vostrārum*	*vostrōrum*
DATIVO	*vostro*	*vostrae*	*vostro*	*vostris*	*vostris*	*vostris*
ACCUSATIVO	*vostrum*	*vostram*	*vostrum*	*vostros*	*vostras*	*vostra*
VOCATIVO	----	----	----	----	----	----
ABLATIVO	*vostro*	*vostra*	*vostro*	*vostris*	*vostris*	*vostris*

I genitivi plurali latini ***nostrarum*** (dei nostri) e ***vostrarum*** (dei vostri) sono presi dal sardo centro meridionale **nosàteru (de nosàteru)** e **bosàteru (de bosàteru)**. Il Latino utilizza nel genitivo plurale, oltre a ***nostrorum*** e ***vostrorum***, anche ***nostrum*** e ***vostrum***, che, come i plurali **nostros** e **vostros**, fanno parte del sardo centro settentrionale.

Tra le due forme della seconda persona del possessivo plurale, ***voster*** / ***vester***, negli scrittori più arcaici prevale la voce ***voster***, in quelli più moderni la voce ***vester***. Noi usiamo negli schemi la voce **voster** perché più vicina al sardo.

10.3.1 IL PRONOME DI 3[A] PERSONA PLURALE *IPSORUM* (IL LORO) = ISSORO (L), INSORU (C)

I grammatici latini non hanno declinato il pronome possessivo della terza persona plurale ***ipsorum***, ***ipsarum***, ***ipsorum*** (di loro), corrispondente alla forma sarda **issoro** / **insoru**, lasciandola solo nel genitivo plurale (maschile, femminile e neutro). Il motivo può essere dato dal fatto che anche in sardo non muta né in genere né in numero: **issoro** (L), **insoru** (C), ma con la differenza che in sardo svolge funzione di attributo o di complemento oggetto (il loro), quindi accusativo in latino, mentre in latino svolge la funzione di genitivo plurale, che in sardo invece è tenuto dal pronome complemento **de issos** (di loro).

10.4. I PRONOMI DIMOSTRATIVI

Si chiamano **dimostrativi** quei pronomi che prendono il posto dei nomi indicati nel discorso o lasciati sottintesi e ne precisano la posizione nel luogo.

La gran parte dei pronomi dimostrativi hanno la stessa forma dei corrispettivi aggettivi. Il pronome dimostrativo, a differenza dell'aggettivo, prende il posto del sostantivo, invece di accompagnarlo.

In sardo come in latino i pronomi dimostrativi posseggono tre forme a seconda della posizione che assumono nello spazio chi parla e chi ascolta:

In sardo comune pertanto abbiamo:
custu (questo), **custa, custos, custas** che si adoperano per indicare ciò che sta vicino a chi parla.
cussu (codesto), **cussa, cussos, cussas** che si utilizza per indicare ciò che sta vicino a chi ascolta.
cuddu (quello), **cudda, cuddos, cuddas** che si usa per indicare ciò sta lontano da chi parla e da chi ascolta:

custu a issu non lu achideret = ***hoc*** *ne ipsi accideret* (**questo** a lui non dovrebbe accadere)[35].
e intre de sese **cussu** du[bi]dat = *et secum* ***iste*** *dubitat* (e tra se **codesto** dubita)[36].
mentres **cuddu** tèmpiu fiat brusende = *cum templum* ***illud*** *arderet* (mentre **quel** tempio stava ardendo)[37].

35 Gaius Valerius Catullus, *Carmina Catulli*, Liber III, 74.
36 Marcus Fabius Quintilianus, *Declamationes Maiores - Declamatio Maior*, XII, 4.
37 Marcus Tullius Cicero, *Orationes - Pro Scauro*, 48.

PRONONI DIMOSTRATIVI IN SARDO

singolare maschile	singolare femminile	plurale maschile	plurale femminile
custu (questo)	custa (questa)	custos (questi)	custas (queste)
cussu (codesto)	cussa (codesta)	cussos (codesti)	cussas (codeste)
cuddu (quello)	cudda (quella)	cuddos (quelli)	cuddas (quelle)

Come i dimostrativi sardi **custu**, **cussu**, **cuddu**, anche i latini hanno tre modi per indicare la persona interessata. In latino i pronomi dimostrativi sono rappresentati nelle tre forme da ***hic***, ***iste***, ***ille*** (num. sing.). ***Hic*** (questo) per indicare qualcosa o qualcuno che sta vicino a chi parla; ***iste*** (codesto) qualcosa o qualcuno che sta vicino alla persona che ascolta; ***ille*** (quello) qualcosa o qualcuno che sta lontano dalla persona che ascolta e che parla.

IL PRONOME DIMOSTRATIVO LATINO: DECLINAZIONE DI *HIC, HAEC, HOC* = CUSTU (QUESTO)

CASO	SINGOLARE			PLURALE		
	MASCHILE	FEMMINILE	NEUTRO	MASCHILE	FEMMINILE	NEUTRO
NOMINATIVO	*hĭc*	*haec*	*hŏc*	*hī*	*hae*	*haec*
GENITIVO	*hūius*	*hūius*	*hūius*	*hōrum*	*hārum*	*hōrum*
DATIVO	*huīc*	*huīc*	*huīc*	*his*	*hīs*	*hīs*
ACCUSATIVO	*hunc*	*hanc*	*hŏc*	*hōs*	*hās*	*haec*
VOCATIVO	----	----	----	----	----	----
ABLATIVO	*hōc*	*hāc*	*hōc*	*hīs*	*hīs*	*hīs*

I dimostrativi latini ***hic***, ***haec*** e ***hoc*** sono nati per lo più come avverbi di luogo e, per una questione particolare di koinè linguistica, i grammatici latini li hanno impiegati come dimostrativi.

Hic in latino ha funzione sia di pronome dimostrativo sia di avverbio di luogo. Come pronome dimostrativo, con la forma arcaica di ***heic***, potrebbe essere stato legato a ***istum*** per formare il pronome **custu** (***heic-istum***) come si dice in sardo quando il dimostrativo è preceduto dalle congiunzioni **e** (**ei custu** = e questo) e **che** (**chei custu** = come questo).

Ma potrebbe anche darsi che i grammatici latini abbiano preferito "**hic**" al dimostrativo "**custu**" per avvicinarlo all'articolo greco "**ὁ**", che è composto da una sola sillaba, e utilizzarlo meglio nella metrica di stile greco. Di fatto, l'articolo determinativo greco, nelle opere di Omero, viene utilizzato come fosse un pronome dimostrativo **ὁ** (il), **ἡ** (la), **τὸ** (neutro), allo stesso modo del sardo **su**, **sa**, **sos**, **sas** quando è impiegato al posto di **cussu**, **cussa**, **cussos** e **cussas**.

Hic, quando è avverbio di luogo, in sardo ha la posizione di suffisso ed è sempre collocato dopo la parola che conclude. Ad esempio: **anda-t-iche** (vattene) significa "anda-t dae inoghe = vattene di qui", allontanamento dal luogo. La particella avverbiale **-iche**, come già visto, si contrappone a quella **-inde**, avvicinamento al luogo. Esempio: **intra-t-inde** (entratene), che significa "intra a inoghe = entra qui".

Anche ***Haec*** (questa), ***hac*** (con questa) in latino ha funzione sia di avverbio sia di dimostrativo. In sardo è usato in funzione di particella proclitica, come nella parola **acudide** = ***hac-audite***, che significa "udite questa". Il dimostrativo latino ***hac***, quando è seguito da ***illum*** (quello), compone la parola ***hac-illum***, che in sardo diventa **accollu** (eccolo).

Lo scrittore Quintus Ennius (Ennio) usava il dimostrativo singolare femminile ***haece***, che corrisponde direttamente a quello sardo meridionale **aici**, che significa **custu** (questo), **gasi** (così). Vedi esempio a lato:

custu, **aici** su limbàgiu bòchinat =
haece *locutus vocat*
(**questo, così** il linguaggio evoca)[38].

38 Quintus Ennius, *Annales*, Liber VII, 2.

Il pronome dimostrativo latino ***hoc*** (questo, nom.; con questo, abl.) in sardo tiene valore avverbiale quando è posto dopo la preposizione ***in*** (stato in luogo) e compone l'avverbio **inoche** = ***in-hoc*** (qui), che significa "in questo luogo", mentre è dimostrativo (aggettivo) se si trova prima del sostantivo, come nell'esempio di **ocannu** = ***hoc-annus*** (quest'anno), che vuol dire "in questo anno".

DECLINAZIONE DEL PRONOME DIMOSTRATIVO LATINO *ISTE, ISTAD, ISTUD* = CUSSU (CODESTO)

CASO	SINGOLARE			PLURALE		
	MASCHILE	FEMMINILE	NEUTRO	MASCHILE	FEMMINILE	NEUTRO
NOMINATIVO	*istĕ*	*istăd*	*istŭd*	*istī*	*istae*	*istă*
GENITIVO	*istīus*	*istīus*	*istīus*	*istōrum*	*istārum*	*istōrum*
DATIVO	*istī*	*istī*	*istī*	*istīs*	*istīs*	*istīs*
ACCUSATIVO	*istŭm*	*istăm*	*istŭd*	*istōs*	*istās*	*istă*
VOCATIVO	----	----	----	----	----	----
ABLATIVO	*istō*	*istā*	*istō*	*istīs*	*istīs*	*istīs*

I grammatici latini hanno scelto il dimostrativo ***istĕ*** (codesto) al posto di **cussu**. In questo caso, però, facendo un errore, in quanto ***istum***, ***istam*** significa "**custu** (questo), **custa** (questa)", da cui: **ista-note** = stanotte, **ista-sero** = stasera. A proposito occorre dire che nella maggior parte dei dialetti italiani non esiste il dimostrativo **cussa** (codesta), se non in Toscana. Pertanto i Latini hanno sopperito a questa mancanza mettendo ***hic*** per **custu** (questo), ***iste*** per **cussu** (codesto) e ***ille*** per **cuddu** (quello).

DECLINAZIONE DEL PRONOME DIMOSTRATIVO LATINO *ILLE, ILLA, ILLUD* = CUDDU (QUELLO)

CASO	SINGOLARE			PLURALE		
	MASCHILE	FEMMINILE	NEUTRO	MASCHILE	FEMMINILE	NEUTRO
NOMINATIVO	*illĕ*	*illă*	*illŭd*	*illī*	*illae*	*illă*
GENITIVO	*illīus*	*illīus*	*illīus*	*illōrum*	*illārum*	*illōrum*
DATIVO	*illī*	*illī*	*illī*	*illīs*	*illīs*	*illīs*
ACCUSATIVO	*illŭm*	*illăm*	*illŭd*	*illōs*	*illās*	*illă*
VOCATIVO	----	----	----	----	----	----
ABLATIVO	*illō*	*illā*	*illō*	*illīs*	*illīs*	*illīs*

Illum = **iddu** (quello), ***illam*** = **idda** (quella) sono dimostrativi di area osca (italico meridionale), uguale a come si pronuncia ancora oggi in sardo corso: ***chiddu***, ***chidda***.

In greco il dimostrativo "**cuddu** = quello" è rappresentato da "**ἐ-κεῖνος**", come quando in sardo si mette la congiunzione "**e**" seguita dalla vocale **-i-** di collegamento prima del dimostrativo **cuddos**: **e-i-cuddos**.

I pronomi dimostrativi in sardo possono subire l'aferesi e perdere la prima sillaba. Pertanto in luogo di **cussu** (quello), **cussa** (quella), **cussos** (quelli), **cussas** (quelle), possiamo trovare **su**, **sa**, **sos**, **sas**. A proposito, lo scrittore Quintus Ennius nella sua opera "Annales" impiega **sos**, **sas** in funzione di dimostrativo:

in chirca de **sos** chi sunt gentes mannas opulentas = *circum* ***sos*** *quae sunt magnae gentes opulentae* (in cerca di **quelli** che sono grandi genti ricche)[39].

Lo scrittore Cicerone, invece, utilizza il dimostrativo in forma piena con la stessa struttura del sardo:

issu (eddu), **su** chi cum onniunu de sos creditores suos =
eum, ***ipsum*** *qui cum omnibus creditoribus suis;*
(egli, **quello** che con ogni uno dei suoi creditori)[40].

39 Quintus Ennius, *Annales*, III, 83.
40 Marcus Tullius Cicero, *Orationes - Pro Quinctio*, 27.

10.5 I PRONOMI INDEFINITI

Sono indefiniti quei pronomi che indicano persone, animali o cose senza precisarne la quantità o la qualità:

su chi est sutzessu a isventura sa **gente** nde bogat = *successus ad perniciem* ***multos*** *devocat;*
(quello che è successo nella sventura la **gente** rievoca[41].

Alcune forme di pronomi indefiniti sono uguali a quelli dei corrispondenti aggettivi: **meda** = ***metam*** (molto = sostantivo in latino ma non in sardo); **pagu** = ***paucum*** (poco); **totu** = ***totum*** (tutto); **perunu** = ***perunum*** (peruno); **àteru** = ***altĕrum*** (altro); **anzenu** = ***alienum*** (estraneo); ecc.

Diversi sono in latino i pronomi indefiniti, qualcuno già visto come aggettivo, che hanno il significato di **àteru** (altro): ***alius***, ***alia***, ***aliud*** (un altro); ***alter***, ***altera***, ***alterum*** (l'altro tra due); ***ceteri***, ***ceterae***, ***cetera*** (gli altri); ***reliqui***, ***reliquuae***, ***reliqua*** (gli altri, che sono rimasti); ***plerique***, ***pleraeque***, ***pleraque*** (la gran parte).

Altre forme, invece, si distinguono in parte o del tutto dai corrispondenti aggettivi:

Cada unu (ognuno, ciascuno):
e **cada** similitùdine = *et* ***quadam*** *similitudine* (e **ciascuna** similitudine)[42].
Calicunu (qualcuno):
non mi ligo a **calicunu** = *non alligo me ad unum* ***aliquem*** (non mi lego a **qualcuno**)[43].

Unu (uno):
cantu pigru est **unu** = *quam piger est* ***unus*** (quanto pigro è **uno**)[44].

Cale si siat (qualsiasi cosa):
e **cale si siat** cosa at bòllidu = *et* ***quidquid*** *voluit* (e **qualsiasi** cosa ha voluto)[45].

Nudda, neunu (nulla, nessuno):
negare a **neunu** chi est chèrfidu dae sas pobiddas = *negare* ***nullam*** *quo queror puellarum*
(negare **nessuno** che è voluto dalle ragazze)[46].

Ateretantu (altrettanto):
ateretantu at pòtidu elègere = ***alterutrum*** *potuit eligere* (**altrettanto** ha potuto eleggere)[47].

chie si siat (qualsiasi persona):
gasi cun **chie** prenetat male as a cosire = *an cum* ***quis*** *perperam consuet*
(così con **chi** perpetra male cucirai)[48].

Bodale/fulanu/nichele o **su tale** (il tizio o il tale):
non P. Cervium, **tale** chìberu = *neque P. Cervium,* ***talem*** *virum* (non P. Cervium, **tale** viro)[49].

Sono **correlativi** quei pronomi che entrano in relazione uno con l'altro nella frase: ***tot*** [...] ***quot*** = tantu [...] cantu (tanto [...] quanto); ***tantus*** [...] ***quantus*** = tantu mannu [...] cantu mannu (tanto grande [...] quanto grande); ***talis*** [...] ***qualis*** = tales [...] cales (tale [...] quale).

41 Gaius Iulius Phaedrus, *Fabularum Phaedri*, Liber III, *Aesopus et Petulans*.
42 Gaius Plinius Secundus (su betzu), *Naturalis Historia*, Liber XXXVI, 13.
43 Lucius Annaeus Seneca, *De Vita Beata*, 3.
44 Celius Firmianus Symphosius, *Symphosii Scholastici Aenigmata*, 51.
45 Marcus Valerius Martialis, *Epigrammaton*, Liber, I, 105.
46 Marcus Valerius Martialis, *Epigrammaton*, Liber, IV, 81.
47 Marcus Fabius Quintilianus, *Declamationes Maiores - Declamatio Maior*, VIII, 4.
48 Marcus Terentius Varro, *De Lingua Latina*, Liber IX, 8.
49 Marcus Tullius Cicero, *Orationes*, *In Verrem*, Liber V, 114.

I pronomi indefiniti **nemos** (nu[g]orese) e **nemus** (campidanese) corrispondono al latino ***nemo***, che viene declinato con: *nemo nullius, nemini, neminem, nullo* e non possiede vocativo. Quando è complemento oggetto, in sardo è preceduto dalla preposizione **a**, perché è riferito a persona. In latino mantiene la stessa regola, per questo viene declinato con il dativo, in modo che risponda alla domanda: a chi?:

in custu tempus **a niunu** a primu = *ad hoc tempus **nemini** praeter* (in questo tempo **a nessuno** oltre a)[50].

In sardo, pronomi quali: **chie si siat** (qualsiasi persona), **calicunu** (qualcuno), **unu** (uno) vengono utilizzati solo per persone; mentre: **nudda** (nulla), **ateretantu** (altrettanto), **ite si siat** (qualsiasi cosa) o **cale si siat** (qualsiasi) vengono impiegati di solito per cose. Alcuni indefiniti sono composti in modo arbitrario.

PRONOMI INDEFINITI IN SARDO E IN LATINO

meta - meda = *meta* (molto, sostantivo)	pacu - pagu = *paucum* (poco)	matessi = *met* (stesso)	anzenu = *alienum* (estraneo)
totu - totus = *totum* (tutto)	àteru = *altĕrum* (altro)	cada = *quadam* (ciascuno)	tale = *talem* (tale, tizio)
calicunu = *aliquem [unum]* (qualcuno)	unu = *unus* (uno)	chie si siat = *quis quis [siet]* (qualsiasi persona)	perunu = *per unum* (alcuno)
ateretantu = *alterŭtrŭm* (altrettanto)	ite si siat = *quid quid [agite siet]* (qualsiasi)	cale si siat = *quis quid [qualem siet]* (qualsiasi)	bodale = *[boh - talem]* (il tale, il tizio)
nudda = *nihil, nullam* (nulla, nessuno)	nemos, nemus = *nemo* (nessuno)	niunu = *nihil unum* (nessuno)	neunu = *nullam, nihil* (nessuno)

Il pronome indefinito latino ***alĭus*** (tra molti) è preso dal greco **ἄλλος** (allos) e, allo stesso tempo, ***alter*** (tra due), corrisponde al greco **ἕτερος** (eteros). I pronomi latini ***alterum*** (ac. sing.) e ***alteros*** (ac. pl.) sono i corrispondenti sardi, singolare e plurale, dei pronomi **àteru** (altro), **àteros** (altri).

DECLINAZIONE DEI PRONOMI INDEFINITI *TOTUS*, *TOTA*, *TOTUM* = TOTU - TOTUS (TUTTO - TUTTI)

CASO	SINGOLARE			PLURALE		
	MASCHILE	FEMMINILE	NEUTRO	MASCHILE	FEMMINILE	NEUTRO
NOMINATIVO	*totus*	*totă*	*totum*	*toti*	*totae*	*tota*
GENITIVO	*toti*	*totae*	*toti*	*totōrum*	*totārum*	*totōrum*
DATIVO	*toto*	*totae*	*toto*	*totis*	*totis*	*totis*
ACCUSATIVO	*totum*	*totam*	*totum*	*totos*	*totas*	*tota*
VOCATIVO	*tote*	*totă*	*totum*	*totis*	*totae*	*tota*
ABLATIVO	*toto*	*totā*	*toto*	*toti*	*totis*	*totis*

Allo stesso modo si declinano i pronomi indefiniti: *alienus* = anzenu (estraneo); *nullus*, ecc.

DECLINAZIONE DEL PRONOME INDEFINITO *PAUCUS*, *PAUCA*, *PAUCUM* = PACU (N), **PAGU** (POCO)

CASO	SINGOLARE			PLURALE		
	MASCHILE	FEMMINILE	NEUTRO	MASCHILE	FEMMINILE	NEUTRO
NOMINATIVO	*paucus*	*paucă*	*paucum*	*pauci*	*paucae*	*pauca*
GENITIVO	*pauci*	*paucae*	*pauci*	*paucōrum*	*paucārum*	*paucōrum*
DATIVO	*pauco*	*paucae*	*pauco*	*paucis*	*paucis*	*paucis*
ACCUSATIVO	*paucum*	*paucam*	*paucum*	*paucos*	*paucas*	*pauca*
VOCATIVO	*pauce*	*paucă*	*paucum*	*pauci*	*paucae*	*pauca*
ABLATIVO	*pauco*	*paucā*	*pauco*	*paucis*	*paucis*	*paucis*

50 Gaius Iulius Caesar Octavianus Augustus, *Res Gestae*, II, 12.

Il pronome latino ***paucus*** (poco), nel prospetto precedente, è stato dittongato rispetto al sardo **pagu** per allungare la vocale **-a-** chiusa dalla **-u** seguente.

Il pronome indefinito sardo **meda** = ***meta*** (molto), a cui in latino gli sono stati preferiti ***multus*** e ***magis***, è rimasto in latino come sostantivo femminile della prima declinazione. Ecco come si declina:

CASO	SINGOLARE FEMMINILE	PLURALE FEMMINILE
NOMINATIVO	*metă*	*metae*
GENITIVO	*metae*	*metārum*
DATIVO	*metae*	*metis*
ACCUSATIVO	*metam*	*metas*
VOCATIVO	*metă*	*metae*
ABLATIVO	*metā*	*metis*

In latino, dal pronome ***qui*** (chi) si formano i pronomi indefiniti che seguono: ***quidam*** = calicunu, carchi cosa (qualcuno, qualcosa), ***quilibet*** = calesisiat (qualsiasi), ***quivis*** = onni cosa (ogni cosa).

Come si vede nel prospetto in basso, tutte le declinazioni dei pronomi composti da ***qui-*** hanno il suffisso -***da(m)***, che altro non è che la preposizione semplice **da**, con la desinenza **-m**, posposta al pronome relativo ***qui***. In sardo si utilizza questa costruzione nella parola **da-chi**, che significa **cando** (quando). Simile costruzione l'abbiamo già vista a proposito del pronome / aggettivo identificativo ***idem*** (stesso), in cui il suffisso -***dem*** è posposto al pronome ***i-***.

L'ablativo ***quadam*** si legge /**cada**/, che, senza la desinenza ***-m***, in sardo nu[g]orese significa per l'appunto **chie si siat** (qualsiasi), come in latino.

DECLINAZIONE DEL PRONOME INDEFINITO *QUIDAM* = CHIE SI SIAT (QUALSIASI)

CASO	SINGOLARE	SARDO	PLURALE	SARDO
NOMINATIVO	*quidam, quaedam, quoddam*	chie si siat, unu tzertu, cada	*quidam, quaedam, quaedam*	chie si siat, tzertos
GENITIVO	*cuiusdam*	de chie si siat	*quōrundam, quārundam quōrundam rerum*	de chie si siat
DATIVO	*cuidam*	a chie si siat	*quibusdam, vel queisdam*	a chie si siat
ACCUSATIVO	*quendam, quandam, quiddam*	chie si siat	*quosdam, quasdam, quaedam*	chie si siat
VOCATIVO	...	...	...	...
ABLATIVO	*quodam, quadam, quodam*	cun chie si siat, cun cada	*quibusdam, vel queisdam*	cun chie si siat

Sono diversi i pronomi indefiniti latini che si formano da ***quis***, che può essere preceduto o posposto da alcune particelle. Il pronome latino ***quis***, seguito da *si, nisi, ne, num, an, cum e sive* compone un pronome indefinito o un pronome interrogativo, anche indiretto. A volte vuol dire genericamente **calicunu** (qualcuno) o **carchi cosa** (qualche cosa).

Quando è posto in posizione enclitica, ***quis*** compone gli indefiniti che seguono:

Ecquis, ***ecqua***, ***ecquod***, ***vel ecquid*** = e chie, e cale, e ite? (e chi, e quale, e cosa?). ***Vel ecquid*** può essere tradotto in sardo con **bell'e chi** (nonostante che, visto che).

Quando è posto in posizione centrale, ***quis*** compone gli indefiniti che seguono:

Unusquisque, ***unaquaeque***, ***unumquodque***, ***vel unumquidque***, che in sardo possono essere tradotti con **unu chi ch'est** (uno che c'è) o **che unu chi** (come uno che).

DECLINAZIONE DEL PRONOME INDEFINITO *UNUSQUISQUE* = UNU CHI CH'EST (UNO CHE C'È)

CASO	SINGOLARE	SARDO	PLURALE	SARDO
NOMINATIVO	*unusquisque, unaquisque, unumquidque, vel unumqidque*	unu chi ch'est (uno che c'è)	*uniquique, unaequaeque, unaquaeque*	unos chi che sunt (alcuni che ci sono)
GENITIVO	*uniuscuiusque*	de unu chi ch'est	*unōrumquorumque, unārumquarumque, unārumquārumque*	de unos chi che sunt
DATIVO	*uniquique*	a unu chi ch'est	*unisquībusque, vel unisqueisque*	a unos chi che sunt
ACCUSATIVO	*unumquemque, unamquamque, unumquidque, vel unumquidque*	unu chi ch'est	*unosquosque, unasquasque, unaquaeque*	unos chi che sunt
VOCATIVO	...	...	...	...
ABLATIVO	*unoquoque, unuquaque, unaquaque*	cundunu chi ch'est	*unisquībusque, vel unisqueisque*	cun unos chi che sunt

Anche in questo caso i grammatici latini hanno posposto il suffisso ***que*** al pronome ***unumquid***, (***unumquidque***) che, tradotto letteralmente, diventa "**che unu chi**", "**comente unu chi**" (come uno che).

Il pronome indefinito latino ***uter***, ***utra***, ***utrum*** (l'uno e l'altro), impiegato anche come aggettivo, da luogo a altri composti: ***uterque***, ***utraque***, ***utrumque*** (l'uno e l'altro dei due); ***utervis***, ***utravis***, ***utrumvis*** (qualsivoglia dei due); ***uterlibet***, ***utralibet***, ***utrumlibet*** (qualsivoglia dei due); ***alteruter***, ***alterutra***, ***alterutrum*** (l'uno e l'altro dei due); ***neuter***, ***neutra***, ***neutrum*** (né l'uno e né l'altro dei due).

10.6 I PRONOMI RELATIVI

I **pronomi relativi** hanno due funzioni: da una parte prendono il posto del nome, dall'altra mettono in relazione due proposizioni. In sardo e in latino il pronome relativo è "**chi**", scritto in latino ***qui***, letto **/chi/**.

Le funzioni del pronome relativo sono le stesse sia in latino che in sardo, ma in latino, a differenza del sardo, il pronome relativo è declinato nel genere (maschile, femminile e neutro), nel numero (singolare e plurale) e nel caso (nominativo, genitivo, dativo, accusativo e ablativo), ottenendo 30 modi diversi di scrittura.

Ecco qua sotto come si declina il pronome relativo in latino.

DECLINAZIONE DEL PRONOME RELATIVO LATINO *QUI, QUAE, QUOD* = CHI (CHE)

CASO	SINGOLARE			PLURALE		
	MASCHILE	FEMMINILE	NEUTRO	MASCHILE	FEMMINILE	NEUTRO
NOMINATIVO	*qui*	*quae*	*quŏd*	*quī*	*quae*	*quae*
GENITIVO	*cuiŭs*	*cuiŭs*	*cuiŭs*	*quōrum*	*quārum*	*quōrum*
DATIVO	*cui, quoi*	*cui*	*cui*	*cuĭbus*	*cuĭbus*	*cuĭbus*
ACCUSATIVO	*quĕm*	*quăm*	*quŏd*	*quōs*	*quās*	*quae*
VOCATIVO	----	----	----	----	----	----
ABLATIVO	*quō*	*quā*	*quō*	*cuĭbus*	*cuĭbus*	*cuĭbus*

In queste due frasi:

in su libru de M. Tulliu = *in libro M. Tullii* (nel libro di M. Tullio);
M. Tulliu est segundu de glòria = *Tullius est secundus de gloria* (Tullio è secondo di gloria);

il pronome relativo **chi** viene utilizzato al posto del nome (**Tulliu**) per permettere l'estensione di un solo periodo con due proposizioni in relazione una con l'altra:

in su libru de M. Tulliu, **chi** est segundu de gloria = *in libro M. Tullii, **qui** est secundus de gloria;*
(nel libro di M. Tullio, **che** è secondo di gloria)[51].

Quando è soggetto, come pure nell'esempio in basso, il pronome relativo viene declinato in nominativo, in questo caso plurale femminile perché è riferito alle Ateniesi:

sunt Ateniesas, **chi** gente Ionia est istada = sunt Athenienses, ***quae** gens Ionum habebatur;*
(sono Ateniesi, **che** gente Ionia sono state)[52].

Quando è complemento oggetto, come nell'esempio in basso, il pronome si declina in accusativo:

su Lusitanu, de sos restados che bàrbaros de bàrbaru gènere cada de punnas assuefados, **che** fere fiat =
*Lusitani, reliquis que barbaris barbaro genere quodam pugnae assuefacti, **quod** fere fit;*
(il Lusitano, dei rimasti come di barbaro genere di ogni battaglia assuefatti, **che** belva era)[53].

In italiano il pronome relativo **cui** si usa da solo quando è complemento di termine:

*Il giovane, **cui** mi hai mandato, è mio fratello.*

In sardo come in latino, invece, il complemento di termine si costruisce mettendo il pronome relativo **chi**, in latino declinato con il dativo ***cui*** o ***quoi***, seguiti da un nome o da un pronome personale:

ativu giòvanu, **chi** su pretzetu est a règula = *inpiger iuvenis, **cui** praeceptum est a rege;*
(attivo giovane, **cui** il precetto è regola)[54].

In italiano il complemento di specificazione si costruisce mettendo il pronome relativo **che** preceduto dall'**articolo** e dal **nome**:

gli amici, **le cui parole** mi consolavano, sono buoni.

In sardo, invece, si impiega per costruire il complemento di specificazione il pronome relativo **chi** (che) seguito dall'articolo e dal nome:

perpètua, **chi su** sinnificadu in tota pertocat = *perpetua, **quorum** significatio in totam pertinet;*
(perpetua, **il cui** significato in tutto riguarda)[55].

Spesso la preposizione ***cum***, invece di precedere il pronome relativo di compagnia, nell'ablativo lo segue e fa con esso una sola parola. Pertanto, da ***cum quo***, ***cum qua***, ***cum quibus***, abbiamo ***quocum***, ***quacum***, ***quibuscum***. Questa posposizione perifrastica della preposizione al relativo di compagnia la si adopera anche in sardo quando si utilizza la costruzione del **relativo +** preposizione **cun**: **chi cun** (che con):

custu limbàgiu bochinat, **chi cun** bene de ispissu cun praghere =
*haece locutus vocat, **quocum** bene saepe libenter*
(questo linguaggio richiama, **con chi** spesso bene con piacere)[56].

51 Aulus Gellius, *Noctes Atticae*, XV, 6.
52 Marcus Tullius Cicero, *Orationes - Pro Flacco*, 64.
53 Gaius Iulius Caesar, *De Bello Civili*, Liber I, 44.
54 Quintus Curtius Rufus, *Historiarum Alexandri Magni*, Liber III, 3.
55 Lucius Annaeus Seneca, *Naturales Quaestiones*, Liber II, 47.
56 Quintus Ennius, *Annales*, Liber VII, 2.

Come si vede dagli esempi riportati, in latino la costruzione della frase relativa è simile a quella sarda.

Al contrario dell'italiano, in sardo e in latino non si usa il pronome relativo **quale** preceduto dagli articoli determinativi **il**, **la**, **i**, **le** (**il quale**, **la quale**, ecc.) né lo stesso pronome relativo preceduto dai complementi indiretti (**al quale, alla quale, ai quali, alle quali, delle quali, nelle quali, dalle quali, per le quali**, ecc.):

Chèsare, **chi** esseret pràghidu a tie = *Caesar, **qui** placuisset tibi* (Cesare, **che** sarebbe piaciuto a te)[57].

In sardo, quando il pronome è soggetto o complemento oggetto, si usa **chi**, in latino ***qui*** (maschile) per il soggetto (nominativo), ***quem*** (maschile) per il complemento oggetto (accusativo) e ***quae*** per i nominativi femminili singolare e plurale e neutro plurale:

tando medas tzitades de sos romanos **chi** a Annìbale aiant transidu a primu =
*tum multae civitates romanorum **quae** ad Hannibalem transierant prius;*
(allora molte città dei Romani **che** ad Annibale erano passate prima)[58].

PRONOMI RELATIVI IN SARDO E IN LATINO

	SOGGETTO (nominativo)	COMPLEMENTO INDIRETTO (genitivo)	COMPLEMENTO OGGETTO (accusativo)	COMPLEMENTO INDIRETTO (ablativo)	COMPLEMENTO DI TERMINE (dativo)
SARDO	chi (che)	chi + art.	chi	chi + prep. + pron.	chi + pronome
LATINO					
maschile singolare	*quī*	*cuiŭs*	*quĕm*	*quō* + prep. + pron.	*cui* + pronome
femminile singolare	*quae*	*cuiŭs*	*quăm*	*quā*	*cui*
neutro singolare	*quŏd*	*cuiŭs*	*quŏd*	*quō*	*cui*
maschile plurale	*quī*	*quōrum*	*quōs*	*quĭbus*	*quĭbus*
femminile plurale	*quae*	*quārum*	*quās*	*quĭbus*	*quĭbus*
neutro plurale	*quae*	*quōrum*	*quae*	*quĭbus*	*quĭbus*

Il pronome sardo **chi**[n]**e - chini**, quando non è interrogativo, significa **cussu chi** (quello che):

nen carchi cosa nogat, si **chie** (**cussu**) at a chèrrere = *ne quid noceat, si **quis** quaret*
(né qualcosa nuoccia, se **chi** - **quello che** - vorrà)[59].

Come si vede nel prospetto indicato sopra, il pronome relativo latino è declinato nel genere, numero e caso, ma il suo impiego nella costruzione della frase è uguale a quello sardo. Ha la stessa costruzione sarda il "nesso" relativo latino che non si lega ad una proposizione ma ad un termine della frase precedente.

Le declinazioni pronominali latine costituiscono la riprova della loro artificiosità, tanto è che, se lasciamo da parte ***qui***, letto /chi/, e facciamo una eccezione per ***cui***, entrato nel vocabolario italiano, neppure una forma della declinazione pronominale del relativo latino è rimasta nelle lingue romanze.

10.7 I PRONOMI INTERROGATIVI ED ESCLAMATIVI

Si chiamano **interrogativi** o **esclamativi** quei pronomi che servono ad introdurre una proposizione interrogativa o esclamativa diretta o indiretta. I grammatici latini hanno grecizzato il pronome interrogativo ***quis*** = **chie** (chi) aggiungendo la terminazione ***-s*** a ***qui-*** per farlo corrispondere al grego ***τίς*** (tis).

- I pronomi interrogativi latino ***quis*** (chi) e sardo **chi**[n]**e** / **chini** (chi).

Chie, pronome della variante sarda centro settentrionale, e **chini**, interrogativo del sardo centro meridionale, hanno radice comune in **chine**, che troviamo nel latino scritto con ***hacine*** e con ***hicine***. Il primo è l'ablativo singolare femminile del pronome dimostrativo ***hicine***, ***haecine***, ***hocine***; il secondo l'avverbio interrogativo (e qui?). Essendo la sillaba ***ci-*** velare, questo interrogativo latino si legge /**a-chine**/:

57 Marcus Valerius Martialis, *Epigrammaton, De Spectaculis*, 31.
58 Flavius Eutrupius, *Breviarium*, III, 16.
59 Gaius Plinius Secundus (su betzu), *Naturalis Historia*, Liber XVII, 29.

ello inoghe oje chenas, francu cun **chie** benis? = ***hicine*** *hodie cenas, salvos cum advenis?* (quindi oggi ceni **qui**, salvo con **chi** vieni?)[60]

In sardo **chie** (chi) si utilizza solo con le persone e non muta né in genere né in numero. ***Quis*** tiene, più o meno, la declinazione che abbiamo visto per il pronome relativo ***qui*** = **chi** (che). ***Hicine***, invece, segue la declinazione che abbiamo già visto nel dimostrativo ***hic***, ***haec***, ***hoc***, a cui si aggiunge il suffisso ***-ine***.

chie at a resìstere a tie? = ***quis*** *resistet tibi?* (**chi** resisterà a te?)[61]

Il pronome ***quis***, quando non è interrogativo, si può trovare talvolta come indefinito e, in questo caso, significa **calicunu** (qualcuno) o **carchi cosa** (qualche cosa).

DECLINAZIONE LATINA DEL PRONOME INTERROGATIVO *QUIS?* = CHIE? (CHI?)

CASO	SINGOLARE			PLURALE		
	MASCHILE	FEMMINILE	NEUTRO	MASCHILE	FEMMINILE	NEUTRO
NOMINATIVO	*quĭs*	*quĭs*	*quĭd*	*quī*	*quī*	*quae*
GENITIVO	*cuiŭs*	*cuiŭs*	*cuiŭs rei*	*quōrum*	*quōrum*	*quārum rērum*
DATIVO	*cui*	*cui*	*cui reī*	*cuĭbus*	*cuĭbus*	*cuĭbus rebus*
ACCUSATIVO	*quĕm*	*quĕm*	*quĭd*	*quōs*	*quōs*	*quae*
VOCATIVO	----	----	----	----	----	----
ABLATIVO	*quō*	*quō*	*quā rē*	*cuĭbus*	*cuĭbus*	*cuĭbus rēbus*

Il pronome interrogativo latino ***hacine***, pertanto, rappresenta la forma dei pronomi interrogativi sardi **chi**[n]**e** e **chini** quando sono preceduti nel discorso dalla preposizione **a**: **a chi**[n]**e**?, **a chini**?:

a chie s'òmine! **a chie** s'impudèntzia? = ***huncine*** *hominem!* ***hancine*** *impudentiam?* (**a chi** l'uomo! **a chi** la vergogna?)[62].

a chie piedade esertzitare? = ***hancine*** *pietatem exercere?* (**a chi** esercitare pietà?)[63].

DECLINAZIONE DEL PRONOME DIMOSTRATIVO *HICNE?, HAECNE?, HOCNE?* = A CHIE? (A CHI?)

CASO	SINGOLARE			PLURALE		
	MASCHILE	FEMMINILE	NEUTRO	MASCHILE	FEMMINILE	NEUTRO
NOMINATIVO	*hicne, hicine*	*haecne, haecine*	*hocne, hocine*	*hine*	*haene*	*haecne, haecine*
GENITIVO	*huiusne*	*huiusne*	*huiusne*	*hōrumne*	*hārumne*	*hōrumne*
DATIVO	*huicne, huicine*	*huicne, huicine*	*huicne, huicine*	*hisne*	*hisne*	*hisne*
ACCUSATIVO	*huncne, huncine*	*hancne, hancine*	*hocne, hocine*	*hosne*	*hasne*	*haecne, haecine*
VOCATIVO	----	----	----	----	----	----
ABLATIVO	*hocne, hocine*	*hacne, hacine*	*hocne, hocine*	*hisne*	*hisne*	*hisne*

Come per altre declinazioni pronominali, anche molte voci del pronome dimostrativo latino ***hicne*** sono per lo più inventate, tant'è che diversi termini indicati nel prospetto mostrato sopra non si riscontrano in alcuna lingua romanza.

- La particella interrogativa latina ***ne*** (che può essere disgiuntiva negativa) è simile alla sarda **nde**.

Nella frase interrogativa sarda e latina si adopera anche la particella enclitica ***ne*** latina e **nde** sarda, che non ha corrispondenza in italiano, tant'è che un sardo che la vuole tradurre in italiano lo fa utilizzando, a torto, il gerundio.

60 Titus Maccius Plautus, *Truculentus*, II, 4.
61 Augustinus Hipponensis, *Confessiones*, Liber I, 25.
62 Marcus Tullius Cicero, *Orationes - In Verrem*, Liber V, 62.
63 Titus Maccius Plautus, *Miles Gloriosus*, III, 1.

L'espressione ricorrente è questa dell'esempio:

bid**ende** ses cudda tzitade o no? = *vidis**ne** illam urbem?* (vedi[**ne**] - stai ved**endo** - quella città o no?)[64].
bid**ende** cantu perìgulu a tie? = *vidis**ne** quantum tibi periculum* (vedi - stai ved**endo** - quanto pericolo?)[65].

- Il pronome interrogativo latino ***quare***, letto /**care**/, in sardo corso è espresso con **car'è?** (quale è?).

Questo pronome, ***quare***, è un altro interrogativo che troviamo nel sardo-corso e che, probabilmente, faceva parte della parlata popolare romana. Esempio:

cale est - **car'è** - sa morte chi deo armadu ispeto? = ***quare** ego mortem armatus expecto?*
(**quale è** la morte chi io armato aspetto?)[66].

- I pronomi interrogativi sardi **ite? / ita?** (cosa?).

Ite (sardo centro settentrionale) e **ita** (sardo centro meridionale) sono pronomi interrogativi e esclamativi che si utilizzano solo per le cose. In latino il corrispondente è ***agite***, che si legge /**aghite**/. Troviamo questa pronuncia nel sardo nu[g]orese quando l'interrogativo è preceduto dalla preposizione **a**: **a ghite**?

In latino tale interrogativo, con il tempo, è diventato una interiezione esclamativa e interrogativa, poiché i grammatici latini gli hanno preferito l'interrogativo ***quid*** (nominativo e accusativo singolare neutro) per le cose inanimate:

ite est custu? = ***quid** est hoc* (**cos**'è questo?)[67].
solu no isco **ite** siat òtziu! = *olim nescio **quid** sit otium!* (solo non so **cosa** sia ozio!)[68].
pro ite ant sessadu de pedes (andare)? = ***quid** ita cessarum pedes?* (per **cosa** hanno cessato di piedi?)[69].

Item e ***ita***, che sembrano le forme corrispondenti agli interrogativi sardi **ite** (L) e **ita** (C), sono invece utilizzati in latino con valore conclusivo per indicare la conseguenza di quello chi si dice prima.

- **Cantu** (quanto).

Cantu è in sardo un pronome interrogativo ed esclamativo ed è utilizzato generalmente per indicare misure. In latino il pronome interrogativo **cantu** si traduce con ***quot***, che è indeclinabile:

cantos basos nos dat, Diadumene, in presse, **cantu**? = *quot basia da nobis, Diadumene, pressa, **quot**?*
(quanti baci da a noi, Diadumene, in fretta, **quanti**?)[70].

oje **cantu** ses a modu! = *hodie **quot** modis!* (oggi **quanto** sei a modo!)[71].

- **Cale** (quale), **in ube** (dove), **cando** (quando).

Sono interrogativi o esclamativi anche i pronomi **cale** (qualità), **in ube / a ube** e **cando**. **Cale** (quale) viene impiegato quando si indica una cosa, **in ube** (dove) quando si chiede per un luogo, **cando** (quando) si dice per misurare il tempo. Questi pronomi in latino sono simili a quelli sardi (***qualis?***, ***ubi?***, ***quando?***). Ecco gli esempi:

cale est cussa mente? = ***qualis** est ista mens?* (**quale** è codesta mente?)[72].
in ube cuddu malu virus làtitat? = ***ubi** illud malum virus latitat?* (**dove** quel cattivo virus latita?)[73].
cando as a bènnere? = ***quando** venies?* (**quando** verrai?)[74].

---

64 Marcus Tullius Cicero, *De Re Publica*, Liber VII, 2.
65 Lucius Apuleius Madauresis (Saturninus), *Metamorphoses*, Liber V, 2.
66 Lucius Annaeus Seneca, *Naturales Quaestiones*, Liber II, 2.
67 Marcus Tullius Cicero, *Orationes - In Verrem*, Liber III, 25.
68 Gaius Plinius Caecilius Secundus (su giòvanu), *Epistularum - Liber Decem*, Liber VIII, 9.
69 Gaius Iulius Phaedrus, *Fabularum Phaedri*, Liber I, *Passerad Leporem Consiliator*.
70 Marcus Valerius Martialis, *Epigrammaton*, Liber IV, 34.
71 Titus Maccius Plautus, *Cistellaria*, II, 2.
72 Marcus Tullius Cicero, *Rhetorica - Tusculanae Disputationes*, Liber I, 67.
73 Lucius Annaeus Seneca, *Naturales Quaestiones*, Liber V, 15.
74 Marcus Fabius Quintilianus, *Declamationes Maiores - Declamatio Maior*, X, 7.

PRONOMI INTERROGATIVI ED ESCLAMATIVI IN SARDO E IN LATINO

	PERSONE	COSE	LUOGO	NUMERO	TEMPO
SARDO	chi[n]e / chini (chi)	cantu (quanto) ite / ita (cosa) cale (quale)	in ube / a ube (dove, stato in) (dove, moto a)	cantu (quanto)	cando (quando)
LATINO	*quis? hacine?*	*quot agite / ita qualem (ac.)*	*ubi*	*quot*	*quando*

Occorre tenere in considerazione che ***quis*** si legge /***chis***/, ***quot*** si legge /***cot***/, ***qualem*** si legge /***cale***/ e ***quando*** si legge /***cando***/.

Il pronome interrogativo sardo **proite** (perché, per cosa) nell'opera di Gaius Sallustius Crispus (86 a.C. - 34 a.C.), lo troviamo anche con ***an quia***, vale a dire **a chi**, che riporta la terminologia utilizzata dal popolo in quel periodo, come si usa ancora oggi in sardo-corso per comporre una domanda. Esempio:

proite prus pagu chi dae un'ala fiat apo fatu? = ***an quia*** *minus quam ae quom erat feci?*
(**perché** meno che dalla parte in cui era ho fatto?)[75].

proite est prus grave bestigare che bochire? = ***an quia*** *gravius est verberari quam necari?*
(**perché** è più grave fustigare che uccidere?)[76].

Possono svolgere funzione sia di pronome sia di aggettivo gli altri interrogativi che seguono:
Utĕr, utră, utrŭm = cale àteru?, chie de sos duos? (quale altro?, chi dei due?); *quisnam, quisnam, quidnam* = cale mai? (quale mai?); *ecquis, equis, ecquid* = chie mai?, ite cosa mai? (chi mai?, cosa mai?); *quotus, quota, quotum* = in cale òrdine? (in quale ordine?).

- L'interrogativo / esclamativo latino ***have***, che noi troviamo nella famosa frase di Svetonio: «***Have*** *imperator, morituri te salutant* (**Ave** imperatore, quelli che si apprestano a morire ti salutano)», potrebbe essere stato preso dall'interiezione greca **χαῖρε** (haire) e trasformato nel saluto della Roma popolare, oggi presente anche in sardo-corso, che significa letteralmente "**a v'è**" (**c'è**), poi passato da interrogativo a esclamativo[77].

75 Titus Maccius Plautus, *Aulularia*, III, 2.
76 Gaius Sallustius Crispus, *De Catilinae Coniuratione*, LI.
77 Gaius Svetonius Tranquillus, *De Vita Caesarum - Divus Claudius*, 21

11. IL VERBO

Il verbo, in latino *verbum*, ossia la parola che indica, è quella parte del discorso che muta e mostra sia un'azione, che il soggetto fa o subisce, sia una condizione o una qualità.

Il verbo è essenziale in una frase, perché lega insieme le parole:

de su purpùrgiu nètare **bibet** (azione) = *purpureo **bibet** nectar* (del purpureo nettare **beve**)[1].
sessat debilitada Venere (condizione) = ***cessat** debilitata Venus* (**cessa** debilitata Venere)[2].
chìberu a beru **est** (qualità) = *vir vere **est*** (viro davvero **è**)[3].

11.1 LA STRUTTURA DEL VERBO

Il verbo è formato da **due parti**, una che non muta (**radice**) e una che muta (**morfema**). Ad esempio la parola "messamus = mietiamo" è composta dalla radice **mess-** e dalla terminazione **–a-mus**.

Ciascun morfema possiede cinque significati differenti, oltre alla forma e all'aspetto:

1) **la persona**:
- **singolare**: prima, seconda, terza;
- **plurale**: prima, seconda, terza.
2) **il numero**: singolare o plurale;
3) **il modo**:
- **finito**: indicativo, congiuntivo, condizionale (solo in sardo), imperativo;
- **indefinito**: infinito, gerundio, gerundivo (solo in latino), participio, supino (solo in latino);

L'aspetto verbale della **coniugazione latina** è composto dai **tempi** che sono in **movimento** e i **tempi compiuti**, vale a dire dall'***infectum*** e dal ***perfectum***.

Fanno parte dell'***infectum***: il presente, l'imperfetto e il futuro.

Fanno parte del ***perfectum***: il perfetto o passato prossimo / passato remoto (passadu), il piuccheperfetto o trapassato prossimo (imperfetu passadu) e il futuro anteriore (benidore de in antis).

In latino come in greco, a differenza del sardo, **non esiste il modo condizionale**, che viene espresso con il congiuntivo. Se noi però andiamo a vedere come è composto il condizionale in lingua sarda ci rendiamo conto che è formato dal congiuntivo "dia", che vuol dire "disposto a dare" e dall'infinito del verbo lessicale. Ad esempio: **dia andare** = **andrei** (condizionale presente).

Il condizionale passato si forma in lingua sarda dal congiuntivo "dia" più l'infinito degli ausiliari essere o avere e dall'infinito del verbo utilizzato. Ad esempio: **dia èssere andadu** = **sarei andato** (condizionale passato).

4) **il tempo**:
- **nell'indicativo**: presente, passato prossimo, imperfetto, trapassato prossimo, futuro, futuro anteriore;
- **nel congiuntivo**: presente, imperfetto, passato, trapassato;
- **nell'imperativo**: presente, futuro (forme positiva e negativa);
- **nell'infinito**: presente, passato, futuro (solo in latino);
- **nel participio**: presente, passato, futuro (solo in latino);
- **nel gerundio:** presente, passato, casi (solo in latino);
- **nel gerundivo**: declinazioni (solo in latino);
- **nel supino** (solo in latino).

---

1 Quintus Oratius Flaccus, *Carmina*, Liber VII, 3.
2 Marcus Valerius Martialis, *Epigrammaton*, Liber I, 46.
3 Marcus Tullius Cicero, *Orationes - Pro Milone*, 82.

Sia in sardo che in latino non esistono quelli che in italiano rappresentano i tempi del **passato remoto** e del **trapassato remoto**, nati dai tempi sintetici latini e poco usati nella lingua parlata. In Sardegna il passato remoto è impiegato in qualche paese del Logudoro e, prevalentemente, nella forma scritta letteraria.

5) **il genere**: in sardo come in latino il genere può essere **transitivo** o **intransitivo**, quest'ultimo se il verbo non transita da un soggetto ad un complemento oggetto.

- **Forma transitiva**: in sardo il verbo transitivo può avere la forma attiva o passiva, mentre in latino in più a queste può tenere le forme deponente e semideponente, cioè a dire che la forma è passiva ma il significato è attivo.
- **Forma intransitiva**: il verbo intransitivo può avere in sardo la forma attiva e in latino sia la forma attiva che la forma deponente. Per distinguere un verbo transitivo da uno intransitivo basta farlo seguire dalla parola "qualcosa". Esempio: **màndigo carchi cosa** = ***manduco aliquid*** (mangio qualcosa); **bido calicunu** = ***video aliquem*** (vedo qualcuno). Perché non posso dire "dormo qualcosa".

I **verbi intransitivi** si distinguono in **relativi** e **assoluti**. Con i primi, come i verbi **giudare** = *iuvare* (aiutare), **mancare** = *carere* (mancare), **abbundare** = *abundare* (abbondare), **atèndere** = *vacare* (attendere), si deve concludere il discorso con l'espressione "a chi una cosa serve", "cosa a uno gli abbonda"; mentre nei verbi intransitivi assoluti manca qualsiasi relazione con l'oggetto, come i verbi **irghilinire** = *languire* (languere), **essire** = *exire* (uscire), **drommire** = *dormire* (dormire).

6) **la forma o diatesi**:
- **personale**: attiva, passiva e riflessiva, deponente e semideponente (questi ultimi due solo in latino);
- **impersonale**.

In latino **la forma** del verbo transitivo può essere **attiva** o **passiva**. Il verbo attivo esprime un'azione condotta dal soggetto. Esempio:

chiesisiat non **amat** su cumandu = *quisquis non **amat** imperium;*
(chiunque non **ama** il comando)[4].

Il verbo *amat* può tenere tanto un'azione transitiva quanto una intransitiva, perché esprime l'azione svolta dal soggetto, che è sempre al nominativo, diretta all'oggetto, che è sempre all'accusativo.

Il verbo **passivo** esprime un'azione in cui l'oggetto della frase attiva diventa il soggetto di quella passiva sopra cui cade l'azione. Esempio:

no intamen chi totus **sunt amados** cun magos sunt = *num tamen omnes qui **amantur** magi sunt;*
(nonostante tutti **sono amati** con maghi sono)[5].

7) **l'aspetto**:
I valori dell'aspetto o qualitativi sono quelli che riguardano il tempo che viene espresso dal verbo.
- L'aspetto "assoluto" è quello detto dei tempi presente, passato e futuro, poiché esprime una condizione "assoluta".
- L'aspetto di "durata" è quello detto dei tempi presente, imperfetto e futuro.
- L'aspetto "passato" è quello espresso dai tempi compiuti: passato prossimo, trapassato prossimo e futuro anteriore.

11.2 GLI ELEMENTI DEL VERBO

Gli elementi che formano il verbo sono:
la radice: è la parte della parola da cui nascono tutte le varianti che da essa derivano;

---
4 Marcus Valerius Martialis, *Epigrammaton*, Liber VI, 61.
5 Lucius Apuleius Madauresis (Saturninus), *Apologia (De Magia)*, 79.

la vocale tematica: è la parte della parola da cui proviene la coniugazione;
il suffisso temporale o modale: è la parte della parola da cui si formano i tempi e i modi;
la desinenza: è la parte della parola che indica la persona e la forma del verbo.

La radice insieme alla vocale tematica compongono il **tema**, mentre la vocale tematica con il suffisso e la desinenza costituiscono la **terminazione, uscita** o **chiusura**.

In sardo comune, nella coniugazione in **-ere**, la prima e sa seconda persona plurale mutano la vocale tematica da **-e** in **-i**. Ad esempio (leggere): leg-o, legh-es, legh-et, legh-**i**mus, legh-**i**des, legh-ent.

Ecco qui sotto il prospetto che le riassume tutte. Nell'esempio l'imperfetto **cantabamus** (cantavamo):

TEMA		TERMINAZIONE, USCITA o CHIUSURA	
radice	vocale tematica	suffisso	desinenza
cant	a	ba	mus

11.3 LE CONIUGAZIONI

In sardo la morfologia classifica le forme verbali in tre gruppi di terminazioni, chiamate **coniugazioni**.

- **Coniugazioni del sardo centro settentrionale e del sardo comune.**

- I verbi che nel sardo comune all'infinito terminano in **–ARE** fanno parte della **prima coniugazione**: amare = *amare* (amare), cantare = *cantare* (cantare), sonare = *sonare* (suonare).

- I verbi che finiscono in **–ERE** fanno parte della **seconda coniugazione**: tènnere = *tĕnēre* (tenere), dèpere = *dēbēre* (dovere), bìbere = *bibĕre* (bere).

- I verbi che chiudono in **–IRE** appartengono alla **terza coniugazione**: audire = *audīre* (udire), ischire = *scīre* (sapere).

- **Coniugazioni del sardo centro meridionale.**

Nel sardo centro meridionale i verbi escono all'infinito con le coniugazioni che seguono:
- Prima coniugazione: **-AI** (cant-ai = cantare), (bog-ai = togliere), (and-ai = andare).
- Seconda coniugazione: **-I** (curr-i = correre), (boll-i = volere), (tenn-i = tenere).
- Terza coniugazione: **-IRI** (part-iri = partire), (b-iri = vedere), (sc-iri = sapere).

- **Coniugazioni del latino.**

Il latino segue prevalentemente l'andamento dei verbi del sardo centro settentrionale e comune per quello che riguarda la forma attiva: ***-āre***, ***-ēre***, ***-ĕre***, ***-īre***. Le coniugazioni dei verbi di forma passiva, invece, prendono la traccia da quelli di area sarda centro meridionale (***-ari***, ***-eri***, ***-i***, ***-iri***).

Ad esempio, il verbo latino ***manduco*** = mandigare (mangiare) tiene l'infinito della forma attiva in **-are** (manducare) e quello della forma passiva in **-ari** (manducari). Il verbo deponente ***nascor*** (nascere), che in sardo comune mantiene l'infinito con "nàsch**ere**", in latino diventa "nasci", come nel sardo centro meridionale. Altrettanto per il verbo deponente ***morior*** = mòrrere (morire), che ha l'infinito "mori", simile al sardo meridionale "morri". In latino il verbo ***scio*** = ischire (sapere) tiene l'infinito della forma attiva in "scire", con la coniugazione in **-ire**, e la coniugazione della forma passiva in **-iri** "sciri", come nel sardo centro meridionale.
Possiamo dire che i verbi latini sono divisi in due parti per ciò che riguarda l'infinito delle coniugazioni: nella forma attiva seguono il sardo centro settentrionale e comune; nella forma passiva prendono l'impronta del sardo centro meridionale.

11.4 LA DIVISIONE DELLE CONIUGAZIONI LATINE

I grammatici latini hanno diviso i verbi latini in quattro coniugazioni, che terminano in ***-āre***, ***-ēre***, ***-ĕre***, ***-īre***, a seconda di come è posizionato l'accento. Nella prima coniugazione non c'è problema, poiché tutti gli infiniti che finiscono in ***-are*** tengono l'accento sulla penultima sillaba, come ad esempio nel verbo ***amāre*** = ***amare*** (amare). Così come tutti quelli che chiudono in ***-ire*** portano l'accento nella penultima sillaba: ***audīre*** = **audire** (udire).

La coniugazione che termina in ***-ere*** tiene due uscite: se l'accento cade sulla penultima sillaba (***-ēre***) la parola entra a far parte della seconda coniugazione, come ad esempio in ***tĕnēre*** = **tènnere** (tenere); se l'accento cade sulla terzultima sillaba (***-ĕre***) la parola entra a far parte della terza coniugazione, come ad esempio in ***bibĕre*** = **bìbere** (bere).

LE CONIUGAZIONI LATINE DI OGGI SECONDO LA CLASSIFICAZIONE A QUATTRO USCITE

ĀRE	ĒRE	ĔRE	ĪRE
cant-are = *cant-āre* (cantare)	tènn-ere = *ten-ēre* (tenere)	cùrr-ere = *curr-ĕre* (correre)	aud-ire = *aud-īre* (udire)
son-are = *son-āre* (suonare)	mòn-ere = *mon-ēre* (ammonire)	bìb-ere = *bib-ĕre* (bere)	isch-ire = *sc-īre* (sapere)

Uno dei primi grammatici conosciuti che si è occupato di dividere le coniugazioni è stato **Varrone** (***Marcus Terentius Varro***) nel I secolo avanti Cristo. Egli le aveva divise in tre gruppi prendendo come indicazione la seconda persona dell'indicativo presente: ***-as*** (cant-as), ***-es*** (ten-es), ***-is*** (aud-is).

Trascorso il primo secolo dopo Cristo questa divisione veniva cambiata e le coniugazioni andarono man mano ad essere quattro con il sistema che conosciamo oggi.

Di fatto, ora, in latino i verbi della prima coniugazione tengono la terminazione della seconda persona singolare in ***-as*** (*amas*), quelli della seconda ***-es*** (*tenes*) quelli della terza in ***-is*** (*legis*) e quelli della quarta in ***-is*** (*audis*).

In sardo, invece, le uscita sono rimaste come quelle originarie: **-as** (amas) per la prima, **-es** (tenes, leghes) per la seconda e **-is** (audis) per la terza.

C'è qualche verbo che è passato in latino dalla terza alla quarta coniugazione attuale, come il verbo ***venīre*** = bènnere (venire), che in sardo si è mantenuto con l'infinito nella seconda coniugazione (bènnere), ma le uscite delle persone sono passate da **-es** (seconda coniugazione sarda) a **-is** (terza coniugazione sarda), componendo quelli che vengono chiamati "verbi a coniugazione mista". Esempio: deo bèngio, tue ben-**is**, e non ben-**es**, sebbene in qualche paese della Sardegna centro settentrionale sia rimasta l'uscita in **-es**.

Nel sardo nu[g]orese si è mantenuta la distinzione delle vocali tematiche nelle tre coniugazione anche nel gerundio, che termina in **-ande** (cantande) per la prima, in **-ende** (benende) per la seconda, e in **-inde** (cosinde) per la terza, come il gerundio e il gerundivo latini.

In origine, sicuramente, le coniugazioni latine erano tre, secondo la **regola dell'accento** che prevedeva:
- l'accento sulla penultima sillaba nella prima coniugazione: *manducāre* = mandig**a**re (mangiare);
- l'accento sulla terzultima nella seconda coniugazione: *bibĕre* = b**ì**bere (bere);
- l'accento sulla penultima sillaba nella terza coniugazione: *scīre* = isch**i**re (sapere).

Questa regola è mutata nei verbi latini che oggi sono classificati della seconda coniugazione, poiché hanno mosso l'accento dalla terzultima alla penultima sillaba. Lo stesso accento che, invece, in sardo è stato mantenuto nella terzultima sillaba, come nella coniugazione originaria.

Ad esempio: *tenēre* = tènnere (tenere), *debēre* = dèpere (dovere) hanno mosso l'accento (in italiano e nel latino di oggi) dalla terzultima sillaba alla penultima, mentre in sardo è stato mantenuto nella forma originaria. Anche l'ausiliare **à**[b]**ere** in sardo ha mantenuto l'accento sulla terzultima sillaba, mentre in latino (*habēre*) e in italiano (*avere*) si è spostato alla penultima sillaba.

Il verbo *monēre* = ammunire (ammonire), che in origine faceva parte della seconda coniugazione, aveva sicuramente l'infinito in ***-ĕre*** (*monĕre* = mònere), perché se l'accento si fosse mosso dalla terzultima alla penultima sillaba sarebbe diventato "munire", con la terminazione in **-ire**. Come è accaduto al verbo latino ***potio*** (pòdere = potere), che è passato dall'infinito ***potĕre*** a ***potīre***.

Il motivo principale per cui molti verbi sono passati in italiano e in latino ecclesiastico dalla terza coniugazione (***-ĕre***) alla seconda (***-ēre***) si deve alla **metafonesi**, che in lingua sarda determina la chiusura o l'apertura delle vocali. Se la sillaba che contiene le vocali **ò** (tonica) ed **è** (tonica) è seguita da una sillaba che possiede una vocale di suono chiuso come **-i-** o **-u-**, questa fa chiudere allo stesso tempo la vocale **-e-** o **-o-** della sillaba che segue o precede.

Ad esempio: **cùrrere** (correre) possiede la vocale accentata **-ù-**, di suono chiuso, che tiene chiusa anche la vocale **-e-** della penultima sillaba. La stessa cosa succede in **bìbere** (bere), che riesce a mantenere la **-e-** chiusa e l'accento nella terzultima sillaba per via della vocale chiusa **-i-**. L'accento, invece, si muove dalla terzultima alla penultima sillaba quando interessa una vocale di suono aperto. Ad esempio, nel verbo **pòdere** (potere) la **-o-** di suono aperto fa muovere l'accento dalla terzultima alla penultima sillaba.

Di fatto, se andiamo a vedere i verbi latini della seconda coniugazione in **-ēre**, ci rendiamo conto che sono per lo più verbi che tengono la vocale aperta nella terzultima sillaba: ***tenēre*** = t**è**nnere (tenère), ***potēre*** = p**ò**dere (potère), ***debēre*** = d**è**pere (dovère), ***habēre*** = **à**[b]ere (avère).

È chiaro che allo spostamento dell'accento, che muta la pronuncia di una parola, concorrono anche altri fattori. Ad esempio, nel verbo latino ***legĕre*** = **lèghere**, sebbene non contenga le vocali forti **-i-** o **-u-**, l'accento non ha mutato la sua posizione, probabilmente a causa della **–gh-** gutturale che tiene fermo l'accento.

Le coniugazioni sarde e latine (delle origini) possono essere riassunte nel prospetto che segue:

LE CONIUGAZIONI SARDE E LATINE SECONDO LA CLASSIFICAZIONE A TRE USCITE

-ARE	-ERE	-IRE
cant-are = *cant-āre* (cantare)	cùrr-ere = *curr-ĕre* (correre)	aud-ire = *aud-īre* (udire)
sona-are = *son-āre* (suonare)	bìb-ere = *bib-ĕre* (bere)	isch-ire = *sc-īre* (sapere)

11.5 IL PARADIGMA DEI VERBI LATINI

Nel vocabolario della lingua latina troviamo il verbo scritto secondo il **paradigma**. Se ad esempio prendiamo il verbo ***bìbere*** (bere) abbiamo:

- la prima persona singolare del presente indicativo: ***bibo***;
- la desinenza della seconda persona singolare del presente indicativo: ***-is***;
- la prima persona singolare del perfetto (passato prossimo) indicativo: ***bibi***;
- il supino attivo: ***bibitum***;
- la terminazione dell'infinito presente o coniugazione: ***-ĕre***.

Sotto, la tabella con i paradigmi dei verbi cantare, munire (monere), bìbere (bere) e ischire (sapere).

CONIUG. ATTUALE	I persona singolare indicativo presente	II persona singolare indicativo presente	I persona singolare indicativo perfetto	supino attivo	infinito presente
I coniug.	***canto***	*cant-**as***	***cantavi***	***cantatum***	*cant-**āre***
II coniug.	***moneo***	*mon-**es***	***monui***	***monitum***	*mon-**ēre***
III coniug.	***bibo***	*bib-**is***	***bibi***	***bibitum***	*bib-**ĕre***
IV coniug.	***scīo***	*sci-**is***	***scii***	***sciitum***	*sc-**īre***

Dal paradigma latino, ricalcato sul modello greco (παράδειγμα), si possono ricavare i tre temi da cui si formano tutti i tempi:

- il **tema del presente** (si ottiene togliendo la desinenza ***-re*** dall'infinito presente: amare = ***ama***);
- il **tema del perfetto** (si ottiene tagliando la desinenza ***-i*** dalla prima persona del perfetto indicativo: amavi = ***amav***);
- il **tema del supino** (si ottiene troncando la desinenza ***-um*** dal supino: amatum = ***amat***).

Con il tema del **presente** (***ama***) si formano i tempi dell'***infectum***, quelli in corso, vale a dire i tempi **presente**, **imperfetto** e **futuro** dei modi **indicativo**, **congiuntivo**, **imperativo**, **infinito** e **participio**. Sempre con questo tema si formano il **gerundio** e il **gerundivo**.

Seguendo il paradigma greco, con il tema del **passato** (***amav***) il latino compone i tempi compiuti del ***perfectum***, vale a dire i tempi **passadu** (passato prossimo = perfetto), **imperfetu passadu** (trapassato prossimo = piuccheperfetto) e **benidore de in antis** (futuro anteriore) dei modi **indicativo**, **congiuntivo** e **infinito**.

Con il tema del **supino** (***amat***) si formano il **supino**, il **participio futuro** e il **participio passato**.

Esempio del verbo ***manducare*** = mandigare (mangiare):
- tema del presente: ***manduca****-s;*
- tema del perfetto: ***manducav****-i;*
- tema del supino: ***manducat****-um.*

11.6 LE PERSONE VERBALI

Le persone verbali sono **sei, tre singolari e tre plurali**, e possono essere precedute nel discorso dal pronome personale, che può essere sottinteso.

LE PERSONE VERBALI

SARDO	LATINO	SARDO		LATINO	
PRONOME PERSONALE		RADICE	TERMINE	RADICE	TERMINE
deo (L), deu (C), ego (N)	*ego* (io)	cant-	-o	*cant-*	*-o*
tue (L), tui (C)	*tu* (tu)	cant-	-as	*cant-*	*-as*
issu / issa (L, C)	*ipse, ipsus / ipsa* (egli)	cant-	-at	*cant-*	*-at*
nois (L), nosu (C)	*nos* (noi)	cant-	-amus	*cant-*	*-amus*
bois (L), bosàterus (C)	*vos* (voi)	cant-	-ades	*cant-*	*-atis*
issos (L), issus (C) / issas	*ipsos, ipsas* (essi)	cant-	-ant	*cant-*	*-ant*

11.7 I MODI

Si dicono **modi** quei mutamenti della forma indicati dal verbo quando compie l'azione. I modi considerano il verbo per il fatto che abbia le persone verbali o che non le tenga.

I primi fanno parte dei **verbi** denominati **finiti**, i secondi di quelli chiamati **indefiniti**.

- Sono **finiti** i modi verbali dell'**indicativo, congiuntivo, condizionale** (solo in sardo) e **imperativo**.
- Sono **indefiniti** i modi verbali dell'**infinito, participio, gerundio, gerundivo** (solo in latino), **supino** (solo in latino).

MODI VERBALI IN SARDO

FINITI				INDEFINITI		
indicativo	congiuntivo	condizionale	imperativo	infinito	participio	gerundio

MODI VERBALI IN LATINO

FINITI			INDEFINITI				
indicativo	congiuntivo	imperativo	infinito	participio	gerundio	gerundivo	supino

In latino, oltre ai tre modi dell'infinito che abbiamo visto in sardo, ci sono altri due modi, e sono il **gerundivo** e il **supino**.

Dei modi indefiniti, solo l'infinito ha due diatesi, attiva e passiva, e tre tempi (presente, passato e futuro).

Il **gerundio**, essendo in origine un sostantivo, è declinato nei casi obliqui e nell'accusativo con preposizione. Se prendiamo ad esempio il verbo ***cantāre*** abbiamo ***cantandi*** (genitivo), ***cantando*** (dativo), ***ad cantandum*** (accusativo), ***cantando*** (ablativo).

Il **supino** possiede la **diatesi attiva**: ***cantatum*** (per cantare); e **passiva**: ***cantatu*** (a cantare).

Il **participio** tiene **due tempi** nella **forma attiva**: ***cantans***, ***-antis*** (presente), ***cantatūrūs***, ***-a***, ***-ūm*** (futuro); e **un tempo** nella **forma passiva**: ***cantatus***, ***-a***, ***-um*** (passato).

Il **gerundivo** si trova solo nella **forma passiva** del verbo: ***cantandus***, ***-a***, ***-um*** (che deve essere cantato).

11.8 I TEMPI VERBALI

I tempi verbali indicano quando, quanto e da chi è tenuta l'azione espressa dal verbo. Per quanto riguarda il tempo, **i verbi si distinguono in**:

- **tempi semplici** (con una sola forma);
- **tempi composti** (con due o più forme).

Nella **forma attiva** il **latino** utilizza solo **tempi sintetici**: ***amavi*** (ho amato); mentre adopera i **tempi composti** o analitici nei tempi passati della **forma passiva**: ***amātus sum*** (amato sono = sono stato amato).

11.8.1 I TEMPI DEL MODO INDICATIVO

I tempi del modo indicativo latino corrispondono in gran parte a quelli del sardo. In alcune espressioni sia il latino che il sardo impiegano l'indicativo e il congiuntivo al posto del condizionale. In questa maniera si servono degli ausiliari o dei verbi servili: **potzo** = ***possum*** (posso) e **depo** = ***debeo*** (devo).

Quindi, per dire "dia pòdere = potrei" (condizionale presente) dicono "podia = potevo" (imperfetto indicativo) e per dire "non credo chi si diant èssere azardados = non credo si sarebbero azzardati" (condizionale passato) possono anche dire "s'esserent azardados = si fossero azzardati" (congiuntivo trapassato).

Il latino e il sardo distinguono anche le **forme temporali** del verbo, dividendole in:
- ***infectum***, vale a dire i tempi di un'azione non compiuta (tenuta da verbi derivati dal presente);
- ***perfectum***, ovverosia i tempi compiuti di un'azione finita (tenuta da verbi che esprimono il passato).

- **Tempus Presente = *Praesens* (presente)**

Indica qualcosa che succede nel momento in cui si parla o anche qualcosa che accade solitamente:

canto su sòlitu, che cando s'armentu bochinaiat = ***canto*** *quae solitus, si quando armenta vocabat;*
(**canto** il solito, come quando gli armenti vociavano)[6].

6 Publius Virgilius Maro, *Bucolica*, *Ecloga*, II, 0.

Come si vede dal prospetto indicato in basso, il presente indicativo latino è uguale a quello sardo. Essendo il verbo la parte più importante del discorso, è chiaro che **sardo e latino erano un'unica lingua**.

SARDU COMUNE	LATINU
canto	*cantō*
cantas	*cantās*
cantat	*cantat*
cantamus	*cantāmus*
cantades	*cantātis*
cantant	*cantant*

- **Tempus Imperfetu = *Imperfectum* (imperfetto)**

Indica qualcosa successa nel tempo passato ma in modo continuo o che succedeva quotidianamente:

non triviales sonande, sos pròpios amores **cantabat** = *nec triviales sonans, propios amores* ***cantābat;***
(non triviali suonanti (che suonano), i propri amori **cantava**)[7].

Valèriu cada die **cantabat** = *Valerius cotidie* ***cantabat;***
(Valerio quotidianamente **cantava**)[8].

In questo caso l'imperfetto latino corrisponde, tolta la desinenza **-m** della prima persona che è presa da quella greca, del tutto al tempo imperfetto del sardo nu[g]orese. Il suffisso temporale **-ba-** in latino non è presente nell'imperfetto del verbo ***sum*** (essere) e in quello del verbo ***possum*** (potere), come in sardo logudorese e campidanese.

Occorre dire che il suffisso verbale "ba" dell'imperfetto il sardo nu[g]orese lo utilizza solo nella prima coniugazione, poiché nella seconda e nella terza lo sincopa come in logudorese / campidanese, mentre il latino lo mantiene in tutte le coniugazioni.

Mentre il logudorese ha sincopato, rispetto al nu[g]orese e al latino, la consonante "b" o "v", il campidanese ha fatto fuori la sillaba intera del suffisso "ba", divenendo nella seconda persona plurale **canta**[ba]**mus**.

Di fatto, il tempo imperfetto logudorese esce in questa maniera: **canta**[v]**ia** = *cantābam* (cantavo), **canta**[v]**isti** = *cantābat* (cantava), **canta**[v]**iat** = *cantābat* (cantava), **canta**[v]**imus** = *cantabāmus* (cantavamo), **canta**[v]**izis** = *cantabātis* (cantavate), **canta**[v]**iant** = *cantābant* (cantavano).

SARDU COMUNE	LOGUDORESU	CAMPIDANESU	NUGORESU	LATINO
cantaia	cantaia	cantamu	cantabo	*cantabam*
cantaias	cantaisti	cantàst	cantabas	*cantābas*
cantaiat	cantaiat	cantàt	cantabat	*cantabat*
cantaìamus	cantaimus	cantamus	cantabamus	*cantābamus*
cantaiais	cantaizis	cantastis	cantabazes	*cantābatis*
cantaiant	cantaiant	cantànt	cantaban[t]	*cantabant*

L'imperfetto del modo indicativo nu[g]orese ha la stessa origine degli imperfetti di parte logudorese e campidanese. Se prendiamo ad esempio la prima persona plurale "cantabamus" vediamo che il suffisso "ba" si è tenuto rispetto a quello logudorese.

In logudorese, invece, la consonante "v" o "b" intervocalica è stata sincopata, come succede in molti casi simili, e, pertanto, ha prodotto l'incontro di due vocali "canta[b]amus" mutando la seconda vocale **-a-** (can-tab**a**mus) in una **-i-** eufonica (cant-a[v/b]**i**mus) di suono intensivo.

7 Marcus Aurelius Olimpius Nemesianus, *Egloghe - IV - Lycidas*.
8 Marcus Tullius Cicero, *Rhetorica - De Oratore*, Liber III, 23.

- **Tempus Passadu = *Perfectum* (passato prossimo, passato remoto e trapassato remoto)**

Indica qualcosa che è successa nel tempo passato ma che può mantenere conseguenze con il presente:

nen deo oje a tie bona multa **apo fatu** = *ne ego hodie tibi bona multa* ***feci;***
(né io a te oggi buona punizione **ho fatto**)[9].

a issu deo oje **apo ispetadu** = *eum ego hodie* ***exspectavi*** (a lui io oggi **ho aspettato**)[10].

e acoe cussu chi **at criadu** Deus = *et ecce quae* ***creavit*** *Deus* (ed ecco quello che **ha creato** Dio)[11].

Come si evince dagli esempi indicati sopra, il latino utilizza una **forma sintetica** nella diatesi attiva, e non perifrastica o analitica, come il sardo, per rappresentare il tempo passato. In greco esisteva una forma perifrastica per la terza persona plurale formata dal perfetto + l'ausiliare essere, ma non poteva essere utilizzata dai Latini perché già impiegata per formare il passivo.

Esisteva nell'aoristo greco anche una forma perifrastica, usata da Omero e da Sofocle, del tutto uguale al nostro passato prossimo, composta dal verbo ἔχω (avere) + λύσας (ho sciolto), che però non ha avuto fortuna fra i Greci e, pertanto, neppure tra i Latini.

È interessante sapere che nel logudorese settentrionale, intorno alla città di Ozieri, il passato della forma attiva dell'indicativo (*perfectum*) si può fare anche in maniera sintetica, come quella latina, che esce in questo modo: *cantavi* = cantei (ho cantato), *cantavisti* = cantèisti (hai cantato), *cantavit* = cantèit (ha cantato), *cantavĭmus* = cantèimus (abbiamo cantato), *cantavistis* = cantèizis (avete cantato), *cantaverēunt* = cantèint (hanno cantato).

L'**imperfetto** è una delle prove evidenti di come i Latini abbiano impiegato le diverse varianti della lingua sarda. In questo caso, per l'imperfetto indicativo hanno utilizzato la variante nu[g]orese (*amabam* = amabo, *amabas* = amabas, *amabat* = amabat, ecc.), mentre per il tempo *perfectum* (passato prossimo) hanno preso l'imperfetto indicativo della variante logudorese.

I grammatici latini hanno sintetizzato i tempi composti per seguire il paradigma greco. Conseguentemente, hanno sintetizzato anche gli altri tempi composti derivati dal perfetto. Pertanto, per ottenere la corrispondenza diretta con la lingua greca, i maestri della koinè latina hanno mutato i tempi analitici in sintetici.

Allora occorre domandarci: come hanno fatto? La risposta è breve: aggiungendo le desinenze dell'imperfetto indicativo sardo logudorese al tema del passato latino. L'imperfetto sardo logudorese del verbo essere, ad esempio, esce in questo modo: f-**ia**, f-**isti**, f-**it**, f-**imus**, f-**izis**, f-**int**. Se uniamo queste desinenze al tema del *perfectum* del verbo amare latino otteniamo: *amav-**i***, *amav-**isti***, *amav-**it***, *amav-**imus***, *amav-**istis***, *amav-**erunt***. In poche parole tutte uguali ad eccezione dell'ultima, che pare italianizzata.

Le stesse desinenze dell'imperfetto indicativo del verbo essere logudorese le abbiamo nel verbo avere e negli altri imperfetti della terza coniugazione. Nella tabella mostrata sotto è rappresentato l'imperfetto logudorese del verbo cantare, uguale al perfetto latino.

Prospetto del passato e dell'imperfetto sardo logudorese / campidanese e *perfectum* latino.

Passato sardo comune	*Perfectum latinum*	Imperfetto indicativo logudorese / campidanese	*Perfectum latinum*
apo cantadu	*cantavi*	cant-a[v]ia / cant-a[ba]mu	*cant-a-v-i*
as cantadu	*cantavisti*	cant-a[v]isti / cant-à[ba]st	*cant-a-v-isti*
at cantadu	*cantavit*	cant-a[v]iat / cant-à[ba]t	*cant-a-v-it*
amus cantadu	*cantavĭmus*	cant-a[v]imus / cant-a[ba]mus	*cant-a-v-ĭmus*
ais cantadu	*cantavistis*	cant-a[v]izis / cant-a[ba]stis	*cant-a-v-istis*
ant cantadu	*cantavērunt*	cant-a[v]iant / cant-a[ba]nt	*cant-a-v-ērunt*

9 Titus Maccius Plautus, *Persa*, IV, 8.
10 Marcus Tullius Cicero, *Epistulae - Ad Atticum*, IX, 11.
11 Augustinus Hipponensis, *Confessiones*, Liber VII, 7.

Nel tempo passato (*perfectum* = passato prossimo), il latino mantiene la consonante suffissale del paradigma "v" (*amav-i*) dopo la vocale tematica (**-a-**) solo nella prima coniugazione, poiché nella seconda (*monu-i* = ho ammonito) e nella terza (*leg-i* = ho letto) la elimina, riutilizzandola nuovamente nella quarta declinazione dopo la vocale tematica **-i-** (*audi***v***-i*).

- **Tempus Imperfetu passadu = *Plusquamperfectum* (trapassato prossimo)**

Indica qualcosa che è successa nel tempo passato, che si è conclusa nello stesso tempo e che è successa prima di quello che viene detto dall'imperfetto o dal passato prossimo:

in su ancora late tèneru de sa mama su coro meu piamente **aiat bìbidu** =
in ipso adhuc lacte matris tenerum cor meum pie ***biberat;***
(nell'ancora latte tenero della mamma il mio cuore piamente **aveva bevuto**)[12].

Come il *perfectum* (passato prossimo) latino, anche il *plusquamperfectum* = imperfetu passadu (trapassato prossimo) si può discomporre dalla forma sintetica a quella analitica. In questo caso, i grammatici latini per comporre il tempo *plusquamperfectum* in maniera sintetica hanno aggiunto le terminazioni dell'imperfetto italico del verbo essere al **tema del passato**.

Pertanto, se per formare il tempo passato (*perfectum*) i linguisti della koinè latina hanno utilizzato le desinenze dell'imperfetto logudorese, per comporre il tempo imperfetto passato = *plusquamperfectum* (trapassato prossimo) hanno impiegato le terminazioni dell'imperfetto italico del verbo essere, **era**, con le desinenze del sardo (***eram***, ***eras***, ***erat***, ***eramus***, ***eratis***, ***erant***), ottenendo questo risultato: *cantav-**eram*** (avevo cantato), *cantav-**eras*** (avevi cantato), *cantav-**erat*** (aveva cantato), *cantav-**eramus*** (avevamo cantato), *cantav-**eratis*** (avevate cantato), *cantav-**erant*** (avevano cantato).

È chiaro che il tempo latino *plusquamperfectum* è fabbricato a tavolino, tant'è che in un primo momento era stato costruito con l'ampliamento **-εσ** analogo al greco (*amav**es**am* → *amav**er**am*), così come dal greco (-**ν**) è stata presa la desinenza ***-m*** della prima persona singolare. Tali forme derivano dall'attico più recente (IV secolo a.C.) e dimostrano che il latino (koinè) si è formato solo in un tempo successivo.

Imperfetu passadu = *plusquamperfectum* (trapassato prossimo) **cantaveram** = aia candadu (avevo cantato).

Imperfetto passato sardo comune	***Plusquamperfectum* latino (trapassato pros.)**	**Imperfetto congiuntivo passato logudorese**	***Plusquamperfectum* latino (discomposto)**
a[v]ia cantadu	*cantavĕram*	cantadu à[v]ere	*cant[atum]-av-ĕram*
a[v]ias cantadu	*cantavĕras*	cantadu à[v]eres	*cant[atum]-av-ĕras*
a[v]it cantadu	*cantavĕrat*	cantadu à[v]eret	*cant[atum]-av-ĕrat*
a[v]ìamus cantadu	*cantaverāmus*	cantadu a[v]èremus	*cant[atum]-av-erāmus*
a[v]iais cantadu	*cantaverātis*	cantadu a[v]èrezis	*cant[atum]-av-erātis*
a[v]iant cantadu	*cantavĕrant*	cantadu à[v]erent	*cant[atum]-av-ĕrant*

- **Tempus Benidore = *Futurum* (futuro semplice)**

Indica qualcosa che deve ancora succedere. In sardo, il tempo futuro si forma con una perifrasi composta dall'indicativo presente del verbo avere, dalla preposizione **a** e dall'infinito del verbo lessicale. Esempio: **apo a èssere** = ***ĕro*** o ***fīam*** (sarò); **apo a cantare** = ***cantābo*** (canterò).

Nella variante sarda nu[g]orese a volte si utilizza il tempo indicativo imperfetto (cantabo = cantavo) in luogo del tempo futuro (apo a cantare = canterò) quando si vuole esprimere un'azione che segue nel tempo, dal passato al futuro.

A tale proposito è famosa la canzone "A Diosa", meglio conosciuta come "Non poto reposare", di Salvatore Sini di Sarule (1873-1954), che dice: "[...] d'ispìritu invisìbile **picabo**, sas formas e **furabo** (di spirito invisibile prendevo / prenderò, le forme e rubavo / ruberò)[...].

12 Augustinus Hipponensis, *Confessiones*, Liber III, 8.

Ecco gli esempi per la prima e per la terza declinazione:

misericòrdia e giudìtziu **apo a cantare** a tie, Donnu = *misericordiam et iudicium* ***cantabo*** *tibi, Domine;* (misericordia e giudizio **canterò** a te, Signore)[13].

suspetu a tie no intamen **apo a recu[b]ire** = *suspectus tibi ne tamen* ***recumbam;*** (sospettato a te nonostante **rientrerò** / sono stato sospettato a te nonostante **rientrassi**)[14].

In questo caso, i grammatici latini hanno preso il suffisso "**bo**" della prima persona dell'imperfetto indicativo sardo nu[g]orese, simile all'uscita della prima persona singolare dell'equivalente greco (φανῶ), per formare il tempo futuro sintetico latino (*cant-a-**bo***), e distinguerlo dall'imperfetto (*cant-a-**ba**-m*).

Come abbiamo già detto, in sardo nu[g]orese il suffisso "**ba**" dell'indicativo imperfetto è presente solo nella prima coniugazione, mentre nella altre due la consonante "**b**" è stata sincopata e la vocale "**a**" è stata mutata in "**i**".

La stessa cosa succede nel futuro latino della terza e quarta coniugazione (che corrispondono alla seconda e terza sarde), in cui il suffisso "**bo**" della prima persona e "**bi**" delle altre persone viene sincopato: *lega-m, lege-s;* e non: *lega-bo, lege-bi-s.* Nella quarta coniugazione, con il verbo ***audire***, troviamo l'una e l'altra forma, *audi-**am*** e *audi-**bo**,* ma con più frequenza per la prima.

Il tempo futuro perifrastico, alla sarda, lo troviamo invece in latino nella forma passiva del tempo **infinito futuro**, in cui il verbo lessicale è declinato come un aggettivo ed è seguito dall'ausiliare essere:

àteru **at a èssere naradu** = *altera* ***dicitur esse*** (altro **sarà** detto)[15].

Come si vede nel prospetto mostrato sotto, per seguire il paradigma alla greca, i grammatici latini si sono inventati la forma sintetica del tempo futuro prendendola dall'imperfetto indicativo del sardo nu[g]orese, mutando solo la vocale **-a-** del suffisso "ba" in **-i-**, in tutte le persone, ad eccezione della prima.

Anche di questo tempo *futurum* latino, a dimostrazione che non era parlato, non è rimasto alcunché in nessuna lingua romanza.

Futuro semplice sardo comune	***Futurum* latino**	**Imperfetto indicativo sardo nu[g]orese**	***Futurum* latino**
apo a cantare	*cantābo*	cant-abo	*cant-ābo*
as a cantare	*cantābis*	cant-abas	*cant-ābis*
at a cantare	*cantābit*	cant-abat	*cant-ābit*
amus a cantare	*cantābĭmus*	cant-abamus	*cant-ābĭmus*
ais a cantare	*cantābĭtis*	cant-abazes	*cant-ābĭtis*
ant a cantare	*cantābunt*	cant-abant	*cant-ābunt*

- **Tempus Benidore de in antis =** ***Futurum prius*** **(futuro anteriore)**

Indica qualcosa che succederà, ma prima di qualche cosa che succederà nel tempo futuro. Il tempo **futuro anteriore** in sardo è composto ugualmente da una perifrasi, mentre in latino è sintetico.

La "scomposizione" del tempo **futuro anteriore** latino ci da, invece, questa costruzione: radice del verbo + il tempo congiuntivo imperfetto dell'ausiliare avere. Vale a dire il congiuntivo imperfetto passato (trapassato congiuntivo) del sardo comune, ma con l'uscita in **-i** della variante sarda centro meridionale, o, anche, l'imperfetto indicativo del verbo italico **erat**, ma sempre mutando la **-e-** desinenziale in **-i-**, come sono in sardo le vocali delle desinenze delle prime due persone plurali.

13 Augustinus Hipponensis, *De Civitate Dei*, Liber XX, 6.
14 Marcus Valerius Martialis, *Epigrammaton*, Liber X, 98.
15 Marcus Tullius Cicero, *Rhetorica - De Natura Deorum*, Liber II, 105.

Ecco un esempio di tempus **benidore de in antis**, futuro anteriore in italiano, e *futurum prius* in latino: chi dae funte Rùbiu **ant a àere bìbidu** = *qui e fonte Rubio* ***biberint*** (che da fonte Rubio **avranno bevuto**)[16].

Il tempo futuro anteriore in sardo fa parte di quei tempi in disuso, si utilizza poco ed è subordinato ad una condizione temporale precisa.

"Stapperò" (futuro semplice) quella bottiglia, solo quando "avrai compiuto" (futuro anteriore) 18 anni. Significa che "stapperò quella bottiglia", ma ad una condizione precisa.

Nella lingua parlata, a volte, si utilizza il presente in funzione del tempo futuro anteriore, generalmente quando il tempo che deve trascorrere non è definito o è ancora in fase di compimento:

verrò (futuro semplice) quando **finisco** (presente).

Significa che "verrò" (futuro), ma non so "di preciso" quando.

In sardo, il tempo futuro anteriore si impiega anche per esprimere una probabilità o un dubbio in una frase subordinata su un fatto accaduto:

Maria non c'è, perché **sarà uscita** a comperare qualcosa.

Anche in latino il futuro può esprimere un tempo anteriore che può essere realizzato nel passato. Esempio:

non fintzas s'abba, chi **at a èssere** istada in sa funtana = *non etiam ipsa aqua, quae* ***erit*** *in fonte;*
non anche l'acqua, che **sarà** stata nella fonte)[17].

È utile ripetere che neppure la forma latina del *futurum prius* (futuro anteriore) ha lasciato traccia nelle lingue romanze, poiché, per seguire il paradigma del tempo derivato dal tema del perfetto (cantav-), è stato costruito artificialmente.

Futuro anteriore sardo comune	***Futurum prius latinum***	**Congiuntivo imperfetto passato sardo comune**	***Futurum prius latinum*** **(discomposto)**
apo a àere cantadu	*cantavĕro*	cant-adu à[v]ere	*cant-[atum] avĕro*
as a àere cantadu	*cantavĕris*	cant-adu à[v]eres	*cant-[atum] avĕris*
at a àere cantadu	*cantavĕrit*	cant-adu à[v]eret	*cant-[atum] avĕrit*
amus a àere cantadu	*cantaverĭmus*	cant-adu a[v]èremus	*cant-[atum] averĭmus*
ais a àere cantadu	*cantaverĭtis*	cant-adu a[v]èreis	*cant-[atum] averĭtis*
ant a àere cantadu	*cantavĕrint*	cant-adu à[v]erent	*cant-[atum] avĕrint*

I TEMPI DELL'INDICATIVO

Presente = *Praesens* (Presente)	Imperfetu = *Imperfectum* (Imperfetto)	Benidore = *Futurum* (Futuro semplice)
Passadu = *Perfectum* (Passato prossimo)	Imperfetu passadu = *Plusquamperfectum* (Trapassato prossimo)	Benidore de in antis = *Futurum prius* (Futuro anteriore)

11.8.2 I TEMPI DEL MODO CONGIUNTIVO

In sardo e in latino il congiuntivo contribuisce prevalentemente alla formazione delle frasi subordinate. Il congiuntivo esprime una possibilità, un desiderio, un'esortazione, un'imposizione negativa.

16 Gaius Plinius Secundus (su betzu), *Naturalis Historia*, Liber XXIV, 53.
17 Marcus Vitruvius Pollio, *De Architectura*, Liber VIII, 4.

- **Tempus Presente = *Praesens* (Tempo presente)**

Il congiuntivo fa parte dei modi in difficoltà d'uso e viene spesso scambiato nella parlata con l'indicativo. Il **congiuntivo presente** indica qualcosa che si auguri succeda, ma che non c'è la certezza che si possa realizzare:

chi deo **isca** de m'àere dadu = *ego **sciam** me desisse* (che io sappia di avermi dato)[18].

Nella forma arcaica della terza persona singolare del congiuntivo presente latino del verbo essere troviamo ***sied***, ***siet*** al posto di ***sit*** (**siat**). ***Sied*** mostra una forma di congiuntivo della lingua parlata, che in sardo, esce per l'appunto con **siede** o **siada** quando il verbo alla fine della frase è seguito da una vocale paragogica e la **-t** viene sonorizzata in **-d.**

Nel **sanscrito** è presente la 3ª persona con **syāt** (suat), simile a quella del sardo comune **siat**, mentre in greco abbiamo la 1ª persona singolare dell'ottativo presente con **εἴην**, vicina al latino arcaico ***siem***.

Nella lingua latina, con il trascorrere del tempo, le forme arcaiche: ***siem*** = **sia** (sia), ***sies*** = **sias** (sia), ***siet*** = **siat** (sia) sono state trasformate in ***sim***, ***sis***, ***sit*** forse per ridurle da due a una sillaba.

Nel raffronto diretto, si vede nel prospetto mostrato sotto che il congiuntivo presente sardo è uguale a quello latino. Questa è la dimostrazione che in origine sardo e latino erano un'unica lingua.

CONGIUNTIVO PRESENTE DEL VERBO CANTARE IN SARDO E IN LATINO

Sardo comune	Latino
cante	*cantem*
cantes	*cantes*
cantet	*cantet*
cantemus	*cantēmus*
cantedes	*cantētis*
cantent	*cantent*

- **Tempus Passadu = *Perfectum* (Congiuntivo passato)**

Il congiuntivo passato indica qualcosa che potrebbe essere successa, ma senza la sicurezza che sia successa. Esempio:

mancari issu meretrice **apat amadu** = *quod is meretricem **amaverit;***
(sebbene egli meretrice **abbia amato**)[19].

Ugualmente agli altri tempi composti costruiti sul tema del perfetto, i grammatici latini si sono dovuti inventare per il congiuntivo passato un tempo sintetico e hanno fatto aggiungere alla radice del verbo lessicale (nel nostro esempio ***cant-***) il congiuntivo imperfetto dell'ausiliare **à**[v]**ere** = ***avĕrim*** (avere): *cant-av-erim* (abbia cantato), mantenendo allo stesso tempo il paradigma del perfetto (cantav-).

Il congiuntivo passato latino (*coniunctīvus perfectum*), se non consideriamo la desinenza della prima persona singolare (**-m**), è uguale al tempo congiuntivo imperfetto passato sardo (cant-atu a[v]ere), da cui è stata troncata la terminazione **-atu** nel primo elemento. L'unica differenza consiste nella vocale desinenziale ***-i-*** (***-rim***) che si discosta dalla sarda **-e-** (**-re**).

In **sardo** è noto che, come abbiamo visto nel tempo presente dell'indicativo, le prime due persone plurali mutano la vocale tematica da **-e-** in **-i-**, così: issu legh**e**t (egli legge), nois legh**i**mus (noi leggiamo), bois

18 Lucius Annaeus Seneca, *De Beneficiis*, Liber II, 10.
19 Marcus Fabius Quintilianus, *Istitutiones*, Liber VII, 4.

leghides (voi leggete), issos leghent (essi leggono). Questo accade anche con l'ausiliare à[v]ere (avere) del modo congiuntivo. Pertanto, nel congiuntivo presente, le due persone plurali mutano le vocali in uscita da **-a-** in **-e-** in questo modo: apa (abbia), ap**a**s (abbia), ap**a**t (abbia), ap**e**mus (abbiamo), ap**e**is (abbiate), ap**a**nt (abbiano). Per eufonia, con l'aggiunta di una sillaba alle due persone plurali, le vocali **-e-** ed **-a-**, prendendo l'accento, si chiudono rispettivamente in **-i-** (leghimus) e in **-e-** (apemus), scivolando nel triangolo vocalico verso la chiusura della bocca da **-a-** ad **-e-** e da **-e-** ad **-i-** per dare maggiore sonorità alla sillaba.

Come abbiamo già visto nei tempi composti dell'indicativo, per il tempo passato del modo congiuntivo latino (*cantavĕrim* = abbia cantato), se viene discomposto, otteniamo il risultato del tempo imperfetto passato del modo congiuntivo sardo (aeret cantadu o cantatu a[v]eret), formato unendo insieme la radice del verbo lessicale (**cant-**) con l'ausiliare avere espresso nel modo congiuntivo imperfetto (**a[v]eres**), ma con la vocale ***-i-*** ***(-ris)*** in luogo di quella ***-e-*** (***-res***).

Che questo tempo sia un'invenzione dei grammatici latini si deduce dal fatto che il congiuntivo passato latino (*coniunctīvus perfectum*) non si differenzia in alcun modo dal futuro anteriore del modo indicativo (*futurum prius*), tranne che nella prima persona: *cantavero* (*futurum prius*) e *cantaverim* (*coniunctīvus perfectum*). Tutte le altre persone dei due tempi sono uguali: *cantaveris* (avrò cantato) = *cantaveris* (avessi cantato), ecc.

CONGIUNTIVO PASSATO DEL VERBO CANTARE IN SARDO E IN LATINO

Congiuntivo passato sardo comune	*Coniunctīvus* passato latino	Congiuntivo imperfetto passato sardo comune	*Coniunctīvus* passato latino (discomposto)
apa cantadu	*cantavĕrim*	cant-adu à[v]ere	*cant-[atum] avĕrim*
apas cantadu	*cantavĕris*	cant-adu à[v]eres	*cant-[atum] avĕris*
apat cantadu	*cantavĕrit*	cant-adu à[v]eret	*cant-[atum] avĕrit*
apemus cantadu	*cantaverĭmus*	cant-adu a[v]èremus	*cant-[atum] averĭmus*
apeis cantadu	*cantaverĭtis*	cant-adu a[v]èreis	*cant-[atum] averĭtis*
apant cantadu	*cantavĕrint*	cant-adu à[v]erent	*cant-[atum] avĕrint*

- **Tempus Imperfetu = *Imperfectum* (Imperfetto congiuntivo)**

Indica qualcosa che è successa nel tempo passato, su cui non vi è sicurezza che possa avverarsi nello stesso tempo:

issu giai dae tempus est mortu; si **biveret**, peràgula de issu dias iscurtare =
is iam pridem est mortuus; si ***viveret****, verba eius audiretis;*
(egli già da tempo è morto; se **vivesse**, le sue parole ascoltereste)[20].

Con l'imperfetto congiuntivo si esprime anche un desiderio, che non è ancora realizzato ma che potrebbe realizzarsi:

imbetze fintzas [a] Fedru **ameret** = *Phaedrum autem etiam* ***amaret*** (affinché **amasse** anche Fedro)[21].

Come si evince dal prospetto mostrato in basso, dal momento che in sardo il tempo imperfetto del modo congiuntivo è sintetico, anche in latino questo esce allo stesso modo. Di fatto, il problema si pone quando un tempo analitico viene mutato in sintetico per seguire il suo paradigma.

In alcuni luoghi della Sardegna centro settentrionale il congiuntivo imperfetto esce con la vocale tematica in **-a** (cant**a**ret), come in latino, invece che in **-e** (cant**e**ret), come in sardo comune.

Anche in questo caso è chiara la dimostrazione che il congiuntivo imperfetto latino e quello sardo appartengono ad un'unica lingua.

20 Marcus Tullius Cicero, *Orationes - Pro Roscio Comodeo*, 42.
21 Marcus Tullius Cicero, *Rhetorica - De Finibus*, Liber I, 16.

CONGIUNTIVO IMPERFETTO DEL VERBO CANTARE IN SARDO E IN LATINO

Sardu comune	Latinu
cantere	cantārem
canteres	cantāres
canteret	cantāret
cantèremus	cantarēmus
cantèreis	cantarētis
canterent	cantārent

- **Tempus Imperfetu passadu = *plusquamperfectum* (Trapassato congiuntivo)**

Indica qualcosa che è successa in tempo passato, su cui non vi era sicurezza che fosse accaduta, ma che ora si sa che non si è avverata:

sardu comune: pròpiu a ìndios e magos **aeret intèndidu** s'ànimu =
*atque ad indos et magos **intendisset** animum;*
(proprio a indios e maghi **avesse inteso** l'animo).

sardu mesu meridionale: pròpiu a ìndius e magus **essit intèndiu** s'ànimu =
*atque ad indos et magos **intendisset** animum;*
(proprio a indios e maghi **avesse inteso** l'animo)[22].

Come i tempi perifrastici che abbiamo già visto, anche in questo caso i grammatici latini hanno mutato un tempo analitico in uno sintetico per seguire il suo paradigma. Pertanto, i maestri della koinè hanno utilizzato questa volta la terminazione ***-issem*** posticipata al tema del *perfectum* (perfetto) ***cantav-*** (*cantavissem*), come più o meno si costruisce il congiuntivo imperfetto passato (trapassato congiuntivo) nella variante sarda centro meridionale, con la sola differenza che le vocali si contrappongono nella terminazione: in latino con l'uscita in ***-isset***, in sardo campidanese con la chiusura in **-essit**. Esempio:

in ube cun su tirannu Dionìsiu **aeret chenadu** (**cenau essit**) = *ubi cum tyrannus **cenavisset** Dionysius;*
(dove con il tiranno Dionisio **avesse cenato**)[23].

CONGIUNTIVO TRAPASSATO DEL VERBO CANTARE IN SARDO E IN LATINO

Trapassato congiuntivo sardo comune	*Plusquamperfectum* latino	Trapassato congiuntivo sardo meridionale	*Plusquamperfectum* latino (discomposto)
à[v]ere cantadu	*cantavissem*	cant-a[d]u essi	*cant-av-issem*
à[v]eres cantadu	*cantavisses*	cant-a[d]u essis	*cant-av-isses*
à[v]eret cantadu	*cantavisset*	cant-a[d]u essit	*cant-av-isset*
a[v]èremus cantadu	*cantavissēmus*	cant-a[d]u èssimus	*cant-av-issēmus*
a[v]èreis cantadu	*cantavissētis*	cant-a[d]u èssidis	*cant-av-issētis*
à[v]erent cantadu	*cantavissent*	cant-a[d]u essint	*cant-av-issent*

Il congiuntivo trapassato italiano (congiuntivu imperfetu passadu), nelle proposizioni dipendenti o subordinate, può trovarsi in corrispondenza con un tempo trapassato prossimo sardo e il condizionale passato con un tempo trapassato congiuntivo.

I TEMPI DEL CONGIUNTIVO IN SARDO E IN LATINO

Presente (presente)	Passadu (passato)	Imperfetu (imperfetto)	Imperfetu passadu (trapassato)
Praesens	*Perfectum*	*Imperfectum*	*Plusquamperfectum*

22 Lucius Apuleius Madauresis (Saturninus), *De Dogmate Platonis*, Liber I, 3.
23 Marcus Tullius Cicero, *Rhetorica - Tusculanae Disputationes*, Liber V, 98.

11.8.3 I TEMPI DEL MODO CONDIZIONALE

I grammatici latini avranno faticato non poco ad inventarsi un tempo condizionale sintetico, poiché in sardo sia il presente sia il passato sono perifrastici, e, in più, questo tempo non esisteva in greco antico.
I grammatici moderni latini dicono che non esistono i tempi del modo condizionale, che in funzione di questi viene utilizzato il modo congiuntivo. Se però andiamo a vedere la composizione del condizionale sardo ci rendiamo conto che esso stesso è formato da una perifrasi composta dal **congiuntivo presente** del verbo **dare**: **dia**, **dias**, **diat**, ecc. (variante sarda centro settentrionale) + **infinito** del verbo lessicale. Nella variante sarda centro meridionale il condizionale presente esce allo stesso modo, ma la consonante iniziale "d" cade: [d]**ia**, [d]**iast**, [d]**iat**, ecc:

deo **dia** cantare = io canterei (condizionale presente logudorese);
deu **ia** cantai = io canterei (condizionale presente campidanese).

Il **condizionale passato** sardo si forma con la perifrasi: **dia**, **dias**, [...] + **ausiliare** à[v]ere (èssere, per i verbi intransitivi) + **participio passato** del verbo lessicale. Esempio:

dia àere cantadu (avrei cantato); **dia èssere** andadu (sarei andato).

Occorre dire che il verbo "dare" è un verbo servile che in sardo viene utilizzato anche in altri contesti, come ad esempio: ti **do** a ischire (ti do a sapere) = ti fatzo ischire (ti faccio sapere).

Il condizionale si usa sempre quando c'è ancora da decidere qualcosa o quando ci sono dubbi su quello che si dice:

dia nàrrere chi podimus andare (**direi** che possiamo andare);
diat èssere inoghe sa domo (**dovrebbe essere** qui la casa).

- **Tempus Presente = *Praesens* (Tempo presente)**

Il condizionale presente indica una possibilità subordinata ad una condizione o ad un desiderio che si può avverare:

Deus essentzia eguale **diat èssere** = *Deus essentia ex aequo* ***det esse*** (Dio essenza uguale sarebbe).

In sardo logudorese il congiuntivo presente esce anche con la stessa forma latina, vale a dire con il congiuntivo del verbo dare: ***dem***, ***des***, ***det***, ecc., + ***esse*** (infinito del verbo essere). Pertanto, in logudorese, il condizionale presente si può fare sia utilizzando il congiuntivo **diat** (**diat èssere**) sia usando il congiuntivo **det** (**det èssere**). Questa ultima forma è costituita dal verbo servile **depet** sincopato della sillaba **-pe-**, che in latino troviamo con la forma piena ***debet*** (***debet esse***) e corrisponde al congiuntivo latino del verbo **dare**. In grammatica abbiamo l'imperativo "**deve essere**", che può svolgere allo stesso tempo funzione di condizionale.

Con la forma **det èssere** o **det à**[b]**ere** troviamo diversi esempi in latino medievale o moderno che ci portano ad affermare che nella lingua parlata è stato utilizzato il condizionale presente in modo perifrastico, come in sardo, con ***det esse***, ***det habĕre***:

chi de pretzisu **det èssere** sustantziale = *quae praecise* ***det esse*** *substantiale;*
(che di preciso **dovrebbe essere** sostanziale)[24].

issos chi a pustis de sa prole de Deus **dent èssere** = *eo quod post Deum prolibus* ***dent esse***;
(loro che dopo la prole di Dio **dovrebbero essere**)[25].

24 Pierre de Falco, *Questions Disputées Ordinaires*, Beatrice Nauwelaerts, Paris, 1968, Quaestio XX, 1.
25 Costantino Letins, *Promptuarium seu Apparatus Concionum, Concio CLI, Tractatus VII, Promptuarium Concionum*, Tipografia Piscopo, Neapolis, MDCCCLIX, p. 168.

sas chinijas **det àere** dae su càlighe = *cineres* ***det habere*** *calice;*
(le ceneri **dovrebbe avere** dal calice)[26].

sèmpere de elègere **det à[v]ere** sa potestade = *sèmpere eligere* ***det habere*** *potestatem;*
(sempre da eleggere - essere eletta - **dovrebbe avere** - essere - la potestà)[27].

C'è da dire che nella parlata comune, molte volte, il modo indicativo del verbo viene utilizzato al posto del condizionale con i verbi **potzo** = ***possum*** (posso) e **depo** = ***debeo*** (devo), come un falso condizionale:

diant pòdere pensare = *putant* ***posse*** (potrebbero pensare)[28].

La perifrastica "**depet èssere** (***debet esse***)" può essere, infine, nella scrittura, la forma parlata dell'indicativo, del condizionale o dell'imperativo.

A questo punto occorre trarre esempio dalla frase diventata famosa in tutto il mondo e attribuita a William Shakespeare, ma di fatto detta secoli prima da Marcus Tullius Cicero (Chicherone):

id aut esse aut non esse = at a èssere o non èssere; (o essere o non essere? Sarebbe o non sarebbe?)[29].

CONGIUNTIVO PRESENTE DEL VERBO DARE IN SARDO COMUNE, SARDO LOGUDORESE E LATINO

Sardo comune (dare)	**Sardo logudorese (dovere, dare)**	**Latino (dare)**
dia	de[pa]	*dem*
dias	de[pa]s	*des*
diat èssere / à[v]ere (condizionale)	de[pa]t èssere / à[v]ere (condiz.)	*det esse / habĕre* (condizionale)
dìamus	de[pa]mus	*dēmus*
diais	de[pa]zis	*dētis*
diant èssere / à[v]ere	de[pa]nt èssere / à[v]ere	*dent esse / habĕre*

- **Tempus Passadu = *perfectum* (Condizionale passato)**

Il condizionale passato indica una possibilità subordinata a una condizione che si sarebbe potuta realizzare in un tempo passato, ma che non si è realizzata in relazione a certe condizioni:

no isco si cuddu si **diat èssere** (o **esseret**) mai penetidu = *nescio an illum nunquam* ***paenituisset****;*
(non so se quello mai si **sarebbe pentito**)[30].

Se per il condizionale presente abbiamo visto qualche esempio in latino, altrettanto non si trova per il condizionale passato, che si compone in latino con il trapassato congiuntivo (in sardo: imperfetu passadu congiuntivu), espresso in forma sintetica (*paenituisset*).

In sardo, nella frase condizionale, si utilizza il tempo trapassato prossimo (*plusquamperfectum* in latino) del modo indicativo (fiat istadu = era stato) e il tempo trapassato del modo congiuntivo (s'esseret azardadu = si fosse azzardato). L'esatto contrario di quanto avviene in italiano.

Esempio in sardo: si sididu che a mie **fiat istadu**, non cre[d]o chi s'**esseret azardadu**.
Traduzione letterale dal sardo: se assetato come me **era stato**, non credo che si **fosse azzardato**.
Esempio in italiano: se assetato come me **fosse stato**, non credo che si **sarebbe azzardato**.

In italiano "fiat istadu (era stato)" viene tradotto con il congiuntivo imperfetto passato (congiuntivo trapassato), mentre "esseret azardadu" viene tradotto con il condizionale passato. Pertanto nella costruzione

26 *Fiori poetici sparsi sopra il sepolcro, dell'Illustrissima & Eccellentissima Signora Principessa Maria Pica, In funere Excellentissimae Mariae Picae*, 1684, p. 145.
27 Francesco Bonaini, *Statuti inediti della città di Pisa*, Vol. 1, presso G. P. Vieusseux, Firenze, 1854, p. 84.
28 Marcus Tullius Cicero, *Orationes - Pro Scauro*, 36.
29 Marcus Tullius Cicero, *Rhetorica - Tusculanae Disputationes*, Liber XIV, 220.
30 Giovanni Facondo Carducci, *Elementi di grammatica latina*, Voll. 1-2, Vol. 1, presso Onorato Porri, Siena, 1829, p. 158.

di questa frase si utilizza in sardo il congiuntivo trapassato in luogo del condizionale passato, come in latino nel periodo ipotetico della irrealtà.

I TEMPI DEL CONDIZIONALE

Presente (presente)	Passadu (passato)
Praesens	------

11.8.4 I TEMPI DEL MODO IMPERATIVO

È Chiaro che nell'**imperativo** non esiste la prima persona singolare, dal momento che il verbo esprime obbligo o richiesta e uno non può obbligare se stesso. Nella frase imperativa il pronome personale si mette sempre dopo il verbo.
In sardo come in latino esistono gli imperativi **presente e futuro**. Nel tempo presente si esprime un comando diretto, nel tempo futuro un comando chi si realizzerà nel tempo seguente e viene utilizzato per lo più nelle leggi.

- **Tempus Presente = *Praesens* (Presente)**

Indica un obbligo, un invito, una richiesta che viene espressa nel tempo presente: **canta** tue = ***canta*** *tu* (canta tu), **cantade** bois = ***cantāte*** *vos* (cantate voi):

a Deus **time** e at mandadu a issu a custode = *Deum* ***time*** *et mandata eius custodi;*
(**temi** Dio e ha mandato lui come custode)[31].

- **Tempus Benidore = *Futurum* (Futuro)**

Indica un obbligo o una richiesta che avverrà nel tempo che seguirà il momento in cui si parla. Anche l'imperativo futuro è un tempo in disuso, ma in sardo è ancora presente.
Il tempo futuro dell'imperativo sardo è composto in modo perifrastico e quello latino in forma sintetica, proprio come è composto il tempo futuro dell'indicativo.

Di fatto, nel tempo futuro imperativo latino della seconda persona singolare i grammatici latini hanno mutato solo la "**-b-**" del suffisso indicativo futuro, ad esempio *cantabo* (prima persona), con una "***-t-***" (*cantato*) della seconda persona dell'imperativo futuro.

A differenza dell'imperativo presente, nell'imperativo futuro latino esiste anche la terza persona singolare e plurale:

e **as a cantare** peri cun su ferru = *et* ***cantāto*** *per ipse ferro;*
(e **canterai** per mezzo del ferro)[32].

custa a tie, chie si sias ses, o malu, **as a timire** = *hanc tu, quisquis es, o malus,* ***timeto***;
(questa, chiunque tu sia, o cattivo, **temerai**)[33].

de cuddu vindicativu non probu **as a timire** = *illo vindice nec probum* ***timeto***;
(di quel vendicativo non probo **temerai**)[34].

In sardo, l'imperativo si esprime in forma negativa mettendo davanti alla forma verbale l'avverbio no/

31 Augustinus Hipponensis, *De Civitate Dei*, Liber XX, 3.
32 Marcus Fabius Quintilianus, *Declamationes Maiores - Declamatio Maior*, X, 8.
33 Marcus Valerius Martialis, *Epigrammaton*, Liber VI, 49.
34 Marcus Valerius Martialis, *Epigrammaton*, Liber III, 2.

non. Le persone verbali dell'imperativo presente negativo si ricavano dal congiuntivo presente e quelle dell'imperativo futuro dal tempo futuro del modo indicativo, ma mettendo il pronome dopo il verbo:

non solu **no as a cantare**, ma **no as a brincare** e **cantare** =
non *solum* ***amare*** *et amari* ***neque saltare*** *et* ***cantare****;*
(non solo **non amerai**, ma **non salterai** e canterai)[35].

Quando l'imperativo viene espresso nella terza persona (singolare e plurale), il suo tempo è uguale al congiuntivo, così come per l'imperativo e il congiuntivo esortativo negativi in latino (ne + congiuntivo):

non corpus **atzendat** = *nec corpus* ***incendat*** (non corpo **accenda**)[36].

I TEMPI DELL'IMPERATIVO

PRESENTE = *PRAESENS* (CANTARE)	FUTURO = *FUTURUM* (CANTARE)
SARDO: canta, cantade LATINO (forma attiva): *canta, cantāte* LATINO (forma passiva): *cantare, cantamĭni*	SARDO: as a cantare, ais a cantare LATINO (forma attiva): *cantāto, cantatōte, cantanto (3ª p.)* LATINO (forma passiva): *cantator, cantantor (III p.)*
Imperativo negativo SARDO COMUNE: non cantes, non cantedas LATINU (forma attiva): *ne/nec cantes, cantētis*	**Imperativo negativo** SARDO COMUNE: no as a cantare, no ais a cantare LATINO (forma attiva): *ne cantāto, cantatōte*

11.8.5 I TEMPI DEI MODI INDEFINITI

- **I tempi dell'Infinito**

In sardo, l'**infinito** ha due tempi: presente e passato. Il presente è tempo semplice e il passato è tempo composto: èssere (essere), èssere istadu (essere stato). Il latino, invece, tiene tre tempi: presente, passato e futuro (singolare e plurale).

L'infinito, potendo essere soggetto o complemento diretto in una frase, esce in latino rispettivamente nel caso nominativo e accusativo. Esempio:

In latino come in sardo è molto utilizzato il verbo **parare** quando si vuole indicare una prontezza nell'azione. Per dire che uno è pronto ad ascoltare si dice "a origras paradas" = ***auricŭlas parādas*** (a orecchie ben aperte).

non fiat cuntentu de **mustrare** remèdiu =
non fuit contentus remedia ***monstrare****;*
(non era contento di **mostrare** rimedio)[37].

chi atentamente est **paradu a iscurtare** =
qui attentissime est ***paratus audire;***
(che attentamente è **posto ad ascoltare**)[38].

L'**infinito futuro latino** può essere paragonato al **tempo futuro** del modo indicativo sardo, poiché utilizza più o meno la stessa struttura perifrastica con l'ausiliare essere: in sardo "at a èssere (sarà)", in latino "esse" preceduto dalle declinazioni singolari e plurali. La differenza sta nel fatto che, mentre nella frase latina il verbo è impiegato anche nella forma passiva, in quella sarda il verbo è usato solo nella forma attiva.

Il sardo usa il verbo nella forma passiva per esprimere il futuro anteriore quando questo è preceduto da un futuro semplice: **apo a abèrrere** un'ampulla cando t'**as a èssere laureadu** = **aprirò** una bottiglia quando ti **sarai laureato**. In latino l'infinito futuro passivo è costruito con una perifrastica simile a quella del futuro anteriore sardo e rispondente anche a quella del futuro anteriore greco. Esempio: *debitum esse* = at a èssere dèpidu o dèpidu at a èssere (sarà dovuto).

pro tantu frimmu **at a èssere** su rennu = *quod firmus* ***futurum esse*** *regnum;*
(pertanto fermo **sarà** il regno)[39].

35 Marcus Tullius Cicero, *Orationes - In Catilinam*, Liber II, 23.
36 Aulus Cornelius Celsus, *De Medicina*, Liber I, 35.
37 Lucius Annaeus Seneca, *De Beneficiis*, Liber VII, 16.
38 Marcus Tullius Cicero, *Rhetorica - De Inventione*, Liber I, 23.
39 Marcus Iunianus Iustinus, *Historiarum Philippicarum T. Pompeii Trogi, Libri XLIV*, Liber XXI, 1.

I TEMPI DELL'INFINITO

SARDO	LATINO **(forma attiva)**
Presente: cantare (cantare);	***praesens*:** *cantāre* (cantare);
Passato: à[v]ere cantadu (avere cantato)	***perfectum*:** *cantavisse* (avere cantato);
futuro: ---------	***futurum singulāris*:** *cantatūrum -am, -ūm esse;* ***futurum plurālis*:** *cantatūros -as, -a esse.* (essere sul punto di cantare).

- **I tempi del Gerundio**

Il gerundio in sardo ha due tempi, **presente** e **passato**: essende (essendo), essende istadu (essendo stato). Il gerundio, secondo il caso, può rappresentare in sardo sia il gerundio sia il participio presente latini. Participio presente latino e gerundio sardo sono tradotti in italiano generalmente dall'infinito presente:

sa fura a Priapo non **timende** seguru = *furem Priapo non* ***timente*** *securus;*
(la ruberia a Priapo non è da **temere** di sicuro)[40].

In latino la costruzione della frase non si tiene con l'infinito presente, come in italiano, ma con il participio presente, che viene declinato come un aggettivo. Nella grammatica sarda non esiste formalmente il participio presente, per intenderci quello con la terminazione in **-ente**. Se però confrontiamo il participio presente latino con il gerundio sardo, ci accorgiamo che nella sostanza il participio presente esiste anche in sardo. È accaduto che in sardo la **-t-** sorda è stata sonorizzata in **-d-**, mutando il participio presente in gerundio. In poche parole, per fare un esempio, "curren**t**e" è diventato "curren**d**e".

Il **gerundio** latino, essendo trattato come un sostantivo, è declinato con i casi: genitivo, dativo, accusativo + ad e ablativo. Quest'ultimo corrisponde al gerundio sardo della variante centrale, detta di mesania:

s'àteru cheret de fatu ispricare sos fatos **narende** = *aliud est enim explicare res gestas* ***narrando***;
(l'altro vuole di fatto esplicare le gesta **narrando** / con la narrazione)[41].

In sintesi, la differenza tra il gerundio e il participio presente è che il primo viene utilizzato come un nome verbale, mentre il secondo è usato come attributo del soggetto o del complemento oggetto.
Di fatto, il **participio presente sardo** lo troviamo nel **nominativo** e nell'**accusativo latino**, mentre il **gerundio sardo** lo riscontriamo nelle declinazioni **latine dei casi obliqui** più l'accusativo con la preposizione **ad**:

apo bidu a Catone **setzende** in biblioteca = *Catonem [...] vidi in biblioteca* ***sedentem;***
(ho visto Catone **sedente** in biblioteca)[42].

È importante dire che, nel sardo nu[g]orese e in parte del logudorese comune, il gerundio esce con la vocale tematica secondo le tre coniugazioni -**a**re, -**e**re, -**i**re (cantande, leghende, essinde), mentre nelle varianti logudorese e campidanese termina in **-e**, distinguendosi una dall'altra per la vocale finale: logudorese (cantende, leghende, essende), campidanese (cantendi, legendi, essendi).

In latino, l'utilizzo della vocale tematica secondo la coniugazione lo troviamo nel **gerundivo** (forma passiva del gerundio): *cant**a**ndus* = essende cantadu (essendo cantato), *mon**e**ndus* = essende ammunidu (essendo ammonito), *curr**e**ndus* = essende cùrridu (essendo corso), *sci**e**ndus* = essende ischidu (essendo saputo).

Quanto si deduce da questi esempi è la dimostrazione concreta della stretta corrispondenza, tra gli altri, del gerundio latino con quello sardo, nonostante le forme del gerundio latino siano condizionate dai casi.

40 Marcus Valerius Martialis, *Epigrammaton*, Liber III, 58.
41 Marcus Tullius Cicero, *Rhetorica - De Optimo Genere Oratorum*, 15.
42 Marcus Tullius Cicero, *Rhetorica - De Finibus*, Liber III, 7.

I TEMPI DEL GERUNDIO

SARDO	LATINO
Presente: leghende (leggendo); **Passato:** apende letu (avendo letto).	**genitivo**: *legēndi* = di leggere; **dativo**: *legēndo* = a leggere; **accusativo**: *ad legēndum* = per leggere; **ablativo**: *legēndo* = con il leggere.

- **I tempi del participio e del supino**

I TEMPI DEL PARTICIPIO E DEL SUPINO

SARDO	LATINO
Presente: ------ **Futuro:** ------ **Passato:** letu o lèghidu (letto).	**Presente**: *legēns, -ēntis* = leggente, che legge; **Futuro**: *cantatūrūs, -a, -ūm* = che leggerà; **SUPINO**: *lectum* = a leggere.

Anche nell'**ablativo assoluto**, il participio viene tradotto in sardo con il gerundio. In latino il participio presente si forma come gli aggettivi di II classe. Nel caso ablativo singolare l'uscita è in ***-e***, diversa dai corrispettivi aggettivi che escono in ***-i***:

medas annos a pustis de Ròmulu, **rennende** Tarchinu = *multis annis post Romulum, **regnante** Tarquinio*[43]*;*
(molti anni dopo Romolo, **regnando** Tarquinio).

Il **participio futuro** in sardo non esiste e il latino ha acquisito tale costrutto dal greco. Questo tempo si declina come un aggettivo della seconda classe ed esprime un'idea che sta per realizzarsi nel futuro. Può essere impiegato in funzione nominale (aggettivo o sostantivo) e in funzione verbale (introduce una proposizione con valore finale, temporale o causale). Esempio:

non cale siat s'**intentu de fàghere isco** = *neque quid **acturus** sim scio;*
(non so quale sia l'**intenzione**)[44].

Con il participio futuro si costruisce la **perifrastica attiva**, una costruzione verbale presa dal greco che non esiste in sardo, composta dal participio futuro e dal verbo essere (coniugato), che tiene il significato di un'intenzione imminente di fare qualcosa. Esempio:

a custu **fiat intentzionadu** Mecenate mancari s'otimu Cocceius =
*huc **venturus erat** Maecenas optimus atque Cocceius;*
(a questo **era intenzionato** Mecenate sebbene l'ottimo Cocceius)[45].

I TEMPI DEI MODI INDEFINITI ATTIVI

Infinito		Gerundio		Participio	
SARDO	LATINO	SARDO	LATINO	SARDO	LATINO
presente	*praesens*	presente	------	------	*praesens*
passato	*perfectum*	passato	------	passato	------
------	*futurum*	------	genitivo, dativo	------	*futurum*
		------	accusativo + ad, ablativo	------	------
		------		------	**SUPINO**

43 Marcus Tullius Cicero, *Rhetorica - De Divinatione*, Liber I, 17.
44 Marcus Tullius Cicero, *Epistulae - Ad Atticum*, III, 10.
45 Quintus Oratius Flaccus, *Sermones*, Liber I, 5.

11.9 IL PASSIVO DEI VERBI LATINI

In sardo i **verbi possono essere transitivi** o **intransitivi** o, allo stesso tempo, transitivi e intransitivi se posseggono due forme, una attiva e una passiva. Ad esempio, il verbo **tènnere** (tenere) è transitivo e intransitivo, perché può esprimere la forma attiva "apo tentu unu sòrighe (ho preso un topo)" o la forma passiva (intransitiva) "deo so istadu tentu (io sono stato preso)". Nella **forma attiva** questi verbi vengono accompagnati nei tempi composti dall'**ausiliare avere** (deo **apo** tentu unu sòrighe), mentre nell'azione **passiva** subita dal soggetto si servono dell'**ausiliare essere** (deo **so** istadu tentu).

Alcuni **verbi intransitivi** formano i tempi composti con l'ausiliare **essere**: "**so** andadu" (**sono** andato); altri con l'ausiliare avere: **apo** drommidu (**ho** dormito). I verbi intransitivi non possono trasformare la forma attiva in passiva. I verbi **transitivi** espressi in modo passivo posseggono solo i tempi composti. Pertanto, quando io dico "apo mandigadu sa mela" (ho mangiato la mela), se voglio trasformare la frase attiva in passiva devo dire "sa mela **est istada mandigada** dae a mie" (la mela **è stata mangiata** da me).

In latino, quando il **complemento** è **di agente**, ossia un essere animato, si utilizza **a/ab** + ablativo; mentre se il **complemento** è **di causa efficiente**, ovverosia un essere inanimato, si usa l'**ablativo semplice**:

non meda a pustis **dae** C. Marcio sos Tuscos sunt bìnchidos = *non multo post **a** C. Marcio Tusci victi sunt;*
(non molto tempo dopo **da** C. Marcio i Tusci sono stati vinti)[46].

In sardo, però, la forma passiva dei verbi transitivi si costruisce sempre con l'ausiliare avere anziché con quello essere ed esce in questo modo "sa mela **l'apo mandigada** deo" (la mela l'**ho mangiata** io), utilizzando il pronome **la** come complemento oggetto. In sintesi, il participio passato è passivo e sono sempre io a mangiare la mela. In qualsiasi modo in sardo ci deve essere qualcuno responsabile (per colpa di, per mano di) dell'azione. In altre parole il participio passato concorda con il pronome atono (**l**'ho mangiat**a**).

Anche **in latino** la struttura del passivo può essere fatta alla stessa maniera del sardo. Nella regola generale, il latino non usa l'ausiliare avere nei tempi composti passivi, ma utilizza l'ausiliare essere. Questa costruzione della frase passiva con l'ausiliare essere e l'ablativo si può ottenere anche in sardo. Quindi:

Chèsare at mortu a Antoni = dae neghe de, pro manu de, Chèsare Antoni est mortu;
(Cesare ha ucciso Antonio = per colpa di, per mano di, Cesare Antonio è morto).

apo frabicadu sa domo (attiva) = sa domo **l'apo frabicada** deo (passiva);
(ho costruito la casa) attiva = (la casa **l'ho costruita** io) passiva.

In latino infatti si potrebbe anche dire: ***domum constructam habeo***, che significa "la casa l'ho costruita io"[47]. I Latini, per seguire la grammatica greca, hanno eliminato l'ausiliare avere per quello essere, ma il passivo alla sarda con il verbo avere in funzione di ausiliare al participio perfetto passivo declinato in accusativo come il pronome atono (sottinteso) è ugualmente presente: ***qui compertum habeo*** = che **l**'ho scopert**o**[48].

- **Persone verbali passive latine**

Le **persone verbali** dei tempi semplici del **passivo latino** escono con la ***-r***, grafema che non ha alcuna corrispondenza attuale con altre lingue europee se non con l'irlandese. Il linguista Leonard Palmer aveva individuato la desinenza passiva con la **-r** anche nella lingua osca (Italia centro meridionale): *sacratur* (latino) = *sakarater* (osco), senza però poter stabilire se fosse stato l'osco a prendere dal latino o viceversa[49].

Nella voce passiva latina della prima persona singolare la **-r** viene aggiunta alla desinenza personale della forma attiva. Esempio: *hăbĕo* (forma attiva) viene ad essere *hăbĕo-**r*** (forma passiva).

46 Flavius Eutropius, *Breviarium Ab Urbe Condita*, Liber II, 5.
47 Gerhard Rohlfs, *Grammatica storica della lingua italiana e dei suoi dialetti*, Einaudi, Torino, 1966, p. 115.
48 Gaius Svetonius Tranquillus, *De Vita Caesarum - Divus Iulius*, 66.
49 Palmer Leonard Robert, *La lingua latina (The Latin Language)*, Faber and Faber, London, 1954, p. 13.

Nelle terze persone (singolare e plurale), invece, che terminano con la consonante **-t**, la **-r** viene preceduta dalla vocale **-u**. Esempio: *habeant* (forma attiva) diventa *habeant-**ur*** (forma passiva); *cantaba-t* (forma attiva) viene ad essere *cantabat-**ur*** (forma passiva).

Nella seconda persona singolare *hab-es* diventa *hab-**ēris***; nella prima plurale da *hab-ēmus* abbiamo *hab-ēmur*; e nella seconda plurale da *hab-**ētis*** andiamo ad *hab-**emĭni***.

In sintesi, se nella diatesi attiva i grammatici latini si sono dovuti inventare le forme analitiche dei tempi composti, nella diatesi passiva dei verbi transitivi hanno dovuto inventare le forme passive dei tempi semplici.

11.9.1 I TEMPI DEL MODO INDICATIVO PASSIVO

Le **forme semplici** sono quelle che riguardano i **tempi che vengono dal tema del presente** (presente, imperfetto e futuro), che qui sotto mostriamo in tabella: **presente** (so cantadu = sono cantato), **imperfetto** (fia cantadu = ero cantato), **futuro** (apo a èssere cantadu = sarò cantato):

I TEMPI DEL MODO INDICATIVO PASSIVO CON IL TEMA DEL PRESENTE

presente = presente *praesens*		**inperfetu = imperfetto** *imperfectum*		**benidore = futuro** *futurum simple*	
SINGOLARE	PLURALE	SINGOLARE	PLURALE	SINGOLARE	PLURALE
cant-or	*cant-āmur*	*cant-ābar*	*cant-abāmur*	*cant-ābor*	*cant-abĭmur*
cant-āris	*cant-amĭni*	*cant-abāris*	*cant-abamĭni*	*cant-abĕris*	*cant-abimĭni*
cant-ātur	*cant-antur*	*cant-abātur*	*cant-abantur*	*cant-abĭtur*	*cant-abuntur*

I **tempi passivi semplici** dei verbi transitivi in sardo non esistono. Il passivo dei verbi si fa con l'ausiliare essere al posto di quello avere solo nei tempi composti. Ad esempio, se voglio fare un'azione attiva con il verbo **amare** dico "apo amadu = ho amato", se invece voglio fare un'azione passiva dico "so amadu = sono amato" o "amadu so = amato sono".

Alcuni verbi possono essere utilizzati sia in modo transitivo sia in modo intransitivo. Nel primo caso usano l'ausiliare avere (Il professore ha finito la lezione), nel secondo l'ausiliare essere (la lezione è finita).

Se dico "deo prendo = io lego" (*prendo*) sto facendo un'azione attiva con un tempo semplice; per "èssere presu = essere legato" e subire un'azione passiva (intransitiva) devo dire "deo so presu = io sono legato" (*prensus sum*) con un tempo composto. I Latini, invece, si sono inventati le forme passive sintetiche dei tempi derivati dal presente "deo prendo = io lego → io sono legato" (*prendor*), che non esistono in alcuna lingua romanza giunta fino a noi, ma che troviamo nel greco.

In latino, i **tempi che vengono dal perfetto** (passato prossimo, trapassato prossimo e futuro anteriore) si formano in maniera perifrastica, vale a dire aggiungendo all'infinito perfetto (participio passato) del verbo lessicale l'ausiliare essere (***sum***), come si costruiscono in sardo alcuni tempi composti.

Così come i sardi, i tempi composti latini sono coniugati nel genere (maschile e femminile) e nel numero (singolare e plurale); ma, a differenza del sardo, sono coniugati anche nel caso (nominativo), come fossero aggettivi di prima classe. Pertanto il verbo ***vocare*** = **abboghinare** o **bochinare** (chiamare ad alta voce, vociare) esce nel perfetto passivo latino in questo modo: *vocat-**us** sum* = abboghinadu so (sono stato chiamato, nominativo singolare maschile), *vocat-**i** sumus* = abboghinados semus (siamo stati chiamati, nominativo plurale maschile), *vocat-**a** sum* = abboghinada so (sono stata chiamata, nominativo singolare femminile), *vocat-**ae** sumus* = chiamate siamo (siamo state chiamate, nominativo plurale femminile), *vocat-**um** sum* (nominativo singolare neutro), *vocat-**a** sumus* (nominativo plurale neutro).

Come abbiamo detto, queste persone verbali sono coniugate / declinate nel caso nominativo. Se le avessero coniugate nel caso accusativo sarebbero state come le corrispondenti sarde: *vocat-**um*** (accusativo singolare maschile), *vocat-**os*** (accusativo plurale maschile), *vocat-**am*** (accusativo singolare femminile), *vocat-**as*** (accusativo plurale femminile).

Il sardo corrisponde al latino nei tempi del passato prossimo (*perfectum*), trapassato prossimo (*plusquamperfectum*) e futuro anteriore: **passato prossimo** (so abboghinadu = sono chiamato), **trapassato prossimo** (fia abboghinadu = ero chiamato), **futuro anteriore** (apo a èssere abboghinadu = sarò chiamato). Dal momento, però, che i tempi semplici dell'indicativo (presente, imperfetto e futuro) vengono tradotti con gli stessi tempi del passato, questi ultimi devono essere trasformati in trapassato. Esempio: ***vocor*** (1ª pers. sing. ind. presente passivo) non viene tradotto come "abbòghino = chiamo" (*praesens*) ma come un *perfectum* (so abboghinadu = sono chiamato); pertanto il passato prossimo (*perfectum*) deve essere trasformato obbligatoriamente in trapassato prossimo (so istadu abboghinadu = sono stato chiamato).

Questo invece non succede nei verbi intransitivi, sardi e latini, in cui, ad esempio, ***nascor*** (1ª persona singolare dell'indicativo presente, verbo deponente con significato attivo e forma passiva) viene tradotto con "nasco = nasco" e ***natus sum*** cun "nàschidu so = sono nato", mantenendo il rispetto dei tempi.

Di fatto, i Latini si sono inventati i tempi semplici sintetici dei verbi transitivi nella forma passiva. Per cui il tempo *perfectum* (passato prossimo), ad esempio "cantatus sum", che traduce letteralmente il presente passivo sardo "cantatu so" e l'italiano "cantato sono", significa invece "sono stato cantato".

I TEMPI LATINI DEL MODO INDICATIVO PASSIVO CON IL TEMA DEL *PERFECTUM* (PASSATO PROSSIMO)

passadu (passato prossimo) *perfectum*		**imperfetu passadu (trapassato prossimo) *plusquamperfectum***		**benidore de in antis (futuro anteriore) *futurum prius***	
SINGOLARE	PLURALE	SINGOLARE	PLURALE	SINGOLARE	PLURALE
vocatus, -a, -um sum	*vocati, -ae, -a sumus*	*vocatus, -a, -um eram*	*vocati, -ae, -a eramus*	*vocatus, -a, -um ero*	*vocati, -ae, -a erimus*
vocatus, -a, -um es	*vocati, -ae, -a estis*	*vocatus, -a, -um eras*	*vocati, -ae, -a eratis*	*vocatus, -a, -um eris*	*vocati, -ae, -a eritis*
vocatus, -a, -um est	*vocati, -ae, -a sunt*	*vocatus, -a, -um erat*	*vocatus, -a, -um erant*	*vocatus, -a, -um erit*	*vocatus, -a, -um erunt*

Mostriamo qua sotto la tabella dei corrispondenti tempi sardi (sardo comune).

presente = passadu (passato prossimo)		**impefetu = imperfetu passadu (trapassato prossimo)**		**benidore = benidore de in antis (futuro anteriore)**	
SINGOLARE	PLURALE	SINGOLARE	PLURALE	SINGOLARE	PLURALE
abboghinadu, -a so	abboghinados, -as semus	abboghinadu, -a fia	abboghinados, -as fiamus	abboghinadu-a apo a èssere istadu, -a	abboghinados-as amus a èssere istados, -as
abboghinadu, -a ses	abboghinados, -as seis	abboghinadu, -a fias	abboghinados, -as fiais	abboghinadu-a as a èssere istadu, -a	abboghinados-as ais a èssere istados, -as
abboghinadu, -a est	abboghinados, -as sunt	abboghinadu, -a fiat	abboghinados, -as fiant	abboghinadu-a at a èssere istadu, -a	abboghinados-as ant a èssere istados, -as

Come si vede dalla comparazione dei prospetti mostrati sopra, il passato prossimo (*perfectum*) è uguale al sardo. Il trapassato prossimo (*plusquamperfectum*), invece, è differente nell'ausiliare, che in sardo esce con **fui** (abboghinadu fui) e in latino con **ero** (*vocatus ero*).

In questo tempo verbale, i Latini hanno utilizzato il verbo di derivazione italica, ***ero***, al posto di quello di provenienza sarda, **fui**. Nel capitolo dedicato a questi due verbi, vedremo le differenze. Nel tempo futuro anteriore (*futurum prius*), ugualmente, il latino adopera l'ausiliare ***ero*** al posto di quello **fui**.

11.9.2 I TEMPI DEL MODO CONGIUNTIVO PASSIVO

Il discorso che abbiamo fatto con i tempi semplici dell'indicativo vale anche per il congiuntivo. Qui ugualmente i grammatici latini si sono inventati il passivo dei tempi semplici "presente" (*praesens*) e "imperfetto" (*imperfectum*) aggiungendo la desinenza **-*r*** alle forme attive.

Ecco qui sotto la tabella dei tempi del **modo congiuntivo passivo** con le voci: **presente** (chi deo sia cantadu = che io sia cantato), **imperfetto** (chi deo essere cantadu = che io fossi cantato).

I TEMPI LATINI DEL MODO CONGIUNTIVO PASSIVO CON IL TEMA DEL PRESENTE

Presente (presente) = ***Praesens***		**Imperfetu** (imperfetto) = ***Imperfectum***	
SINGOLARE	PLURALE	SINGOLARE	PLURALE
cant-er	*cant-ēmur*	*cant-ārer*	*cant-arēmur*
cant-ēris	*cant-emĭni*	*cant-arēris*	*cant-aremĭni*
cant-ētur	*cant-entur*	*cant-arētur*	*cant-arentur*

Ecco qui sotto la tabella dei tempi del **modo congiuntivo passivo** con il tema del **passato** (***perfectum***): chi deo sia istadu cantadu = che io sia stato cantato, e **trapassato congiuntivo** (***plusquamperfectum***): chi deo essere istadu cantadu = che io fossi stato cantato.

I TEMPI LATINI DEL MODO CONGIUNTIVO PASSIVO CON IL TEMA DEL PASSATO

Passadu (passato) = *Perfectum*		**Imperfetu passadu (trapassato) = *Plusquamperfectum***	
SINGOLARE	PLURALE	SINGOLARE	PLURALE
cantatus, -a, -um sim	*cantati, -a, -ae, a simus*	*cantatus, -a, -um essem*	*cantati, -a, -ae, a essemus*
cantatus, -a, -um sis	*cantati, -a, -ae, a sitis*	*cantatus, -a, -um esses*	*cantati, -a, -ae, a essetis*
cantatus, -a, -um sit	*cantati, -a, -ae, a sint*	*cantatus, -a, -um esset*	*cantati, -a, -ae, a essent*

I TEMPI SARDI DEL MODO CONGIUNTIVO PASSATO E IMPERFETTO PASSATO (TRAPASSATO).

Passadu (congiuntivo presente) = *Perfectum*		**Imperfetu passadu (passato) = *Plusquamperfectum***	
SINGOLARE	PLURALE	SINGOLARE	PLURALE
cantadu, -a sia	*cantados, -as sìamus*	*cantadu, -a essere*	*cantados, -as essèremus*
cantadu, -a sias	*cantados, -as siais*	*cantadu, -a esseres*	*cantados, -as essereis*
cantadu, -a siat	*cantatos, -as siant*	*cantadu, -a esseret*	*cantados, -as esserent*

Come si vede nella comparazione dei due prospetti, se i Latini avessero declinato le persone verbali in accusativo, invece che in nominativo le due forme sarebbero state uguali.

11.9.3 I TEMPI DEL MODO IMPERATIVO PASSIVO

Ecco qui sotto la tabella dei tempi del **modo imperativo passivo** (il futuro non viene utilizzato in sardo): **presente** (tue sias cantadu = sii tu cantato).

I TEMPI DEL MODO IMPERATIVO PASSIVO

Presente (presente) = *Praesens*	Benidore (futuro) = (non viene utilizzato in sardo)
II PERSONA SINGOLARE	II PERSONA PLURALE
cant-āre	cant-amĭni

11.10 I TEMPI DEI MODI INDEFINITI PASSIVI

Modo infinito: **presente = presente** (essere cantadu = essere cantato), **perfetto = passato** (èssere istadu cantadu = essere stato cantato), **benidore = futuro** (a proa a èssere cantadu = sul punto di essere cantato).

Occorre soffermarci sul modo infinito, tempo **futuro passivo**, che esce in latino in maniera perifrastica come il sardo. Di fatto, questo tempo utilizza il participio perfetto del verbo lessicale + l'infinito presente dell'ausiliare essere, componendo il futuro anteriore così come è in sardo. Nel nostro esempio: ***scitum esse***, in sardo ***at a èssere ischitu*** o ***ischitu at a esse*** (sarà saputo, sarà sembrata). Esempio:

si ch'est carchi cosa chi a mie **at a èssere pàrfida** = *si quid est quod mihi* ***scitum esse videatur***;
(se c'è qualcosa che a me **sarà sembrata**)[50].

Modo participio: ***perfectum*** **= passato** (cantadu = cantato).
Modo gerundivo: *cant-andus*, -a, um (de si cantare = che deve essere cantata).
Modo supino: *cantat-u* (a si cantare = a cantarsi). Esempio:

terra **mudada** no at mudadu genes o costùmenes = *nec terra* ***mutata*** *mutavit genus aut mores;*
(terra **mutata** non ha mutato geni e costumi)[51].

I TEMPI DELL'INFINITO

SARDO	**LATINO (forma passiva)**
Presente: essere cantadu (essere cantato); **Passadu (passato)**: èssere istadu cantadu (essere stato cantato); **benidore (futuro)**: a proa a èssere cantadu (sul punto di essere cantato). Solo in latino.	***praesens*** (presente): *cantari;* ***perfectum*** **singolare** (passato sing.): *cantatus, -a, -um esse*; ***perfectum*** **plurale** (passato plur.): *cantati, -ae, -a esse;* ***futurum*** (futuro): *cantatum esse.*

- **La perifrastica passiva latina**

La perifrastica latina è simile a quella greca (formata dall'aggettivo verbale seguito dal verbo εἰμί). Il **gerundivo** nella perifrastica latina si comporta più o meno come il sardo con il verbo servile **cheret** (vuole):

bogada nde cheret a bois cussa mància de sa gherra Mitridatica =
delenda est *vobis illa macula Mithridiatico bello;*
(**vuole tolta** / è da togliere a voi quella macchia della guerra Mitridatica)[52].

I TEMPI DEI MODI INDEFINITI PASSIVI SARDI E LATINI

Infinidu (infinito)		**Gerùndiu (gerundio)**		**Partitzìpiu (participio)**	
SARDO	LATINO	SARDO	LATINO	SARDO	LATINO
presente: èssere amadu (essere amato)	***praesens***: *am-āri*	------	------	-------	-------
passato: èssere istadu amadu (essere stato amato)	***perfectum:*** *Sing.: amatus -a, um esse* *Plur.: amati -as, -a esse*	------	------	**passato**: amadu, chi est istadu amadu (che è stato amato)	***perfectum:*** *amāt-us, -a, -um*
pro èssere amadu (per essere amato)	- ***futurum:*** - *amāt-um esse*	essendesi pro amare - **GERUNDIVO** (essendo per amare) - *am-āndus, -a, -um*		a èssere amadu (a essere amato)	- ***SUPINUM*** - *amāt-u*

Il **participio perfetto della forma passiva** si divide in due forme verbali: il **participio congiunto** e l'**ablativo assoluto**. Il primo è legato con la proposizione principale, mentre il secondo è sciolto dalla proposizione principale e segue la costruzione della frase greca del genitivo assoluto.

11.11 I VERBI AUSILIARI

Sono **ausiliari** (dal latino *auxiliārem* = qualcosa che può aiutare) quei verbi che aiutano a formare i tempi composti di tutti gli altri verbi. **In sardo sono ausiliari** i verbi **essere** e **avere**. **In latino** abbiamo solo la forma

50 Marcus Tullius Cicero, *Orationes - Pro Cn. Plancio*, 35.
51 Titus Livius, *Ab Urbe Condita Libri*, Liber VII, 4.
52 Marcus Tullius Cicero, *Orationes - De Imperio Cn Pompei pro lege Manilia*, 7.

dell'ausiliare **essere**, che si utilizza nella diatesi passiva del verbo, come in greco. Ma, come abbiamo visto nei tempi composti latini della forma attiva, le desinenze dell'ausiliare avere sono ugualmente presenti, sebbene posticipate, legate alla radice del verbo lessicale. Esempio di tempo indicativo passato:

amus chenadu = ***cen-avĭmus*** (cen[atus] avimus = chenatu a[v]imus); cenato abbiamo.

Esempio di tempo dell'imperfetto passato (*plusquamperfectum*):

aìamus chenadu = ***cen-averamus*** (cen[atu] averamus = chenadu a[v]eremus); avevamo cenato.

La stessa cosa succede nel **congiuntivo passato** (*coniunctīvus perfectum*): apemus chenadu = *cen-averĭmus* (chenadu a[v]èremus); (abbiamo cenato).

Il **congiuntivo trapassato** (*coniunctīvus plusquamperfectum*), invece, viene rappresentato in latino con l'ausiliare avere di derivazione campidanese. Come è in questo esempio:

aèremus chenadu (campidanesu: èssimus cenau o **cenau èssimus**) = ***cen-avissēmus*** (avessimo cenato).

In sardo il participio passato mantiene sempre il morfema al singolare (maschile) nella forma attiva, mentre lo coniuga nel genere e nel numero nella forma passiva, come in latino: ti ho vist**o**, **l**'ho vist**a**.

11.11.1 L'AUSILIARE ESSERE

Il verbo **essere** latino tiene nella prima persona singolare la desinenza ***-m***, come nel greco εἰ**μ**ί; la seconda persona singolare è senza la **s-** iniziale, ***es***, come nel greco **εἶ**, mentre la terza persona singolare (**est**) è simile alla greca **ἐστί**(ν) (esti), con in più la vocale paragogica **-ί**, rispetto alla sarda (**est**).
In sardo, i tempi composti del participio passato con l'ausiliare essere hanno quattro morfemi: singolare e plurale, maschile e femminile, come sono in latino nei tempi composti della forma passiva.

- **Gli ausiliari essere e avere con le particelle "bi", "nde", "che" e "nche".**

In sardo le particelle **bi** (ci), **nde** (ne), **che** (ci, vi, ne) e **nche** (ne) possono essere o pronomi o avverbi di luogo. Quando indicano uno stato o un moto da luogo sono avverbi. Queste particelle vogliono l'ausiliare **essere** quando il nome che segue il verbo è determinato, e l'ausiliare **avere** quando è indeterminato:

in cue **b'est s'**oro? (nome determinato dall'articolo **su**) = ***ubi*** *id* ***est*** *aurum* (li **c**'è l'oro)[53]?

ma in **ube ch'est**? = *sed* ***ubi illic est*** (ma **dove ci/vi/ne è**?)[54]

In sardo, la particella **bi** vuole l'ausiliare **avere** nella frase affermativa e interrogativa indeterminate:

in **ube b'at una** bassa = ***ubi unum*** *vasculum* (**dove c'è una** vasca)[55].

Le particelle **-inde** e **-iche** vogliono l'ausiliare **avere** nella frase indeterminata e **essere** nella determinata:

assist**ende·bi** a Giove = *assidet* ***inde*** *Iovi* (assistendo **ivi** a Giove)[56].
chi vietat de si **nde** mòvere = *quid vetat* ***inde*** *moveri* (che vieta di muover-se-**ne**)[57].
pro si **nche** discansare = *procul* ***hinc*** *discede* (per scansar-se-**ne**)[58].
a bois chi ordinat de bos **nche** andare = *at vos quo iubet* ***hinc*** *abite* (a voi che ordina di andar-ve-**ne**)[59].

---

53 Titus Maccius Plautus, *Aulularia*, I, 1.
54 Titus Maccius Plautus, *Pseudolus*, IV, 1.
55 Augustinus Hipponensis, *De Civiltate Dei*, Liber III, 4.
56 Publius Ovidius Naso, *Fasti*, Liber V.
57 Publius Ovidius Naso, *Fasti*, Liber III.
58 Marcus Valerius Martialis, *Epigrammaton*, Liber XIII, 25.
59 Gaius Valerius Catullus, *Carmina Catulli*, Liber I, 27.

II CONIUGAZIONE LATINA - FORMA ATTIVA DEL VERBO *HĂBĒRE, HĂBĔO* (AVERE)
VERBO AUSILIARE SARDO **ÀERE** (SC), **AI** (SM)

INDICATIVO

presente	***praesens***	**imperfetto**	***imperfectum***	**futuro**	***futurum***
(io ho)		(io avevo)		(io avrò)	
deo apo	*hăbĕo*	deo aia	*hăbēbam*	deo apo a àere	*hăbēbo*
tue as	*hăbes*	tue aias	*hăbēbas*	tue as a àere	*hăbēbis*
issu at	*hăbet*	issu aiat	*hăbēbat*	issu at a àere	*hăbēbit*
nois amus	*hăbēmus*	nois aìamus	*hăbebāmus*	nois amus a àere	*hăbebĭmus*
bois ais	*hăbētis*	bois aiais	*hăbebātis*	bois ais a àere	*hăbebĭtis*
issos ant	*hăbent*	issos aiant	*hăbēbant*	issos ant a àere	*hăbēbunt*

passato prossimo	***perfectum***	**trapassato prossimo**	***plusquam perfectum***	**benidore = futuro de in antis = anteriore**	***futurum prius***
(ho avuto)		(avevo avuto)		(avrò avuto)	
apo àpidu	*habui*	aia àpidu	*habuĕram*	apo a àere àpidu	*habuĕro*
as àpidu	*habuisti*	aias àpidu	*habuĕras*	as a àere àpidu	*habuĕris*
at àpidu	*habuit*	aiat àpidu	*habuĕrat*	at a àere àpidu	*habuĕrit*
amus àpidu	*habuĭmus*	aìamus àpidu	*habuerāmus*	amus a àere àpidu	*habuerĭmus*
ais àpidu	*habuistis*	aiais àpidu	*habuerātis*	ais a àere àpidu	*habuerĭtis*
ant àpidu	*habuērunt*	aiant àpidu	*habuĕrant*	ant a àere àpidu	*habuĕrint*

CONGIUNTIVO

presente	***praesens***	**passato**	***perfectum***	**imperfetto**	***imperfectum***	**trapassato**	***plusquam perfectum***
(io abbia)		(abbia avuto)		(avessi)		(avessi avuto)	
apa	*hăbĕam*	apa àpidu	*habuĕrim*	aere	*hăbērem*	aere àpidu	*habuissem*
apas	*hăbĕas*	apas àpidu	*habuĕris*	aeres	*hăbēres*	aeres àpidu	*habuisses*
apat	*hăbĕat*	apat àpidu	*habuĕrit*	aeret	*hăbēret*	aeret àpidu	*habuisset*
apamus	*hăbeāmus*	apamus àpidu	*abuerĭmus*	aèremus	*hăberēmus*	aeremus àpidu	*habuissēmus*
apais	*hăbeātis*	apais àpidu	*habuerĭtis*	aereis	*hăberētis*	aereis àpidu	*habuissētis*
apant	*hăbĕant*	apant àpidu	*habuĕrint*	aerent	*hăbērent*	aerent àpidu	*habuissent*

CONDIZIONALE		**IMPERATIVO**			
presente = *praesens*	**passato**	**presente**	***praesens***	**futuro**	***futurum***
(io avrei)	(io avrei avuto)	(tu abbi)		(non esiste in it.)	
deo dia àere =	deo dia àere àpidu	------	----------	------	----------
tue dias àere =	tue dias àere àpidu	apas tue	*hăbe*	as a àere tue	*hăbēto*
issu diat àere = *det habĕre*	issu diat àere àpidu	apat issu	------	at a àere issu	*hăbēto*
nois diamus àere =	nois diamus àere àpidu	apamus nois	------	amus a àere nois	------
bois diais àere =	bois diais àere àpidu	apades bois	*hăbēte*	ais a àere bois	*hăbetōte*
issos diant àere = *dent habĕre*	issos diant àere àpidu	apant issos	------	ant a àere issos	*hăbento*
		no apas tue			

INFINITO		**GERUNDIO**		**PARTICIPIO**	
presente	***praesens***			**presente**	***praesens***
àere	*hăbēre*	**presente**	genitivu: *hăbendi*	------	*hăbens, -entis*
(avere)	***perfectum***	apende	dativu: *hăbendo*	(avente)	(che ha)
passato	*habuisse*	(avendo)	acusativu: *ad hăbendum*	**futuro**	***futurum***
àere àpidu	***futurum* (sing. e plur.)**	**passato**	ablativu: *hăbendo*	------	*habitūrŭs, -a, ūm*
(avere avuto)	*habitūrūm, -am, -ūm esse*	apende	(di, a, per, con l'avere)		(che avrà)
futuro	*habitūros -as, a esse =*	àpidu		**SUPINO**	***SUPINUM***
---------	sul punto di avere.	(avendo av.)		àpidu	*habitum* (ad avere)

I Latini hanno dotato il verbo **avere** della "**h**" davanti per segnare l'aspirazione che c'è nel greco: ἔχω.

II CONIUGAZIONE LATINA - FORMA PASSIVA DEL VERBO ***HĂBĒRI, HĂBĔOR*** (AVERE) VERBO AUSILIARE SARDO **ÀERE** (SC), **AI** (SM)

INDICATIVO

presente	***praesens***	**imperfetto**	***imperfectum***	**futuro**	***futurum***
deo so àpidu, etz. (io sono avuto)	*hăbĕor* *hăbēris/hăbēre* *hăbētur* *hăbēmur* *hăbemĭni* *hăbentur*	deo fia àpidu, etz. (io ero avuto)	*hăbēbar* *hăbebāris* *hăbebātur* *hăbebāmur* *hăbebamĭni* *hăbebantur*	deo apo a èssere àpidu, etz. (io sarò avuto)	*hăbēbor* *hăbebĕris* *hăbebĭtur* *hăbebĭmur* *hăbebimĭni* *hăbebuntur*

passato	***perfectum***	**trapassato**	***plusquam perfectum***	**futuro anteriore**	***futurum prius***
so istadu àpidu, etz. (sono stato avuto)	*habitus, -a, -um sum* *habitus, -a, -um es* *habitus, -a, -um est* *habiti, -ae, -a sumus* *habiti, -ae, -a estis* *habiti, -ae, -a sunt*	deo fia istadu àpidu, etz. (ero stato avuto)	*habitus, -a, -um eram* *habitus, -a, -um eras* *habitus, -a, -um erat* *habiti, -ae, -a eramus* *habiti, -ae, -a eratis* *habiti, -ae, -a erant*	deo apo a èssere istadu àpidu, etz. (sarò stato avuto)	*habitus, -a, -um ero* *habitus, -a, -um eris* *habitus, -a, -um erit* *habiti, -ae, -a erimus* *habiti, -ae, -a eritis* *habiti, -ae, -a erunt*

CONGIUNTIVO

presente	***praesens***	**passato**	***perfectum***	**imperfetto**	***imperfectum***	**trapassato**	***plusquam perfectum***
deo sia àpidu, etz. (io sia avuto)	*hăbēar* *hăbēaris* *hăbēatur* *hăbeāmur* *hăbeamĭni* *hăbeantur*	deo sia istadu àpidu, etz. (io sia stato avuto)	*habitus, -a, -um sim* *habitus, -a, -um sis* *habitus, -a, -um sit* *habiti, -ae, -a simus* *habiti, -ae, -a sitis* *habiti, -ae, -a sint*	deo essere àpidu, etz. (fossi avuto)	*hăbērer* *hăberēris* *hăberētur* *hăberēmur* *hăberemĭni* *hăberentur*	deo essere ista- du àpidu, etz. (fossi stato avuto)	*habitus, -a, -um essem* *habitus, -a, -um esses* *habitus, -a, -um esset* *habiti, -ae, -a essemus* *habiti, -ae, -a essetis* *habiti, -ae, -a essent*

CONDIZIONALE		IMPERATIVO			
presente	**passato**	**presente**	***praesens***	**futuro**	***futurum***
deo dia èssere àpidu, etz. (io sarei avuto)	deo dia èssere istadu àpidu, etz. (io sarei stato avuto)	------ ------ ------ ------ ------ ------	---------- *hăbere* ------ ------ *hăbemĭni* ------	------ ------ ------ ------- ------ ------	---------- *hăbētor* *hăbētor* ------ ------ *hăbentor*

INFINITO		GERUNDIO		PARTICIPIO	
presente èssere àpidu (essere avuto) **passato** èssere istadu àpidu (essere stato avuto) **futuro** ---------	***praesens*** *hăbēri* ***perfectum* (sing. e plur.** *habitus, -am, -um esse* *habiti, -ae, -a esse* ***futurum*** *habitum esse*	**presente** essendesi àpidu (essendo avuto) **passato** essende istadu àpidu	***GERUNDIVO*** *hăbendus, -a, um* = *chi s'est apende.* (a aversi)	**presente** ------ **passato** àpidu (avuto) **SUPINO** àpidu	***praesens*** ------ ***perfectum*** *habitus, -a, um* (che è stato avuto) ***SUPINUM*** *habitu* (a essere avuto)

11.11.2 IL VERBO *SUM* = SO, ÈSSERE (SONO, ESSERE)

La prima persona del verbo essere aveva in latino arcaico la forma ***son***, composta da "**so**" più la desinenza ***-n*** dell'accusativo greco. I Romani dicono ancora "**so** de Roma", come in sardo.

A differenza di altri verbi, il verbo ***sum*** non ha supino, gerundio, gerundivo e participio presente.

Secondo i grammatici moderni, il verbo **essere** latino, vale a dire ***sum***, si coniuga con due temi distinti: ***-es*** per il presente e per i tempi che derivano da questo (presente, imperfetto e futuro), ***fu-***, per i tempi del perfetto (passato, trapassato e futuro anteriore) e per i tempi che vengono da questo.

In sardo il **verbo essere** parte da due consonanti differenti, **s-** e **f-**, a cui si aggiungono le vocali tematiche e le desinenze: deo **s**o (io sono), tue **s**es (tu sei), issu [**s**]est (egli è), nois **s**emus (noi siamo), bois **s**eis (voi siete), issos **s**unt (essi sono, vocale in **-u-**). Come si vede, solo nella 3ª persona singolare muta la prima consonante della radice iniziale, ma, in origine, potrebbe esserci stata ugualmente una **s-**, che in sardo usiamo per il riflessivo "issu **s**'est (egli si è)". L'altra consonante è la **f-** che da inizio ai tempi con **fio** (ero) o **fui**.

Il problema, fino ad ora non capito, del verbo latino ***sum*** è che i grammatici antichi della koinè latina lo hanno fabbricato a tavolino. Come abbiamo già visto nelle analisi fatte per i tempi degli altri verbi, anche il verbo **sum** è stato condizionato dalla necessità di mutare i tempi composti o perifrastici in sintetici.

Pertanto il tempo presente è rimasto come in sardo. L'imperfetto è stato preso dall'italico ***eram***, così come il tempo futuro, ***ero***, per destinare l'imperfetto originario latino e sardo, **fui**, al tempo passato (*perfectum*). Il tempo trapassato (*plusquamperfectum*), invece, è stato attribuito a ***fu-ĕram*** e il tempo futuro anteriore a ***fu-ĕro***, in cui al tema fu- è stato aggiunto rispettivamente l'imperfetto e il futuro semplice.

I tempi latini semplici, presente e imperfetto, del modo congiuntivo sono precisi a quelli sardi, mentre il *perfectum* (passato) e il *plusquamperfectum* (trapassato) sono stati composti a tavolino e formati dal tema ***fu-*** con le terminazioni che abbiamo già visto per gli altri verbi.

Le forme arcaiche del congiuntivo presente del verbo *sum* escono con la vocale desinenziale ***-e*** al posto della ***-a***: *siem* (io sia), *sies* (tu sia), *siet* (egli sia), *sient* (loro siano). Questa particolarità la troviamo nel congiuntivo presente del sardo logudorese, che si oppone al sardo comune: si**a**, si**as**, si**at**, si**ant**.

- **Gli ausiliari essere e avere con i pronomi atoni riflessivi**

In sardo, i pronomi atoni: mi (mi), ti (ti), li/ddi (le), nos (ci), bos (vi), lis/ddis (gli), quando svolgono funzione di complemento di forma riflessiva, con i tempi composti, vogliono l'ausiliare essere se il nome che segue il verbo è determinato e, al contrario, l'ausiliare avere se il nome è indeterminato.

11.11.3 IL VERBO FIO (ERO)

In latino noi troviamo ***fui*** e i suoi derivati nel verbo essere, ma allo stesso tempo incontriamo in latino il verbo ***fio***, in cui il tempo **presente** dell'indicativo esce con ***fio***, l'**imperfetto** con ***fiēba***, e il **tempo futuro** con ***fiam***.

Gli scrittori latini utilizzavano più frequentemente, per il verbo essere, il tempo passato del modo indicativo, invece del tempo imperfetto, quando dovevano esprimere un tempo in svolgimento. Ad esempio: ***Cicero fuit Romanus*** e non ***Cicero erat*** o ***fiēbat Romanus***. Questo, probabilmente, perché l'imperfetto ***fiēbat*** mal si prestava all'utilizzo. l'imperfetto del sardo comune fia, fias, fiat, fiamus, fiais fiant lo troviamo in latino tale e quale nel congiuntivo presente del verbo ***fio*** (*fiam, fias, fiat, fiamus, fiatis, fiant*).

Ritornando al verbo **fio**, questo manca di alcuni tempi e in quelli composti è sostituito dal verbo ***factus*** (*factus sum*, ecc.). Pertanto è chiaro che il verbo **fio** sia un'altra variante sarda dell'imperfetto, rispetto a **fui** del passato "essere" latino. Il congiuntivo presente del verbo latino ***fio***, vale a dire ***fia****[m]*, non è altro che un modo diverso di pronunciare l'imperfetto ***fui*** o ***fio*** a seconda dei differenti luoghi della Sardegna. In altre parole, **fui**, **fia** o **fio** sono le diverse varianti sarde dell'imperfetto indicativo del verbo essere.

Mostriamo il verbo ***sum*** (essere) e il verbo ***fio*** (ero) nei prospetti che seguono con i corrispondenti tempi in sardo comune.

VERBO AUSILIARE LATINO ***ESSE*, *SUM*** **(ESSERE)**
VERBO AUSILIARE SARDO **ÈSSERE** (SC), **ESSI** (SM)

INDICATIVO

presente	***praesens***	**imperfetto**	***imp. eram***	***imp. fio***	**futuro**	***fut. eram / fio***
(io sono)		(io ero)	(io ero)	(io ero)	(io sarò)	
deo so	*ego sum*	deo fia	*eram*	*fiēbam*	deo apo a èssere	*ero / fiam*
tue ses	*tu es*	tue fias	*eras*	*fiēbas*	tue as a èssere	*eris / fies*
issu est	*ipsum est*	issu fiat	*erat*	*fiēbat*	issu at a èssere	*erit / fiet*
nois semus	*nos sumus*	nois fiamus	*erāmus*	*fiebāmus*	nois amus a èssere	*erĭmus / fiemus*
bois seis	*vos estis*	bois fiais	*erātis*	*fiebātis*	bois ais a èssere	*erĭtis / fietis*
issos sunt	*ipsos sunt*	issos fiant	*erant*	*fiēbant*	issos ant a èssere	*erunt / fient*

passato	***perfectum***	**trapassato**	***plusquam perfectum***	**futuro anteriore**	***futurum prius***
(io sono stato)		(io ero stato)		(io sarò stato)	
deo so istadu	*fui*	deo fia istadu	*fuĕram*	deo apo a èssere istadu	*fuĕro*
tue ses istadu	*fuīsti*	tue fias istadu	*fuĕras*	tue as a èssere istadu	*fuĕris*
issu est istadu	*fuit*	issu fiat istadu	*fuĕrat*	issu at a èssere istadu	*fuĕrit*
nois semus istados	*fuĭmus*	nois fiamus istados	*fuerāmus*	nois amus a èssere istados	*fuerĭmus*
bois seis istados	*fuīstis*	bois fiais istados	*fuerātis*	bois ais a èssere istados	*fuerĭtis*
issos sunt istados	*fuērunt*	issos fiant istados	*fuĕrant*	issos ant a èssere istados	*fuĕrint*

CONGIUNTIVO

presente	***praesens latinum***	**passato**	***perfectum***	**imperfetto**	***imperfectum***	**trapassato**	***plusquam perfectum***
(sia)		(sia stato)		(fossi)		(fossi stato)	
sia	*sim / siem*	sia istadu	*fuĕrim*	essere	*essem*	essere istadu	*fuissem*
sias	*sis / sies*	sias istadu	*fuĕris*	esseres	*esses*	esseres istadu	*fuisses*
siat	*sit / siet*	siat istadu	*fuĕrit*	esseret	*esset*	esseret istadu	*fuisset*
siamus	*sīmus*	sìamus istados	*fuerĭmus*	essèremus	*essēmus*	essèremus istados	*fuissēmus*
siais	*sītis*	siais istados	*fuerĭtis*	essèreis	*essētis*	essèreis istados	*fuissētis*
siant	*sint / sient*	siant istados	*fuĕrint*	esserent	*essent*	esserent istados	*fuissent*

CONDIZIONALE		IMPERATIVO			
presente: sardo = ***latino***	**passato sardo**	**presente**	***praesens***	**futuro**	***futurum***
(io sarei)	(io sarei stato)	(sii)			
dia èssere = *dem esse*	dia èssere istadu	--------	*es*	------	*esto*
dias èssere = *des esse*	dias èssere istadu	sias tue		as a èssere tue	*esto*
diat èssere = *det esse*	diat èssere istadu	siat issu		at a èssere issu	
diamus èssere = *demus esse*	diamus èssere istados	siamus nois	*este*	amus a èssere nois	*estōte*
diais èssere = *detis esse*	diais èssere istados	siades bois		ais a èssere bois	*sunto*
diant èssere = *dent esse*	diant èssere istados	siant issos		ant a èssere issos	
		non sias tue			

INFINITO		GERUNDIO	PARTICIPIO	
SARDU	**LATINU**	**presente:**	**presente**	***praesens***
presente	***praesens:*** *esse* (essere)	essende (essendo)	------	-------
èssere		**passato:**		
(essere)	***perfectum***	essende istadu	**passato**	***perfectum***
passato	*fuisse* (essere stato)	(essendo stato)	istadu	-------
èssere istadu		**genitivo** ------	(stato)	
(essere stato)	***futūrum***, *-am, - um esse*	**dativo** ------	**futuro**	***futūrus***, *-a, -um*
futuro	***futūros***, *-as, a esse*	**accusativo** ------	-------	(che sarà)
---------	(stare per essere)	**ablativo** ------	**SUPINO** ------	***SUPINUM*** -----

VERBO INTRANSITIVO ANOMALO LATINO ***FIO*** **(ERO)**
IMPERFETTO INDICATIVO SARDO DEL VERBO ESSERE: **FIA** (SC), **FUI** (SM, SS), **FIO** (SS)

INDICATIVO

presente sardo	***praesens* latino**	**imperfetto sardo**	***imperfectum***	**benidore - futuro**	***futurum***
(io sono)		(io ero)		(io sarò)	
deo so	*fīo*	**deo fia / fio / fui**	*fiēbam*	deo apo a èssere	*fīam*
tue ses	*fis*	**tue fias / fis / fusti**	*fiēbas*	tue as a èssere	*fīes*
issu est	*fit*	**issu fiat / fit / fut**	*fiēbat*	issu at a èssere	*fīet*
nois semus	*fīmus*	**nois fiamus**	*fiebāmus*	nois amus a èssere	*fiēmus*
bois seis	*fītis*	**bois fiais / fizis**	*fiebātis*	bois ais a èssere	*fiētis*
issos sunt	*fīunt*	**issos fiant**	*fiēbant*	issos ant a èssere	*fīent*

passato	***perfectum***	**trapassato**	***plusquam perfectum***	**futuro anteriore**	***futurum prius***
(sono stato)		(ero stato)		(sarò stato)	
so istadu	factus, -a, -um sum	fia istadu	factus, -a, -um eram	apo a èssere istadu	factus, -a, -um ero
ses istadu	factus, -a, -um es	fias istadu	factus, -a, -um eras	as a èssere istadu	factus, -a, -um eris
est istadu	factus, -a, -um est	fiat istadu	factus, -a, -um erat	at a èssere istadu	factus, -a, -um erit
semus istados	facti, -ae, -a sumus	fiamus istados	facti, -ae, -a eramus	amus a èssere istados	facti, -ae, -a erimus
seis istados	facti, -ae, -a estis	fiais istados	facti, -ae, -a eratis	ais a èssere istados	facti, -ae, -a eritis
sunt istados	facti, -ae, -a sunt	fiant istados	facti, -ae, -a erant	ant a èssere istados	facti, -ae, -a erunt

CONGIUNTIVO

presente	***praesens***	**imperfetto**	***imperfectum***
(io sia)		(io fossi)	
deo sia	*fīam*	deo essere	*fīrem*
tue sias	*fīas*	tue esseres	*fīres*
issu siat	*fīat*	issu esseret	*fīret*
nois siamus	*fiāmus*	nois essèremus	*firēmus*
bois siais	*fiātis*	bois essèreis	*firētis*
issos siant	*fīant*	issos esserent	*fīrent*

passato	***perfectum***	**trapassato**	***plusquam perfectum***
(io sia stato)		(io fossi stato)	
deo sia istadu	*factus, -a, -um sim*	deo essere istadu	*factus, -a, -um essem*
tue sias istadu	*factus, -a, -um sis*	tue esseres istadu	*factus, -a, -um esses*
issu siat istadu	*factus, -a, -um sit*	issu esseret istadu	*factus, -a, -um esset*
nois siamus istados	*facti, -ae, -a simus*	nois esseremus istados	*facti, -ae, -a essemus*
bois siais istados	*facti, -ae, -a sitis*	bois essereis istados	*facti, -ae, -a essetis*
issos siant istados	*facti, -ae, -a sint*	issos esserent istados	*facti, -ae, -a essent*

INFINITO		IMPERATIVO	GERUNDIVO - SUPINO	
SARDO	**LATINO**	**LATINO**	**GERUNDIVO**	***faciendus, -a, -um***
presente	***praesens***	***praesens***		
èssere	*fieri*	II Sing. *fi*	**PARTICIPIO**	
(essere)		II Plur. *fite*	presente	-------
passato	***perfectum* (sing. e plur.)**		**futuro**	***futurum***, *-a, -um*
èssere istadu	*factus, -am, -um esse*	***futurum***		
(essere stato)	*facti, -ae, -a esse*	II Sing. *fīto*	**SUPINO**	
futuro	***futūrum***, *-am, - um esse*	III sing. *fīto*	**Supino attivo**	*factum,*
---------	*facūm, -as, a esse*	II Plur. *fitōte*	**Supino passivo**	*factu*

11.11.4 I COMPOSTI DI *SUM*

In sardo tutti i composti di ***sum*** si formano allo stesso modo del latino e tutti hanno lo stesso significato latino, con la grande differenza però che non è il verbo ***sum*** ad accompagnare le preposizioni ma l'**articolo *su* (*ipsum*** = il): **dae su** (dal), **a su** (al), **de su** (del), **in su** (nel), **intro su** (dentro il), **contra su** (contro il), **peri su** (attraverso il), **in su** (nel), **intre su** (tra il), **pro su** (per il), **suta su** (sotto il), **subra su** (sopra il). Quindi non di verbo si tratta, ma di articolo [*ip*]***sum*** = **su** (il).

La maggior parte dei composti del verbo ***sum*** sono formati da particelle avverbiali o da preposizioni legate alle persone dell'indicativo presente dello stesso verbo ***sum*** (essere).

Pertanto abbiamo i composti che seguono: ***ab-sum*** (stare lontano = **dae su**); ***ad-sum*** (stare vicino = **a su**); ***de-sum*** (possedere o venire a mancare = **de su**); ***in-sum*** (stare dentro = **in su**); ***inter-sum*** (stare tra = **intre su**); ***ob-sum*** (nuocere, contro il = **contra su**); ***prae-sum*** (stare a capo = **peri su**); ***pro-sum*** (essere a favore = **pro su**); ***sub-sum*** (stare sotto = **suta su**); ***super-sum*** (stare sopra = **supra su**).

11.12 I VERBI TRANSITIVI E INTRANSITIVI

Tutti i verbi sia sardi che latini si dividono in due parti: **transitivi** e **intransitivi**.

- Sono **transitivi** (dal latino e sardo **transire** = passare) quei verbi che legano tra loro almeno due parole, facendo passare l'**azione dal soggetto all'oggetto**:

nemos de fatu **istùdiat** (transitivo attivo) sas eloquèntzias de sos òmines nostros =
*nemo enim **studet** eloquentiae nostrorum hominum;*
(nessuno di fatto **studia** le eloquenze dei nostri uomini)[60].

dae sas dotrinas chi **sunt istudiadas** (forma passiva del verbo transitivo) cun veemèntzia =
*eis doctrinis quippe **studentur** vehementia* (dalle dottrine che **sono studiate** con veemenza)[61].

I verbi studiare, mangiare, lavare, ecc. sono verbi transitivi a due posti poiché muovono l'idea espressa dal verbo dal soggetto a un'oggetto:

chi **màndigat** carre mea = *qui **manducat** carnem meam* (che **mangia** carne mia)[62].

I verbi transitivi a tre posti, invece, fanno passare l'idea espressa dal verbo dal soggetto a un'oggetto per giungere a una parola termine:

a Nerone annos de sos suos **donat** = *Neroni multos annos de suo **donat*** (dei suoi **dona** anni a Nerone)[63].

La maggior parte dei i verbi transitivi attivi in sardo forma i tempi composti con l'ausiliare **avere**:

chi custa a mie **at donadu** = *qui hanc mihi **donavit*** (che a me **ha donato** questa)[64].

- Sono **intransitivi** (dal latino *intransitivum* = che non transita) quei verbi che si legano a una sola parola, senza far passare l'azione del soggetto all'oggetto:

e intre nois matessi su betzu **intertzedit** = *et inter nosmet vetus **intercedit**;*
(e tra noi stessi il vecchio **intercede**)[65].

Alcuni verbi possono essere utilizzati sia in modo transitivo sia in maniera intransitiva. Nel primo caso in sardo usano l'ausiliare **avere**, nel secondo caso in genere adoperano l'ausiliare **essere**:

60 Marcus Tullius Cicero, *Rhetorica - De Oratore*, Liber II, 13.
61 Augustinus Hipponensis, *De Trinitate*, Liber II, 10.
62 Augustinus Hipponensis, *De Civitate Dei*, Liber XXI, 25.
63 Lucius Annaeus Seneca, *Apocolocyntosis*, 4.
64 Marcus Tullius Cicero, *Orationes - Pro Archia*, 26.
65 Marcus Tullius Cicero, *Epistulae - Ad Familiares*, XIII, 23.

nointamen Chèsare sas pràchidas primas artes **at mudadu** = *nec tamen Caesar placitas semel artes **mutavit;***
(nonostante Cesare **ha mutato** le piaciute prime arti)[66].

su turpe autore **mudadu est** = *turpis auctor **mutatus est*** (il turpe autore **è mutato**)[67].

Per capire se un verbo è transitivo o intransitivo basta farlo seguire dal pronome indefinito "**qualcosa**".
Noi di fatto possiamo dire: studiare qualcosa, mangiare qualcosa, ecc.
Ma non possiamo dire: tramontare qualcosa, giocare qualcosa, ecc.

Il verbo latino intransitivo ***ire*** non è altro che parte del verbo ***exire*** (ex-ire), in sardo **essire** (uscire), a cui è stato tolto il prefisso ***ex***, che è una particella oppositiva, come **dis**. Pertanto ***ex-ire*** (uscire) è l'opposto di ***ire*** (andare, entrare), vale a dire "tornare, giungere".

Nel verbo **exire** non c'è la forma passiva latina, poiché non si può dire **sono stato uscito**, dal momento che il verbo è intransitivo. Per questo in sardo nei tempi composti l'ausiliare è **essere** e non **avere**.

11.12.1 LE FORME DEI VERBI TRANSITIVI

I **verbi transitivi** possono avere tre diverse forme: **attiva, passiva e riflessiva**. Si dice **attiva** quella forma in cui il soggetto esprime l'azione tenuta dal verbo:

deo binu **bi[b]o** = *ego vinum **bibo*** (io **bevo** vino)[68].

Si chiama **passiva** quella forma in cui l'oggetto diventa soggetto e il verbo esprime un'azione passiva (ausiliare + participio passato del verbo lessicale + preposizione articolata "dal" + soggetto):

e dae su binu chi a propòsitu **so bufadu** = *et vino quod **bibitus*** (e dal vino che a proposito **sono bevuto**)[69].

Il passivo costruito dal sardo assomiglia molto al latino, fatto con il verbo al passivo + la desinenza ***-r***:

ite? Non **timet** frebbe = *quid? Non **timetur** febris* (cosa? Non **teme** (non è temuto dalla) la febbre)[70].

Pertanto, nella frase passiva, sarda e latina, il complemento di agente tiene funzione di soggetto e viene espresso in latino con la preposizione ***a/ab***. Esempio:

pro custu gasi **dae** issos est timidu = *quod sic **ab** iis timetur* (per questo così **da** loro è temuto)[71].

Quando, invece, il complemento è una cosa o essere inanimato (causa efficiente) si adopera in latino l'**ablativo semplice** senza preposizione. Esempio:

s'àteru de sos duos inferchidos **est afundadu** = *alter ex duobus surculis **mergitur;***
(l'altro dei due innesti **è affondato**)[72].

Si dice **riflessiva** quella forma in cui il verbo fa cadere l'azione sopra chi la compie. I verbi riflessivi in sardo possono essere a due o a tre posti:

Roma cun medas iscurigadas **est bestida** = *Roma magis fuscis **vestitur;***
(Roma **si è vestita** con molte tenebre)[73].

Nei **tempi composti dei verbi riflessivi** si utilizza in sardo l'ausiliare essere se il verbo è a due posti (Gio-

66 Publius Cornelius Tacitus, *Annales*, Liber II, 66.
67 Aulus Gellius, *Noctes Atticae*, XVIII, 3.
68 Titus Maccius Plautus, *Persa*, II, 1.
69 Gaius Plinius Secundus (su betzu), *Naturalis Historia*, Liber XXX, 51.
70 Lucius Annaeus Seneca, *De Ira*, Liber II, 2.
71 Quintus Curtius Rufus, *Historiarum Alexandri Magni*, Liber VI, 9.
72 Lucius Iunius Moderatus Columella, *Res Rustica*, IV, 29.
73 Marcus Valerius Martialis, *Epigrammaton*, Liber XIV, 129.

vanni si è lavato) e, al contrario dell'italiano, quello avere se il verbo è a tre posti, perché l'azione espressa dal verbo passa dal soggetto all'oggetto e da questo al complemento indiretto. Pertanto non diremo:

Giuanne **s'est petenadu** sos pilos = Giovanni **si è pettinato** i capelli (come in italiano),
ma Giuanne s'**at petenadu sos** pilos = Giovanni **si ha pettinato** i capelli,
ovverosia, Giovanni **ha pettinato** i capelli a se stesso.

Quando il soggetto è una donna, dal momento che si usa l'ausiliare avere al posto di quello essere, il morfema verbale esce solo al maschile e non al femminile:

Maria **s'at** samunadu sas manos (Maria **si ha** lavat**o** le mani); e non, come in italiano,
Maria **s'est** samunada sas manos (Maria **si è** lavat**a** le mani).

In latino si può adoperare la forma passiva del riflessivo senza pronome personale (**si**), che, probabilmente, è rappresentato nella stessa desinenza ***-r*** del passivo:

e cun fùrfure rassu **s'est bestidu** = *et furfure grasso* ***vestitur*** (e con crusca grassa **si è vestito**)[74].

Un altro modo di scrivere il riflessivo in latino è quello con l'uso del pronome riflessivo. Ad esempio:

cun grassu de Gàllia **mi vestit** = ***me*** *pinguis Gallia* ***vestit*** (con grasso di Gallia **mi veste**)[75].

In latino si usa il verbo transitivo attivo nei tempi composti ponendo o omettendo il pronome riflessivo:

cando tota note [**ti**] **as bìbidu** = *cum tota nocte* ***bibisti*** (quando tutta la notte [**ti**] **hai bevuto**)[76].

11.13 I VERBI IMPERSONALI

Ci sono pochi verbi che non hanno soggetto: si tratta dei **verbi impersonali**, legati per lo più alle condizioni del tempo e alle intemperie della natura, come: pro[v]et = *pluvit* (piove), ni[g]at = *ningit* (nevica), tronat = *tonat* (tuona), [g]ràndinat = *grandinat* (grandina). Altri verbi sardi sono stati sostantivati in latino, come: lampat = *lampas* (lampeggia), frocat = *floccus* (fiocca), dilùviat = *de luiat* (diluvia).

Sempre impersonali sono i verbi legati ai sentimenti: lichet = *licet* (lecito), deghet = *decet* (si addice), penetit = *paenitet* (pentirsi), pudat = *pudat* (vergognarsi), giudat = *iuvat* (giova), ecc.

Altri verbi che sono personali possono essere utilizzati come impersonali: atenet = *attinet* (attiene), imbenit = *evĕnit* (avviene, arriva) sutzedit = *accidit* (succede spesso, da una settimana all'altra), ecc.

Al contrario di quanto accade in italiano, in sardo nei tempi composti dei verbi impersonali si usa l'ausiliare avere al posto di quello essere. In latino il verbo è attivo e, pertanto, come in sardo, esce con la desinenza che ci riporta all'ausiliare avere e non a quello essere:

proet = *plovit* (piove); at pròpidu = *pluvit* (**ha** piovuto - e non "**è** piovuto");
tronat = *tonat* (tuona); at tronadu = *tonuit* (ha tuonato);
ni[g]at = *ningit* (nevica); at ni[g]adu = *ninxit* (ha nevicato).

in area de Vulcanu e Cuncòrdia cun sàmbene **at pròpidu** = *in area Vulcani et Concordiae sanguine* ***pluvit***;
(in area di Vulcano e Concordia con sangue **ha piovuto**)[77].

cando in istiu cun veemèntzia **at tronadu** = *cum aestate vehementia* ***tonuit;***
(quando in estate con veemenza **ha tuonato**)[78].

Si usa invece l'ausiliare essere se i verbi impersonali li esprimiamo al gerundio:
est pro[v]ende = *pluvendum* (sta piovendo), est tronende = *tonandum* (sta tuonando).

74 Gaius Plinius Secundus (su betzu), *Naturalis Historia*, Liber XVIII, 73.
75 Marcus Valerius Martialis, *Epigrammaton*, Liber VI, 2.
76 Marcus Valerius Martialis, *Epigrammaton*, Liber XII, 12.
77 Titus Livius, *Ab Urbe Condita Libri*, Liber XXXIV, 45.
78 Gaius Plinius Secundus (su betzu), *Naturalis Historia*, Liber XVIII, 81.

11.14 I VERBI SERVILI

In latino, come in sardo, si chiamano **servili** quei verbi che si legano all'infinito di un altro verbo per precisarne il senso. I verbi servili più importanti sono: bòlere = *volo, velle* (volere), chèrrere = *quaero, quaerĕre* (volere), dèpere = *debeo, debēre* (dovere), sciri = *scio, scīre* (sapere), pòdere = *possum, posse* (potere).

Altri verbi servili utilizzati in latino e in sardo sono: curare = *cŭro, cŭrāre* (curare), desinnare = *dēsĭno, dēsĭnĕre* (designare), apitare = *appeto, appĕtĕre* (desiderare), essere interessadu = *cŭpĭo, cŭpĕre* (essere interessato), istudiare = *stŭdĕo, stŭdēre* (studiare), madurare = *mātūro, mātūrāre* (maturare), meditare = *mĕdĭtor, mĕditāri* (meditare), negare, non pòdere = *nequeo, nequire* (negare, non potere), non bòlere = *nolo, nolle* (non volere), perseverare = *pergo, pergĕre* (perseverare), radunare = *cogor, cōgi* (radunare), sòlere = *soleo, sŏlēre* (solere).

Questi verbi vanno con l'infinito, come in sardo, e con il predicato al nominativo quando il soggetto dell'infinito è lo stesso del verbo principale. Ad esempio:

s'argumentatzione de **chèrrere** t'est pàrfidu = *argumentationem* ***quaerere*** *videris;*
(di **volere** l'argomentazione ti è sembrato)[79].

I verbi di volontà, come *cupio* (bramo), *studeo* (studio), *volo* (voglio) possono prendere l'accusativo e l'infinito, basta che si esprima il pronome che rappresenta il soggetto principale. Ad esempio:

solu de **èssere** bramaiat = *solus* ***esse*** *cupiebat* (solo di **essere** bramava)[80].

Se il soggetto del verbo della proposizione dipendente è differente dal soggetto del verbo della principale, si usa sempre l'accusativo con l'infinito. Ad esempio:

in tamen cuddu bollu de **te essi** mònitu (variante sarda meridionale) =
illud tamen ***te esse*** *admonitum volo* (nonostante quello voglio da **te essere** monito)[81].

Sono considerati servili anche i verbi: chircare = *circŭĕo, circŭire* (cercare); incumentzare, achipire = *incĭpĭo, incipiĕre* (incominciare, muoversi); prefèrrere = *praefĕro, praeferēre* (preferire); sessare = *sessĭto, sessĭtāre* (cessare), ecc. Questi verbi, però, spesso si legano all'infinito di un verbo per mezzo di una preposizione. Nell'esempio in basso il verbo servile *possum* (potere).

si sena ogros narat non **podes istare** = *si sine oculis inquit non* ***potest exstare****;*
(se senza occhi dice non **puoi stare**)[82].

non anzena **a mie** lode **apito** = *non alienam* ***mihi*** *laudem* ***appeto*** (non estranea lode **per** me **desidero**)[83].

Un altro verbo che si può considerare servile / ausiliare è il verbo **tènnere** = *teneo, tĕnēre* (tenere), utilizzato per dimostrare il possesso di qualche cosa, anche figurata:

chi nde bidas tanta mala guasi comente **tènnere** unu lampu =
qui videmini tanta mala quasi fulmen ***tenere*** (che ne veda tanta cattiva quasi come **tenere** un lampo)[84].

Con il verbo **imperare** la frase in italiano si compone con la preposizione e l'infinito del verbo; in latino e in sardo, invece, si costruisce con il pronome relativo e il congiuntivo imperfetto. Esempio:

bidu chi **imperet** cando at a èssere dignu = *videtur qui aliquando* ***imperet*** *dignu esse;*
(visto che quando **di imperare** sarà degno)[85].

79 Marcus Tullius Cicero, *Rhetorica - De Partitione Oratoria*, 45.
80 Marcus Velleius Paterculus, *Historiae Romanae*, Liber Posterior, 33.
81 Marcus Tullius Cicero, *Orationes - Pro Caelio*, 8.
82 Marcus Tullius Cicero, *Rhetorica - De Divinatione*, Liber II, 52.
83 Marcus Tullius Cicero, *Orationes - In Verrem*, Liber IV, 80.
84 Gaius Sallustius Crispus, *Fragmenta Historicarum - Oratio Philippi*, 6.
85 Marcus Tullius Cicero, *Rhetorica - De Legibus*, Liber III, 5.

11.15 I VERBI REGOLARI E IRREGOLARI

Come abbiamo visto, ciascun verbo è composto da una parte che **non muta** (**radice**) e da un'altra che **muta** (**desinenza**).

- **Verbi regolari**. La morfologia chiama verbi regolari quei verbi che mantengono la stessa radice nelle diverse forme verbali:

deo cant-o, tue cant-as, issu cant-at, nois cant-amus, bois cant-ades, issos cant-ant =
ego canto, tu cantas, ipse cantat, nos cantāmus, vos cantātis, ipsos cantant;
(io canto, tu canti, egli canta, noi cantiamo, voi cantate, essi cantano).

11.15.1 I VERBI IRREGOLARI

Ci sono invece altri verbi che mutano la radice o la desinenza secondo il tempo e le persone verbali:

deo chèr**gi**-o, tue cher-es, issu cher-et, nois cher-imus, bois cher-ides, issos cher-ent =
ego quaero, tu quaeris, ipse quaerit, nos quaerĭmus, vos quaerĭtis, ipsos querunt;
(io voglio, tu vuoi, egli vuole, noi vogliamo, voi volete, essi vogliono).

Esempi di verbi irregolari sardi delle tre coniugazioni: ARE = abbigiare (accorgersi), dare (dare), ecc.); ERE = bòlere (volere), chèrrere (volere), abbèrrere (aprire), bàlere (valere), bènnere (venire), pòdere (potere), cumpàrrere (comparire), cumpònnere (comporre), fàghere (fare), dispònnere (disporre), dòlere (dolere), fèrrere (ferire), giùghere (portare); IRE = ischire (sapere), sighire (seguire), ecc.).
La maggior parte dei verbi irregolari fanno parte della seconda coniugazione –ERE.

- Il verbo ***ire***, ***eo*** = **andare, ando** (andare, vado).

Il verbo ***ire*** in latino è un verbo irregolare, che non possiede la vocale tematica, e segue le terminazioni dei verbi della IV coniugazione latina (III sarda). Nel presente indicativo fa: ***eo***, ***is***, ***it***, ***imus***, ***itis***, ***eunt***. Come altri verbi latini inventati o adattati dal greco, anche questo verbo non ha avuto fortuna poiché non viene usato in alcuna parlata romanza. Ha avuto invece seguito linguistico l'omologo verbo latino ***vado***, ***vādĕre***, che all'imperativo fa "vade", come il sardo "bae", e all'infinito perde la **v/b** iniziale: **andare** (andare).

- Il verbo ***vĕnio***, ***vĕnīre*** = **bèngio, bènnere** (vengo, venire).

Il verbo irregolare **bènnere** (venire) esce nella prima persona dell'indicativo presente del sardo comune con **bèngio** (vengo) e la stessa uscita tiene nel congiuntivo presente in tutte le persone (bèn**gi**a, bèn**gi**as, ecc.). In latino questo verbo esce nello stesso modo del sardo mettendo la desinenza **-i-** nella prima persona singolare dell'indicativo presente (*vĕnio*) e in tutte le persone del congiuntivo presente (*vĕnĭam*, *vĕnĭas*, ecc.). La **-i-** è presente inoltre nell'imperfetto e nel futuro del modo indicativo latino.

Occorre ricordare che la ***-i-*** seguita da una vocale è una consonante, la **zayin**. Pertanto ***vĕnio*** si legge **venzo**, come nel sardo centro settentrionale. Di fatto, c'è piena corrispondenza tra verbi irregolari sardi e latini. C'è da segnalare che anche in italiano quella **-i-** diventa una consonante (ven**go**).

Seguono la stessa regola alcuni verbi latini che terminano in ***-io*** nella prima persona dell'indicativo presente: *facio* = fatzo (faccio), *pario* = parzo / pàrgio (sembro), *quatio* = iscùtzino (scuoto), ecc.

- **Il verbo *possum* = potzo** (posso).

Il verbo latino ***possum***, nella prima persona singolare dell'indicativo presente e in tutte le persone del congiuntivo (***possim***), ha mutato la ***-i-*** consonantica in doppia ***-ss-*** e cambiato la vocale finale ***-o*** nella consonante desinenziale ***-m***. In sardo comune questo verbo esce con **potzo** (posso) nella prima persona singolare dell'indicativo presente e in **potza, potzas, potzat**, ecc. in tutte le altre persone del congiuntivo. Quindi, la ***-i-*** consonantica dell'originario ***potio***, posposta alla **-t-**, diventa ***-tz-***. Di fatto, questa **-tz-** (po**tz**o) in latino, forse per un accostamento di ***pos-sum*** al verbo ***sum***, è venuta ad essere una dòppia ***-ss-*** (*po**ss**um*).

Per comprendere il mutamento di ***possum*** è utile seguire l'andamento del sostantivo ***sessĭo*** = sètzo

CONIUGAZIONE LATINA - FORMA ATTIVA DEL VERBO ANOMALO ***POSSUM, POSSE*** **(POTERE)**
II CONIUGAZIONE SARDA - FORMA ATTIVA DEL VERBO **PÒDERE** (SC), **PODI** (SM)

INDICATIVO

presente	***praesens***	**imperfetto**	***imperfectum***	**benidore = futuro**	***futurum***
(io posso)		(io potevo)		(io potrò)	
ego potzo	*possum*	deo podia	*potĕram*	apo a pòdere	*potĕro*
tue podes	*potes*	tue podias	*potĕras*	as a pòdere	*potĕris*
issu podet	*potest*	issu podiat	*potĕrat*	at a pòdere	*potĕrit*
nois podìmus	*possŭmus*	nois podìamus	*poterāmus*	amus a pòdere	*poterĭmus*
bois podides	*potēstis*	bois podiais	*poterātis*	ais a pòdere	*poterĭtis*
issos podent	*possunt*	issos podiant	*potĕrant*	ant a pòdere	*potĕrunt*

passato pros.	***perfectum***	**trapassato prossimo**	***plusquam perfectum***	**futuro anteriore**	***futurum prius***
(ho potuto)		(avevo potuto)		avrò potuto)	
apo pòtidu	*potui*	aia pòtidu	*potuĕram*	apo a àere pòtidu	*potuĕro*
as pòtidu	*potuisti*	aias pòtidu	*potuĕras*	as a àere pòtidu	*potuĕris*
at pòtidu	*potuit*	aiat pòtidu	*potuĕrat*	at a àere pòtidu	*potuĕrit*
amus pòtidu	*potuĭmus*	aìamus pòtidu	*potuerāmus*	amus a àere pòtidu	*potuerĭmus*
ais pòtidu	*potuistis*	ais pòtidu	*potuerātis*	ais a àere pòtidu	*potuerĭtis*
ant pòtidu	*potuērunt, potuēre*	ant pòtidu	*potuĕrant*	ant a àere pòtidu	*potuĕrint*

CONGIUNTIVO

presente	***praesens***	**passato**	***perfectum***	**imperfetto**	***imperfectum***	**trapassato congiuntivo**	***plusquam perfectum***
(possa)		(abbia potuto)		(potessi)		(avessi potuto)	
potza	*possim*	apa pòtidu	*potuĕrim*	podere	*possem*	aere pòtidu	*potuissem*
potzas	*possis*	apas pòtidu	*potuĕris*	poderes	*posses*	aeres pòtidu	*potuisses*
potzat	*possit*	apat pòtidu	*potuĕrit*	poderet	*posset*	aeret pòtidu	*potuisset*
potzèmus	*possīmus*	apemus pòtidu	*potuerĭmus*	podèremus	*possēmus*	aèremus pòtidu	*potuissēmus*
potzeis	*possītis*	apeis pòtidu	*potuerĭtis*	podèreis	*possētis*	aèreis pòtodu	*potuissētis*
potzant	*possint*	apant pòtidu	*potuĕrint*	poderent	*possent*	aerent pòtidu	*potuissent*

CONDIZIONALE		**IMPERATIVO**			
presente	**passato**	**presente**	***praesens***		
(potrei)	(avrei potuto)	------	------	**futuro**	***futurum***
dia pòdere	dia àere pòtidu	pode (puoi)	------	------	------
dias pòdere	dias àere pòtidu	------	------	as a pòdere tue	------
diat pòdere	diat àere pòtidu	------	------	(potrai tu)------	------
dìamus pòdere	dìamus àere pòtidu	podide	------	------	------
diais pòdere	diais àere pòtidu	(potete)	------	ais a pòdere bois	------
diant pòdere	diant àere pòtidu	------		(potrete voi)	------

INFINITO		**GERUNDIO**		**PARTICIPIO**	
presente	***praesens:***			**presente**	***praesens***
pòdere (potere)	*posse, potesse, potisse*	**presente**		------	potens, - entis
	(potere)	potende	genitivu: ------		(potente)
passato	***perfectum*** **(sing. e plur.):**	(potendo)	dativu: ------	**passato**	***futurum***
pòtidu (potuto)	*potuisse*	**passato**	acusativu: ------	pòtidu	------
	(aver potuto)	apende	ablativu ------	(potuto)	
futuro	***futurum***	pòtidu			***SUPINUM***
---------	------	(avendo p.)			-----

Il verbo ***possum*** concorda con il sardo in poche voci, ma il verbo ***potio*** in quasi in tutte.

(siedo), che ha raddoppiato la ***-ss-*** mantenendo però la ***-i-*** consonantica prima della vocale finale ***-o***. Per il verbo **sètzere** (sedere) in latino troviamo ***sessīto*** e ***sĕdĕo***; più o meno come è nelle varianti della lingua sarda, in cui sono presenti: **sètzere**, **sèdere** (sardo centro settentrionale); **sèdere**, **sètzere**, **tzetzire** (sardo nu[g]orese); **setzi**, **seciai** (sardo centro meridionale).

In latino esiste un altro verbo che esprime il significato di **pòdere** (potere), si tratta del verbo ***potio***, ***pŏtīre***, della IV coniugazione latina, che, come il sardo **potzo**, possiede la **-i-** consonantica nella prima persona del presente indicativo e in tutto il congiuntivo presente.

Al verbo latino ***potio*** si possono comparare le forme verbali **poto** del sardo centro settentrionale, **potho** del sardo barbaricino, **potzo** del sardo di mesania e **potzu** del sardo meridionale; mentre al verbo latino ***possum*** possiamo comparare l'italiano **posso** e il corrispondente sardo-corso **possu**.

11.15.2 I VERBI DIFETTIVI LATINI

Sono **difettivi** quei verbi latini che non hanno tutte le forme verbali. Qualcuno tiene solo il *perfectum* (passato) e i tempi che vengono da esso, come ad esempio ***coepi*** = incumentzare (cominciare). Qualcun'altro tiene poche forme del presente o del *perfectum*, come ad esempio i verbi ***aio*** = naro (dico), ***for***, ***faris*** = faveddo (parlo). Infine ce n'è qualcuno che possiede solo qualche voce verbale, come ***cedo*** = dami (dammi), ***vale*** = andat bene (va bene), ***quaeso*** = dimandare, pedire (domandare, chiedere).

L'infinito latino ***volle*** del verbo ***volo*** = bòlere (volere) esce all'infinito come la variante sarda campidanese, **bolli**, che nella seconda coniugazione tronca la desinenza **-ere** (-iri) in **-i**. Altri verbi latini che tengono l'infinito tronco sono: ***benni*** = **bènnere** (venire) in sardo comune, **benni** in sardo meridionale; ***tenni*** = **tènnere** (tenere) in sardo comune, **tenni** in sardo meridionale.

Il verbo latino ***volo*** = **bòlere** (volere) ha nella radice questo andamento: quando la ***-l-*** è seguita dalla ***-i-*** o da un'altra ***-l-*** mette la ***-e-*** (*velim*); quando la ***-l-*** è seguita da un'altra vocale che non sia la ***-i-*** mette la ***-o-*** (*volam*); quando la ***-l-*** è seguita da consonante mette la ***-u-*** (*vultis*). Il verbo ***volo*** in latino non tiene il passivo. In origine, molto probabilmente, la **-L-** singola di ***volo*** era doppia come quella dell'infinito latino ***volle*** e del sardo campidanese **bollu**, in cui la ***v-*** iniziale per effetto del betacismo è diventata **b-**.

Il verbo ***nolo*** (composto da ***ne***+***volo***) significa **non bòllere**, non chèrrere, non volere, e in sardo non esiste. Nei tempi derivati dal ***perfectum*** (passato) troviamo la radice ***nolu-*** che regge le desinenze di questi tempi. Tale radice la possiamo confrontare con il costrutto sardo **no+lu**, costituito dalla particella di negazione **no** + il pronome **lu**. Se "**no lu**" lo facciamo seguire da qualsiasi altro verbo, ad esempio con il verbo sardo **bollo**, otteniamo "**no lu bollo** (non lo voglio)". A conferma di questa tesi, se andiamo a vedere il tempo futuro anteriore (*futurum prius*), nella prima persona plurale, troviamo ***nolu-erimus***, che, per un gioco di parole, è uguale al sardo **no lu cherimus** (non lo vogliamo).

Il verbo ***malo*** (composto da ***magis***+***volo***), che significa **prefèrrere** (preferire) o **chèrrere** (volere), è ugualmente un verbo servile irregolare come ***volo***. Anche in questo verbo, nel tempo futuro anteriore, nella prima persona plurale, troviamo ***malu-erimus***, che è uguale al sardo **ma lu cherimus** (ma lo vogliamo).

La particolarità del verbo latino ***plangere*** = prànghere (piangere) è che nei tempi derivati dal presente esce con la velare **-g-** (*plango* = indicativo presente) alla logudorese, mentre nei tempi che derivano dal *perfectum* (passato) esce alla campidanese con la palatale **-x-** (*planxi* = indicativo passato).

Il verbo **pedire** o **pèdere**, in sardo, tiene il significato di domandare qualcosa, mentre in latino lo stesso **peto**, **pĕtĕre** = pedo, pedire / pèdere (chiedo, chiedere) ha diversi **significati**: andare ad un luogo, cercare di picchiare, assaltare, dare una coltellata, reclamare, chiedere la mano di una sposa, cercare qualcuno.

Quando si chiede qualcosa a qualcuno in latino con il verbo ***peto***, invece di utilizzare il dativo, si usa la preposizione **a/ab**+ablativo.

I CONIUGAZIONE LATINA - FORMA ATTIVA DEL VERBO ***CANTĀRE, CANTO*** **(CANTARE)**
I CONIUGAZIONE SARDA - FORMA ATTIVA DEL VERBO **CANTARE** (SC), **CANTAI** (SM)

INDICATIVO

presente	***praesens***	**imperfetto**	***imperfectum***	**benidore = futuro**	***futurum***
(io canto)		(io cantavo)		(io canterò)	
deo canto	*canto*	deo cantaia - aba	*cantābam*	deo apo a cantare	*cantābo*
tue cantas	*cantas*	tue cantaias	*cantābas*	tue as a cantare	*cantābis*
issu cantat	*cantat*	issu cantaiat	*cantābat*	issu at a cantare	*cantābit*
nois cantamus	*cantāmus*	nois cantaìamus	*cantabāmus*	nois amus a cantare	*cantabĭmus*
bois cantades	*cantātis*	bois cantaiais	*cantābātis*	bois ais a cantare	*cantabĭtis*
issos cantant	*cantant*	issos cantaiant	*cantābant*	issos ant a cantare	*cantābunt*

passato prossimo	***perfectum***	**trapassato prossimo**	***plusquam perfectum***	**benidore = futuro de in antis = anteriore**	***futurum prius***
(io ho cantato)		(avevo cantato)		(io avrò cantato)	
apo cantadu	*cantavi*	aia cantadu	*cantavĕram*	apo a àere cantadu	*cantavĕro*
as cantadu	*cantavisti*	aias cantadu	*cantavĕras*	as a àere cantadu	*cantavĕris*
at cantadu	*cantavit*	aiat cantadu	*cantavĕrat*	at a àere cantadu	*cantavĕrit*
amus cantadu	*cantavĭmus*	aìamus cantadu	*cantaverāmus*	amus a àere cantadu	*cantaverĭmus*
ais cantadu	*cantavistis*	aiais cantadu	*cantaverātis*	ais a àere cantadu	*cantaverĭtis*
ant cantadu	*cantavērunt*	aiant cantadu	*cantavĕrant*	ant a àere cantadu	*cantavĕrint*

CONGIUNTIVO

presente	***praesens***	**passato**	***perfectum***	**imperfetto**	***imperfectum***	**congiuntivo trapassato**	***plusquam perfectum***
(io canti)		(io abbia cantato)		(io cantassi)		(io avessi cantato)	
cante	*cantem*	apa cantadu	*cantavĕrim*	cantere	*cantārem*	aere cantadu	*cantavissem*
cantes	*cantes*	apas cantadu	*cantavĕris*	canteres	*cantāres*	aeres cantadu	*cantavisses*
cantet	*cantet*	apat cantadu	*cantavĕrit*	canteret	*cantāret*	aeret cantadu	*cantavisset*
cantemus	*cantēmus*	apamus cantadu	*cantaverĭmus*	cantèremus	*cantarēmus*	aeremus cantadu	*cantavissēmus*
canteis	*cantētis*	apais cantadu	*cantaverĭtis*	cantèreis	*cantarētis*	aereis cantadu	*cantavissētis*
cantent	*cantent*	apant cantadu	*cantavĕrint*	canterent	*cantārent*	aerent cantadu	*cantavissent*

CONDIZIONALE		**IMPERATIVO**			
presente	**passato**	**presente**	***praesens***	**benidore = futuro**	***futurum***
(canterei)	(avrei cantato)	(canta tu)		(canterete voi)	
deo dia cantare	deo dia àere cantadu	------	----------	------	----------
tue dias cantare	tue dias àere cantadu	canta tue	*canta*	as a cantare tue	*cantāto*
issu diat cantare	issu diat àere cantadu	cantet issu	------	at a cantare issu	*cantāto*
nois diamus cantare	nois diamus àere cantadu	cantemus nois	------	amus a cantare nois	------
bois diais cantare	bois diais àere cantadu	cantade bois	*cantāte*	ais a cantare bois	*cantatōte*
issos diant cantare	issos diant àere cantadu	cantent issos	------	ant a cantare issos	*cantanto*
		non cantes tue			

INFINITO		**GERUNDIO**		**PARTICIPIO**	
presente	***praesens:***	**presente**		**presente**	***praesens***
cantare	*cantare* (cantare)	cantende	genitivu: *cantandi*	(cantante)	*cantans, -antis*
(cantare)	***perfectum:***	(cantando)	dativu: *cantando*		(che canta)
passato	*cantavisse* (aver cantato)	**passato**	acusativu:	**futuro**	***futurum***
àere	***futurum* (sing. e plur.):**	apende	*ad cantandum*	------	*cantatūrūs, -a, -ūm*
cantadu	*cantatūrūm, -am, -ūm esse*	cantadu	ablativu: *cantando*	**passato**	(che canterà)
(avere	*cantatūros -as, a esse*	(avendo	(di, a, per, con il cantare)	cantadu	***SUPINUM***
cantato)	(essere per amare)	cantato)		(cantato)	*cantatum* (a cantare)

I CONIUGAZIONE LATINA - FORMA PASSIVA DEL VERBO ***CANTĀRI*** **(CANTARE)**
I CONIUGAZIONE SARDA - FORMA PASSIVA DEL VERBO **CANTARE** (SC), **CANTAI** (SM)

INDICATIVO

presente	***praesens***	**imperfetto**	***imperfectum***	**benidore = futuro**	***futurum simple***
(sono cantato)		(ero cantato)		(sarò cantato)	
so cantadu	*cantor*	fia cantadu	*cantābar*	apo a èssere cantadu	*cantābor*
ses cantadu	*cantāris/cantāre*	fias cantadu	*cantabāris*	as a èssere cantadu	*cantabĕris*
est cantadu	*cantātur*	fiat cantadu	*cantabātur*	at a èssere cantadu	*cantabĭtur*
semus cantados	*cantāmur*	fiamus cantados	*cantabāmur*	amus a èssere cantados	*cantabĭmur*
seis cantados	*cantamĭni*	fiais cantados	*cantabamĭni*	ais a èssere cantados	*cantabimĭni*
sunt cantados	*cantantur*	fiant cantados	*cantabantur*	ant a èssere cantados	*cantabuntur*

passato	***perfectum***	**trapassato prossimo**	***plusquam perfectum***	**futuro anteriore**	***futurum prius***
so istadu	*cantatus, -a, -um sum*	fia istadu	*cantatus, -a, -um eram*	apo a èssere istadu	*cantatus, -a, -um ero*
cantadu, etz.	*cantatus, -a, -um es*	cantadu, etz.	*cantatus, -a, -um eras*	cantadu, etz.	*cantatus, -a, -um eris*
(sono stato	*cantatus, -a, -um est*	(ero stato	*cantatus, -a, -um erat*	(sarò essere	*cantatus, -a, -um erit*
cantato)	*cantati, -ae, -a sumus*	cantato)	*cantati, -ae, -a eramus*	cantato)	*cantati, -ae, -a erimus*
	cantati, -ae, -a estis		*cantati, -ae, -a eratis*		*cantati, -ae, -a eritis*
	cantati, -ae, -a sunt		*cantati, -ae, -a erant*		*cantati, -ae, -a erunt*

CONGIUNTIVO

presente	***praesens***	**passato**	***perfectum***	**imperfetto**	***imperfectum***	**congiuntivo trapassato**	***plusquam perfectum***
sia canta-	*canter*	sia istadu	*cantatus, -a, -um sim*	essere canta-	*cantarer*	essere istadu	*cantatus, -a, -um essem*
du, etz.	*cantēris*	cantadu,	*cantatus, -a, -um sis*	du, etz.	*cantarēris*	cantadu, etz.	*cantatus, -a, -um esses*
(sia can-	*cantētur*	etz.	*cantatus, -a, -um sit*	(fossi can-	*cantarētur*	(fossi stato	*cantatus, -a, -um esset*
tato)	*cantēmur*	(sia stato	*cantati, -ae, -a simus*	tato)	*cantarēmur*	cantato)	*cantati, -ae, -a essemus*
	cantemĭni	cantato)	*cantati, -ae, -a sitis*		*cantaremĭni*		*cantati, -ae, -a essetis*
	cantentur		*cantati, -ae, -a sint*		*cantarentur*		*cantati, -ae, -a essent*

CONDIZIONALE		**IMPERATIVO**			
presente	**passato**	**presente**	***praesens***	**futuro**	***futurum***
dia èssere cantadu	dia èssere istadu cantadu,	------			
dias èssere cantadu	etz.	------	------	------	------
etz.	(sarei stato cantato)		*cantāre*	------	*cantātor*
(sarei cantato)			------		*cantātor*
			------		------
			cantamĭni		------
			------		*cantantor*

INFINITO		**GERUNDIO**		**PARTICIPIO**	
presente	***praesens:***			**presente**	***praesens***
èssere cantadu	*cantāri* (essere cantato)	**presente**	***GERUNDIVO***	------	-------
(essere cantato)	***perfectum*** **(sing. e plur.):**	canten-	*cantandus, -a, um*		
passato	*cantatum, -am, -um esse*	desi		**passato**	***perfectum***
èssere istadu	*cantatos, -ae, -a esse*	(cantand.)	(da cantarsi)	------	*cantatus, -a, -um*
cantadu	(essere stato cantato)	**passato**			(che è stato cantato)
(essere stato c.)	***futurum:***	essendesi		**SUPINO**	***SUPINUM***
futuro	*cantatum esse*	cantadu		a èssere	*cantatu*
---------	(essere per essere cantato)	(es. cant.)		cantadu	(a essere cantato)

III CONIUGAZIONE LATINA - FORMA ATTIVA DEL VERBO ***LEGĔRE, LEGO*** **(LEGGERE)**
II CONIUGAZIONE SARDA - FORMA ATTIVA DEL VERBO **LÈGHERE** (SC), **LEGI** (SM)

INDICATIVO

presente	***praesens***	**imperfetto**	***imperfectum***	**benidore = futuro**	***futurum***
(io leggo)		(io leggevo)		(io leggerò)	
deo lego / lègio	*lĕgo*	deo leghia	*legēbam*	deo apo a lèghere	*lĕgam*
tue leghes	*legis*	tue leghias	*legēbas*	tue as a lèghere	*leges*
issu leghet	*legit*	issu leghiat	*legēbat*	issu at a lèghere	*leget*
nois leghimus	*legĭmus*	nois leghìamus	*legēbāmus*	nois amus a lèghere	*legēmus*
bois leghides	*legĭtis*	bois leghiais	*legēbātis*	bois ais a lèghere	*legētis*
issos leghent	*legunt*	issos leghiant	*legēbant*	issos ant a lèghere	*legent*

passato prossimo	***perfectum***	**trapassato prossimo**	***plusquam perfectum***	**benidore = futuro de in antis = anteriore**	***futurum prius***
(io ho letto)		(io avevo letto)		(io avrò letto)	
apo lèghidu /letu	*lēgi*	aia lèghidu	*lēgĕram*	apo a àere lèghidu	*legĕro*
as lèghidu	*legīsti*	aias lèghidu	*legĕras*	as a àere lèghidu	*legĕris*
at lèghidu	*legit*	aiat lèghidu	*legĕrat*	at a àere lèghidu	*legĕrit*
amus lèghidu	*legĭmus*	aìamus lèghidu	*legĕrāmus*	amus a àere lèghidu	*legerĭmus*
ais lèghidu	*legīstis*	aiais lèghidu	*legĕrātis*	ais a àere lèghidu	*legerĭtis*
ant lèghidu	*legērunt*	aiant lèghidu	*legĕrant*	ant a àere lèghidu	*legĕrint*

CONGIUNTIVO

presente	***praesens***	**passato**	***perfectum***	***imperfetto***	***imperfectum***	**congiuntivo trapassato**	***plusquam perfectum***
(io legga)		(io abbia letto)		(io legessi)		(io avessi letto)	
lega	*lĕgam*	apa lèghidu	*lēgĕrim*	leghere	*legĕrem*	aere lèghidu	*legīssem*
legas	*legas*	apas lèghidu	*legĕris*	legheres	*legĕres*	aeres lèghidu	*legīsses*
legat	*legat*	apat lèghidu	*legĕrit*	legheret	*legĕret*	aeret lèghidu	*legīsset*
legamus	*legāmus*	apamus lèghidu	*legerĭmus*	leghèremus	*legerēmus*	aeremus lèghidu	*legissēmus*
legais	*legātis*	apais lèghidu	*legerĭtis*	leghèreis	*legerētis*	aereis lèghidu	*legissētis*
legant	*legant*	apant lèghidu	*legĕrint*	legherent	*legĕrent*	aerent lèghidu	*legīssent*

CONDIZIONALE		**IMPERATIVO**			
presente	**passato**	**presente**	***praesens***	**benidore = futuro**	***futurum***
(io leggerei)	(io avrei letto)	(leggi tu)		(leggerai tu)	
deo dia lèghere	deo dia àere lèghidu/letu	------	----------	------	----------
tue dias lèghere	tue dias àere lèghidu	leghe tue	*legĕ*	as a lèghere tue	*legĭto*
issu diat lèghere	issu diat àere lèghidu	leghet issu	------	at a lèghere issu	*legĭto*
nois diamus lèghere	nois diamus àere lèghidu	leghemus nois	------	amus a lèghere nois	------
bois diais lèghere	bois diais àere lèghidu	leghide bois	*legĭte*	ais a lèghere bois	*legitōte*
issos diant lèghere	issos diant àere lèghidu	leghent issos	------	ant a lèghere issos	*legūnto*
		non legas tue			

INFINITO		**GERUNDIO**		**PARTICIPIO**	
presente	***praesens:***	**presente**		**presente**	***praesens***
lèghere	*legĕre* (leggere)	leghende	genitivu: *legēndi*	------	*legēns, -ēntis*
(leggere)	***perfectum:***	(leggendo)	dativu: *legēndo*	(leggente)	(che legge)
passato	*legisse* (aver letto)	**passato**	acusativu:	**futuro**	***futurum***
àere	***futurum* (sing. e plur.):**	apende	*ad legēndum*	------	*lectūrūs, -a, -ūm*
lèghidu /	*lectūrūm, -am, -ūm esse*	letu	ablativu: *legēndo*	**passato**	(che leggerà)
(avere	*lectūros -as, a esse*	(avendo	(di, a, per, con il legge-	letu	***SUPINUM***
letto)	(essere per leggere)	letto)	re)	(letto)	*lectum* (a leggere)

III CONIUGAZIONE LATINA - FORMA PASSIVA DEL VERBO ***LEGI, LEGOR*** **(LEGGERE)**
II CONIUGAZIONE SARDA - FORMA PASSIVA DEL VERBO **LÈGHERE** (SC), **LEGI** (SM)

INDICATIVO

presente	***praesens***	**imperfetto**	***imperfectum***	**benidore = futuro**	***futurum***
(sono letto)		(ero letto)		(sarò letto)	
so lèghidu	*lĕgor*	fia lèghidu	*lĕgēbar*	apo a èssere lèghidu	*lĕgar*
ses lèghidu	*lĕgĕris/lĕgĕre*	fias lèghidu	*lĕgebāris*	as a èssere lèghidu	*lĕgēris*
est lèghidu	*legitur*	fiat lèghidu	*lĕgebātur*	at a èssere lèghidu	*lĕgētur*
semus lèghidos	*legimur*	fiamus lèghidos	*lĕgebāmur*	amus a èssere lèghidos	*lĕgēmur*
seis lèghidos	*legimĭni*	fiais lèghidos	*lĕgebamĭni*	aia a èssere lèghidos	*lĕgemĭni*
sunt lèghidos	*leguntur*	fiant lèghidos	*lĕgebantur*	ant a èssere lèghidos	*lĕgentur*

passato	***perfectum***	**trapassato prossimo**	***plusquam perfectum***	**futuro anteriore**	***futurum prius***
so istadu	*lectus, -a, -um sum*	fia istadu	*lectus, -a, -um eram*	apo a èssere ista-	*lectus, -a, -um ero*
lèghidu, etz.	*lectus, -a, -um es*	lèghidu, etz.	*lectus, -a, -um eras*	du lèghidu, etz.	*lectus, -a, -um eris*
(sono stato	*lectus, -a, -um est*	(ero stato	*lectus, -a, -um erat*	(sarò stato letto)	*lectus, -a, -um erit*
letto)	*lecti, -ae, -a sumus*	letto)	*lecti, -ae, -a eramus*		*lecti, -ae, -a erimus*
	lecti, -ae, -a estis		*lecti, -ae, -a eratis*		*lecti, -ae, -a eritis*
	lecti, -ae, -a sunt		*lecti, -ae, -a erant*		*lecti, -ae, -a erunt*

CONGIUNTIVO

presente	***praesens***	**passato**	***perfectum***	**imperfetto**	***imperfectum***	**congiuntivo trapassato**	***plusquam perfectum***
sia lèghi-	*lĕgar*	sia istadu	*lectus, -a, -um sim*	essere lè-	*lĕgĕrer*	essere ista-	*lectus, -a, -um essem*
du, etz.	*lĕgāris*	lèghidu,	*lectus, -a, -um sis*	ghidu, etz.	*lĕgerēris*	du lèghidu,	*lectus, -a, -um esses*
(sia letto)	*lĕgātur*	etz.	*lectus, -a, -um sit*	(fossi letto)	*lĕgerētur*	etz.	*lectus, -a, -um esset*
	lĕgāmur	(sia stato	*lecti, -ae, -a simus*		*lĕgerēmur*	(fossi stato	*lecti, -ae, -a essemus*
	lĕgamĭni	letto)	*lecti, -ae, -a sitis*		*lĕgeremĭni*	letto)	*lecti, -ae, -a essetis*
	lĕgantur		*lecti, -ae, -a sint*		*lĕgerentur*		*lecti, -ae, -a essent*

CONDIZIONALE		**IMPERATIVO**			
presente	**passato**	**presente**	***praesens***	**futuro**	***futurum***
dia èssere lèghidu,	dia èssere istadu lèghidu,	------	------	------	------
etz.	etz.	------	*lĕgāre*	------	*lĕgātor*
(sarei letto)	(sarei stato letto)		------	------	*lĕgātor*
			------	------	------
			lĕgamĭni	------	------
			------	------	*lĕgantor*

INFINITO		**GERUNDIO**		**PARTICIPIO**	
presente	***praesens:***	**presente**		**presente**	***praesens***
èssere	*lĕgi* (essere letto)	leghèndesi	***GERUNDIVO***	------	-------
lèghidu	***perfectum*** **(sing. e plur.):**	(leggendosi)	*lĕgendus, -a, um*	**passato**	
(essere letto)	*lectus, -a, -um esse*		(da leggersi)	------	***perfectum***
passato	*lecti, -ae, -a esse*	**passato**		**SUPINO**	*lectus, -a, -um*
èssere istadu letu	(essere stato letto)	essèndesi		a èssere	(che è stato letto)
(essere stato letto)	***futurum:***	letu		letu	***SUPINUM***
futuro	*lectum esse*	(essendosi		(a essere	*lectu*
---------	(essere per essere letto)	letto)		letto)	(a essere letto)

Sa seconda persona singolare del presente indicativo esce in **-e**, mentre nella forma attiva finisce in **-i**.

IV CONIUGAZIONE LATINA - FORMA ATTIVA DEL VERBO ***SCĪRE, SCĬO*** **(SAPERE)**
III CONIUGAZIONE SARDA - FORMA ATTIVA DEL VERBO **ISCHIRE** (SC), **SCIRI** (SM)

INDICATIVO

pres. sardo mer. (io so)	***praesens***	***imperfetto*** (io sapevo)	***imperfectum***	**benidore = futuro** (io saprò)	***futurum***
deu sciu	*scĭo*	deo ischia	*sciēbam*	deo apo a ischire	*scĭam / scibo*
tui sciis	*scis*	tue ischias	*sciēbas*	tue as a ischire	*scĭes*
issu sciit	*scit*	issu ischiat	*sciēbat*	issu at a ischire	*scĭet*
nosu scieus	*scīmus*	nois ischìamis	*sciebāmus*	nois amus a ischire	*sciēmus*
bosàterus scieis	*scītis*	bois ischiais	*sciebātis*	bois ais a ischire	*sciētis*
issus sciint	*scĭunt*	issos ischiant	*sciēbant*	issos ant a ischire	*scĭent*

passato prossimo (io ho saputo)	***perfectum***	**trapassato prossimo** (io avevo saputo)	***plusquam perfectum***	**benidore = futuro de in antis = anteriore** (io avrò saputo)	***futurum prius***
apo ischidu	*scii / scivi*	aia ischidu	*sciĕram*	apo a àere ischidu	*sciĕro*
as ischidu	*sciisti*	aias ischidu	*sciĕras*	as a àere ischidu	*sciĕris*
at ischidu	*sciit*	aiat ischidu	*sciĕrat*	at a àere ischidu	*sciĕrit*
amus ischidu	*sciĭmus*	aìamus ischidu	*scierāmus*	amus a àere ischidu	*scierĭmus*
ais ischidu	*sciīstis*	aiais ischidu	*scierātis*	ais a àere ischidu	*scierĭtis*
ant ischidu	*sciērunt*	aiant ischidu	*sciĕrant*	ant a àere ischidu	*sciĕrint*

CONGIUNTIVO

presente sardo m. (io sappia)	***praesens***	**passato** (abbia saputo)	***perfectum***	**imperfetto** (io sapessi)	***imperfectum***	**congiuntivo trapassato** (io avessi saputo)	***plusquam perfectum***
sci[pi]a	*scĭam*	apa ischidu	*sciĕrim*	ischere	*scīrem*	aere ischidu	*sciissem*
sci[pi]as	*scĭas*	apas ischidu	*sciĕris*	ischeres	*scīres*	aeres ischidu	*sciisses*
sci[pi]at	*scĭat*	apat ischidu	*sciĕrit*	ischeret	*scīret*	aeret ischidu	*sciisset*
sci[pi]aus	*sciāmus*	apamus ischidu	*scierĭmus*	ischèremus	*scirēmus*	aeremus ischidu	*sciissēmus*
sci[pi]ais	*sciātis*	apais ischidu	*scierītis*	ischèreis	*scirētis*	aereis ischidu	*sciissētis*
sci[pi]ant	*scĭant*	apant ischidu	*sciĕrint*	ischerent	*scīrent*	aerent ischidu	*sciissent*

CONDIZIONALE		**IMPERATIVO**			
presente (io saprei)	**passato** (io avrei saputo)	**presente** (sappi tu)	***praesens***	**benidore = futuro** (saprai tu)	***futurum***
deo dia ischire	deo dia àere ischidu	------	-----------	------	-----------
tue dias ischire	tue dias àere ischidu	ischi tue	*sci*	as a ischire tue	*scīto*
issu diat ischire	issu diat àere ischidu	iscat issu	------	at a ischire issu	*scīto*
nois diamus ischire	nois diamus àere ischidu	ischemus nois	------	amus a ischire nois	------
bois diais ischire	bois diais àere ischidu	ischide bois	*scīte*	ais a ischire bois	*scitōte*
issos diant ischire	issos diant àere ischidu	iscant issos no iscas tue	------	ant a ischire issos	*sciunto*

INFINITO		**GERUNDIO**		**PARTICIPIO**	
presente ischire (sapere) **passato** àere ischidu / scìpiu (avere s.)	***praesens:*** *scīre* (sapere) ***perfectum:*** *sciisse o scivisse* (aver saputo) ***futurum*** **(sing. e plur.):** *scitūrūm, -am, -ūm esse* *scitūros -as, a esse* (essere per sapere)	**presente** ischende (sapendo) **passato** apende ischidu (avendo saputo)	genitivu: *sciendi* dativu: *sciendo* acusativu: *ad sciendum* ablativu: *sciendo* (di, a, per, con il sapere)	**presente** ischente (sapiente) **futuro** ------ **passato** ischidu (saputo)	***praesens*** *sciens, -ientis* (che sa) ***futurum*** *scitūrūs, -a, -ūm* (che saprà) ***SUPINUM*** *scitum* (a sapere)

IV CONIUGAZIONE LATINA - FORMA PASSIVA DEL VERBO ***SCĪRI, SCĬOR*** **(SAPERE)**
III CONIUGAZIONE SARDA - FORMA PASSIVA DEL VERBO **ISCHIRE** (SC), **SCIRI** (SM)

INDICATIVO

presente	***praesens***	**imperfetto**	***imperfectum***	**benidore = futuro**	***futurum***
(io sono saputo)		(io ero saputo)		(io sarò saputo)	
so ischidu (sardo	*scĭor*	fia ischidu,	*sciēbar*	apo a èssere ischidu,	*scĭar*
comune);	*scīris / scire*	etz.	*sciebāris*	etz.	*sciēris / sciēre*
seu scidu (sardo	*scītur*		*sciebātur*		*sciētur*
centro	*scīmur*		*sciebāmur*		*sciēmur*
meridionale);	*scimĭni*		*sciebamĭni*		*sciemĭni*
ecc.	*scintur*		*sciebantur*		*scientur*

passato	***perfectum***	**trapassato prossimo**	***plusquam perfectum***	**futuro anteriore**	***futurum prius***
(sono stato		(io ero stato		(io sarò stato	
saputo)	*scitus, -a, -um sum*	saputo)	*scitus, -a, -um eram*	saputo)	*scitus, -a, -um ero*
so istadu	*scitus, -a, -um es*	fia istadu	*scitus, -a, -um eras*	apo a èssere	*scitus, -a, -um eris*
ischidu,	*scitus, -a, -um est*	ischidu, etz.	*scitus, -a, -um erat*	istadu ischidu,	*scitus, -a, -um erit*
etz.	*sciti, -ae, -a sumus*		*sciti, -ae, -a eramus*	etz.	*sciti, -ae, -a erimus*
	sciti, -ae, -a estis		*sciti, -ae, -a eratis*		*sciti, -ae, -a eritis*
	sciti, -ae, -a sunt		*sciti, -ae, -a erant*		*sciti, -ae, -a erunt*

CONGIUNTIVO

presente	***praesens***	**passato**	***perfectum***	**imperfetto**	***imperfectum***	**congiuntivo trapassato**	***plusquam perfectum***
sia ischi-	*sciar*	sia istadu	*scitus, -a, -um sim*	essere	*scīrer*	essere istadu	*scitus, -a, -um essem*
du,	*sciāris*	ischidu,	*scitus, -a, -um sis*	ischidu,	*scirēris*	ischidu, etz.	*scitus, -a, -um esses*
etz.	*sciātur*	etz.	*scitus, -a, -um sit*	etz.	*scirētur*	(io fossi stato	*scitus, -a, -um esset*
(io sia	*sciāmur*	(io sia	*sciti, -ae, -a simus*	(io fossi	*scirēmur*	saputo)	*sciti, -ae, -a essemus*
saputo)	*sciamĭni*	stato	*sciti, -ae, -a sitis*	saputo)	*sciremĭni*		*sciti, -ae, -a essetis*
	sciantur	saputo)	*sciti, -ae, -a sint*		*scirentur*		*sciti, -ae, -a essent*

CONDIZIONALE		IMPERATIVO			
presente	**passato**	**presente**	***praesens***	**futuro**	***futurum***
deo dia èssere ischi-	deo dia èssere istadu ischi-	------	------	------	------
du, etz.	du, etz.	------	*scīre*	------	*scītor*
(io sarei saputo)	(io sarei stato saputo)	------	------	------	*scītor*
		------	------	------	------
		------	*scimĭni*	------	------
		------	------	------	*sciuntor*

INFINITO		GERUNDIO		PARTICIPIO	
presente	***praesens:*** *scīri*	**presente**		**presente**	***praesens***
èssere	(essere / avere saputo)	ischendesi	***GERUNDIVO***	------	-------
ischidu	***perfectum*** **(sing. e plur.):**	(sapendosi)	*sciendus, -a, um*		
(essere saputo)	*scitus, -am, -um esse*		(da sapersi)	------	***perfectum***
passato	*sciti, -ae, -a esse*	**passato**		------	*scitus, -a, -um*
so istadu ischidu	(essere stato saputo)	assendesi			(che è stato saputo)
(essere stato saputo)	***futurum:***	ischidu		**supino**	***SUPINUM***
futuro	*scitum esse*	(essendosi		a essere	*scitu*
---------	(essere per essere saputo)	saputo)		letto	(a essere saputo)

II CONIUGAZIONE LATINA - FORMA ATTIVA DEL VERBO ***TĔNĒRE, TĔNĔO*** (TENERE)
II CONIUGATZIONE SARDA - FORMA ATTIVA DEL VERBO **TÈNNERE** (SC), **TENNI** (SM)

INDICATIVO

presente (io tengo)	***praesens***	***imperfetto*** (io tenevo)	***imperfectum***	**benidore = futuro** (io terrò)	***futurum***
deo tèngio	*tĕnĕo*	deo tenia	*tĕnēbam*	deo apo a tènnere	*tĕnēbo*
tue tenes	*tĕnes*	tue tenias	*tĕnēbas*	tue as a tènnere	*tĕnēbis*
issu tenet	*tĕnet*	issu teniat	*tĕnēbat*	issu at a tènnere	*tĕnēbit*
nois tenimus	*tĕnēmus*	nois tenìamus	*tĕnebāmus*	nois amus a tènnere	*tĕnebĭmus*
bois tenides	*tĕnētis*	bois teniais	*tĕnebātis*	bois ais a tènnere	*tĕnebĭtis*
issos tenent	*tĕnent*	issos teniant	*tĕnēbant*	issos ant a tènnere	*tĕnēbunt*

passato (io ho tenuto)	***perfectum***	**trapassato prossimo** (io avevo tenuto)	***plusquam perfectum***	**benidore = futuro de in antis = anteriore** (io avrò tenuto)	***futurum prius***
apo tentu	*tenui / tetini*	aia tentu	*tenuĕram*	apo a àere tentu	*tenuĕro*
as tentu	*tenuisti*	aias tentu	*tenuĕras*	as a àere tentu	*tenuĕris*
at tentu	*tenuit*	aiat tentu	*tenuĕrat*	at a àere tentu	*tenuĕrit*
amus tentu	*tenuĭmus*	aìamus tentu	*tenuerāmus*	amus a àere tentu	*tenuerĭmus*
ais tentu	*tenuistis*	aiais tentu	*tenuerātis*	ais a àere tentu	*tenuerĭtis*
ant tentu	*tenuērunt*	aiant tentu	*tenuĕrant*	ant a àere tentu	*tenuĕrint*

CONGIUNTIVO

presente (io tenga)	***praesens***	**passato** (io abbia tenuto)	***perfectum***	**imperfetto** (io tenessi)	***imperfectum***	**congiuntivo trapassato** (io avessi tenuto)	***plusquam perfectum***
tèngia	*tĕnĕam*	apa tentu	*tenuĕrim*	tennere	*tĕnērem*	aere tentu	*tenuissem*
tèngias	*tĕnĕas*	apas tentu	*tenuĕris*	tenneres	*tĕnēres*	aeres tentu	*tenuisses*
tèngiat	*tĕnĕat*	apat tentu	*tenuĕrīt*	tenneret	*tĕnēret*	aeret tentu	*tenuisset*
tengiamus	*tĕneāmus*	apamus tentu	*tenuerĭmus*	tennèremus	*tĕnerēmus*	aeremus tentu	*tenuissēmus*
tengiais	*tĕneātis*	apais tentu	*tenuerĭtis*	tennèreis	*tĕnerētis*	aereis tentu	*tenuissētis*
tèngiant	*tĕnĕant*	apant tentu	*tenuĕrint*	tennerent	*tĕnērent*	aerent tentu	*tenuissent*

CONDIZIONALE		**IMPERATIVO**			
presente (io terrei)	**passato** (io avrei tenuto)	**presente** (tieni tu)	***praesens***	**benidore = futuro** (terrai tu)	***futurum***
deo dia tènnere	deo dia àere tentu	------	-----------	------	-----------
tue dias tènnere	tue dias àere tentu	tene tue	*tĕne*	as a tènnere tue	*tĕnēto*
issu diat tènnere	issu diat àere tentu	tèngiat issu	------	at a tènnere issu	*tĕnēto*
nois diamus tènnere	nois diamus àere tentu	tenemus nois	------	amus a tènnere nois	------
bois diais tènnere	bois diais àere tentu	tenide bois	*tĕnēte*	ais a tènnere bois	*tĕnetōte*
issos diant tènnere	issos diant àere tentu	tèngiant issos	------	ant a tènnere issos	*tĕnento*
		non tèngias tue			

INFINITO		**GERUNDIO**		**PARTICIPIO**	
presente	***praesens:*** *tĕnēre* (tenere)	**presente**		**presente**	***praesens***
tènnere	***perfectum:*** (aver tenuto)	tenende	genitivu: *tĕnendi*	------	*tĕnens, -entis*
(tenere)	*tenuisse* o *tetinisse*	(tenendo)	dativu: *tĕnendo*	(tenente)	(che tiene)
passato		**passato**	acusativu:	**futuro**	***futurum***
àere	***futurum*** **(sing. e plur.):**	apende	*ad tĕnendum*	------	*tentūrūs, -a, -ūm*
tentu /	*tentūrūm, -am, -ūm esse*	tentu	ablativu: *tĕnendo*	**passato**	(che terrà)
tènnidu	*tentūros -as, a esse*	(avendo	(di, a, per, con il tenere)	tentu	***SUPINUM***
(avere t.)	(essere per tenere)	tenuto)		(tenuto)	*tentum* (a tenere)

La **-e-** di ***teneo*** (1ª pers.) e del congiuntivo presente era in origine una **-i-** consonantica: ten**z**o, tèn**gi**a.

II CONIUGAZIONE LATINA - FORMA PASSIVA DEL VERBO ***TĔNĒRI, TĔNĔOR*** **(TENERE)**
II CONIUGAZIONE SARDA - FORMA PASSIVA DEL VERBO **TÈNNERE** (SC), **TENNI** (SM)

INDICATIVO

presente	***praesens***	**imperfetto**	***imperfectum***	**benidore = futuro**	***futurum***
deo so tentu tue ses tentu, etz. (io sono tenuto)	*tĕnĕor* *tĕnēris/tĕnēre* *tĕnētur* *tĕnēmur* *tĕnemĭni* *tĕnentur*	deo fia tentu, etz. (io ero tenuto)	*tĕnēbar* *tĕnebāris* *tĕnebātur* *tĕnebāmur* *tĕnebamĭni* *tĕnebantur*	deo apo a èssere tentu, etz. (io sarò tenuto)	*tĕnebor* *tĕneběris* *tĕnebĭtur* *tĕnebĭmur* *tĕnebimĭni* *tĕnebuntur*

passato	***perfectum***	**trapassato prossimo**	***plusquam perfectum***	**futuro anteriore**	***futurum prius***
deo so istadu tentu, etz. (io sono stato tenu-to)	*tentus, -a, -um sum* *tentus, -a, -um es* *tentus, -a, -um est* *tenti, -ae, -a sumus* *tenti, -ae, -a estis* *tenti, -ae, -a sunt*	deo fia istadu tentu, etz. (io ero stato tenuto)	*tentus, -a, -um eram* *tentus, -a, -um eras* *tentus, -a, -um erat* *tenti, -ae, -a eramus* *tenti, -ae, -a eratis* *tenti, -ae, -a erant*	deo apo a èssere istadu tentu, etz. (io sarò stato tenuto)	*tentus, -a, -um ero* *tentus, -a, -um eris* *tentus, -a, -um erit* *tenti, -ae, -a erimus* *tenti, -ae, -a eritis* *tenti, -ae, -a erunt*

CONGIUNTIVO

presente	***praesens***	**passato**	***perfectum***	**imperfetto**	***imperfectum***	**congiuntivo trapassato**	***plusquam perfectum***
deo sia tentu, etz. (io sia tenuto)	*tĕnĕar* *tĕneāris* *tĕneātur* *tĕneāmur* *tĕneamĭni* *tĕneantur*	deo sia istadu tentu, etz. (io sia stato tenuto)	*tentus, -a, -um sim* *tentus, -a, -um sis* *tentus, -a, -um sit* *tenti, -ae, -a simus* *tenti, -ae, -a sitis* *tenti, -ae, -a sint*	essere tentu, etz. (io fossi tenuto)	*tĕnērer* *tĕnerēris* *tĕnerētur* *tĕnerēmur* *tĕneremĭni* *tĕnerentur*	essere istadu tentu, etz. (io fossi stato tenuto)	*tentus, -a, -um essem* *tentus, -a, -um esses* *tentus, -a, -um esset* *tenti, -ae, -a essemus* *tenti, -ae, -a essetis* *tenti, -ae, -a essent*

CONDIZIONALE		**IMPERATIVO**			
presente	**passato**	**presente**	***praesens***	**benidore = futuro**	***futurum***
deo dia èssere tentu, etz. (io sarei tenuto)	deo dia èssere istadu tentu, etz. (io sarei stato tenuto)	------ ------ ------ ------ ------ ------	---------- *tĕnēre* ------ ------ *tĕnemĭni* ------	------ ------ ------ ------ ------ ------	---------- *tĕnētor* *tĕnētor* ------ ------ *tĕnentor*

INFINITO		**GERUNDIO**		**PARTICIPIO**	
presente èssere tentu (essere tenuto) **passato** èssere istadu tentu (essere stato tenuto) **futuro** ---------	***praesens:*** *tĕnēri* (essere tenuto) ***perfectum*** **(sing. e plur.):** *tentus, -am, -um esse* *tenti, -ae, -a esse* (essere stato tenuto) ***futurum:*** *tentum esse* (essere per essere tenuto)	**presente** tenendesi (tenendosi) **passato** essèndesi tentu (essendosi tenuto)	***GERUNDIVO*** *tĕnendus, -a, um* (da tenersi)	**presente** ------ **passato** ------ **supino** ------ (a essere tenuto)	***praesens*** ------- ***perfectum*** *tentus, -a, um* (che è stato tenuto) ***SUPINUM*** *a èssere tentu* (a essere tenuto)

II CONIUGAZIONE LATINA - FORMA ATTIVA DEL VERBO ***DĒBĒRE, DĒBĔO*** **(DOVERE)** II CONIUGAZIONE SARDA - FORMA ATTIVA DEL VERBO **DÈPERE** (SC), **DEPI** (SM)

INDICATIVO

presente (io devo)	***praesens***	**imperfetto** (io dovevo)	***imperfectum***	**benidore = futuro** (io dovrò)	***futurum***
deo depo	*dēbĕo*	deo depia	*dēbēbam*	deo apo a dèpere	*dēbēbo*
tue depes	*dēbes*	tue depias	*dēbēbas*	tue as a dèpere	*dēbēbis*
issu depet	*dēbet*	issu depiat	*dēbēbat*	issu at a dèpere	*dēbēbit*
nois depimus	*dēbēmus*	nois depìamus	*dēbebāmus*	nois amus a dèpere	*dēbebĭmus*
bois depides	*dēbētis*	bois depiais	*dēbebātis*	bois ais a dèpere	*dēbebĭtis*
issos depent	*dēbent*	issos depiant	*dēbēbant*	issos ant a dèpere	*dēbēbunt*

passato prossimo (io ho dovuto)	***perfectum***	**trapassato prossimo** (io avevo dovuto)	***plusquam perfectum***	**benidore = futuro de in antis = anteriore** (io avrò dovuto)	***futurum prius***
apo dèpidu	*debui*	aia dèpidu	*debuĕram*	apo a àere dèpidu	*debuĕro*
as dèpidu	*debuisti*	aias dèpidu	*debuĕras*	as a àere dèpidu	*debuĕris*
at dèpidu	*debuit*	aiat dèpidu	*debuĕrat*	at a àere dèpidu	*debuĕrit*
amus dèpidu	*debuĭmus*	aìamus dèpidu	*debuerāmus*	amus a àere dèpidu	*debuerĭmus*
ais dèpidu	*debuistis*	aiais dèpidu	*debuerātis*	ais a àere dèpidu	*debuerĭtis*
ant dèpidu	*debuērunt*	aiant dèpidu	*debuĕrant*	ant a àere dèpidu	*debuĕrint*

CONGIUNTIVO

presente (io debba)	***praesens***	**passato** (io abbia dovuto)	***perfectum***	**imperfetto** (io dovessi)	***imperfectum***	**congiuntivo trapassato** (io avessi dovuto)	***plusquam perfectum***
depa	*dēbĕam*	apa dèpidu	*debuĕrim*	depere	*dēbērem*	aere dèpidu	*debuissem*
depas	*dēbĕas*	apas dèpidu	*debuĕris*	deperes	*dēbēres*	aeres dèpidu	*debuisses*
depat	*dēbĕat*	apat dèpidu	*debuĕrĭt*	deperet	*dēbēret*	aeret dèpidu	*debuisset*
depamus	*dēbeāmus*	apamus dèpidu	*debuerĭmus*	depèremus	*dēberēmus*	aeremus dèpidu	*debuissēmus*
depaiais	*dēbeātis*	apais dèpidu	*debuerĭtis*	depèreis	*dēberētis*	aereis dèpidu	*debuissētis*
depant	*dēbĕant*	apant dèpidu	*debuĕrint*	deperent	*dēbērent*	aerent dèpidu	*debuissent*

CONDIZIONALE		**IMPERATIVO**			
presente (io dovrei)	**passato** (io avrei dovuto)	**presente** (devi tu)	***praesens***	**benidore = futuro** (dovrai tu)	***futurum***
deo dia dèpere	deo dia àere dèpere	------	----------	------	----------
tue dias dèpere	tue dias àere dèpere	depe tue	*dēbe*	as a dèpere tue	*dēbēto*
issu diat dèpere	issu diat àere dèpere	depat issu	------	at a dèpere issu	*dēbēto*
nois diamus dèpere	nois diamus àere dèpere	depemus nois	------	amus a dèpere nois	------
bois diais dèpere	bois diais àere dèpere	depide bois	*dēbēte*	ais a dèpere bois	*dēbetōte*
issos diant dèpere	issos diant àere dèpere	depant issos	------	ant a dèpere issos	*dēbento*
		non depas tue			

INFINITO		**GERUNDIO**		**PARTICIPIO**	
presente	***praesens:***	**presente**		**presente**	***praesens***
dèpere	*dēbēre* (dovere)	depende	genitivu: *dēbendi*	---------	*dēbens, -entis*
(dovere)	***perfectum:***	(dovendo)	dativu: *dēbendo*		(che deve)
passato	*debuisse* (aver dovuto)	**passato**	acusativu:	**futuro**	***futurum***
àere	***futurum* (sing. e plur.):**	apende	*ad dēbendum*	------	*debitūrūs, -a, -ūm*
dèpidu	*debitūrūm, -am, -ūm esse*	dèpidu	ablativu: *dēbendo*	**passato**	(che dovrà)
(avere	*debitūros -as, a esse*	(avendo	(di, a, per, con dovere)	dèpidu	***SUPINUM***
dovuto)	(essere per dovere)	dovuto)		(dovuto)	*debitum* (a dovere)

II CONIUGAZIONE LATINA - FORMA PASSIVA DEL VERBO ***DĒBĒRI, DĒBĔOR*** **(DOVERE)**
II CONIUGAZIONE SARDA - FORMA PASSIVA DEL VERBO **DÈPERE** (SC), **DEPI** (SM)

INDICATIVO

presente	***praesens***	**imperfetto**	***imperfectum***	**benidore = futuro**	***futurum***
deo so dèpidu, etz. (io sono dovuto)	*dēbĕor* *dēbēris/dēbēre* *dēbētur* *dēbēmur* *dēbemĭni* *dēbentur*	deo fia dèpidu, etz. (io ero dovuto)	*dēbēbar* *dēbebāris* *dēbebātur* *dēbebāmur* *dēbebamĭni* *dēbebantur*	deo apo a èssere dèpidu, etz. (io sarò dovuto)	*dēbēbor* *dēbebĕris* *dēbebĭtur* *dēbebĭmur* *dēbebimĭni* *dēbebuntur*

passato	***perfectum***	**trapassato prossimo**	***plusquam perfectum***	**futuro anteriore**	***futurum prius***
so istadu dèpidu, etz. (io sono stato dovuto)	*debitus, -a, -um sum* *debitus, -a, -um es* *debitus, -a, -um est* *debiti, -ae, -a sumus* *debiti, -ae, -a estis* *debiti, -ae, -a sunt*	fia istadu dèpidu, etz. (io ero stato dovuto)	*debitus, -a, -um eram* *debitus, -a, -um eras* *debitus, -a, -um erat* *debiti, -ae, -a eramus* *debiti, -ae, -a eratis* *debiti, -ae, -a erant*	apo a èssere istadu dèpidu, etz. (io sarò stato dovuto)	*debitus, -a, -um ero* *debitus, -a, -um eris* *debitus, -a, -um erit* *debiti, -ae, -a erimus* *debiti, -ae, -a eritis* *debiti, -ae, -a erunt*

CONGIUNTIVO

presente	***praesens***	**passato**	***perfectum***	**imperfetto**	***imperfectum***	**congiuntivo trapassato**	***plusquam perfectum***
sia dèpidu, etz. (sia dovuto)	*dēbĕar* *dēbeāris* *dēbeātur* *dēbeāmur* *dēbeamĭni* *dēbeantur*	sia istadu dèpidu, etz. (sia stato dovuto)	*debitus, -a, -um sim* *debitus, -a, -um sis* *debitus, -a, -um sit* *debiti, -ae, -a simus* *debiti, -ae, -a sitis* *debiti, -ae, -a sint*	essere dèpidu, etz. (fosse dovuto)	*dēbērer* *dēberēris* *dēberētur* *dēberēmur* *dēberemĭni* *dēberentur*	essere istadu dèpidu, etz. (fosse stato dovuto)	*debitus, -a, -um essem* *debitus, -a, -um esses* *debitus, -a, -um esset* *debiti, -ae, -a essemus* *debiti, -ae, -a essetis* *debiti, -ae, -a essent*

CONDIZIONALE		IMPERATIVO			
presente	**passato**	**presente**	***praesens***	**benidore = futuro**	***futurum***
deo dia èssere dèpidu, etz. (sarei dovuto)	deo dia èssere istadu dèpidu, etz. (sarei stato dovuto)	------ ------ ------ ------ ------ ------	---------- *dēbēre* ------ ------ *dēbemĭni* ------	------ ------ ------ ------ ------ ------	---------- *dēbētor* *dēbētor* ------ ------ *dēbentor*

INFINITO		GERUNDIO		PARTICIPIO	
presente èssere dèpidu (essere dovuto) **passato** èssere istadu dèpidu (essere stato d.) **futuro** ---------	***praesens:*** *dēbēri* (essere dovuto) ***perfectum*** **(sing. e plur.):** *debitus, -am, -um esse* *debiti, -ae, -a esse* (essere stato dovuto) ***futurum:*** *debitum esse* (essere per essere dovuto)	**presente** dependesi (dovendosi) **passato** essèndesi dèpidu (essendosi dovuto)	***GERUNDIVO*** *dēbendus, -a, um* (da doversi)	**presente** ------ **passato** ------ **supino** ------	***praesens*** ------- ***perfectum*** *debitus, -a, um* (che è stato dovuto) ***SUPINUM*** *debitu* (a essere dovuto)

III CONIUGAZIONE LATINA- FORMA ATTIVA DEL VERBO ***BĬBĔRE, BIBO*** **(BERE)**
II CONIUGAZIONE SARDA - FORMA ATTIVA DEL VERBO **BÌBERE** (SC), **BIRI** (SM)

INDICATIVO

presente (io bevo)	*praesens*	**imperfetto** (io bevevo)	*imperfectum*	**benidore = futuro** (io berrò)	*futurum*
deo bi[b]o	*bĭbo*	deo bibia	*bĭbēbam*	deo apo a bìbere	*bĭbam*
tue bibes	*bĭbis*	tue bibias	*bĭbēbas*	tue as a bìbere	*bĭbes*
issu bibet	*bĭbit*	issu bibiat	*bĭbēbat*	issu at a bìbere	*bĭbet*
nois bibimus	*bĭbĭmus*	nois bibìamus	*bĭbebāmus*	nois amus a bìbere	*bĭbēmus*
bois bibides	*bĭbĭtis*	bois bibiais	*bĭbebātis*	bois ais a bìbere	*bĭbētis*
issos bibent	*bĭbunt*	issos bibiant	*bĭbēbant*	issos ant a bìbere	*bĭbent*

passato prossimo (io ho bevuto)	*perfectum*	**trapassato prossimo** (io avevo bevuto)	*plusquam perfectum*	**benidore = futuro de in antis = anteriore** (io avrò bevuto)	*futurum prius*
apo bìbidu, bidu	*bibi*	aia bìbidu	*bibĕram*	apo a àere bìbidu	*bibĕro*
as bìbidu	*bibisti*	aias bìbidu	*bibĕras*	as a àere bìbidu	*bibĕris*
at bìbidu	*bibit*	aiat bìbidu	*bibĕrat*	at a àere bìbidu	*bibĕrit*
amus bìbidu	*bibĭmus*	aìamus bìbidu	*biberāmus*	amus a àere bìbidu	*biberĭmus*
ais bìbidu	*bibistis*	aiais bìbidu	*biberātis*	ais a àere bìbidu	*biberĭtis*
ant bìbidu	*bibērunt*	aiant bìbidu	*bibĕrant*	ant a àere bìbidu	*bibĕrint*

CONGIUNTIVO

presente (io beva)	*praesens*	**passato** (io abbia bevuto)	*perfectum*	**imperfetto** (io bevessi)	*imperfectum*	**congiuntivo trapassato** (io avessi bevuto)	*plusquam perfectum*
biba	*bĭbam*	apa bìbidu	*bibĕrim*	bibere	*bĭbĕrem*	aere bìbidu	*bibissem*
bibas	*bĭbas*	apas bìbidu	*bibĕris*	biberes	*bĭbĕres*	aeres bìbidu	*bibisses*
bibat	*bĭbat*	apat bìbidu	*bibĕrĭt*	biberet	*bĭbĕret*	aeret bìbidu	*bibisset*
bibamus	*bĭbāmus*	apamus bìbidu	*biberĭmus*	bibèremus	*bĭberēmus*	aeremus bìbidu	*bibissēmus*
bibais	*bĭbātis*	apais bìbidu	*biberĭtis*	bibèreis	*bĭberētis*	aereis bìbidu	*bibissētis*
bibant	*bĭbant*	apant bìbidu	*bibĕrint*	biberent	*bĭbĕrent*	aerent bìbidu	*bibissent*

CONDIZIONALE		IMPERATIVO			
presente (io berrei)	**passato** (io avrei bevuto)	**presente** (bevi tu)	*praesens*	**benidore = futuro** (berrai tu)	*futurum*
deo dia bìbere	deo dia àere bìbidu	------	----------	------	----------
tue dias bìbere	tue dias àere bìbidu	bibe tue	*bĭbĕ*	as a bìbere tue	*bĭbĭto*
issu diat bìbere	issu diat àere bìbidu	bibat issu	------	at a bìbere issu	*bĭbĭto*
nois diamus bìbere	nois diamus àere bìbidu	bibemus nois	------	amus a bìbere nois	------
bois diais bìbere	bois diais àere bìbidu	bibide bois	*bĭbĭte*	ais a bìbere bois	*bĭbitōte*
issos diant bìbere	issos diant àere bìbidu	bibant issos	------	ant a bìbere issos	*bĭbunto*
		non bibas tue			

INFINITO		GERUNDIO		PARTICIPIO	
presente bìbere (bere) **passato** àere bìbidu (avere bevuto)	***praesens:*** *bĭbĕre, biber* (bere) ***perfectum:*** *bibisse* (aver bevuto) ***futurum* (sing. e plur.):** *bibitūrūm, -am, -ūm esse* *bibitūros -as, a esse* (essere per bere)	**presente** bibende (bevendo) **passato** apende bìbidu (avendo bevuto)	genitivu: *bĭbendi* dativu: *bĭbendo* acusativu: *ad bĭbendum* ablativu: *bĭbendo* (di, a, per, con il bere)	**presente** --------- (bevente) **futuro** ------ **passato** bìbidu (bevuto)	***praesens*** *bĭbens, -entis* (che beve) ***futurum*** *bibitūrūs, -a, -ūm* (che berrà) ***SUPINUM*** *bibitum* (a bere)

Le terminazioni sarde dell'indicativo presente sono utilizzate dal latino per il futuro.

III CONIUGAZIONE LATINA- FORMA PASSIVA DEL VERBO ***BĬBI, BĬBOR*** **(BERE)**
II CONIUGAZIONE SARDA - FORMA PASSIVA DEL VERBO **BÌBERE** (SC), **BIRI** (SM)

INDICATIVO

presente	***praesens***	**imperfetto**	***imperfectum***	**benidore = futuro**	***futurum***
deo so bìbidu tue ses bìbidu issu est bìbidu etz. (io sono bevuto)	*bĭbor* *bĭbĕris/bĭbĕre* *bĭbĭtur* *bĭbĭmur* *bĭbimĭni* *bĭbuntur*	deo fia bìbidu tue fias bìbidu issu fiat bìbidu etz. (io ero bevuto)	*bĭbēbar* *bĭbebāris* *bĭbebātur* *bĭbebāmur* *bĭbebamĭni* *bĭbebantur*	deo apo a èssere bìbidu, etz. (io sarò bevuto)	*bĭbar* *bĭbēris, bĭbēre* *bĭbētur* *bĭbēmur* *bĭbemĭni* *bĭbentur*

passato	***perfectum***	**trapassato prossimo**	***plusquam perfectum***	**futuro anteriore**	***futurum prius***
so istadu bìbidu, etz. (io sono stato bevuto)	*bibitus, -a, -um sum* *bibitus, -a, -um es* *bibitus, -a, -um est* *bibiti, -ae, -a sumus* *bibiti, -ae, -a estis* *bibiti, -ae, -a sunt*	fia istadu bìbidu, etz. (io ero stato bevuto)	*bibitus, -a, -um eram* *bibitus, -a, -um eras* *bibitus, -a, -um erat* *bibiti, -ae, -a eramus* *bibiti, -ae, -a eratis* *bibiti, -ae, -a erant*	apo a èssere istadu bìbidu, etz. (io sarò stato bevuto)	*bibitus, -a, -um ero* *bibitus, -a, -um eris* *bibitus, -a, -um erit* *bibiti, -ae, -a erimus* *bibiti, -ae, -a eritis* *bibiti, -ae, -a erunt*

CONGIUNTIVO

presente	***praesens***	**passadu**	***perfectum***	**imperfetto**	***imperfectum***	**congiuntivo trapassato**	***plusquam perfectum***
sia bìbidu, etz. (io sia bevuto)	*bĭbar* *bĭbāris* *bĭbātur* *bĭbāmur* *bĭbamĭni* *bĭbantur*	sia istadu bìbidu, etz. (io sia stato bevuto)	*bibitus, -a, -um sim* *bibitus, -a, -um sis* *bibitus, -a, -um sit* *bibiti, -ae, -a simus* *bibiti, -ae, -a sitis* *bibiti, -ae, -a sint*	essere bìbidu, etz. (io fossi bevuto)	*bĭbĕrer* *bĭberēris* *bĭberētur* *bĭberēmur* *bĭberemĭni* *bĭberentur*	esseret istadu bìbidu, etz. (io fossi stato bevuto)	*bibitus, -a, -um essem* *bibitus, -a, -um esses* *bibitus, -a, -um esset* *bibiti, -ae, -a essemus* *bibiti, -ae, -a essetis* *bibiti, -ae, -a essent*

CONDIZIONALE		**IMPERATIVO**			
presente	**passato**	**presente**	***praesens***	**benidore = futuro**	***futurum***
deo dia èssere bìbidu, etz. (io sarei bevuto)	deo dia èssere istadu bìbi- du, etz. (io sarei stato bevuto)	------ ------ ------ ------ ------ ------	------ *bĭbĕre* ------ ------ *bĭbimĭni* ------	------ ------ ------ ------ ------ ------	---------- *bĭbĭtor* *bĭbĭtor* ------ ------ *bĭbuntor*

INFINITO		**GERUNDIO**		**PARTICIPIO**	
presente èssere bìbidu (essere bevuto) **passato** èssere istadu bìbidu (essere stato bevuto) **futuro** ---------	***praesens:*** *bĭbi* (essere bevuto) ***perfectum*** **(sing. e plur.):** *bibitus, -am, -um esse* *bibiti, -ae, -a esse* (essere stato bevuto) ***futurum:*** *bibitum esse* (essere per essere bevuto)	**presente** bibendesi (bevendosi) **passato** essendesi bìbidu (essendosi bevuto)	***GERUNDIVO*** *bĭbendus, -a, um* (da bersi)	**presente** ------ **passato** ------ **supino** ------ (a essere b.)	***praesens*** ------- ***perfectum*** *bibitus, -a, um* (che è stato bevuto) ***SUPINUM*** *bibitu* (a essere bevuto)

III CONIUGAZIONE LATINA - FORMA ATTIVA DEL VERBO ***CURRĔRE, CURRO*** (CORRERE) II CONIUGAZIONE SARDA - FORMA ATTIVA DEL VERBO **CÙRRERE** (SC), **CURRI** (SM)

INDICATIVO

presente (io corro)	***praesens***	**imperfetto** (io correvo)	***imperfectum***	**benidore = futuro** (io correrò)	***futurum***
deo curro	*curro*	deo curria	*currēbam*	deo apo a cùrrere	*curram*
tue curres	*curris*	tue currias	*currēbas*	tue as a cùrrere	*curres*
issu curret	*currit*	issu curriat	*currēbat*	issu at a cùrrere	*curret*
nois currimus	*currĭmus*	nois currìamus	*currebāmus*	nois amus a cùrrere	*currēmus*
bois currides	*currĭtis*	bois curriais	*currebātis*	bois ais a cùrrere	*currētis*
issos current	*currunt*	issos curriant	*currēbant*	issos ant a cùrrere	*current*

passato prossimo (io ho corso)	***perfectum***	**trapassato prossimo** (io avevo corso)	***plusquam perfectum***	**benidore = futuro de in antis = anteriore** (io avrò corso)	***futurum prius***
apo cùrridu	*cucurri*	aia cùrridu	*cucurrĕram*	apo a àere cùrridu	*cucurrĕro*
as cùrridu	*cucurristi*	aias cùrridu	*cucurrĕras*	as a àere cùrridu	*cucurrĕris*
at cùrridu	*cucurrit*	aiat cùrridu	*cucurrĕrat*	at a àere cùrridu	*cucurrĕrit*
amus cùrridu	*cucurrĭmus*	aìamus cùrridu	*cucurrerāmus*	amus a àere cùrridu	*cucurrerĭmus*
ais cùrridu	*cucurristis*	aiais cùrridu	*cucurrerātis*	ais a àere cùrridu	*cucurrerĭtis*
ant cùrridu	*cucurrērunt*	aiant cùrridu	*cucurrĕrant*	ant a àere cùrridu	*cucurrĕrint*

CONGIUNTIVO

presente (io corra)	***praesens***	**passadu** (io abbia corso)	***perfectum***	**imperfetto** (io corressi)	***imperfectum***	**congiuntivo trapassato** (io avessi corso)	***plusquam perfectum***
curra	*curram*	apa cùrridu	*cucurrĕrim*	currere	*currĕrem*	aere cùrridu	*cucurrissem*
curras	*curras*	apas cùrridu	*cucurrĕris*	curreres	*currĕres*	aeres cùrridu	*cucurrisses*
currat	*currat*	apat cùrridu	*cucurrĕrit*	curreret	*currĕret*	aeret cùrridu	*cucurrisset*
curramus	*currāmus*	apamus cùrridu	*cucurrerĭmus*	currèremus	*currerēmus*	aeremus cùrridu	*cucurrissēmus*
curraiais	*currātis*	apais cùrridu	*cucurrerĭtis*	currèreis	*currerētis*	aereis cùrridu	*cucurrissētis*
currant	*currant*	apant cùrridu	*cucurrĕrint*	currerent	*currĕrent*	aerent cùrridu	*cucurrissent*

CONDIZIONALE		**IMPERATIVO**			
presente (io correrei)	**passato** (io avrei corso)	**presente** (corri tu)	***praesens***	**benidore = futuro** (correrai tu)	***futurum***
deo dia cùrrere	deo dia àere cùrridu	------	----------	------	----------
tue dias cùrrere	tue dias àere cùrridu	curre tue	*currĕ*	as a cùrrere tue	*currĭto*
issu diat cùrrere	issu diat àere cùrridu	currat issu	------	at a cùrrere issu	*currĭto*
nois diamus cùrrere	nois diamus àere cùrridu	curremus nois	------	amus a cùrrere nois	------
bois diais cùrrere	bois diais àere cùrridu	curride bois	*currĭte*	ais a cùrrere bois	*curritōte*
issos diant cùrrere	issos diant àere cùrridu	currant issos non bibas tue	------	ant a cùrrere issos	*currunto*

INFINITO		**GERUNDIO**		**PARTICIPIO**	
presente cùrrere (correre) **passato** àere cùrridu / cursu (avere c.)	***praesens:*** *currĕre* (correre) ***perfectum:*** *cucurrisse* (aver corso) ***futurum* (sing. e plur.):** *cursūrūm, -am, -ūm esse* *cursūros -as, a esse* (essere per correre)	**presente** currende (correndo) **passato** apende cùrridu (avendo corso)	genitivu: *currendi* dativu: *currendo* acusativu: *ad currendum* ablativu: *currendo* (di, a, per, con il correre)	**presente** --------- **futuro** ------ **passato** cùrridu (corso)	***praesens*** *currens, -entis* (che corre) ***futurum*** *cursūrŭs, -a, -ūm* (che correrà) ***SUPINUM*** *cursum* (a correre)

Cucurrere, raddopiato nella sillaba "cu" si utilizza nel sardo letterario in funzione di "correre sopra".

III CONIUGAZIONE LATINA - FORMA PASSIVA DEL VERBO ***CURRI, CURROR*** (CORRERE)
II CONIUGAZIONE SARDA - FORMA PASSIVA DEL VERBO **CÙRRERE** (SC), **CURRI** (SM)

INDICATIVO

presente	***praesens***	**imperfetto**	***imperfectum***	**benidore = futuro**	***futurum***
deo so cùrridu tue ses cùrridu issu est cùrridu, etz. (io sono corso)	*curror* *currĕris/currĕre* *currĭtur* *currĭmur* *currimĭni* *curruntur*	deo fia cùrridu, etz. (io ero corso)	*currēbar* *currebāris* *currebātur* *currebāmur* *currebamĭni* *currebantur*	deo apo a èssere cùrridu, etz. (io sarò corso)	*currar* *currēris* *currētur* *currēmur* *curremĭni* *currentur*

passato	***perfectum***	**trapassato prossimo**	***plusquam perfectum***	**futuro anteriore**	***futurum prius***
so istadu cùrridu, etz. (io sono stato corso)	*cursus, -a, -um sum* *cursus, -a, -um es* *cursus, -a, -um est* *cursi, -ae, -a sumus* *cursi, -ae, -a estis* *cursi, -ae, -a sunt*	fia istadu cùrridu, etz. (io ero stato corso)	*cursus, -a, -um eram* *cursus, -a, -um eras* *cursus, -a, -um erat* *cursi, -ae, -a eramus* *cursi, -ae, -a eratis* *cursi, -ae, -a erant*	apo a èssere istadu cùrridu, etz. (io sarò stato corso)	*cursus, -a, -um ero* *cursus, -a, -um eris* *cursus, -a, -um erit* *cursi, -ae, -a erimus* *cursi, -ae, -a eritis* *cursi, -ae, -a erunt*

CONGIUNTIVO

presente	***praesens***	**passato**	***perfectum***	**imperfetto**	***imperfectum***	**trapassato congiuntivo**	**plusquam perfectum**
sia cùrridu, etz. (io sia corso)	*currar* *currāris* *currātur* *currāmur* *curramĭni* *currantur*	sia istadu cùrridu, etz. (io sia stato corso)	*cursus, -a, -um sim* *cursus, -a, -um sis* *cursus, -a, -um sit* *cursi, -ae, -a simus* *cursi, -ae, -a sitis* *cursi, -ae, -a sint*	essere cùrridu, etz. (io fossi corso)	*currĕrer* *currerēris* *currerētur* *currerēmur* *curreremĭni* *currerentur*	essere istadu cùrridu, etz. (io fossi stato corso)	*cursus, -a, -um essem* *cursus, -a, -um esses* *cursus, -a, -um esset* *cursi, -ae, -a essemus* *cursi, -ae, -a essetis* *cursi, -ae, -a essent*

CONDIZIONALE		IMPERATIVO			
presente	**passato**	**presente**	***praesens***	**futuro**	***futurum***
deo dia èssere cùrridu, etz. (io sarei corso)	deo dia èssere istadu cùrri-du, etz. (io sarei stato corso)	------ ------ ------ ------ ------ ------	------ *currĕre* ------ ------ *currĭmini* ------	------ ------ ------ ------ ------ ------	------ *currĭtor* *currĭtor* ------ ------ *curruntor*

INFINITO		GERUNDIO		PARTICIPIO	
presente so cùrridu (sono corso) **passato** so istadu cùrridu (sono stato corso) **futuro** ---------	***praesens:*** *curri* (essere corso) ***perfectum* (sing. e plur.):** *cursus, -am, -um esse* *cursi, -ae, -a esse* (essere stato corso) ***futurum:*** *cursum esse* (essere per essere corso)	**presente** currendesi (correndosi) **passato** essendesi cùrridu (essendosi corso)	***GERUNDIVO*** *currendus, -a, um* (da corrersi)	**presente** ------ **passato** ------ **supino** ------ a essere c.	***praesens*** ------ ***perfectum*** *cursus, -a, um* (che è stato corso) ***SUPINUM*** *cursu* (a essere corso)

11.16 LA CONIUGAZIONE DEPONENTE

Si dicono **deponenti** quei verbi latini che tengono forma passiva ma significato attivo. I latini hanno creato i verbi deponenti sulla falsariga di quelli greci. Si tratta per lo più di verbi intransitivi o con doppia funzione che usano nel tempo passato l'ausiliare essere (nascor = sono nato). I verbi deponenti, alla pari con quelli attivi e passivi, si distinguono in quattro coniugazioni:

I coniugazione latina con tema in -ā (-āris); II coniugazione latina con tema in -ē (-ēris);
III coniugazione latina con tema in -ĕ (-ĕris); IV coniugazione latina con tema in -ī (-īris).

I **verbi deponenti** si coniugano come quelli passivi, ma tengono significato attivo, allo stesso modo dei verbi deponenti greci. Nei verbi di modo indefinito, invece, c'è qualche eccezione, poiché nel modo **gerundivo** e nel modo **supino** sono passivi sia di forma che di significato. Il paradigma dei verbi deponenti, essendo passivi, non ha il tema del *perfectum* (perfetto).

Ad esempio: gerundio, participio presente e participio futuro si legano all'infinito di un altro verbo e ne precisano il senso. Il participio presente e quello futuro dei tempi deponenti hanno non solo il significato ma anche la forma attiva. L'infinito dei verbi deponenti segue le terminazioni del sardo campidanese.

Sono ad esempio verbi deponenti: *furor* = furo (rubo), *videor* = bido (vedo o sembro), *nascor* = nasco (nasco), *metior* = medo (misuro). Dei verbi appena citati, nei tempi composti in sardo e in italiano, solo *nascor* = nasco (nasco) è coniugato con l'ausiliare essere: so nàschidu = *natus sum*. In questo caso, con le comuni regole grammaticali, non potrei dire "sono stato nato", ma solo "sono nato".

11.16.1 I VERBI SEMIDEPONENTI

Si chiamano **semideponenti** quei verbi che in parte tengono la coniugazione attiva e in parte quella deponente. Per essere più precisi questi verbi hanno la flessione attiva nel tempo presente e nei tempi che derivano dal presente, e la flessione deponente nel *perfectum* (passato) e nei tempi che vengono dal *perfectum*. Anche in questo caso, i verbi semideponenti sono prevalentemente verbi intransitivi, che non possono quindi trasformarsi nella forma passiva, e costruiscono i tempi composti sia con l'ausiliare avere (io ho sentito) sia con quello essere (io sono stato sentito). Ecco alcuni verbi semideponenti di questo genere:
osare (osare) = *audeo, -es, ausus sum, audēre*; gosare (godere) = *gaudeo, -es, gavīsus sum, gaudere*;
fidare (fidare) = *fido, -is, fisus sum, fidĕre*; cunfidare (confidare) = *confido, -is, confisus sum, confidĕre*;
disfidare (diffidare) = *diffido, -is, diffisus sum, diffidĕre*;

La regola che abbiamo visto sopra non è però sempre valida, perché qualche verbo esce con la forma attiva nel *perfectum* (passato) e nei tempi che vengono da esso, e qualche altra esce con la forma deponente nel presente e nei tempi che ne derivano. Ecco qualche verbo deponente e transitivo con questa regola:
torrare (tornare) = *revertor, -ĕris, reverti, reversum, reverti*;
deviare (deviare) = *devertor, -ĕris, deverti, deverti*.

11.16.2 ALCUNI VERBI PROVENIENTI DAL GRECO

Alcuni verbi che provengono dal greco tengono la **coniugazione irregolare**, perché la desinenza personale è legata direttamente alla radice del verbo e non alla vocale tematica. Per questo si dicono anche verbi atematici. I più importanti di questi verbi anomali sono:
giùghere (portare) = *fĕro, fĕrs, tuli, latum, fĕrre*;
non chèrrere (non volere) = *nolo, non vis, nōlŭi, nolle*;
prefèrrere (preferire) = *malo, māvis, mālŭi, malle*;
andare (andare) = *ĕo, is, ivi, ĭtum, ire*;
pòdere (potere) = *quĕo, quis, quīvi, quĭtum, quīre*;
mandigare (mangiare) = *edo, ĕdis, ĕdit, ēdi, ēsum, ĕdĕre*.

I CONIUGAZIONE LATINA - FORMA DEPONENTE DEL VERBO ***FŪRĀRI, FŪROR*** **(RUBARE)**
I CONIUGAZIONE SARDA - FORMA ATTIVA DEL VERBO **FURARE** (SC), **FURAI** (SM)

INDICATIVO

presente	***praesens***	**imperfetto**	***imperfectum***	**benidore = futuro**	***futurum***
(io rubo)		(io rubavo)		(io ruberò)	
deo furo	*fūror*	deo furaia	*fūrābar*	deo apo a furare	*fūrābor*
tue furas	*fūrāris / fūrāre*	tue furaias	*fūrabāris*	tue as a furare	*fūraběris*
issu furat	*fūrātur*	issu furaiat	*fūrabātur*	issu at a furare	*fūrabĭtur*
nois furamus	*fūrāmur*	nois furaiamus	*fūrabāmur*	nois amus a furare	*fūrabĭmur*
bois furates	*fūramĭni*	bois furaiais	*fūrabamĭni*	bois ais a furare	*fūrabimĭni*
issos furant	*fūrantur*	issos furaiant	*fūrabantur*	issos ant a furare	*fūrabuntur*

passato	***perfectum***	**trapassato prossimo**	***plusquam perfectum***	**futuro anteriore**	***futurum prius***
(ho rubato)		(avevo rub.)		(avrò rubato)	
apo furadu	*furatus, -a, -um sum*	aia furadu	*furatus, -a, -um eram*	apo a àere furadu	*furatus, -a, -um ero*
as furadu	*furatus, -a, -um es*	aias furadu	*furatus, -a, -um eras*	as a àere furadu	*furatus, -a, -um eris*
at furadu	*furatus, -a, -um est*	aiat furadu	*furatus, -a, -um erat*	at a àere furadu	*furatus, -a, -um erit*
amus furadu	*furati, -ae, -a sumus*	aiamus furadu	*furati, -ae, -a eramus*	amus a àere furadu	*furati, -ae, -a erimus*
ais furadu	*furati, -ae, -a estis*	aiais furadu	*furati, -ae, -a eratis*	ais a àere furadu	*furati, -ae, -a eritis*
ant furadu	*furati, -ae, -a sunt*	aiant furadu	*furati, -ae, -a erant*	ant a àere furadu	*furati, -ae, -a erunt*

CONGIUNTIVO

presente	***praesens***	**passato**	***perfectum***	**imperfetto**	***imperfectum***	**congiuntivo trapassato**	***plusquam perfectum***
(io rubi)		(abbia rub.)		(io rubassi)		(avessi rub.)	
fure	*fūrer*	apa furadu	*furatus, -a, -um sim*	furere	*fūrārer*	aere furadu	*furatus, -a, -um essem*
fures	*fūrēris*	apas furadu	*furatus, -a, -um sis*	fureres	*fūrarēris*	aeres furadu	*furatus, -a, -um esses*
furet	*fūrētur*	apat furadu	*furatus, -a, -um sit*	fureret	*fūrarētur*	aeret furadu	*furatus, -a, -um esset*
furemus	*fūrēmur*	apamus furadu	*furati, -ae, -a simus*	furèremus	*fūrarēmur*	aeremus furadu	*furati, -ae, -a essemus*
fureis	*fūremĭni*	apais furadu	*furati, -ae, -a sitis*	furereis	*fūraremĭni*	aereis furadu	*furati, -ae, -a essetis*
furent	*fūrentur*	apant furadu	*furati, -ae, -a sint*	furerent	*fūrarentur*	aerent furadu	*furati, -ae, -a essent*

CONDIZIONALE		IMPERATIVO			
presente	**passato**	**presente**	***praesens***	**benidore = futuro**	***futurum***
(io ruberei)	(io avrei rubato)	(ruba tu)		(ruberai tu)	
deo dia furare	deo dia àere furadu	------	------	------	------
tue dias furare	tue dias àere furadu	fura tue	*fūrāre*	as a furare tue	*fūrātor*
issu diat furare	issu diat àere furadu	furet issu	------	at a furare issu	*fūrātor*
nois diamus furare	nois diamus àere furadu	furemus nois	------	amus a furare nois	------
bois diais furare	bois diais àere furadu	furade bois	*fūramĭni*	ais a furare bois	------
issos diant furare	issos diant àere furadu	furent issos	------	ant a furare issos	*fūrantor*
		non fures tue			

INFINITO		GERUNDIO		PARTICIPIO	
presente	***praesens***: *fūrāri* (rubare)	**presente**	genitivu: *fūrandi*	**presente**	***praesens***
furare	***perfectum*** **(sing. e plur.):**	furende	dativu: *fūrando*	------	*fūrans, antis*
(rubare)	*furatus, -am, -um esse*	(rubando)	acusativu: *fūrandum*		(che ruba)
passato	*furati, -ae, -a esse*		ablativu: *fūrando*	**futuro**	***futurum***
àere furadu	(aver rubato)	**passato**	(di, a, per,	------	*furatūrūs, -a, ūm*
(avere rubato)	***futurum:***	apende	con il rubare)		(che ruberà)
futuro	*furatūrūm, -am, -ūm esse*	furadu	***GERUNDIVO***	**passato**	***SUPINUM***: attivo:
---------	*furatūros, -as, a esse*	(avendo	*fūrandus, -a, um*	furadu	*furatum* (a rubare)
	(stare per rubare)	rubato)	(da rubarsi)	(rubato)	passivo: *furatu*

II CONIUGAZIONE LATINA - FORMA DEPONENTE DEL VERBO ***VĬDĒRI, VĬDĔOR*** (VEDERE) II CONIUGAZIONE SARDA - FORMA ATTIVA DEL VERBO **BÌDERE** (SC), **BIRI** (SM)

INDICATIVO

presente (io vedo)	***praesens***	**imperfetto** (io vedevo)	***imperfectum***	**benidore = futuro** (io vedrò)	***futurum***
deo bido	*vĭdĕor*	deo bidia	*vĭdēbar*	deo apo a bìdere	*vĭdēbor*
tue bides	*vĭdēris / vĭdēre*	tue bidias	*vĭdebāris*	tue as a bìdere	*vĭdebĕris*
issu bidet	*vĭdētur*	issu bidiat	*vĭdebātur*	issu at a bìdere	*vĭdebĭtur*
nois bidimus	*vĭdēmur*	nois bidìamus	*vĭdebāmur*	nois amus a bìdere	*vĭdebĭmur*
bois bidides	*vĭdemĭni*	bois bidiais	*vĭdebamĭni*	bois ais a bìdere	*vĭdebimĭni*
issos bident	*vĭdentur*	issos bidiant	*vĭdebantur*	issos ant a bìdere	*vĭdebuntur*

passato (ho visto)	***perfectum***	**trapassato prossimo** (avevo visto)	***plusquam perfectum***	**futuro anteriore** (avrò visto)	***futurum prius***
apo bidu	*visus, -a, -um sum*	aia bidu	*visus, -a, -um eram*	apo a àere bidu	*visus, -a, -um ero*
as bidu	*visus, -a, -um es*	aias bidu	*visus, -a, -um eras*	as a àere bidu	*visus, -a, -um eris*
at bidu	*visus, -a, -um est*	aiat bidu	*visus, -a, -um erat*	at a àere bidu	*visus, -a, -um erit*
amus bidu	*visi, -ae, -a sumus*	aìamus bidu	*visi, -ae, -a eramus*	amus a àere bidu	*visi, -ae, -a erimus*
ais bidu	*visi, -ae, -a estis*	aiais bidu	*visi, -ae, -a eratis*	ais a àere bidu	*visi, -ae, -a eritis*
ant bidu	*visi, -ae, -a sunt*	aiant bidu	*visi, -ae, -a erant*	ant a àere bidu	*visi, -ae, -a erunt*

CONGIUNTIVO

presente (io veda)	***praesens***	**passato** (abbia visto)	***perfectum***	**imperfetto** (vedessi)	***imperfectum***	**congiuntivo trapassato** (avessi visto)	***plusquam perfectum***
bida	*vĭdĕar*	apa bidu	*visus, -a, -um sim*	bidera	vĭdērer	aere bidu	visus, -a, -um essem
bidas	*vĭdeāris*	apas bidu	*visus, -a, -um sis*	bideras	vĭderēris	aeres bidu	visus, -a, -um esses
bidat	*vĭdeātur*	apat bidu	*visus, -a, -um sit*	biderat	vĭderētur	aeret bidu	visus, -a, -um esset
bidamus	*vĭdeāmur*	apamus bidu	*visi, -ae, -a simus*	bidèramus	vĭderēmur	aeremus bidu	visi, -ae, -a essemus
bidais	*vĭdeamĭni*	apais bidu	*visi, -ae, -a sitis*	bidèrais	vĭderemĭni	aereis bidu	visi, -ae, -a essetis
bidant	*vĭdeantur*	apant bidu	*visi, -ae, -a sint*	biderant	vĭderentur	aerent bidu	visi, -ae, -a essent

CONDIZIONALE		**IMPERATIVO**			
presente (io vedrei)	**passato** (io avrei visto)	**presente** (vedi tu)	***praesens***	**futuro** (vedrai tu)	***futurum***
deo dia bìdere	deo dia àere bidu	------	------	------	------
tue dias bìdere	tue dias àere bidu	bide tue	*vĭdēre*	as a bìdere tue	*vĭdētor*
issu diat bìdere	issu diat àere bidu	bidat issu	------	at a bìdere issu	*vĭdētor*
nois diamus bìdere	nois diamus àere bidu	bidemus nois	------	amus a bìdere nois	------
bois diais bìdere	bois diais àere bidu	bidide bois	*vĭdemĭni*	ais a bìdere bois	------
issos diant bìdere	issos diant àere bidu	bidant issos	------	ant a bìdere issos	*vĭdentor*
		non bidas tue			

INFINITO		**GERUNDIO**		**PARTICIPIO**	
presente bìdere (vedere) **passato** àere bidu (avere visto) **futuro** ---------	***praesens*:** *vĭdēri* (vedere) ***perfectum* (sing. e plur.):** *visus, -am, -um esse* *visi, -ae, -a esse* (aver visto) ***futurum:*** *visūrūm, -am, -ūm esse* *visūros, -as, -a esse* (stare per vedere)	**presente** bidende (vedendo) **passato** apende bidu (avendo visto)	genitivu: *vĭdendi* dativu: *vĭdendo* acusativu: *vĭdendum* ablativu: *vĭdendo* (di, a, per, con il vedere) ***GERUNDIVO*** ---------	**presente** ------ **benidore** ------ **passato** bidu (visto)	***praesens*** *vĭdens, -entis* (che vede) ***futurum*** *visūrūs, -a, ūm* (che vedrà) ***SUPINUM*** *visum* (a vedere)

Nella maggior parte dei casi il verbo ***videor*** significa **sembrare** e non **vedere**.

III CONIUGAZIONE LATINA - FORMA DEPONENTE DEL VERBO ***NASCI, NASCOR*** **(NASCERE)**
II CONIUGAZIONE SARDA - FORMA ATTIVA DEL VERBO **NÀSCHERE** (SC), **NASCI** (SM)

INDICATIVO

presente	***praesens***	**imperfetu**	***imperfectum***	**benidore = futuro**	***futurum***
(io nasco)		(io nascevo)		(io nascerò)	
deo nasco	*nascor*	deo naschia	*nascēbar*	deo apo a nàschere	*nascar*
tue nasches	*nascĕris/nascĕre*	tue naschias	*nascebāris*	tue as a nàschere	*nascēris, nascēre*
issu naschet	*nascĭtur*	issu naschiat	*nascebātur*	issu at a nàschere	*nascētur*
nois naschimus	*nascĭmur*	nois naschìamus	*nascebāmur*	nois amus a nàschere	*nascēmur*
bois naschides	*nascimĭni*	bois naschiais	*nascebamĭni*	bois ais a nàschere	*nascemĭni*
issos naschent	*nascuntur*	issos naschiant	*nascebantur*	issos ant a nàschere	*nascentur*

passato	***perfectum***	**trapassato prossimo**	***plusquam perfectum***	**futuro anteriore**	***futurum prius***
(sono nato)		(ero nato)		(sarò nato)	
so nàschidu	*natus, -a, -um sum*	fia nàschidu	*natus, -a, -um eram*	apo a èssere nàschidu	*natus, -a, -um ero*
ses nàschidu	*natus, -a, -um es*	fias nàschidu	*natus, -a, -um eras*	as a èssere nàschidu	*natus, -a, -um eris*
est nàschidu	*natus, -a, -um est*	fiat nàschidu	*natus, -a, -um erat*	at a èssere nàschidu	*natus, -a, -um erit*
semus nàschidos	*nati, -ae, -a sumus*	fiamus nàschidos	*nati, -ae, -a eramus*	amus a èssere nàschidos	*nati, -ae, -a erimus*
seis nàschidos	*nati, -ae, -a estis*	fiais nàschidos	*nati, -ae, -a eratis*	ais a èssere nàschidos	*nati, -ae, -a eritis*
sunt nàschidos	*nati, -ae, -a sunt*	fiant nàschidos	*nati, -ae, -a erant*	ant a èssere nàschidos	*nati, -ae, -a erunt*

CONGIUNTIVO

presente	***praesens***	**passato**	***perfectum***	**imperfetto**	***imperfectum***	**congiuntivo trapassato**	***plusquam perfectum***
(io nasca)		(sia nato)		(nascessi)		(fossi nato)	
nasca	*nascar*	sia nàschidu	*natus, -a, -um sim*	naschere	*nascĕrer*	*essere nàschidu*	natus, -a, -um essem
nascas	*nascāris*	sias nàschidu	*natus, -a, -um sis*	nascheres	*nascerēris*	*esseres nàschidu*	natus, -a, -um esses
nascat	*nascātur*	siat nàschidu	*natus, -a, -um sit*	nascheret	*nascerētur*	*esseret nàschidu*	natus, -a, -um esset
naschemus	*nascāmur*	semus nàschidos	*nati, -ae, -a simus*	naschèremus	*nascerēmur*	*essèremus nàschidos*	nati, -ae, -a essemus
nascheis	*nascamĭni*	sieis nàschidos	*nati, -ae, -a sitis*	naschèreis	*nasceremĭni*	*essèreis nàschidos*	nati, -ae, -a essetis
nascant	*nascantur*	siant nàschidos	*nati, -ae, -a sint*	nascherent	*nascerentur*	*esserent nàschidos*	nati, -ae, -a essent

CONDIZIONALE		IMPERATIVO			
presente	**passato**	**presente**	***praesens***	**futuro**	***futurum***
(nascerei)	(sarei nato)	(nasci tu)		(nascerai tu)	
deo dia nàschere	deo dia èssere nàschidu	------	------	------	------
tue dias nàschere	tue dias èssere nàschidu	nasche tue	*nascĕre*	as a nàschere tue	*nascĭtor*
issu diat nàschere	issu diat èssere nàschidu	nascat issu	------	at a nàschere issu	*nascĭtor*
nois diamus nàschere	nois diamus èssere nàschidos	naschemus nois	------	amus a nàschere nois	------
bois diais nàschere	bois diais èssere nàschidos	naschide bois	*nascĭmini*	ais a nàschere bois	------
issos diant nàschere	issos diant èssere nàschidos	nascant issos	------	ant a nàschere issos	*nascuntor*
		non nascas tue			

INFINITO		GERUNDIO		PARTICIPIO	
presente	***praesens*:** *nasci* (nascere)	**presente**	genitivu: *nascendi*	**presente**	***praesens:***
nàschere	***perfectum* (sing. e plur.):**	naschende	dativu: *nascendo*	------	*nascens, -entis*
(nascere)	*natus, -am, -um esse*	(nascendo)	acusativu: *nascendum*		(che nasce)
passato	*nati, -ae, -a esse* (essere nato)	**passato**	ablativu: *nascendo*	**futuro**	***futurum:***
essere nàschidu	***futurum:***	essende	(di, a, per, con il na-	------	*natūrŭs, -a, ŭm*
(essere nato)	*natūrŭm, -am, ŭm esse*	nàschidu	scere)	**passato**	(che nascerà)
futuro	*natūros, -as, -a esse*	(essendo	***GERUNDIVO***	nàschidu	***SUPINUM***
---------	(che nascerà)	nato)	-----	(nato)	*natum* (a nascere)

IV CONIUGAZIONE LATINA - FORMA DEPONENTE DEL VERBO ***MĒTĪRI, MĒTĬOR*** (MISURARE)
III CONIUGAZIONE SARDA - FORMA ATTIVA DEL VERBO **MEDIRE** (SC), **MEDIRI** (SM)

INDICATIVO

presente (io misuro)	***praesens***	**imperfetto** (io misuravo)	***imperfectum***	**benidore = futuro** (io misurerò)	***futurum***
deo medo	*mētĭor*	deo media	*mētiēbar*	deo apo a medire	*mētĭar*
tue medis	*mētīris / mētīre*	tue medias	*mētiebāris*	tue as a medire	*mētiēris*
issu medit	*mētītur*	issu mediat	*mētiebātur*	issu at a medire	*mētiētur*
nois medimus	*mētīmur*	nois medìamus	*mētiebāmur*	nois amus a medire	*mētiēmur*
bois medides	*mētimīni*	bois mediais	*mētiebamīni*	bois ais a medire	*mētiemīni*
issos medint	*mētiuntur*	issos mediant	*mētiebantur*	issos ant a medire	*mētientur*

passato (ho misurato)	***perfectum***	**trapassato prossimo** (avevo misurato)	***plusquam perfectum***	**futuro anteriore** (avrò misurato)	***futurum prius***
apo medidu	*mensus, -a, -um sum*	aia medidu	*mensus, -a, -um eram*	apo a àere medidu	*mensus, -a, -um ero*
as medidu	*mensus, -a, -um es*	aias medidu	*mensus, -a, -um eras*	as a àere medidu	*mensus, -a, -um eris*
at medidu	*mensus, -a, -um est*	aiat medidu	*mensus, -a, -um erat*	at a àere medidu	*mensus, -a, -um erit*
amus medidu	*mensi, -ae, -a sumus*	aìamus medidu	*mensi, -ae, -a eramus*	amus a àere medidu	*mensi, -ae, -a erimus*
ais medidu	*mensi, -ae, -a estis*	aiais medidu	*mensi, -ae, -a eratis*	ais a àere medidu	*mensi, -ae, -a eritis*
ant medidu	*mensi, -ae, -a sunt*	aiant medidu	*mensi, -ae, -a erant*	ant a àere medidu	*mensi, -ae, -a erunt*

CONGIUNTIVO

presente (io misuri)	***praesens***	**passato** (abbia misurato)	***perfectum***	**imperfetto** (misurassi)	***imperfectum***	**congiuntivo trapassato** (avessi mis.)	***plusquam perfectum***
meda	*mētĭar*	apa medidu	*mensus, -a, -um sim*	medere	*mētīrer*	aere medidu	*mensus, -a, -um essem*
medas	*mētiāris*	apas medidu	*mensus, -a, -um sis*	mederes	*mētirēris*	aeres medidu	*mensus, -a, -um esses*
medat	*mētiātur*	apat medidu	*mensus, -a, -um sit*	mederet	*mētirētur*	aeret medidu	*mensus, -a, -um esset*
medamus	*mētiāmur*	apamus medidu	*mensi, -ae, -a simus*	medèremus	*mētirēmur*	aeremus medidu	*mensi, -ae, -a essemus*
medais	*mētiamīni*	apais medidu	*mensi, -ae, -a sitis*	medèreis	*mētiremīni*	aereis medidu	*mensi, -ae, -a essetis*
medant	*metiantur*	apant medidu	*mensi, -ae, -a sint*	mederent	*mētirentur*	aerent medidu	*mensi, -ae, -a essent*

CONDIZIONALE		**IMPERATIVO**			
presente (io misurerei)	**passato** (io avrei misurato)	**presente** (misura tu)	***praesens***	**futuro** (misurerai tu)	***futurum***
deo dia medire	deo dia àere medidu	------	------	------	------
tue dias medire	tue dias àere medidu	medi tue	*mētīre*	as a medire tue	*mētītor*
issu diat medire	issu diat àere medidu	medat issu	------	at a medire issu	*mētītor*
nois diamus medire	nois diamus àere medidu	medemus nois	------	amus a medire nois	------
bois diais medire	bois diais àere medidu	medide bois	*mētimīni*	ais a medire bois	------
issos diant medire	issos diant àere medidu	medant issos non medas tue	------	ant a medire issos	*mētiuntor*

INFINITO		**GERUNDIO**		**PARTICIPIO**	
presente medire (misurare) **passato** àere medidu (avere misur.) **futuro** ---------	***praesens***: *mētīri* (misurare) ***perfectum* (sing. e plur.** *mensus, -a, -um esse* (aver) *mensi, -ae, -a esse* (misurato) ***futurum***: *mensūrūm, -am, -ūm* *mensūuros, -as, -a* (stare per misurare)	**presente** medende (misurando) **passato** apende medidu (avendo misurato)	genitivu: *mētiendi* dativu: *mētiendo* acusativu: *ad mētiendum* ablativu: *mētiendo* (di, a, per, con il misurare) ***GERUNDIVO*** *mētiendus, -a, um* (da misurarsi)	**presente** medente (misurante) **futuro** ------ **passato** medidu (misurato)	***praesens:*** *mētiens,* *-ientis* (che misura) ***futurum:*** *mensūrūs, -a, ūm* (che misurerà) ***SUPINUM*** *mensum, mensu* (a misurare, -ato)

FORMA ATTIVA LATINA DEL VERBO ANOMALO ***VELLE, VOLO*** (VOLERE) II CONIUGAZIONE SARDA - FORMA ATTIVA DEL VERBO **BÒLERE** (SC), **BOLLI** (SM)

INDICATIVO

presente	***praesens***	**imperfetto**	***imperfectum***	**benidore = futuro**	***futurum***
(io voglio)		(io volevo)		(io vorrò)	
deu bollu (SM)	*volo*	deu bolemu	*vŏlēbam*	deu apu a bolli	*vŏlam*
tui bolis	*vis, veis*	tui boliast	*vŏlēbas*	tui as a bolli	*vŏles*
issu bolit	*vult, volt*	issu boliat	*vŏlēbat*	issu at a bolli	*vŏlet*
nosu boleus	*volumus*	nosu bolemus	*vŏlebāmus*	nosu eus a bolli	*vŏlēmus*
bosàterus boleis	*vultis, volis*	bosàterus bolestis	*vŏlebātis*	bosàterus ais a bolli	*vŏlētis*
issus bolint	*volunt*	issus, -as boliant	*vŏlēbant*	issus, -as ant a bolli	*vŏlent*

passato prossimo	***perfectum***	**trapassato prossimo**	***plusquam perfectum***	**benidore = futuro de in antis = anteriore)**	***futurum prius***
(io ho voluto)		(io avevo voluto)		(io avrò voluto)	
apu bòfiu	*volui*	ia / emu bòfiu	*voluĕram*	apu a ai bòfiu	*voluĕro*
as bòfiu	*voluisti*	iast bòfiu	*voluĕras*	as a ai bòfiu	*voluĕris*
at bòfiu	*voluit*	iat bòfiu	*voluĕrat*	at a ai bòfiu	*voluĕrit*
eus bòfiu	*voluĭmus*	iaus bòfiu	*voluerāmus*	eus a ai bòfiu	*voluerĭmus*
eis bòfiu	*voluistis*	iais bòfiu	*voluerātis*	eis a ai bòfiu	*voluerĭtis*
ant bòfiu	*voluērunt*	iant bòfiu	*voluērant*	ant a ai bòfiu	*voluĕrint*

CONGIUNTIVO

presente	***praesens***	**passato**	***perfectum***	**imperfetto**	***imperfectum***	**congiuntivo trapassato**	***plusquam perfectum***
(io voglia)		(abbia voluto)		(volessi)		(avessi voluto)	
bolla	*velim*	apa bòfiu	*veluĕrim*	bolessi	*vellem*	essi bòfiu	*veluissem*
bollas	*velis*	apas bòfiu	*veluĕris*	bolessis	*velles*	essis bòfiu	*veluisses*
bollat	*velit*	apat bòfiu	*veluĕrĭt*	bolessit	*vellet*	essit bòfiu	*veluisset*
bollaus	*velimus*	apaus bòfiu	*veluerĭmus*	bolèssimus	*vellēmus*	èssimus bòfiu	*veluissēmus*
bollais	*velitis*	apais bòfiu	*veluerĭtis*	bolèssidis	*vellētis*	èssidis bòfiu	*veluissētis*
bollant	*velint*	apant bòfiu	*veluĕrint*	bolessint	*vellent*	essint bòfiu	*veluissent*

CONDIZIONALE		**IMPERATIVO**			
presente	**passato**	**presente**	***praesens***	**futuro**	***futurum***
(vorrei)	(avrei voluto)	(vuoi tu)		(vorrai tu)	
deu ia / emu a bolli	deu ia / emu a ai bòfiu	------	------	------	------
tui iast a bolli	tui iast a ai bòfiu	bolli tui	------	as a bolli tui	------
issu iat a bolli	issu iat a ai bòfiu	bollat issu	------	at a bolli issu	------
nosu iaus a bolli	nosu iaus a ai bòfiu	bolleus nosu	------	eus a bolli nosu	------
bosàterus iais/estis a bolli	bosàterus iais/estis a ai bòfiu	bollei bosàterus	------	eis a bolli bosàterus	------
issus, -as iant a bolli	issus, -as iant a ai bòfiu	bollant issus	------	ant a bolli issus	------
		no bollas tui			

INFINITO		**GERUNDIO**		**PARTICIPIO**	
presente	***praesens*:**			**presente**	***praesens***
bolli	*velle* (volere)	**presente**	------	------	*volens, -entis*
(volere)	***perfectum*:**	bollendi	------	(volente)	(che vuole)
passato	*veluisse* (avere voluto)	(volendo)		**futuro**	***futurum***
ai	***futurum* (sing. e plur.)**	**passato**	------	------	------
bòfiu	------	endi bòfiu	------	**passato**	
(avere		(avendo		bòfiu	***SUPINUM***
voluto)		voluto)		(voluto)	------

Nel presente prospetto il verbo **volere** è rappresentato in **S**ardo **M**eridionale: **bolli.**

FORMA ATTIVA LATINA DEL VERBO ANOMALO ***EXĪRE, EXĔO*** (USCIRE) III CONIUGAZIONE SARDA - FORMA ATTIVA DEL VERBO **ESSIRE** (SC), **ESSIRI** (SM)

INDICATIVO

presente (io esco)	***praesens***	**imperfetto** (io uscivo)	***imperfectum***	**benidore = futuro** (io uscirò)	***futurum***
deo esso	*ex-ĕo*	deo essi(b)a	*ex-ībam*	deo apo a essire	*ex-ībo*
tue essis	*ex-is*	tue essias	*ex-ības*	tue as a essire	*ex-ībis*
issu essit	*ex-it*	issu essiat	*ex-ībat*	issu at a essire	*ex-ībit*
nois essimus	*ex-īmus*	nois essiamus	*ex-ibāmus*	nois amus a essire	*ex-ibĭmus*
bois essides	*ex-ītis*	bois essiais	*ex-ibātis*	bois ais a essire	*ex-ibĭtis*
issos essint	*ex-eunt*	issos essiant	*ex-ībant*	issos ant a essire	*ex-ībunt*

passato prossimo (io sono uscito)	***perfectum***	**trapassato prossimo** (io ero uscito)	***plusquam perfectum***	**benidore = futuro de in antis = anteriore** (io sarò uscito)	***futurum prius***
so essidu	*ex-ii / ex-ivi*	fia essidu	*ex-ivĕram*	apo a èssere essidu	*ex-ivĕro*
ses essidu	*ex-iisti*	fias essidu	*ex-iĕras*	as a èssere essidu	*ex-iĕris*
est essidu	*ex-iit*	fiat essidu	*ex-iĕrat*	at a èssere essidu	*ex-iĕrit*
semus essidos	*ex-iĭmus*	fiamus essidos	*ex-ierāmus*	amus a èssere essidos	*ex-ierĭmus*
seis essidos	*ex-istis*	fiais essidos	*ex-ierātis*	ais a èssere essidos	*ex-ierĭtis*
sunt essidos	*ex-iērunt*	fiant essidos	*ex-iĕrant*	ant a èssere essidos	*ex-iĕrint*

CONGIUNTIVO

presente (io esca)	***praesens***	**passato** (io sia uscito)	***perfectum***	**imperfetto** (io uscissi)	***imperfectum***	**congiuntivo trapassato** (io fossi uscito)	***plusquam perfectum***
essa	*ex-ĕam*	sia essidu	*ex-ivĕrim*	essere	*ex-īrem*	essere essidu	*ex-ivissem*
essas	*ex-ĕas*	sias essidu	*ex-iĕris*	esseres	*ex-īres*	esseres essidu	*ex-iisses*
essat	*ex-ĕat*	siat essidu	*ex-iĕrit*	esseret	*ex-īret*	esseret essidu	*ex-iisset*
essamus	*ex-iāmus*	siamus essidos	*ex-ierĭmus*	essèremus	*ex-irēmus*	esseremus essidos	*ex-iissēmus*
essais	*ex-iātis*	siais essidos	*ex-ierĭtis*	essèreis	*ex-irētis*	essereis essidos	*ex-iissētis*
essant	*ex-ĕant*	siant essidos	*ex-iĕrint*	esserent	*ex-īrent*	esserent essidos	*ex-iissent*

CONDIZIONALE		**IMPERATIVO**			
presente (io uscirei)	**passato** (io sarei uscito)	**presente** (esci tu)	***praesens***	**futuro** (uscirai tu)	***futurum***
deo dia essire	deo dia èssere ischidu	------	------	------	-----------
tue dias essire	tue dias èssere ischidu	essi tue	*ex-i*	as a essire tue	*ex-īto*
issu diat essire	issu diat èssere ischidu	essat issu	------	at a essire issu	*ex-īto*
nois diamus essire	nois diamus èssere ischidos	essemus nois	------	amus a essire nois	------
bois diais essire	bois diais èssere ischidos	esside bois	*ex-īte*	ais a essire bois	*ex-itōte*
issos diant essire	issos diant èssere ischidos	essant issos	------	ant a essire issos	*ex-eunto*
		no essas tue			

INFINITO		**GERUNDIO**		**PARTICIPIO**	
presente	***praesens:*** *ex-īre* (uscire)	**presente**		**presente**	***praesens***
essire	***perfectum***	essende	genitivu: *ex-eundi*	essente	*ex-iens, -ex-euntis*
(escire)	*ex-iisse* o *ex-ivisse*	(uscendo)	dativu: *ex-eundo*	(uscente)	(che esce)
passato	(essere uscito)	**passato**	acusativu:	**futuro**	***futurum***
èssere	***futurum* (sing. e plur.)**	essende	*ad ex-eundum*	------	*ex-itūrŭs, -a, -ūm*
essidu	*ex-itūrūm, -am, -ūm esse*	essidu	ablativu: *ex-eundo*	**passato**	(che uscirà)
(essere	*ex-itūros -as, a esse*	(essendo	(di, a, per, con l'uscire)	essidu	***SUPINUM***
uscito)	(essere per uscire)	uscito)		(uscito)	*ex-itum* (a uscire)

Il verbo **andare**, *īre*, *ĕo* (opposto a **essire**, senza la *ex-* oppositiva), viene coniugato alla stessa maniera.

IV CONIUGAZIONE LATINA - FORMA ATTIVA DEL VERBO ***VĔNĪRE, VĔNĬO*** (VENIRE)
II CONIUGAZIONE SARDA - FORMA ATTIVA DEL VERBO **BÈNNERE** (SC), **BENNI** (SM)

INDICATIVO

presente	***praesens***	**imperfetto**	***imperfectum***	**benidore = futuro**	***futurum***
(io vengo)		(io venivo)		(io verrò)	
deo bèngio	*vĕnĭo*	deo benia	*vĕniēbam*	deo apo a bènnere	*vĕnĭam/venibo*
tue benis / venis	*vĕnis*	tue benias	*vĕniēbas*	tue as a bènnere	*vĕnĭes*
issu benit	*vĕnit*	issu beniat	*vĕniēbat*	issu at a bènnere	*vĕnĭet*
nois benimus	*vĕnīmus*	nois benimus	*vĕniebāmus*	nois amus a bènnere	*vĕniēmus*
bois benides	*vĕnītis*	bois beniais	*vĕniebātis*	bois ais a bènnere	*vĕniētis*
issos benint	*vĕnĭunt*	issos beniant	*vĕniēbant*	issos ant a bènnere	*vĕnĭent*

		trapassato	***plusquam***	**benidore = futuro**	***futurum***
passato prossimo	***perfectum***	**prossimo**	***perfectum***	**de in antis = anteriore**	***prius***
(io sono venuto)		(io ero venuto)		(io sarò venuto)	
so bènnidu	*veni*	fia bènnidu	*venĕram*	apo a èssere bènnidu	*venĕro*
ses bènnidu	*venisti*	fias bènnidu	*venĕras*	as a èssere bènnidu	*venĕris*
est bènnidu	*venit*	fiat bènnidu	*venĕrat*	at a èssere bènnidu	*venĕrit*
semus bènnidos	*venĭmus*	fiamus bènnidos	*venerāmus*	amus a èssere bènnidos	*venerĭmus*
seis bènnidos	*venistis*	fiais bènnidos	*venerātis*	ais a èssere bènnidos	*venerĭtis*
sunt bènnidos	*venērunt*	fiant bènnidos	*venĕrant*	ant a èssere bènnidos	*venĕrint*

CONGIUNTIVO

						congiuntivo	**plusquam**
presente	***praesens***	**passato**	***perfectum***	**imperfetto**	***imperfectum***	***trapassato***	**perfectum**
(io vanga)		(io sia venuto)		(io venissi)		(io fossi venuto)	
bèngia	*vĕnĭam*	so bènnidu	*vernĕrim*	bennere	*vĕnīrem*	essere bènnidu	*venissem*
bèngias	*vĕnĭas*	ses bènnidu	*venĕris*	benneres	*vĕnīres*	esseres bènnidu	*venisses*
bèngiat	*vĕnĭat*	est bènnidu	*venĕrit*	benneret	*vĕnīret*	esseret bènnidu	*venisset*
bengiamus	*vĕniāmus*	semus bènnidos	*venerĭmus*	bennèremus	*vĕnirēmus*	essèremus bènnidos	*venissēmus*
bengiais	*vĕniātis*	seis bènnidos	*venerĭtis*	bennèreis	*vĕnirētis*	essèreis bènnidos	*venissētis*
bèngiant	*vĕnĭant*	sunt bènnidos	*venĕrint*	bennerent	*vĕnirent*	esserent bènnidos	*venissent*

CONDIZIONALE		**IMPERATIVO**			
presente	**passato**	**presente**	***praesens***	**futuro**	***futurum***
(io verrei)	(io sarei venuto)	(vieni tu)		(verrai tu)	
deo dia bènnere	deo dia èssere bènnidu	------	----------	------	----------
tue dias bènnere	tue dias èssere bènnidu	beni tue	*vĕni*	as a bènnere tue	*vĕnīto*
issu diat bènnere	issu diat èssere bènnidu	bèngiat issu	------	at a bènnere issu	*vĕnīto*
nois diamus bènnere	nois diamus èssere bènnidos	bengiemus nois	------	amus a bènnere nois	------
bois diais bènnere	bois diais èssere bènnidos	benide bois	*vĕnīte*	ais a bènnere bois	*vĕnitōte*
issos diant bènnere	issos diant èssere bènnidos	bèngiant issos	------	ant a bènnere issos	*vĕniunto*
		non bèngias tue			

INFINITO		**GERUNDIO**		**PARTICIPIO**	
presente	***praesens:***	**presente**		**presente**	***praesens***
bènnere	*vĕnīre* (venire)	benende	genitivu: *vĕniendi*	---------	*vĕniens, -ientis*
(venire)	***perfectum:***	(venendo)	dativu: *vĕniendo*		(che viene)
passato	*venisse* (essere venuto)	**passato**	acusativu:	**futuro**	***futurum***
essere	***futurum* (sing. e plur.):**	essende	*ad vĕniendum*	------	*ventūrūs, -a, -ūm*
bènnidu	*ventūrūm, -am, -ūm esse*	bènnidu	ablativu: *vĕniendo*	**passato**	(che verrà)
(essere	*ventūros -as, a esse*	(essendo	(di, a, per, con il venire)	bènnidu	***SUPINUM***
venuto)	(stare per venire)	venuto)		(venuto)	*ventum* (a venire)

È consonantica la **-i-** della 1ª persona singolare dell'indicativo e delle persone del congiuntivo presente.

11.17 I VERBI IDENTITARI

Hanno una collocazione nuova nella grammatica latina e sarda i verbi identitari, quelli che contraddistinguono linguisticamente un particolare territorio. Dal momento che questi verbi li troviamo in sardo e in latino, ci dobbiamo porre una domanda: come mai se questi verbi in Sardegna marcano un territorio particolare li troviamo allo stesso tempo in latino? La risposta potrebbe essere che popolazioni partite da luoghi diversi dalla Sardegna, in un periodo che va dal Neolitico all'età del Bronzo finale, abbiano colonizzato particolarmente il Lazio portando in quei determinati posti la loro lingua.

Analizziamo alcuni **verbi identitari**, con lo stesso significato, che troviamo in sardo e in latino:

- **bòlere (volere) / chèrrere (volere) / pedire (chiedere)**

bolli (volere), in latino ***volle, volo***, è utilizzato nella Sardegna centro meridionale;
chèrrere (volere) in latino ***quaerĕre, quaero***, è impiegato nella Sardegna centro settentrionale.
pedire / pediri (chiedere) è presente in tutte le varianti sarde e lo troviamo in latino con ***pĕtĕre, peto***, nella III coniugazione latina, perché tiene l'infinito in ***-ĕre***, mentre in sardo ha, per lo più, l'infinito in **-ire**, ma in certi luoghi della Sardegna centro settentrionale lo troviamo anche con **pètere**.
chèrrere conserva il significato di domandare qualcosa con ragione, mentre **pedire** tiene il significato di domandare qualcosa per necessità.
quaeso, quaesĕre, esiste in latino e altro non sarebbe che il verbo **chèrrere** pronunciato alla logudorese **/cheso/** e non **/cherzo** o **chèrgio/** proprio del sardo comune. In latino questo verbo significa anche **cercare** e possiede solo i tempi semplici (presente, imperfetto e futuro) perché non è passato attraverso la koinè che ha coniugato i verbi composti (passato, trapassato e futuro anteriore) con il sistema greco.

- **faghere / 'achere / fai (fare)**

fàghere (fare), in latino ***făcĕre, făcĭo***, **fai** nella variante centro meridionale e **'achere** nel territorio nu[g]orese, è utilizzato in tutta la Sardegna. La prima persona dell'indicativo presente latino e tutte le persone del congiuntivo presente escono con la desinenza in consonante ***-i-*** seguita da vocale (*fa**cio***), alla maniera del sardo meridionale (fa**tzo**), mentre nella Sardegna centro settentrionale termina con "fa**to**". Nella variante sardo-corsa si pronuncia più o meno come in quella meridionale con **fotzu**.
'àchere o **'àghere** (fare), in latino ***ăgĕre, ăgo,*** è il verbo nu[g]orese corrispondente al sardo comune **fàghere** (scritto in questo modo perché la consonante **f-** a inizio di parola si aspira), ma che troviamo in latino come verbo a parte. In questo verbo mutano anche le forme delle persone verbali, che nell'indicativo presente sardo nu[g]orese diventano: 'aco, 'aches, 'achet, 'achimus, 'achites 'achent. In latino le stesse persone escono in modo simile, con la sonorizzazione della consonante **-c-** in **-g-**: *ago, agis, agit, agimus, agitis, agunt*. Occorre tenere in considerazione che in latino la sillaba ***-gi-*** non è palatale ma gutturale, pertanto si legge /a**ghis**/. In greco è presente il verbo **ἄγω** (ago), con la prima vocale aspirata come nel nu[g]orese, che corrisponde al latino '***ago*** e al sardo '**aco** (1ª persona dell'indicativo presente).

- **ischire / sciri / (sapere), ischidare / scidai (svegliare)**

ischire (sapere), in latino ***hiscĕre, hisco***, è utilizzato nella Sardegna centro settentrionale. Tale verbo in latino è coniugato solo nei tempi derivati dal presente (presente, imperfetto, futuro). Questa è una dimostrazione che i verbi latini che non hanno ottenuto l'attenzione dei grammatici non sono stati coniugati nei tempi composti in modo sintetico.
Il verbo **sciri** (sapere), in latino ***scīre, scĭo***, è impiegato nella Sardegna centro meridionale ed è stato preferito dai Latini al verbo ***hiscĕre***.
In latino ***discimus*** vuol dire **imparamus** (impariamo). La parola è composta dal prefisso oppositivo **dis-** e da **scimus**, che vuol dire letteralmente **no ischimus** (non sapiamo, da cui la parola **scemo**). Per questo il **dischente** (discente), in latino ***discente*** (abl. sing.), è quello che deve imparare.
Quando uno è **ischidu** (sapiente) si dice anche che è **ischidadu / scidau** (sveglio), in latino ***excitatus***. Questo verbo tiene assonanza con il verbo latino ***excitare***, pronunciato **/ischitare/** che in sardo troviamo anche con **ischitire**, vale a dire ricordare qualcosa, come ad esempio un fatto grave da vendicare.

- **giùghere / portai (portare)**

giùghere (portare), in latino ***ducĕre, duco***, è un verbo che si utilizza per lo più nella Sardegna centro settentrionale. Il latino possiede i tempi derivati dal presente con la consonante tematica ***-c-*** gutturale (*duc-o*), alla maniera nu[g]orese. In origine, in latino, dopo la ***d-*** iniziale doveva esserci la *-i-* consonantica (***di****ucere*), poiché il verbo si legge in sardo /**gi**ùghere/ o /**z**ùchere/.

In latino, insieme al verbo ***ducĕre*** c'è anche il verbo ***iŭgāre, iŭgo***, che mantiene il significato di "essere utile, in sardo appunto **zu**[g]**are** o **giuare**, servire a qualcosa" e di "tenere insieme". Infatti, l'origine della parola ***iŭgo*** si trova anche nei sostantivi **giu**[g]**u** o **giu**[g]**a**, vale a dire il **giogo** che si mette ai buoi per tenerli insieme e unire l'uno con l'altro le due forze.

Anche qui possiamo dire che esiste un **effetto fondatore**, poiché la parola in questione tiene il significante e il significato intrinseco del termine.

Da ***ducere*** (portare) viene ***adducere***, che in latino significa "portare a se". In sardo è inteso più o meno allo stesso modo quando uno deve **addùghere**, portare attenzione, verso qualcosa.

Portai (portare), in latino ***portāre, porto***, è un verbo che si usa con lo stesso significato di **giùghere** nella Sardegna centro meridionale.

- **fa[v]eddare / fueddai / chistionare / allegare / arrejonare (parlare)**

fa[v]eddare (parlare), in latino ***fābŭlāre*** (parlare), si impiega nella Sardegna centro settentrionale, mentre l'equivalente **fueddai** in quella centro meridionale. Questa parola, come molte altre latine, non ha subito il raddoppiamento della consonante liquida **-l-** per dare al grafema il suono cacuminale **-ll-** (*fabullare* = fave***dd***are), che invece troviamo nel sostantivo latino ***favella*** (storiella, fiaba). La **fàbula** era il racconto che una persona **narrava** (in sardo nu[g]orese e in latino **narrabat**), e quando questo racconto diventava leggenda assumeva il significato sardo attuale di **fà**[b]**ula**, ovverosia di cosa inventata, di **bugia**.

Nàrrere (dire), nella forma attiva latina ***narrāre*** e in quella passiva ***narrari*** (come nella variante campidanese **narri**), era invece il racconto di qualcosa a qualcuno.

Chistionare e **allegare** (dire, parlare) si utilizzano entrambi nel nu[g]orese e nel territorio di Mesania (Sardegna centrale). **Chistionare** vuol dire aprire una questione, in ablativo singolare latino ***questione*** o ***certione***, da ***certare***, in sardo ***chertare***, ovverosia **accertare** quello che è giusto.

Il verbo **allegare** (dire, parlare) esiste anche in latino e in greco, e lo troviamo nella prima persona singolare dell'indicativo presente, rispettivamente, con ***lego*** e **λέγω** (lego). ***Legatus*** è in latino il participio perfetto di **allegare**, ma anche il Governatore di una provincia, o un Ambasciatore incaricato di "allegare", dialogare, con gli interlocutori.

In latino e in sardo si usa anche il verbo **discùtere** (discutere), in latino scritto ***discŭtĕre***, parola composta dal prefisso oppositivo ***dis-*** e da ***scutere***. **Iscùdere**, in latino ***scŭtĕre***, significa in sardo **dobbare** (menare), che tiene l'equivalente italiano in ***picchiare***, con la particolarità che l'arma utilizzata a **matziare**, non era la **matza** (mazza), ma **su iscudu** (lo scudo), in latino ***scutum***, da cui deriva anche ***scŭtĭca*** (cintola in pelle). Pertanto **discùtere** vuol dire parlare senza **iscùtere** (picchiare), ovverosia usando la ragione, vale a dire **arrejonende**, in latino ***rĕgĭo***, che significa giusta direzione.

Questi termini dimostrano due cose: che **discutere** tiene l'**effetto fondatore** nel sardo, e che nel territorio dei Latini erano presenti tutte le parlate delle varianti sarde.

- **agiu**[d]**are / agiu**[v]**are / zuare / iubare / agiadai / agiudai (aiutare)**

agiuare (aiutare) lo troviamo in latino e in sardo sia come ***iuvare*** sia come ***ad iuvare***, che con la **zayin** si pronuncia **a zuvare**. In logudorese e in nu[g]orese con la mutazione della consonante intervocalica viene ad essere: quando in **-d-** (azu**d**are), quando in **-v-** (azu**v**are), quando in **-t-** (azu**t**are), quando in **-b-** (ju**b**are). In campidanese diventa: **agiadai, agiarai, agiudai**.

- **cramare / giamare / mutire / giubilare / cramai / tzerriai (chiamare)**

cramare e **giamare** si dicono in logudorese per "chiamare" e tengono il corrispondente latino in ***clāmāre***. **Mutire** e **giubilare** (chiamare) si utilizzano nel nu[g]orese, e vengono tradotti in latino con ***mutīre*** e ***iūbĭlāre***; mentre in campidanese si usano **cramai** e **tzerriai** (chiamare), in latino ***clāmāre*** e ***certare***.

Mutire in latino vuol dire "murrunzare" parlare a voce bassa, in italiano brontolare o borbottare, e pertanto l'ordine di **mutire** è quello di far cessare il chiasso.

Giubilare, invece, in latino e in sardo si dice quando uno viene chiamato con entusiasmo.

Tzerriai è chiamare qualcuno a voce alta, come in logudorese "tichirriare" o "ciarrare", che sono in latino e sardo ***certare*** /**chertare**/. Di fatto il ***cerritus*** è in latino uno che ab**bòchinat**, in latino ***ab vocat***, che grida contro, senza motivo, delirando.

Con la funzione di **clamare**, in latino, c'è anche il verbo ***appellāre***, che troviamo ancora in francese con lo stesso significato: *je m'appelle François* = io mi chiamo Francesco.

S'**appellu** (l'appello), ancora oggi, è quello che si fa ai militari il mattino per verificare se sono tutti presenti e anche quello che si fa nelle scuole per vedere chi manca. Il latino ***appello***, in sardo **apeddu**, è una parola composta da **a-peddu**, e viene da **pedde** (pelle), che era la corazza che portavano i militari in servizio di guardia. In caso di pericolo questi soldati urlavano e si **apeddaiant** (chiamavano) gli uni con gli altri. Per questo il **drappello** era la guarnigione di **appello**.

A fare la guardia venivano utilizzati anche i cani e un passo dello scrittore Marcus Tullius Cicero (Chicherone) ce lo conferma: *canes aluntur in Capitolio, ut significent, si fures venerint* = si tenent canes in Capidolzu, a manera chi diant sinnale, si siant bènnidos furones (si tengono cani in Campidoglio, in modo che diano segnali, se fossero giunti ladri). Lo scrittore latino Gaius Svetonius Tranquillus (70-126), nell'opera *De Vita Caesarum*, dice: *satis habuit canem appellare* = bastante at àpidu cane apeddende (bastante ha avuto cani abbaiando). Pertanto anche i cani "appellavano" quando facevano la guardia. Per questo in sardo il verbo "apeddare" è inteso come l'**apeddare** (abbaiare) del cane.

Vero è che, in ogni caso, questi verbi ci danno l'idea della corrispondenza tra sardo e latino.

- **abbaidare / pompiare / castiai (guardare)**

Il verbo **abbaidare** (guardare), in latino ***aqua vĭdēre***, ritorna indietro con il tempo fino al momento in cui l'uomo si specchiava nell'acqua, vale a dire **abba bida** (acqua viva), l'acqua che tornava a vivere con l'immagine dell'uomo riflessa.

Sa **pòmpia** (lo sguardo), in latino ***pompa***, era nel periodo romano la processione, il trionfo, le feste e tutte le manifestazioni pubbliche che attiravano l'attenzione, lo sguardo, della gente che rimaneva **pompiende** (guardando). **Pompu** è anche un paesino in provincia di Oristano nell'Alta Marmilla.

Castiai, **castiare** (guardare), è un verbo che ha perso per sincope la **-g-** intervocalica in **casti**[g]**are**, in latino ***castīgāre***. La **càstia** la troviamo anche nella Carta de Logu di Eleonora d'Arborea (seconda metà del '300) e riguarda il controllo, la guardia sul territorio. Di fatto, chi veniva **castiadu** (visto) rubando veniva **castigadu** (castigato, condannato).

In latino e in sardo troviamo anche il verbo ***mirare***, in latino ***mīrāre***, non tanto con il significato di guardare ma di vedere con sorpresa, avvertimento, domanda. "Mirade chi no est giogu (guardate che non è un gioco)" diceva Frantziscu Innàtziu Mannu nell'inno "Su patriotu sardu a sos feudatàrios", minacciandoli.

- **mòvere / movi / coitare / tucare (muovere, andare)**

Il verbo **mòvere** (muovere), detto in logudorese, lo troviamo uguale anche in latino con ***mŏvēre***, mentre la forma campidanese esce con **movi**, da cui l'infinito presente passivo latino ***mŏvēri***.

Per esprimere l'azione di movimento troviamo in sardo il verbo **co**[g]**itare**, che rappresenta in maniera figurata il cane che muove la coda in fretta. In latino questo verbo è detto ***cōgĭtāre***, dal quale il sardo ha perso la **-g-** intervocalica per sincope, e assume il significato di "muoversi con obbligo e in fretta".

Tucare vuol dire riprendere a muoversi dopo una breve sosta, come una toccata e fuga. Tanto è che in latino lo troviamo come ***tagĕre***, che significa **levare** (prendere), **tocare** (toccare), e **furare** (rubare) in fretta.

- **chìnghere / cingi / bortare / ghindare (cingere, accerchiare)**

Il verbo **chìnghere** (cingere), in latino ***cingĕre***, pronunciato /**chìnghere**/, vuol dire **chintare** (letteralmente "ruotare o avvolgere sui fianchi"), da **chintu** (fianchi). In campidanese e nel passivo latino viene ad essere **cingi** (cingere). **Inghiriare** (ruotare intorno) è il termine sardo che si usa per dire che si cinge intorno a qualcosa, e **ghiare** si ha quando uno ritorna indietro una volta giunto alla meta, come i corridori nello stadio del periodo romano.

Bortare vuol dire **capovolgere**, mentre invece **ghindare** significa ruotare da sotto a sopra o da una parte all'altra. In latino si scrive ***vortĕre*** (con la **v-** sostituita alla **b-** con il betacismo) e nella diatesi passiva ***vorti***.

- **recu[b]ire / torrare / torrai / ghirare / furriare / furriai (tornare, rientrare)**

Il verbo **recuire** o **recùere** (rientrare) si usa in Logudoro e vuol dire rientrare dal lavoro. In latino tiene lo stesso significato con ***requěre***. Questa parola è composta da ***re-quere***, nella forma ampia da ***re-qu[b] ere*** (che ha perso anche in latino per sincope la **-b-** intervocalica), che vuol dire ritornare al **cubo** (letto), ovverosia alla ***quietus*** (quiete). In sardo ugualmente diciamo **chietu** (calmo) quando uno deve stare **pàsidu** (a riposo). Il verbo **torrare / torrai** (ritornare) ha ugualmente lo stesso significato di ritornare dal lavoro, ovverosia dal ***tornus*** (tornio), che tradotto in sardo dal latino è il **tòrrinu**, attrezzo che ha la funzione di andare e tornare per lavorare il legno o il ferro.

Il verbo **ghirare** si utilizza nel nu[g]orese e lo abbiamo in latino con ***gyrare***, pronunciato ***gürare***, che vuol dire **tornare** dopo avere concluso il viaggio, il ***gyrus***, s'**inghìriu** (il giro). Il verbo **furriare / furriai** (ritornare, gettare) si adopera in logudorese per gettare via qualcosa, mentre nel linguaggio di mesania e campidanese si utilizza per ritornare indietro, come un *boomerang*, come qualcosa che va e torna, come quando si pone del cibo dentro il **furru** (forno), in latino ***furnus***, e, quando è cotto, si riporta indietro.

- **istruire / distruire (istruire, distruggere)**

istruire (istruire) è il momento di fabbricare, costruire qualcosa, e trova il suo omologo latino nel verbo ***extrŭěre***. Quando si vuole invece fare fuori, gettare a terra, quello che si è costruito, in sardo si **distruit** (distrugge), mentre in latino la stessa persona ***destruit***, cambiando la **–i-** del prefisso ***dis-*** in **–e-**.

- **andare / andai (andare); bènnere / benni (venire); intrare / intrai (entrare); essire / essiri (uscire)**

«In su **andare** e in su **bènnere** mi che l'apo mandigadu (Nell'**andare** e nel **venire** me l'ho mangiato» dice un canto sardo. **Andare** e **bènnere** possono essere paragonati a **intrare** (entrare) e **essire** o **bessire** (uscire). In latino **bènnere** e **intrare** hanno gli omologhi in ***venīre*** e ***intrāre***. Tra **bessire** o **essire**, le due forme usate in Sardegna, i Latini hanno scelto **essire**, scritto ***exīre***, più vicino al greco **ἔξοδος** (exodos), composto da **ex** e da **fora** (fuori). Per rappresentare pertanto il verbo **andare** i Latini si sono inventati il verbo ***ire***, ottenuto da ***ex-ire***, togliendo la particella oppositiva ***ex-*** e lasciando ***-ire***, in funzione di **andare** contro **venire**.

- **acapiare / aciapare / acapiai (afferrare); prèndere / prendi (prendere); ligare / ligai (legare)**

Il **cappio** è il nodo che si fa alla corda degli impiccati per tenerli per il collo. Più o meno come si fa con la **soga**, il cappio sardo, quando si catturano i vitelli. In latino troviamo l'omologo ***căpĭo***, ***ad căpěre***, con lo stesso significato. **Acapiare / acapiai** (afferrare) si usa in nu[g]orese e in campidanese, poiché in logudorese viene palatizzato in **aciapare** o **atzapare**, quando la **ci**+vocale diventa **-tz-**.

Prèndere e **ligare** (prendere e legare) sono termini che troviamo come quelli sardi in latino, ***prěnděre*** e ***lĭgāre***, nell'atto di afferrare qualcosa con la fune. Nell'infinito passivo questi verbi escono più o meno con la stessa forma del campidanese: ***căpi*** = **acapiai**, ***prěndi*** = **prendi**, ***lĭgāri*** = **ligai**.

Sembra un sinonimo ma tiene altro significato il verbo **achipire**, in latino ***accĭpěre***, che vuol dire fare qualcosa in fretta, vale a dire **acapiare** alla svelta.

- **atrivire / atreviri (ardire)**

L'uomo **viru** (virile), **chìberu** (tutto d'un pezzo), è anche **atrividu** (ardito, audace), capace di atti virili. Questo verbo in latino è irregolare, perché nel presente viene ad essere ***adtero***, mentre nel *perfectum* (passato) è ***adtrivi***, il cui significato in senso figurato è quello di indebolire, schiacciare, rovinare, esaurire; esattamente quello che fa un uomo **atrividu** (ardito) in battaglia.

- **pigare** (salire), **falare** (scendere)

Il latino ***apice***, che si pronuncia **àpiche**, è la punta o il punto più alto. Per mettere in alto qualcosa occorre pertanto "de s'**apicare** (di salire in alto)". In latino si dice ***ăpexăbo*** la salsiccia che si appende in alto come si fa ancora oggi. È chiaro che per alzarsi fino in cima bisogna in nu[g]orese **picare** (salire), in logudorese **pigare**. Quando nel periodo romano si assediava una città murata o una fortificazione, si fabbricava una torre di legno che serviva ad avvicinarsi alla cima delle mura e si chiamava ***fala*** (scendi). Questo significa che una volta **pigadu** (salito) in cima occorreva poi **falare** (scendere) in basso.

Il verbo latino ***pĭcāre*** ha anche il significato di "gettare la pece bollente", naturalmente addosso a chi tentava di **picare** (salire) sulle mura di una fortificazione.

12. LA PREPOSIZIONE

La **preposizione** (in latino *praepositiōnem, praepōsitus* = postu a primu, posto prima) è quella parte del discorso che non muta e che ha il compito di legare uno all'altro gli elementi di una frase, o più frasi tra di loro. Una preposizione può anticipare un nome, un aggettivo, un pronome, un avverbio o un verbo di modo indefinito. Davanti a questi, forma quelle estensioni che vengono chiamate complementi.

In sardo e in latino le preposizioni sono solo semplici, mentre ad esempio in italiano sono anche articolate. In latino le preposizione vengono utilizzate solo nei casi accusativo e ablativo, che sono quelli che corrispondono nel lessico alla lingua sarda. Nei casi genitivo e dativo non si usa la preposizione, mentre in greco è consentita. Le preposizioni greche hanno però radici completamente differenti da quelle latine.

Per distinguere **una preposizione** da un'altra parte del discorso, possiamo genericamente dire che:
si ha **una preposizione** quando questa **sostiene un complemento**;
si ha un avverbio quando questo si trova da solo;
si ha un aggettivo quando questo si trova dopo o prima di un nome.

12.1. LE PREPOSIZIONI PROPRIE

Si dicono **preposizioni proprie** quelle che si possono adoperare solo con valore di preposizione e non possono avere altre funzioni. Queste preposizioni si distinguono dalle improprie perché possono andare davanti sia al nome sia al verbo.

In sardo sono **preposizioni proprie**: **de** (di), **a** (a), **dae** (da), **in** (in), **cun** (con), **subra** (su), **pro** (per: causa, fine), **peri** (per: mezzo), **intre** (tra, fra). Le preposizioni latine corrispondenti a quelle sarde citate sopra sono: ***de*** = de (di), ***ad*** = a (a), ***a/ab/abs*** = dae (da), ***de*** = dae (da), ***in*** = in (in), ***cum*** = cun (con), **supra** = subra (su), ***pro*** = pro (per), ***per*** = peri (per, attraverso), ***inter*** = intre (tra, fra).

La distinzione delle preposizioni in latino viene fatta in relazione al caso che queste reggono: **accusativo**, **ablativo**.

LE PREPOSIZIONI CHE VANNO CON L'ABLATIVO

LATINO	SARDO	INDITU = INDICAZIONE	ESEMPRU = ESEMPIO
a/ab/abs	**dae** (da)	moto da luogo, origine, provenienza, allontanamento	*secundus* ***a*** *rege* = segundu **a** su reghe (secondo **al** re). *fuga* ***a*** *civitate* = fughida **dae** sa tzitade (fuga **da**lla città). *defendere* ***ab*** *inimico* = defèndere **dae** s'inimigu (difendere dal nemico).
coram	**acorra** (di fronte)	prima di, in presenza di	***coram*** *populo* = **acorradu** (in antis) a su pòpulu (di **fronte** al popolo).
cum	**cun** (con)	modo, compagnia, unione.	***cum*** *aliquo stare* = istare **cun** calicunu (stare **con** qualcuno). *venire Caralem* ***cum*** *puella* = bènnere a Carale **cun** sa pobidda (venire a Cagliari **con** la ragazza).
de	**dae, de** (da, de)	moto da luogo e di tempo, materia, origine.	***de*** *villa exire* = essire **dae/de** sa bidda (uscire **da**lla villa). ***de*** *medio die* = **dae/de** mesu die (**di, da** mezzo giorno).
e/ex	**dae, de** (da, de)	moto da luogo, dall'interno, origine, materia.	*exire* ***ex*** *palato* = essire **dae** su palatu (uscire **dal** palazzo). ***ex*** *caballo pugnare* = punnare **dae** cabaddu (puntare **dal** cavallo).
palam	**pala** (dietro)	stato in luogo	***palam*** *populo* = **in palas** de su pòpulu (alle **spalle** del popolo).
prae	**pre** (pre)	moto, causa e stato in luogo (πρό greco)	***prae*** *se verveces expingere* = ispìnghere sas berbeghes **a in antis** de sese (spingere le pecore **davanti** a se).
pro	**pro** (per)	vantaggio, stato in luogo, causa, fine	***pro*** *patria pugnare* = **pro** sa pàtria punnende (combattere **per** la patria). ***pro*** *tritico tribulare* = **pro** su trigu tribulende (tribolare per il grano).
sine, sena	**sena,** (senza)	contro, opposizione	***sine*** *nomine corpus* = corpus **sena** nùmene (corpo **senza** nome). *studium* ***sine*** *magistra* = istùdiu **sena** mastra (studio **senza** maestra).

Ecco qua sotto il prospetto distintivo per l'**accusativo**.

LE PREPOSIZIONI CHE VANNO CON L'ACCUSATIVO

LATINO	SARDO	INDITU = INDICAZIONE	ESEMPRU = ESEMPIO
ad	**a** (a)	moto a luogo, fino a ... avvicinamento, fine, scopo.	*ducere legiones* ***ad*** *regem* = giùghere sas legiones **a** su reghe (portare le legioni **a**l re). ***ad*** *manum dextram*, ***ad*** *manum mancam* = a manu destra, a manu manca (**a** mano destra, **a** mano sinistra).
adversus	**contra, imbesse** (contro)	stato in luogo	*Odium* ***adversum*** *inimicum* = òdiu **contra** s'inimigu (odio contro il nemico). ***Adversus*** *Caesarem* = **contra** Chèsare (contro Cesare).
ante	**antis** (prima)	stato in luogo, tempo determinato	***Ante*** *ianuam stare* = istare **in antis** de sa gianna (stare **davanti** alla porta.
apud	**a puntu de,** (nei pressi di)	stato in luogo, sul punto di, nei pressi di, al punto di	***apud*** *villam vivit* = **in sos tretos** de sa bidda bivet (**nei pressi** della villa vive).
circa	**chirca** (intorno)	moto intorno al luogo	***circa*** *se habens filios* = apende figios **in chircu** de se (avendo figli **intorno** a se).
circum	**chircu** (intorno)	moto intorno al luogo	**circum** *castrum homines* = òmines **a inghìriu** de su casteddu (uomini intorno al castello).
cis ***citra***	**a custa ala** (qui)	stato in luogo e tempo determinato	***cis*** *Tirsum* = **a custa ala** de su Tirsu (**a quest'ala** del Tirso). ***cis*** *paucas dies* = **como** a pagas dies (**da qui a** pochi giorni).
contra	**contra** (contro)	moto a luogo, anche figurato	***contra*** *aliquem pugnare* = **contra** calicunu punnare (lottare **contro** qualcuno)
erga	**contra** (contro)	stato in luogo, anche figurato.	*odium* ***erga*** *Gallos* = òdiu **contra** sos Gallos (odio **contro** i Galli).
infra	**suta** (sotto)	stato e moto a luogo	*nihil* ***infra*** *se tenebat* = nudda **suta** se teniat (nulla **sotto di** se teneva).
inter	**intre** (tra, fra)	stato in luogo, tra luoghi	***inter*** *ipsos vivens* = bivende **intre** issos (vivendo **tra** di loro).
intra	**intro** (dentro)	stato in luogo e tempo determinato	***intra*** *domus et foris* = **intro** domos e foras (**dentro** casa e fuori). ***intra*** *annum* = **intro** s'annu (**entro** l'anno).
iuxta	**giustu** (giusto)	stato e moto nel luogo	*honoratus est* ***iuxta*** *vitam* = onoradu **giustu** in sa vida (**giustamente** onorato nella vita).
ob	**contra** (contro)	stato e moto nel luogo	***ob*** *Turrem legiones ducere* = giùghere sas legiones **contra** sa Turre (portare le legioni **contro** la torre).
penes	**in manos de**	in potere di, nelle mani di	*culpas te est* ***penes*** = sa gulpa est **in manos** tuas (la colpa è **nelle tue mani**).
per	**peri** (per il)	moto attraverso il luogo, e tempo continuato	***per*** *totam curatoriam* = **peri** tota sa curatoria (**attraverso** tutta la curatoria). ***per*** *decem dies* = **peri** deghe dies (**per** dieci giorni).
post	**pustis** (dopo)	stato in luogo e tempo determinato	***post*** *montem* = **a pustis** de su monte (**dopo** il monte). ***post*** *mediam noctem* = **a pustis** de mesa note (**dopo** mezza notte).
propter	**a probe**	nei pressi del luogo	***prope*** *cubilem* = **a probe** de su cu[b]ile (**vicino** al casolare).
secum	**segus** (dietro)	stato in luogo	***secum*** *puteum* = **in segus** de su putzu (**dietro** il pozzo).
secundum	**segundu** (seconda)	stato in luogo, anche figurato	***secundum*** *litus* = **segundu** su litu (**a seconda** del bosco). ***secundum*** *filium* = **segundu** a su figiu (**a seconda** del figlio).
supra	**subra** (sopra)	stato in luogo	***supra*** *caelum* = **subra** su chelu (**sopra** il cielo).
trans	**transire** (varcare)	stato e moto al luogo	***trans*** *flumenem magnum* = **transidu** / **barigadu** su frùmene mannu (**varcato** / **passato** il grande fiume)
ultra	**àtera ala** (altra ala)	stato, moto nel luogo e nel tempo	***ultra*** *montes* = **barigados** sos montes (**oltre** i monti). ***ultra*** *decem annos* = **colados** deghe annos (**passati** dieci anni).

La preposizione ***ex*** ha valore di uscita (***exita***), moto da dentro il luogo. Questa preposizione si può unire in modo proclitico all'infinito di un verbo, ad esempio ***ex**-pellere*, che vuol dire "togliere la pelle" e corrisponde alla particella proclitica sarda **is-**, che traduce ***ex-pellere*** con **is-peddare**.

Questa preposizione i Latini l'hanno adoperata anche da sola e ha il significato della preposizione sarda **dae** (da). Ad esempio: *pecuniam **ex** aerario* = pecunia **dae** s'eràriu (pecunia **da**ll'erario), vale a dire i soldi che escono (**ex**it) **da**ll'erario.

LE PREPOSIZIONI CHE VANNO SIA CON L'ACCUSATIVO SIA CON L'ABLATIVO

LATINO	SARDO	INDITU = INDICAZIONE	ESEMPRU = ESEMPIO
in	**in (in)**	(ablativo) stato in luogo e tempo determinato	***in** loco oratione narrare* = **in** su logu nàrrere un'oratzione (dire un'orazione **nel** luogo).
in	**in (in)**	(accusativo) moto a luogo (entrata), svantaggio.	*naves **in** portum* = naves **in** portu (nave **in** porto). ***in** omne tempus* = **in** onni tempus (**in** ogni tempo).
sub	**suta (sotto)**	(ablativo) stato in luogo e tempo determinato	***sub** terra stare* = **suta** terra istare (stare **sotto** terra). ***sub** armis esse* = èssere **suta** sas armas (essere **sotto** le armi).
sub	**suta (sotto)**	(accusativo) moto a luogo e tempo determinato	***sub** ipsos muros currere* = cùrrere **suta** sos muros (correre **sotto** i muri).
subter	**suta (sotto)**	(ablativo e accusativo) sotto, da sotto	***subter** mensa* = **suta** sa mesa (**sotto** il tavolo).
super	**subra (sopra)**	(ablativo) sopra	***super** arbore* = **subra** s'àrbure (**sopra** l'albero).

In sardo la preposizione **de** (di, da) da luogo a diversi complementi (specificazione, paragone, origine, abbondanza, mezzo, modo, materia, stima, ecc.) e serve ad introdurre un verbo di modo indefinito.

In latino la preposizione **de** (de, da) va con l'**ablativo**:

essire **dae/de** s'obu = ***de** ovo exire* (uscire **da**ll'uovo)[1].

In latino la preposizione ***de***, quando indica moto da luogo, è espressa in sardo in due maniere: **dae** nella variante centro settentrionale e **de** nella variante centro meridionale, come quella latina.

La preposizione **a** si utilizza per legare i verbi ai complementi di mezzo, di fine, di modo, di tempo e di moto a luogo:

a annos 33 = ***ad** annos XXXIII* (**a** anni 33)[2].

In latino la preposizione ***ad*** (a, subito dopo a, vicino a, diretto a, ecc.) sostiene l'accusativo. Questa preposizione a volte vuol dire avvicinamento, come in sardo. Ad esempio:

benit **a** Chelidone (Rùndine) = *venit **ad** Chelidonem* (viene **a** Chelidone - Rondine)[3].

La preposizione latina ***sine*** (senza), utilizzata nel periodo classico, la troviamo presente nel primo latino con **sena**, come quella nu[g]orese di oggi.

In sardo la preposizione **a** deve essere posta prima del complemento oggetto quando si tratta di persona. In latino, in questo caso, viene espressa con il dativo. Esempio:

sena[4] **a** tie = *sena **tibi*** (senza [a/di] te)[5].

La preposizione **dae**, **de** in campidanese, da luogo a diversi complementi: causa, moto da luogo, moto a luogo, tempo, stima, prezzo, origine, ecc. In latino questa preposizione è sostenuta dall'ablativo ed è espres-

1 Gaius Plinius Secundus (su betzu), *Naturalis Historia*, Liber X, 18.
2 Gaius Plinius Secundus (su betzu), *Naturalis Historia*, Liber VIII, 66.
3 Marcus Tullius Cicero, *Orationes - In Verrem*, Liber I, 137.
4 Marcus Valerius Martialis, *Epigrammaton*, Liber IX, 8.
5 Marcus Valerius Martialis, *Epigrammaton*, Liber IX, 8.

sa dalla preposizione ***a/ab*** (che troviamo spesso proclitica ai sostantivi) e ***de***:

dae s'inimigu de Pompeu = ***ab*** *inimico Pompei* (**da**l nemico di Pompeo)[6].

In sardo la preposizione **in** viene adoperata per legare un verbo con un complemento di stato in luogo:

bivo **in** custu sèculu = *vivo* ***in*** *hoc saeculo* (vivo **in** questo secolo)[7].

In latino la preposizione ***in*** sostiene quando l'accusativo, quando l'ablativo. Con l'ablativo si esprime lo stato in luogo:

in logu angùstiu = ***in*** *loco angusto* (**in** luogo angusto)[8].

mentre con l'accusativo si esprime il moto verso l'interno di un luogo:

in su portu prenetende = ***in*** *ipsum portum penetrare* (penetrando **ne**l porto)[9].

In sardo la preposizione **cun** (con) da luogo a diversi complementi: compagnia, relazione, modo, causa, ecc. In latino la preposizione ***cum*** è sostenuta o regge l'ablativo:

cun calicunu lìcuidu = ***cum*** *aliquo liquido* (**con** qualche liquido)[10].

In sardo la preposizione **pro** (per) da luogo a diversi complementi: causa, colpa, cambio, pena, stima, vantaggio, ecc. In latino la preposizione ***pro*** va con l'ablativo:

pro sa gherra esseret = ***pro*** *bello esset* (fosse **per** la guerra)[11].

In sardo le preposizioni **intre** e **infra** (tra, fra) danno luogo a diversi complementi: stato in luogo, quantità, relazione, causa, ecc. In latino queste preposizioni sostengono o reggono l'accusativo:

intre duos = ***inter*** *duos* (**tra** due)[12].
intre sas columbas = ***infra*** *columbas* (**fra** le colombe)[13].

In sardo le preposizioni **subra** (su, sopra) e **peri** (attraverso) si usano accompagnate per lo più dall'articolo. In latino queste due preposizioni, ***supra*** e ***per***, vogliono l'accusativo:

subra Alessandria = ***supra*** *Alexsandriam* (**sopra** Alessandria)[14].
peri tota sa tzitade = ***per*** *totam civitatem* (**per**, **attraverso** tutta la città)[15].

- **Le preposizioni articolate**

In sardo non esistono le preposizioni articolate, formate da una preposizione semplice e dall'articolo (del, degli, ai, nei, ecc.). Pertanto l'articolo va sempre staccato dalla preposizione: de su (del), de sos (dei), subra su (sul), a su (al), in su (nel), in sos (nei), ecc.

Nemmeno in latino esiste la preposizione articolata, sebbene l'articolo venga utilizzato in modo limitato, e, come in sardo, sia staccato dalla preposizione:

in sa memòria = ***in ipsa*** *memoria* (**nella** memoria)[16].

6 Marcus Tullius Cicero, *Epistuale - Ad Atticum*, II, 19.
7 Augustinus Hipponensis, *Confessiones*, Liber I, 12.
8 Marcus Tullius Cicero, *Orationes - In Verrem*, Liber I, 45.
9 Marcus Tullius Cicero, *Orationes - In Verrem*, Liber V, 96.
10 Aulus Cornelius Celsus, *De Medicina*, V, 22.
11 Titus Livius, *Ab Urbe Condita Libri*, Liber XXV, 33.
12 Gaius Plinius Secundus (su betzu), *Naturalis Historia*, Liber LI, 79.
13 Gaius Plinius Secundus (su betzu), *Naturalis Historia*, Liber X, 69.
14 Gaius Plinius Secundus (su betzu), *Naturalis Historia*, Liber LI, 75.
15 Gaius Petronius Arbiter, *Satyricon*, 8.
16 Augustinus Hipponensis, *Confessiones*, Liber X, 28.

12.2 LE PREPOSIZIONI IMPROPRIE

Sono **preposizioni improprie** quelle che possono essere utilizzate anche come avverbi, aggettivi o participi. Ecco alcuni esempi, elencati nel seguente ordine: sardo, *latino*, (italiano).

a pitzu = ***apud*** (nei pressi di, al punto di): **a pitzu de** sos Romanos = ***apud*** *Romanos* (**nei pressi** dei Romani)[17].

antis = ***ante*** (davanti, prima): in **antis** de su solstìtziu = ***ante*** *solstitium* = (**prima** del solstizio)[18].

a pustis = ***post*** (dopo): a **pustis** de su consuladu = ***post*** *consulatumt* (**dopo** il consolato)[19].

a tesu = ***taedĭum*** (lontano): a **tesu** dae maju = ***taedium*** *maius* (**lontano** da maggio)[20].

a inghìriu = ***circum*** (in cerchio, in giro): in **chircu**, a **inghìriu** de totu sos logos = ***circum*** *omnibus locis* (**in giro** in tutti i luoghi)[21].

contra = ***contra*** (contro): in Sardigna **contra** Sardos = *in Sardinia* **contra** *Sardos* (in Sardegna **contro** Sardi)[22].

a [im]besse de o contra de = ***adversus*** (al contrario, all'inverso): a **imbesse** de Spàrtacu = ***adversus*** *Spartacum* (al **contrario** di Spartaco)[23].

fora[s] = ***foras*** (fuori): **fora[s]** dae su pastu = ***foras*** *pastum* (**fuori** dal pasto)[24].

francu, dae su verbu *frango* = ***frangere*** (far fuori, evitare, ad eccezione): **francu**, **frànghere** sa potèntzia de nona = ***frangere*** *nona toros* (**far fuori** la nona potenza)[25].

giustu = ***iuxta*** (giusto): **giustu** in Creta = ***iuxta*** *Cretam* (**giusto** in Creta)[26].

in palas = ***palam*** (alle spalle): in su foro **a palas** de Siracusa = *in foro* ***palam*** *Syracusis* (nel foro **alle spalle** di Siracusa)[27].

intro = ***intra*** (dentro): **intro** de domo = ***intra*** *domum* (**dentro** casa)[28].

a ogros = ***ob oculos*** (di fronte, di fronte agli occhi): **a ogros** esseret = ***ob oculos*** *esset* (fosse **di fronte**)[29].

a probe = ***propter*** (vicino, nei pressi): a **probe** a nois = ***propter*** *nos* (**vicino** a noi)[30].

segundu = ***secundum*** (a seconda): **segundu** sa sustàntzia = ***secundum*** *substantiam* (**a seconda** della sostanza)[31].

segus = ***secus*** (dietro): in **segus** de a tie = ***secus*** *tibi* (**dietro** di/a te)[32].

subra, supra = ***supra*** (sopra): **subra** su mare = ***supra*** *marem* (**sopra** il mare)[33].

subra, supra = ***super*** (sopra): **subra** duru logu = ***super*** *duro loco* (**sopra** duro luogo)[34].

suta = ***sub*** (sotto): **suta** terra esserent = ***sub*** *terra essent* (fossero **sotto** terra)[35].

suta = ***subter*** (sotto): **suta** su letu = ***subter*** *lectum* (**sotto** il letto)[36].

sena = ***sena*** - ***sine*** (senza): **sena** a tie = ***sena*** *tibi* (**senza** di/a te)[37].

transire, a s'àtera ala = ***trans*** (varcare): **transidu** su Renu = ***trans*** *Rhenum* (**varcato** il reno)[38].

Le preposizione improprie ci danno l'idea della piena corrispondenza tra sardo e latino.

---

17 Gaius Plinius Secundus (su betzu), *Naturalis Historia*, Liber VII, 33.
18 Gaius Plinius Secundus (su betzu), *Naturalis Historia*, Liber X, 46.
19 Flavius Eutropius, *Breviarium Ab Urbe Condita*, Liber VI, 2.
20 Gaius Plinius Secundus (su betzu), *Naturalis Historia*, Liber VIII, 68.
21 Gaius Sallustius Crispus, *Fragmenta Historicarum - Epistula Mithridatis*, 5.
22 Flavius Eutropius, *Breviarium Ab Urbe Condita*, Liber III, 13.
23 Titus Livius, *Ab Urbe Condita Libri*, Periochae, 96.
24 Titus Maccius Plautus, *Mostellaria*, IV, 1.
25 Marcus Valerius Martialis, *Epigrammaton*, Liber LV, 8.
26 Gaius Plinius Secundus (su betzu), *Naturalis Historia*, Liber LI, 89.
27 Marcus Tullius Cicero, *Orationes - In Verrem*, Liber II, 81.
28 Gaius Plinius Caecilius Secundus (su giòvanu), *Epistularum Libri Decem*, Liber VII, 23.
29 Titus Livius, *Ab Urbe Condita Libri*, Liber XXV, 26.
30 Marcus Tullius Cicero, *Rhetorica - De Finibus*, Liber V, 30.
31 Augustinus Hipponensis, *De Trinitate*, Liber V, 4.
32 Marcus Tullius Cicero, *Rhetorica - De Re Publica*, Liber I, 26.
33 Flavius Eutropius, *Breviarium Ab Urbe Condita*, Liber I, 5.
34 Aulus Cornelius Celsus, *De Medicina*, VIII, 17.
35 Aulus Gellius, *Noctes Atticae*, , II, 10.
36 Gaius Petronius Arbiter, *Satyricon*, 98.
37 Marcus Valerius Martialis, *Epigrammaton*, Liber IX, 8.
38 Flavius Eutropius, *Breviarium Ab Urbe Condita*, Liber VIII, 2.

12.3 LE LOCUZIONI PREPOSITIVE

Si dicono **locuzioni prepositive** i gruppi di parole che hanno un valore di preposizione. Tra le più comuni troviamo: **pro mesu de** (per mezzo di), che introduce il complemento di mezzo. In latino questa locuzione si esprime con l'**ablativo** o con ***per*** = peri (attraverso, per) e l'**accusativo**. Esempio: **peri** s'Aventinu = ***per*** *Aventinum* (**attraverso** l'Aventino)[39].

Ecco alcune locuzioni prepositive in sardo, latino e italiano; talune costruite arbitrariamente.

pro neghe de = ***pro neque*** (per colpa di);
a favore de, a favore de calicunu = ***favor pro aliquo*** (a favore di qualcuno);
a fortza de, in fortza de sa lege = ***vis ex lege*** (a forza di, in forza della legge);
gràtzias a, gràtzias a Deus = ***Deo gratia*** (grazie a, grazie a Dio);
deretu a, deretu a domo = ***rectus ab domus*** (dritto a, dritto a casa);
a manca de = ***ad mancus*** (a sinistra di);
a costàgiu de = ***costa*** (a fianco di);
in virtude de, in virtude de s'ànimu = ***virtutes animi*** (in virtù di, in virtù dell'animo);
in cunfrontu a, de fronte ghiare = ***in frontem dirigere*** (in confronto a, dirigere di fronte);
finas a, finas a custu tempus = ***usque ad hoc tempus*** (fino a, fino a questo tempo).

Quando il sostantivo viene raddoppiato, in sardo si ha una locuzione prepositiva: oru oru: andare sull'orlo), muru muru (passare lungo il muro), pei pei, (camminare a piedi), ecc. Esempio:

de fortesa **muru muru** = *oppidi* ***murus murus*** (di fortezza **lungo il muro**)[40].

Essendo una delle parti invariabili del discorso, quasi tutte le preposizioni latine si sono mantenute nel tempo uguali a quelle sarde, evidenziando la loro provenienza dalla stessa lingua.

I TIPI DI PREPOSIZIONE

PREPOSIZIONI PROPRIE	PREPOSIZIONI IMPROPRIE
de = *de* (di), a = *ad* (a), dae = *de, ab* (da), in = *in* (in), cun = *cum* (con), subra = *supra* (sopra), peri = *per* (per, attraverso), pro = *pro* (per), intre = *inter* (tra).	intro = *intra* (dentro), a pustis = *post* (dopo), segundu = *secundum* (a seconda), subra = *supra* (sopra), suta = *sub, subter* (sotto), ecc.

39 Marcus Valerius Martialis, *Epigrammaton*, Liber X, 56.
40 Gaius Iulius Caesar, *De Bello Gallico*, Liber I, 38.

13. L'AVVERBIO

L'**avverbio** (in latino *ad verbum*, composto da *ăd* = vicino e *vĕrbum* = parola) è quella parte del discorso che non muta e che serve a precisare il significato di altre parole (verbi, aggettivi, altri avverbi). La loro funzione ricorda quella degli aggettivi nei confronti dei nomi ma, al contrario di questi, non mutano né in genere (maschile, femminile) né in numero (singolare, plurale). In sardo e in latino gli avverbi possono accompagnare i verbi, gli aggettivi e gli stessi avverbi.

Come in greco, certi avverbi latini terminano in relazione all'aggettivo da cui provengono. Togliendo la terminazione ***-i*** dal genitivo, gli aggettivi di prima classe mettono la ***-e*** (*verus, veri, vere*). Quelli di seconda classe mutano il genitivo ***-is*** in ***-ĭter*** (*fēlix, felicis, felicĭter*). Altri avverbi che tengono l'equivalente aggettivo di seconda classe con l'uscita nel genitivo singolare in ***-antis***, ***-entis*** escono in ***-er*** (*prudens, prudentis, prudenter*). Buona parte degli avverbi non segue queste regole e termina in modo differente.

Gli avverbi possono arricchire la parola che accompagnano fino al punto da mutarne il significato. Ad esempio, se dico: "Einstein è un uomo intelligente", faccio capire una cosa; se invece dico: "Einstein è un uomo **molto** intelligente", preciso e muto il senso della frase.

> Essendo una delle parti invariabili del discorso, l'avverbio latino si è mantenuto nel tempo uguale a quello sardo, mostrando di provenire da un'unica lingua.

La morfologia latina e sarda distingue gli avverbi tra: **avverbi di modo** (o qualificativi), **avverbi di affermazione, avverbi di negazione, avverbi interrogativi, avverbi di dubbio, avverbi di luogo, avverbi di tempo, avverbi di quantità, locuzioni avverbiali.**

13.1 AVVERBI DI MODO O QUALITATIVI

Gli **avverbi di modo**, o **qualitativi**, indicano la maniera di come si presenta una qualità o di come si completa un'azione. Questi avverbi provengono, generalmente, dagli aggettivi qualificativi. Esempio:

ca nudda siat **mègius** = *qua nihil sit* ***melius*** (perché nulla sia **meglio**)[1].

AVVERBI DI MODO O DI QUALITÀ CORRISPONDENTI TRA SARDO E LATINO

SARDO	LATINO	SARDO	LATINO	SARDO	LATINO
bene (bene)	*bene*	male (male)	*male*	acutu (acuto)	*acute*
altu (alto)	*alte*	mègius (meglio)	*melius*	peus (peggio)	*peius*
paris (alla pari)	*pariter*	forte (forte)	*forte* (per caso)	dèbile (debole)	*debĭle*
in parte (in parte)	*partim*	sabiente (sapiente)	*sapienter*	contra (contro)	*contra*
prudente (prudente)	*prudenter*	veemente (veemente)	*vehementer*	chertende (accertando)	*certatim*

Altri avverbi che non hanno corrispondenza tra sardo e latino: ispramminadu = *passim* (in ordine sparso), nessi = *saltem* (almeno), guasi = *fere* (quasi), gasi = *ita* (così), gosi = *sic* (così come), cun abilesa = *callide* (astutamente), invanu = *frusta* (invano), comente = *velut* (come).

13.1.1 QUANDO SI UTILIZZANO GLI AVVERBI "GOSI" (COSÌ), "GASI" (COSTÌ), E "GASIE" (COLÀ)

È probabile che "gosi" e "gasi" siano una risposta a "gosu" (soddisfazione, goduria, piacere), in latinu ***gaudium*** (sostantivo neutro della II declinazione), che con il dittongo ***au*** **/o/** e la **-i-** consonantica dopo la **-d-**, di+vocale /s/, diventa **gosu**. In latino, però, la stessa funzione di questi due avverbi di modo (gasi e gosi) la tengono ***ita*** (gasi) e ***sic*** (gosi).

1 Marcus Tullius Cicero, *Rhetorica - De Natura Deorum*, Liber VI, 46.

L'avverbio di modo "gosi" lo utilizza la persona che parla per dire "in questo modo":

gosi deghet = ***sic** decet* (**in questo modo** ti si addice)[2].

L'avverbio di modo "gasi" lo adopera la persone che parla per dire "in quella maniera" a chi ascolta:

gasi chèrgio = ***ita** quaeso* (così **in quella maniera** voglio)[3].

Sic, accompagnato da ***ut***, viene ad essere ***sicut*** e traduce nelle risposte "gosi comente (così come)". Se andiamo in più ad aggiungere a questo avverbio il suffisso o sostantivo ***mente*** (abl. sing.) formiamo la perifrastica ***sicut mente***, vale a dire il corrispondente sardo di "**sigomente** (siccome)". Ma c'è un altro modo in sardo di pronunciare il "gosu - *gaudium*" distante da chi ascolta e da chi parla ed è **gasie**, in cui l'ultima sillaba ha perso la consonante di appoggio.

13.2 AVVERBI DI AFFERMAZIONE

Gli **avverbi di affermazione** indicano una risposta positiva a una domanda o a una richiesta. Tra questo genere di avverbi ha una certa importanza l'affermazione "emmo (si)", che trova il suo corrispondente latino in ***immo*** (anzi, perfino, o meglio), come in sardo. Esempio:

Adeone bella est? **Emmo**, feu nudda est = *Adeone pulchra est? **Immo**, foedus nil est;*
(Adeone è bella? **Si / certo**, brutto nulla è)[4].

L'altro avverbio di affermazione latino che possiede diversi significati, ma tutti affermativi, è ***mox***, che vuol dire **como** (ora), **lu[b]ego** (subito). Da questo avverbio si compongono: **cum+mox** = **como** (ora), utilizzato nella Sardegna centro settentrionale; **in+mox** = **immoi** (ora), usato nella Sardegna centro meridionale. Il latino ***mox*** si trova anche nell'italiano centro meridionale con **mo** (ora).

Anche il sardo **eja** (si) lo troviamo in latino, non più come avverbio ma come interiezione, ***heia*** o ***eia***, che vuol dire "e vai". L'avverbio sardo **tzertu** (certo) tiene il pari latino in ***certe***. Esempio:

de tzertu isco = ***certe** scio* (**di certo** so)[5].

Beru (davvero, veramente) corrisponde al latino ***vere***. Esempio:

cuddu dolet **a beru** = *ille dolet **vere***
(quello duole **veramente**)[6].

Pròpiu (proprio) è uguale al latino ***proprie***. Esempio:

de prus **pròpiu** nudda potzo nàrrere = *magis **proprie** nihil possum dicere* (di più **proprio** nulla posso dire)[7].

L'avverbio sardo **seguru** (sicuro) è lo stesso del latino ***secure***. Gli avverbi sardi **antzis** (anzi) e **fintzas** (anche) sono tradotti dal latino ***etiam***. Esempio:

chi sa mama at fatu de seguru = *quae mater fecit **secure*** (che la madre ha fatto **sicuramente**)[8].
fàghere depet **fintzas** = *facere debet **etiam*** (deve **anche** fare)[9].

L'avverbio sardo **sighi** (si che), "ghi" è un rafforzativo dell'affermazione **si**, si può trovare in latino nella parola che a volte si presente composta da ***si-quis***, che però ha per lo più funzione di relativo.

2 Marcus Tullius Cicero, *Rhetorica - De Legibus*, Liber II, 8.
3 Publius Terentius Afer, *Adelphoe*, Actus V, Scaena VIII.
4 Marcus Valerius Martialis, *Epigrammaton*, Liber I, 10.
5 Marcus Tullius Cicero, *Orationes - Philippicae*, III, 17.
6 Marcus Valerius Martialis, *Epigrammaton*, Liber I, 33.
7 Marcus Tullius Cicero, *Orationes - Philippicae*, II, 77.
8 Marcus Fabius Quintilianus, *Declamationes Maiores - Declamatio Maior*, XII, 4.
9 Marcus Terentius Varro, *De Lingua Latina*, Liber IX, 13.

AVVERBI DI AFFERMAZIONE CORRISPONDENTI TRA SARDO E LATINO

SARDO	LATINO	SARDO	LATINO	SARDO	LATINO
emmo (si)	*et mox*	emmo (si)	*hem* (interiezione)	emmo (si)	*immo*
eja (si)	*eia* (interiezione)	beru (vero)	*vere*	pròpiu (proprio)	*proprie*
seguru (sicuro)	*secure*	fintzas (anche)	*etiam*	antzis (anzi)	*etiam*
sigomente (siccome)	*sicut mente*	profetu (profitto)	*profecto*	deretu (diritto)	*de recte*
tzertu (certo)	*certe*	nachi (dice)	*nam quis*	sighi (si che)	*si quis*
prudente (prudente)	*prudenter*	veemente (veemente)	*vehementer*	chertende (accertando)	*certatim*

Altri avverbi affermativi latini che non tengono corrispondenza con quelli sardi: naturalmente = *quippe*, assolutamente = *omnīno*, de tzertu = *sane*, de fatu = *enim*.

13.3 AVVERBI DI NEGAZIONE

Gli **avverbi di negazione** indicano una risposta negativa a una domanda o a una richiesta: nono = ***non*** (non); nemmancu = ***minĭme*** (nemmeno); mancu = ***mancum*** (aggettivo I classe = manco); mai = ***unquam*** (mai). In latino ***necque***, pronunciato /neche/, traduce il sardo "nen che". Esempio:

nen che servu, **nen che** siddadu = ***neque*** *servus est* ***neque*** *arca* (**né come** poeta è, **né come** tesoro)[10].

La **doppia negazione**, in latino come in sardo, diviene un'affermazione. In sardo e in latino la costruzione della frase con la doppia negazione si costruisce in questo modo: **negazione** + **verbo** + **negazione**:

lìberu **non** podes **non** [...] = *liber* ***non non*** *potes [...]*; (libero **non** puoi **non** [...])[11].

AVVERBI DI NEGAZIONE CORRISPONDENTI TRA SARDO E LATINO

SARDO	LATINO	SARDO	LATINO	SARDO	LATINO
non, nono (no)	*non*	non (non)	*minĭme*	mancu (manco)	*mancum* (agg.)
ne che (ne che), non	*neque*	nemmancu (nemmeno)	*ne [...] quidem*	pro nudda (per nulla)	*haud*

13.4 AVVERBI INTERROGATIVI

Gli **avverbi interrogativi** servono a introdurre una proposizione interrogativa diretta o indiretta. In sardo i più importanti sono: comente? = ***quomŏdo?*** (come?), cando? = ***quando?*** (quando), cantu? = ***quantus?*** (quanto?), pro ite? = ***cur?*** o ***quid?*** (perché?), in ube ses? = ***ubi es?*** (dove sei?).

L'avverbio interrogativo latino ***quo*** /co/ lo troviamo come prefisso nel sardo "**co**-mente (come)".

In latino un'interrogativa può essere retta dall'avverbio ***haud*** (non, non proprio, per niente) seguito dal verbo, sostantivo e pronome. La maggior parte delle volte questo avverbio è accompagnato dal verbo ***scio*** (isco, ischire = sapere) e traduce la locuzione avverbiale della variante sarda meridionale "a ddu scias a? = ***haud sciam an?*** (a lo sai o no?)". La particella interrogativa disgiuntiva ***an*** l'abbiamo già vista nell'interrogativa latina e sardo-corsa ***an qui***? = a chi? (perché?). Tale particella la troviamo anche in greco, **ἄν**, nelle proposizioni interrogative con il verbo all'indicativo. Esempio:

a ddu scia o no de bonu [...]? = ***haud sciam an*** *bono [...];* (saprà di buono o no [...]?)[12].

10 Gaius Valerius Catullus, *Carmina Catulli*, Liber I, 24.
11 Marcus Valerius Martialis, *Epigrammaton*, Liber IX, 9.
12 Lucius Apuleius Madauresis (Saturninus), *De Deo Socratis*, 15.

AVVERBI INTERROGATIVI CORRISPONDENTI TRA SARDO E LATINO

SARDO	LATINO	SARDO	LATINO	SARDO	LATINO
ube? (dove?)	*ubi?*	cantu? (quanto?)	*quantum?*	cando? (quando?)	*quando?*
comente? (come?)	*quo [mente]?*	dae ube nde? (da dove?)	*unde?*	in cale modu (in che modo?)	*quomŏdo?*

Altri avverbi interrogativi che non hanno corrispondenza tra sardo e latino sono: pro cantu tempus? = ***quamdiu?*** (per quanto tempo?), cantas bortas? = ***quotiens?*** (quante volte?), proite? = ***cur?*** (perché?), proite? = ***quid?*** (perché?), a ube che = ***quo*** (dove?, moto a luogo).

L'avverbio sardo di domanda o interrogativo **ube** (dove) si utilizza nelle frasi interrogative quando indica lo stato in luogo, moto da luogo e moto a luogo. Per distinguerlo in queste funzioni è accompagnato dalle preposizioni: **in+ube** (dove) per stato in luogo, **dae+ube+nde** (da dove) per moto da luogo, **a+ube+che** (a dove) per moto a luogo. In latino gli corrisponde l'avverbio ***ubi*** per lo stato in luogo, ma senza la preposizione **in**.

in **ube** fiat Sudda, de Correddu? = ***ubi*** *fuit Sulla, Corneli?* (**dove** è stato Silla, di Cornelio?)[13].

L'avverbio interrogativo latino ***unde*** (da dove) si usa nelle frasi che esprimono moto da luogo. Questo avverbio è la contrazione di quello sardo **ube nde**, costrutto che contiene l'avverbio di luogo **ube** e la particella avverbiale **nde**, che indica arrivo dal luogo. Come nell'esempio della preposizione **in** con **ube**, nel caso di **ube nde** la costruzione avverbiale è accompagnata dalla preposizione **dae**. Esempio:

ite est custu? dae **ube n'est**? = *quid hic?* ***unde*** *est?* (cos'è questo? **dove** [ne] sta?)[14].

L'altra particella avverbiale sarda che indica moto a luogo, in opposizione a **nde**, è **che**, che troviamo in latino con ***quo***, senza però l'avverbio ***ubi*** e la preposizione **a**. Esempio:

ma a **ube ch'**andat? = *sed* ***quo*** *vadit?* (ma **dove** va?)[15].

L'avverbio sardo **ube**, che viene utilizzato anche come relativo con la preposizione **in** (**in ube**), traduce il latino ***ubi*** e l'italiano **nel quale**.

Occorre dire che nel sardo-corso ***unde*** si impiega sia per moto da luogo sia per moto a luogo: *a* ***undi*** *sei andendi?* (dove stai andando?), *da* ***undi*** *sei venendi?* (da dove stai venendo?).

13.5 AVVERBI DI DUBBIO

Gli **avverbi di dubbio** indicano una maniera di mostrare dubbio. I più utilizzati in sardo sono: forsis = ***forsĭtan, fortasse*** (forse); guasi = ***quasi*** (quasi); giai = ***iam*** (già).

Altri avverbi sardi, che non hanno l'equivalente forma scritta latina ma che si possono comporre arbitrariamente in perifrastiche latine, sono: abbisumeu = ***ab-visus-meus*** (probabilmente, letteralmente "a sogno mio"), s'incasu = ***incasūrus*** (nel caso), agiummai = ***adiūmmentum*** (per poco).

AVVERBI DI DUBBIO CORRISPONDENTI TRA SARDO E LATINO

SARDO	LATINO	SARDO	LATINO	SARDO	LATINO
forsis (forse)	*fortasse*	forsis (forse)	*forsĭtan*	guasi (quasi)	*quasi*
giai (già)	*iam*	abbisumeu (probabilmente)	*ab-visus-meus*	s'incasu (nel caso)	*incasūrus*

13 Marcus Tullius Cicero, *Orationes - Pro Sulla*, 53.
14 Titus Maccius Plautus, *Miles Gloriosus*, IV, 1.
15 Augustinus Hipponensis, *Confessiones*, Liber III, 3.

13.6 AVVERBI DI LUOGO

Gli **avverbi di luogo** indicano dove si tiene l'azione o dove si trova qualcuno o qualcosa. Alcuni avverbi sardi indicati nel prospetto in basso sono tradotti in latino arbitrariamente con perifrastiche che non corrispondono alle stesse funzioni logiche latine.

AVVERBI DI LUOGO CORRISPONDENTI TRA SARDO E LATINO

SARDO	LATINO	SARDO	LATINO	SARDO	LATINO
inoghe / inoche (qui)	*in-hoc*	in cudda[ch]e (là)	*hinc-illac*	in bassu, suta (sotto)	*subter*
in artu (in alto)	*alte*	in cu[b]e (lì)	*hinc-ubi*	ube (dove)	*ubi*
intro (dentro)	*intro*	foras (fuori)	*foras*	a segus (dietro)	*ad sĕcus*
a curtzu (vicino)	*ad curtius*	de giosso (giù)	*deorsum*	probe (nei pressi)	*propter*
addenantis (davanti)	*ad in ante*	ube nde (dove ne)	*unde*	intra-t-iche (entra qui)	*intra-t-hic*
essi-t-inde (esci di qui)	*exi-t-inde*	subra / supra (sopra	*supra*	a tesu (lontano)	*ad taedium*
in ateru[b]e (in altro luogo)	*in alter ubi*	in su (nel)	*intus*	ac-udide (accorrete)	*hac - auditem*
a manu destra (a mano destra)	*dextre*	a manu manca (a mano sinistra)	*mancus*		

L'avverbio ***dextre*** significa con **destresa** (destrezza) o **lestresa** (velocità), poiché indica qualcosa che si fa con la **mano destra**; mentre l'avverbio, o, più precisamente, l'aggettivo ***mancus***, vuol dire **ismanchinadu** (monco), perché indica qualcosa che si fa con la **mano manca** (sinistra), ovverosia con la mano sinistra che non ha la stessa forza della destra.

Non corrispondono a quelli sardi i seguenti avverbi di luogo latini: deretu a = ***eo*** (dritto a), a tesu = ***procul*** (lontano), in carchi logu = ***usquam*** (in qualche luogo), in perunu logu = ***nusquam***, ***quo*** (in nessun luogo) = moto a luogo, ***qua*** = moto per luogo. In lingua napoletana "viene qua" si dice "*veni a **ca***", come la pronuncia originaria del latino ***qua*** /**ca**/.

13.6.1 GLI AVVERBI DI LUOGO: INOCHE (QUI), IN CUBE (LI), IN CUDDACHE (LA), INIE (LI)

Come gli aggettivi e i pronomi dimostrativi, in sardo ci sono tre modi di rappresentare il luogo con gli avverbi, in relazione a chi parla e a chi ascolta.

L'avverbio **inoghe / inoche** = ***in hoc*** (qui, in questo luogo) lo usa la persona che parla per indicare qualcosa che è vicino a lui.

inoghe (in custu logu) = *[in]* ***hoc*** *locum* (**qui**, in questo luogo)[16].

L'avverbio di luogo **in cu**[**b**]**e** = ***hinc ubi*** (lì, in quel luogo) lo utilizza la persona che parla per indicare qualcosa che è vicino a chi ascolta.

in cu[**b**]**e** biaitu = ***hinc ubi*** *caerulis* (**lì**, ceruleo)[17].

L'avverbio di luogo **in cudda**[**ch**]**e** = ***hinc illac*** (là, in quel luogo) o, al contrario, ***hac illac***, lo adopera la persona che parla per indicare qualcosa che è lontana da lui e da chi ascolta. In sardo si usa anche **inie** = **in ive**, che traduce il latino ***ibi*** e l'italiano **ivi**, per indicare qualcosa che è distante da chi parla e da chi ascolta:

cùrrida a inghìriu **in cudda**[ch]**e** = ***hac illac*** *circumcursa* (**là**, corsa intorno)[18].

16 Marcus Tullius Cicero, *Rhetorica - Brutus*, 81.
17 Publius Ovidius Naso, *Ex Ponto*, Liber III, 5.
18 Publius Terentius Afer, *Heauton Timorumenos*, III, 2.

GLI AVVERBI INOGHE (QUI), IN CU[B]E (LÌ), IN CUDDA[CH]E (LÀ) e INI[V]E (LÀ)

A curtzu a chie faveddat (vicino a chi parla)	inoghe (L), inoche (N) (qui)	*in-hoc*
A curtzu a chie iscurtat (vicino a chi ascolta)	in cu[b]e (lì)	*hinc-ubi*
A tesu dae chie faveddat e dae chie iscurtat (lontano da chi parla e da chi ascolta)	in cudda[ch]e (là) in i[v]e (là)	*hinc-illac* o *hac illac* *ibi*

13.7 AVVERBI DI TEMPO

Gli **avverbi di tempo** indicano il momento temporale in cui succede un fatto. I più importanti avverbi sardi di tempo, tradotti alcuni in latino arbitrariamente con perifrastiche o altre parti del discorso, sono:

AVVERBI DI TEMPO CORRISPONDENTI TRA SARDO E LATINO

SARDO	LATINO	SARDO	LATINO	SARDO	LATINO
oje (oggi)	*hodie*	mai (mai)	*minime*	cras (domani)	*cras*
fitianu (quotidiano)	*victu anus*	ojeindie (oggigiorno)	*hodie in die*	in fratempus (nel frattempo)	*infra tempus*
lu[b]ego (subito)	*luceo*	pustis (dopo)	*post, postea*	in antis (prima)	*ante*
ispissu (spesso)	*spissus, saepe*	chito (presto)	*cito*	tardu (tardi)	*tardius*
presse (fretta)	*presse*	como (ora)	*cum mox*	immoi (ora)	*in mox*
eris (ieri)	*heri*	tando (allora)	*tunc*	issara (poco fa)	*in ipsa ara*
manzanu (mattino)	*mane anus*	istanote (stanotte)	*ista nocte*	barigadu (avantieri)	*varicatum*
pagora (poco fa)	*pauca ora*	erisero (ieri sera)	*heri sero*	interis (durante)	*interim*
sèmpere (sempre)	*semper*	ocannu (quest'anno)	*hoc annus*	essende (uscendo)	*exinde*
pèsperu (vespro)	*vespere*	repente (subito)	*repente*	cada die (ogni giorno)	*cotidie*
tutinduna (improvvisamente)	*in unum totus*	una borta (una volta)	*olim*	cantu a longu (quanto a lungo)	*quamdiu*

Non corrispondono a quelli sardi gli avverbi: como = ***nunc*** (ora); luego = ***statim*** (subito); galu, finas a como = ***adhuc*** (ancora, fino ad ora); tantu a longu = ***tamdiu*** (tanto a lungo); ancora = ***etiamnunc*** (ancora); tantas bortas = ***toties*** (tante volte); onni annu = ***quotannis*** (ogni anno); unas cantas bortas = ***aliquotiens*** (alcune volte); mai = ***numquam*** (mai).

13.8 AVVERBI DI QUANTITÀ

Gli **avverbi di quantità** indicano una quantità o una misura della parola che accompagnano. Gli avverbi di questo genere più impiegati, alcuni dei quali ricostruiti arbitrariamente in latino da perifrastiche o da altri parti del discorso (sostantivi o aggettivi), li mostriamo nel prospetto che segue.
Quando si indica qualcosa che non si può contare si dice:

cantu de sale = ***quantum*** *salis* (**tanto** di sale)[19].

Quando si indica qualcosa che si può contare si dice:

meda inferiore esseret = ***multo*** *inferior esset* (molto inferiore fosse - sarebbe)[20].

19 Lucius Iunius Moderatus Columella, *Res Rustica*, XII, 21.
20 Quintus Tullius Cicero, *Commentariolum Petitionis*, 3.

AVVERBI DI QUANTITÀ CORRISPONDENTI TRA SARDO E LATINO

SARDO	LATINO	SARDO	LATINO	SARDO	LATINO
meda (molto)	*meta (sostantivo)*	pagu (poco)	*paulum, paulō*	minore (minore)	*minōris*
bastante (abbastanza)	*bastante*	prus pagu (meno)	*minus parum*	ateretantu (altrettanto)	*alter tantum*
prus (più)	*plus*	totus (tutto)	*tŏtĭēs*	belle (così, vari)	*bellē*
tantu (tanto)	*tam*	cantu (quanto)	*quam*	cantu (quanto)	*quantus*
meda (molto)	*multum, multō*	gosi (così)	*gaudium*	nudda (nulla)	*nihil*
tropu (troppo)	*praeter*	ebbia (solo)	*et via*	sceti (solo)	*sciendus*

Il latino ***nihil + unus*** in sardo corrisponde al pronome indefinito **niunu** (nessuno), ma in latino significa **nulla**. Altri avverbi di quantità che non hanno corrispondenza tra sardo e latino sono: meda = ***multus*** (molto), minore = ***minus*** (minore), bastante = ***satis*** (abbastanza), ateretantu = ***tantundem*** (altrettanto).

13.9 I GRADI DELL'AVVERBIO

La maggior parte degli avverbi di modo, e una parte minore di quelli di quantità, possono avere forme del **comparativo** e del **superlativo**, come gli aggettivi. Anche in greco gli avverbi presentano il grado comparativo e quello superlativo.

In sardo e in latino i comparativi sono strutturati in questa maniera:

Comparativi:

- de majoria (di maggioranza): in sardo = prus forte (più forte); in latino ha la terminazione in ***-ius***, come il nominativo neutro singolare dell'aggettivo di grado comparativo. Esempio: *forte* = *fort**ius*** (più forte); *dulce* = *dulc**ius*** (più dolce). Il primo termine di paragone è espresso anche con il caso ablativo, mentre il secondo termine di paragone è tenuto da ***quam***.

- de minoria (di minoranza): in sardo = prus pagu forte (meno forte); in latino è composto da ***minus*** + avverbio di grado positivo + ***quam*** = *minus forte quam.*

- de pàrina (di uguaglianza): in sardo = gasi forte cantu (così forte quanto); in latino è formato da ***tam*** + avverbio di gradi positivo + ***quam*** = *tam forte quam*.

Superlativi:
relativo: in sardo = su prus lestru, de su totu (il più lesto, del tutto);
assoluto: in sardo = lestru lestru (lestissimo);
in latino i superlativi si formano mutando le terminazioni ***-us***, ***-a***, ***-um*** con la chiusura in ***-e***.
Esempio: *clarissim**us*** = *clarissim**e***; *altissim**us*** = *altissim**e***; *ferocissim**us*** = *ferocissim**e***.

In latino si utilizza anche la forma del superlativo ripetendo l'avverbio, come in sardo. Ecco qualche esempio:

in cube in cube est, probe a mie est = ***ubi ubi*** *est, prope me est* (**lì lì** è, vicino a me è)[21].

a sa matessi manera **mira mira** de su sàmbene = *aeque* ***mira mira*** *sanguinis;*
(allo stesso modo **guarda guarda** del sangue)[22].

In latino come in sardo alcuni avverbi rafforzano i comparativi e i superlativi. Hanno questa funzione gli avverbi: meda = ***multō*** (molto), pagu = ***paulō*** (poco).

21 Titus Maccius Plautus, *Curculio*, I, 2.
22 Gaius Plinius Secundus (su betzu), *Naturalis Historia*, Liber XI, 40.

13.10 LOCUZIONI AVVERBIALI

Imbesse (contrario), in latino ***adversus*** o [*in*] ***versus***, potrebbe avere un collegamento con ***in besse***. Il ***bes*** era una unità di misura che conteneva due o tre parti di un tutt'uno diviso in 12 parti, ovverosia 8/12 di una cosa. **In besse** vuol dire pertanto ritornare indietro di un terzo.

Muta era una Dea, o Lara, che Giove aveva voluto punire per essere troppo linguacciuta tagliandole la lingua.

Ebbia (solo) è una parola composta da ***et*** e ***via***, che con il betacismo diventa **bia**. In latino questo composto si utilizza per rappresentare qualcosa di metodico. Esempio:

Le **locuzioni avverbiali** sono gruppi di parole con valore complessivo di avverbio, che però non troviamo in latino. Pertanto l'esempio in latino mostrato nella tabella in basso è solo ipotetico, arbitrario, fantasioso e composto in alcuni casi con altre parti del discorso (sostantivo, aggettivo, verbo) che non hanno riscontro con la realtà.

La ***gānĕa*** era una trattoria, una taverna in cui si mangiava, un luogo di ricreazione. Pertanto quando in sardo si dice "non nd'apo **gana** (non ne ho **voglia**)" si vuole intendere che non si ha voglia di svago, di ristorarsi in una **ganea**.

rejone **ebbia** imbennèremus = *ratione **et via** perveniremus* (**solo** ragione ricevessimo o ricevemmo)[23].

LOCUZIONI AVVERBIALI

SARDO	LATINO	SARDO	LATINO	SARDO	LATINO
como como (ora ora)	*cum mox cun mox*	immoi immoi (ora ora)	*in mox in mox*	a unu tzertu puntu (a un certo punto)	*ad unum certum punctum*
intre carchi minutu (tra qualche minuto)	*inter aliquot minutum*	a sa lestra (in fretta)	*ad ipsa lesta*	a cudda ala (da quella parte)	*ad illa ala*
manu manu (man mano)	*manum manum*	pro casu (per caso)	*pro caso*	prus a prestu (a proposito)	*ante tempus*
a sa maconatza (in modo scemo)	*a maculosam*	pro fortuna (per fortuna)	*pro fortuna*	mancu pro sonnu (manco per sogno)	*manco pro somno*
a s'imbesse (al contrario)	*ad in besse*	a mala gana (a mala voglia)	*a malam ganeam*	a sa muda (in silenzio)	*ad ipsa muta*
a furriadura (a dismisura)	*a furaturam*	a sa sarda (alla sarda)	*ad ipsa sarda*	a sa cua (di nascosto)	*ad ipsa cuba*
a s'atenta (con attenzione)	*ad ipsa attenta*	a sa tataresa (alla sassarese)	*ad ipsa tataresa*	a s'iscuru (al buio)	*ad obscurus*
a balla sola (a palla sola)	*a pălĕa sola*	a s'indonu (in dono)	*ad in donum*	a cumone (in comune)	*a commune*
a corru in besse (con occhio storto)	*a corno in besse*	a mesapare (a mezza pari)	*a media pare*	a istracu baratu (in svendita)	*a lassum barathrum*
a dis tempus (a tempo perso)	*a dis tempus*	in de badas (con inutilità)	*inde vatas*	a banda (da parte)	*a banda*
a francadas (a manate)	*a frangatas*	fintzas si (anche se)	*etiam si*	no intamen (nonostante)	*ne, nec, num [in] tamen*

13.10.1 QUANDO SI UTILIZZANO LE PARTICELLE AVVERBIALI -INDE E -INCHE

- La particella avverbiale **-nche** (***hinc***) si utilizza per indicare un allontanamento da chi parla:

23 Marcus Tullius Cicero, *Rhetorica - Topica*, 2.

essi·ti·**nche** (allontanamento dal luogo) = *exi-t-**hinc*** (letteralmente: escitene = esci tu di qui). Esempio:

atesiat**iche**, biagiadore = *procul **hinc** discede, viator* (allontanati **di qui**, viaggiatore)[24].

Esiste anche la particella avverbiale latina ***hic***, che significa sempre allontanamento dal luogo e viene usata con **-iche** nella Sardegna centro settentrionale, mentre le corrispondenti particelle di area campidanese escono con -**nci** o **-inci**. Pertanto, esattamente come in latino, in sardo abbiamo **iche** per ***hic*** e **inche** o **inci** per ***hinc***.

- La particella avverbiale **-nde** (*-inde*) si adopera per indicare un avvicinamento a chi parla:

  Intra·ti·**nde** (avvicinamento al luogo) = *intra-t-**inde*** (letteralmente: entratene = entra di qui).

In latino queste particelle avverbiali hanno la stessa funzione del sardo. Infatti, ***hinc*** e ***inde*** (**inche** e **inde**) vogliono dire, rispettivamente, da una parte e dall'altra, vale a dire moto da luogo e moto a luogo.

In sardo quando sono proclitiche si mettono separate dal verbo e senza la **i-** eufonica (**che** e **nde**); quando invece sono enclitiche si legano al verbo, in quest'ultimo caso solo in frasi imperativa ed esclamativa.

In latino, invece, per tenere fede al verbo sintetico anche quando la frase è imperativa, come nell'esempio preso dalla frase di Martialis - *prucul **hinc** discede, viator* - in cui "***discede*** (allontanati)" è l'imperativo, la particella avverbiale è proclitica.

In italiano queste particelle non vengono utilizzate, tant'è che non è usuale dire ad esempio "dove **ci** sei uscito" per tradurre dal sardo "in ube **che** ses bessidu" o "esci·te·**ne**" per tradurre "essi·ti·**che**" (esci tu di qui).

13.11 COME RICONOSCERE GLI AVVERBI

È facile confondere gli avverbi con le preposizioni, con gli aggettivi, con i pronomi e con le congiunzioni. Per distinguerli occorre seguire alcuni ragionamenti.

Gli aggettivi accompagnano sempre il sostantivo e concordano nel genere e nel numero, **l'avverbio no.**
Le congiunzione legano sempre due elementi, l'avverbio uno.
Le preposizioni introducono sempre un pronome, un complemento o una proposizione, l'avverbio no.

Ecco alcuni esempi:

Mi interessa **molto** (avverbio); c'era **molta** (aggettivo) gente.
Quello che mi hai detto non va **bene** (avverbio); non ti manca certo **il bene** (nome).
Non credo che **vi** siate mossi (avverbio); non **vi** credo (pronome).
Non rimanere **davanti** (avverbio); non rimanere **davanti a** me (preposizione);
Dove sei andato? (avverbio); Non so **dove** eri (congiunzione).

GLI AVVERBI

manera (modo)	afirmatzione (affermazione)	nega (negazione)	pregunta (domanda)
duda (dubbio)	logu (luogo)	tempus (tempo)	cantidade (quantità)

24 Marcus Valerius Martialis, *Epigrammaton*, Liber XIII, 25.

14. LA CONGIUNZIONE

In grammatica, la **congiunzione**, nel latino *coniungo* (infinito *coniungĕre*), in sardo **cunzùnghere, cungiùnghere** (congiungere), è quella parte del discorso che non muta e che serve ad unire tra loro o legare insieme parole singole, due sintagmi in una proposizione o due proposizioni in un periodo.

La congiunzione assomiglia molto alla preposizione, perché, come questa, serve a legare più parole o più frasi tra di loro, ma se ne discosta poiché non può formare i complementi.

Il compito che le preposizioni hanno rispetto a nomi e aggettivi è quello di formare complementi di causa, di tempo, di modo, ecc. Il compito che, invece, hanno le congiunzioni rispetto alle frasi subordinate è quello di formare frasi causali, temporali, modali, ecc.

14.1 TIPI DI CONGIUNZIONE

Tra le parole che hanno funzione di congiunzione possiamo distinguere:

- **congiunzioni proprie**: sono quelle parole che hanno funzione solo di congiunzione (**e**, **o**, **si**, ecc.);
- **congiunzioni improprie**: sono quelle congiunzioni che hanno anche altre funzioni, come ad esempio avverbi e preposizioni: comente (come), che (come), cando (quando), si nono (se no, altrimenti), ecc.;
- **locuzioni congiuntive**: sono gruppi di parole che hanno funzione di congiunzione (dae su mamentu chi (dal momento che), nointames chi (nonostante che), pro su prus (per lo più), ecc.

TIPI DI CONGIUNZIONE

congiunzioni proprie	congiunzioni improprie	locuzioni congiuntive

14.2 LE CONGIUNZIONI COORDINATIVE

Sono **coordinative** quelle congiunzioni che legano parole o proposizioni che si trovano sullo stesso piano logico all'interno di un periodo: **e** = ***et*** (e), **o** = ***aut*** (o). La prima è una congiunzione copulativa, simile alla greca **τε** (te), la seconda una congiunzione disgiuntiva, simile alla greca **εἴτε** (eite).

In questi due esempi che seguono, le congiunzioni **o** = ***aut*** (o) ed **e** = ***et*** (e) uniscono, la prima, due nomi e, la seconda, due aggettivi:

pro àere **o** paghe **o** gherra = ***aut*** *pacem* ***aut*** *bellum habendum* (per avere o pace o guerra)[1].
gherra intre Atenieses **e** Ispartanos = *bellum inter Athenienses* ***et*** *Lacedaemonios;*
(guerra tra Ateniesi **e** Spartani)[2].

La congiunzione coordinante **e / che / comente** = ***-que*** (come) non vuole appresso alcun articolo. In latino è un'enclitica e si aggiunge alla parole che fa da primo termine di paragone. La congiunzione causale "**chi** (che)" si traduce in latino con ***quod*** / ***quia*** / ***quoniam***. Esempio:

bene faghes, si narat, **chi** m'agiudas = *bene facis, inquit,* ***quod*** *me adiuvas;*
(fai bene, si dice, **che** mi aiuti)[3].

In questi esempi che seguono sotto, la congiunzione "**e**" lega, nel primo caso, due nomi e, nel secondo, due frasi principali:

in cale manera as fatu, Deus, su chelu **e** sa terra? = *quomodo fecisti, Deus, caelum* ***et*** *terram?*
(in quale modo hai fatto, Dio, il cielo **e** la terra?)[4].

1 Titus Livius, *Ab Urbe Condita Libri*, Liber XXIV, 28.
2 Marcus Iunianus Iustinus, *Historiarum Philippicarum T. Pompeii Trogi, Libri XLIV*, Prologi, 5.
3 Marcus Tullius Cicero, *Rhetorica - De Finibus*, Liber III, 16.
4 Augustinus Hipponensis, *Confessione*, Liber XI, 7.

bene fatu **e** comente si cheret est = *bene factum **et** volup est;*
(ben fatto **e** come vuole è)[5].

14.2.1 COME SI DIVIDONO LE CONGIUNZIONI COORDINATIVE

Le **congiunzioni coordinative** si dividono in: **copulative** (positive o negative), **avversative**, **disgiuntive**, **dichiarative** o **esplicative**, **conclusive**, **correlative**.

- Sono **copulative** quelle congiunzioni che mettono insieme due elementi.

Elementi in positivo:

e = ***et*** (e); **fintzas** = ***etiam*** (anche), **puru** = ***quoque*** (pure): *etiam* si mette prima della parola che si tiene in considerazione, mentre *quoque* si mette dopo. **In prus** = ***atque*** (in più), **pròpiu** = ***ac*** (proprio): *ac* si usa solo prima di una consonante. La congiunzione coordinante ***-que***, enclitica, traduce in italiano la congiunzione **e**, in sardo anche quella **che** (come), ed è simile alla greca **-τε**, come nell'esempio: θεοί**τε** θεαί (dei e dee).

Elementi in negativo:

ne / **nen** = ***non*** (non, né), **non** = ***nec***, ***neque*** (non); ***neve*** o ***neu*** si adoperano solo con il congiuntivo o con l'imperativo. **Nemmancu** = ***ne*** [...] ***quidem*** (nemmeno, né). Ecco alcuni esempi:

bido calicunos dae tempus pedende **e** a issos chi sunt dimandende de acordu =
*video aliquos tempus petentes **et** eos qui rogantur facillimos;*
(vedo alcuni da tempo chiedere **e** a loro che sono interpellati d'accordo)[6].

nen cun abba **nen** cun fogu si podet corrùmpere = ***neque*** *aqua* ***neque*** *igni posset corrumpi;*
(**né** con acqua **né** con fuoco può essere corrotto)[7].

nen servu l'est **nen** siddadu = ***neque*** *servus est* ***neque*** *arca;*
(**né** servo è **né** tesoro)[8].

- Sono **avversative** quelle congiunzioni che contrappongono un fatto o una caratteristica ad un'altra: **beru** = ***verum*** (vero); **ma** = ***sed*** (la congiunzione latina ***sed*** è simile alla greca **δέ**); **imbetzes** = ***autem*** (invece); **nointamen** = ***tamen*** (nonostante); **antzis** = ***immo vero*** (anzi), **puru** = ***ceterum*** (pure). Esempi:

non in carchi utilidade, **ma** in sa sola lode cunsistit = *non utilitate aliqua,* ***sed*** *in sola laude consistit;*
(non in qualche utilità, **ma** nella sola lode consiste)[9].

bella ses, reconnoschimus, e pobidda, **beru** est [...] = *bella es, novimus, et puella,* ***verum*** *est [...];*
(sei bella, riconosciamo, e ragazza, **vero** è [...])[10].

- Sono **disgiuntive** quelle congiunzioni che impongono una scelta: **o** = ***aut*** (o), **si nono** = ***vel*** (se no, altrimenti, oppure); o una uguaglianza: **ossiat** = ***sive*** (ossia, oppure); ***seu*** (o, oppure), tra due elementi:

si non tantu lùghida tantu che tènnera = ***vel*** *tam lucida tam que tenera;*
(**se non** tanto lucida tanto come tenera)[11].

custa, **ossiat** falsa **ossiat** bera, sa rejone est = *haec* ***sive*** *falsa* ***sive*** *vera ratio est;*
(questa, **ossia** falsa **ossia** vera, la ragione è)[12].

---

5 Titus Maccius Plautus, *Rudens*, IV, 1.
6 Lucius Annaeus Seneca, *De Brevitate Vitae*, 8.
7 Gaius Plinius Secundus (su betzu), *Naturalis Historia*, Liber XIII, 39.
8 Gaius Valerius Catullus, *Carmina Catulli*, Liber I, 24.
9 Marcus Fabius Quintilianus, *Istitutiones*, Liber III, 8.
10 Marcus Valerius Martialis, *Epigrammaton*, Liber I, 64.
11 Lucius Apuleius Madauresis (Saturninus), *Metamorphoses*, Liber X, 22.
12 Lucius Iunius Moderatus Columella, *Res Rustica*, I, 1.

- Sono **dichiarative** quelle congiunzioni che si aggiungono ad un elemento per chiarirlo o spiegarlo, spesso con **valore causale**: **ca** = ***nam*** (poiché, si mette ad inizio di frase), **de fatu** = ***namque*** (di fatto), **gasi chì** = ***enim*** (cosicché, si mette dopo il sostantivo e quando è con la congiunzione ***et*** si mette dopo questa), **e difatis** = ***et+enim*** = ***etĕnim*** (e infatti), **antzis** = ***immo*** (anzi):

narant, chi in printzìpiu fiat verbu = ***nam***, *in principio erat verbum* (**dicono**, che in principio era verbo)[13].

- Sono **conclusive** quelle congiunzioni che mettono un elemento per concludere quanto si è detto prima: **duncas** = ***igĭtur*** (dunque, si mette dopo la prima parola); **pro tantu** = ***ităque*** (pertanto); **e tando** = ***ergo*** (quindi, e allora); **pro cussa cosa** = ***quare*** (per quella cosa); **pro tantu** = ***ideo*** (pertanto), ecc.:

solu **pro tantu** bonu, comente onestu = *solum* ***igitur*** *bonum, quod honestus;*
(solo **pertanto** buono, come onesto)[14].

- Sono **correlative** quelle congiunzioni copulative o disgiuntive che vengono adoperate due volte per mettere in relazione due o più elementi:

e [...] e = ***et*** [...] ***et*** (e); o [...] o = ***aut*** [...] ***aut*** (o); ne/nen [...] ne/nen = ***nec*** [...] ***nec*** e ***neque*** [...] ***neque*** (né); siat [...] siat = ***cum*** [...] ***tum*** (sia); como [...] como = ***tum*** [...] ***tum*** e ***modo*** [...] ***modo*** e ***nunc*** [...] ***nunc*** (ora); *dae un'ala* [...] *dae s'àtera non* = ***et*** [...] ***neque*** (da una parte [...] dall'altra non). Esempio:

su milite **nen** dae sos cumportamentos **nen** dae sa fortuna provaiat =
militem ***neque*** *a moribus* ***neque*** *a fortuna probabat;*
(il milite **né** dai comportamenti **né** dalla fortuna provava)[15].

Steniu nemos prus inimigos che custu Caius Claudius, **siat** sèmpere, **tantu** in duas cosas issoro =
Sthenio nemo inimicior quam hic Caius Claudius ***cum*** *semper* ***tum*** *in bis ipsis rebus;*
(Stenio neanche più nemici se non questo Caio Claudio, **sia** sempre, **tanto** in due loro vicende)[16].

In latino "tum" è l'abbreviazione di "tantum" e traduce il sardo **tantu** (tanto). Esempio:

ischeddat **tantu** incumentzende **tantu** sighende = *discedit* ***tum*** *antevertens* ***tum*** *subsequens;*
(impara -essere di esempio- **tanto** incominciando **tanto** eseguendo)[17].

- Sono **limitative** quelle congiunzioni che limitano quanto si è detto prima: **e chi de** = ***equidem*** (e invero), **chi de** = ***quidem*** (invero):

chi de sas oratziones suas mi sunt pràghidas meda =
orationes ***quidem*** *eius mihi vehementer probantur;*
(le cui orazioni **invero** mi sono piaciute davvero molto)[18].

LE CONGIUNZIONI COORDINATIVE

copulativa (positiva e negativa)	aversativa (avversativa)	disgiuntiva (disgiuntiva)
declarativa (dichiarativa)	cuncruidora (conclusiva)	currelativa (correlativa)

14.3 LE CONGIUNZIONI SUBORDINATIVE

Sono **subordinative** quelle congiunzioni che uniscono due o più frasi, stabilendo una relazione di dipendenza tra la principale e la subordinata. Le congiunzioni subordinanti non possono legare pertanto parole singole, ma solo frasi.

13 Augustinus Hipponensis, *De Trinitate*, Liber XIII, 2.
14 Marcus Tullius Cicero, *Rhetorica - Tusculanae Disputationes*, Liber V, 44.
15 Gaius Svetonius Tranquillus, *De Vita Caesarum - Divus Iulius*, 65.
16 Marcus Tullius Cicero, *Orationes - In Verrem*, Liber II, 107.
17 Marcus Tullius Cicero, *Rhetorica - De Natura Deorum*, Liber II, 53.
18 Marcus Tullius Cicero, *Rhetorica - Brutus*, 262.

14.3.1 COME SI DIVIDONO LE CONGIUNZIONI SUBORDINATIVE

Le **congiunzioni subordinative** si dividono in: **dichiarative, finali, condizionali, ipotetiche, causali, concessive, consecutive, comparative, temporali, modali, interrogative indirette, avversative, limitative, esclusive.**

Fra tutte queste, tiene un ruolo importante in sardo e in italiano la congiunzione "**che**", "**chi**" in sardo, perché apre una subordinata **completiva**, così chiamata perché è essenziale a completare e comprendere quanto si dice nella proposizione principale. Nelle **proposizioni infinitive** latine, però, questa congiunzione è sottintesa e quindi non si scrive.

- Sono **dichiarative** quelle congiunzioni che introducono proposizioni soggettive, oggettive e che spiegano quanto si sta dicendo nella principale: **chi** (che), **comente** (come). In latino la congiunzione dichiarativa si ottiene con l'**accusativo** o con l'**infinito, senza congiunzione**. Esempio:

fintzas **chi** non pròpiu isco = *etiam [...] haud scio* (sebbene **che** proprio non so)[19].

- Sono **finali** quelle congiunzioni che introducono proposizioni finali e che indicano lo scopo di quanto si dice nella principale: gasi chi = ***ut***, ***uti***, ***quo*** (così che); ca = ***quia*** (poiché); non = ***nē*** (non); e chi non = ***neve***, ***neu*** (e che non) .

Esempi:

a pitzu de su milite at àpidu **gasi** a batalla peri sa die = *apud militem habuit* ***ut*** *proelio per diem;*
(vicino ai militari ha avuto **così** battaglia per il giorno)[20].

non timo chi nde mudent a tie, timo chi ti **nde** impidant = ***non*** *timeo* ***ne*** *mutent te, timeo* ***ne*** *impediant.*
(**non** temo che ti cambino, temo che te **ne** impediscano)[21].

propiu in cuddu anzenu, **ca** poeta fiat = *ergo illi alienum,* ***quia*** *poeta fuit;*
(proprio in quello estraneo, **poiché** è stato poeta)[22].

- Sono **causali** quelle congiunzioni che introducono proposizioni causali e che indicano la causa di quanto si dice nella principale: dato che = ***cum*** (dato che, si usa con il congiuntivo); dae su momentu chi = ***quando***, ***quandoquĭdem***, ***quoniam*** (dal momento che); ca, proite = ***quod***, ***quia*** (poiché, perché). Esempi:

proite cun s'àtera penso chi s'esseret resovende, non tantu **comente** prima? =
cur cum altera pensio solvenda esset, non tum ***cum*** *prima?*
(perché con l'altra penso che si stesse risolvendo, non tanto **come** prima?)[23].

- Sono **condizionali** quelle congiunzioni che introducono proposizioni condizionali e che indicano la condizione che porta un fatto ad avverarsi: in casu chi = ***modo***, ***dummŏdo*** (purché); bastat chi non = ***modo ne***, ***dummŏdo ne*** (purché non); est chi / no est chi = ***est quod / non est quod*** (non è che + congiuntivo); si = ***si*** (se); si non = ***si non*** (se non). Esempio:

si no est aneddu de prova, de coju est = ***si non est*** *anulus index, coniunx est;*
(**se non è** anello di prova, è di matrimonio)[24].

- Sono **ipotetiche** quelle congiunzioni che introducono proposizioni che presuppongono qualcosa che può succedere nella principale: si = ***si*** (se); si non/nono = ***nisi***, ***ni*** (se non); in casu chi non = ***si non*** (nel caso non); ma si, si imbetzes = ***sin***, ***sin autem*** (ma si, se invece).

Esempio:

---

19 Publius Terentius Afer, *Heauton Timorumenos*, V, 3.
20 Titus Livius, *Ab Urbe Condita Libri*, Liber XXVII, 13.
21 Lucius Annaeus Seneca, *Epistulae Moralis - Ad Lucilium*, Liber IV, 32.
22 Marcus Tullius Cicero, *Orationes - Pro Archia*, 19.
23 Marcus Tullius Cicero, *Orationes - Pro Roscio Comodeo*, 51.
24 Publius Ovidius Naso, *Ex Ponto*, Liber II, 10.

bolemus tzertu, **si no** est molestu = *volumus sane, **nisi** molestum est;*
(vogliamo certo, **se non** è molesto)[25].

> ***Licet*** è anche un verbo intransitivo impersonale che vuol dire "che si può". Il supino di ***licet*** è ***licitum***, che in italiano significa "lècitu", e traduce il sardo "**lichitu**" (saporito, buono).

• Sono **concessive** quelle congiunzioni che introducono proposizioni concessive, che indicano quanto si fa nella principale nonostante la concessione: mancari = ***quam quam***, ***quam vis***, ***licet*** (sebbene); fintzas si = ***cum***, ***etsi***, ***tametsi***, ***etiamsi*** (anche se); postu chi = ***ut*** (premesso che):

custu nùmene, **mancari** sos iscritores betzos su latinu neghent = *hoc nomen, **licet** veteres latinum negent;*
(questo nome, **sebbene** gli scrittori antichi il latino neghino)[26].

Sono **consecutive** quelle congiunzioni che dicono quale è la conseguenza di quello che si esplica nella principale e ne determina il significato: chi = ***ut*** (che); chi non = ***quin*** (che non); gasi chi non = ***ut non*** (così che non). La congiunzione ***quin*** non è altro che la sintetizzazione della perifrastica ***qui non*** = **chi non** (che non). Esempio:

nemos de Lilybeu (Marsala) fiat **chi non** at a àere bidu o apat bidu = *nemo Lilybaei fuit **quin** viderit;*
(nessuno è stato a Marsala **che non** avrà visto o abbia visto)[27].

• Sono **temporali** quelle congiunzioni che introducono proposizioni temporali, che indicano il tempo che uno impiega rispetto alla principale: cando = ***cum*** (quando); in antis chi = ***antĕquam***, ***priusquam*** (prima che); a pustis chi = ***postquam***, ***posteaquam*** (dopo che); in su mentres chi = ***dum*** (nel momento che); finas chi = ***dum***, ***donec***, ***quoad*** (finché, fino a che); a daghi = ***simul***, ***simul atque***, ***ac*** (quando); cando = ***quando*** (quando); cando = ***quum*** (quando). Esempio:

Metellu **pustis chi** bidet invanu s'impresa = *Metellus **postquam** videt frustra inceptum;*
(Metello **dopo che** vede invano l'impresa)[28].

• Sono **limitative** quelle congiunzioni che introducono proposizioni che limitano quanto si dice nella principale: francu chi = ***nisi forte*** (ad eccezione ...); si no est beru chi = ***nisi vero*** (se non è vero che). Esempio:

si no est beru chi unu custu fatzat = ***nisi*** *unum hoc faciat* (**se non è vero che** uno faccia questo)[29].

• Sono **comparative** quelle congiunzioni che introducono un paragone con quanto si dice nella principale: tantu prus = ***tamquam*** (tanto più); cantu prus = ***tamquam si***, ***quasi***, ***proïnde*** (quanto più); comente chi = ***ut si***, ***velut si***, ***proïnde ac si*** (come se); ecc. Esempio:

cantu prus, si chie cuddu acusare boleret = ***proinde****, siquis eum accusare vellet;*
(**quanto più**, se chi quello volesse accusare)[30].

• Sono **modali** quelle congiunzioni che introducono proposizioni che indicano il modo di come si compie quello che si dice nella principale: comente si siat = ***tamquam***, ***ut si***, ***ac si***, ***velut si*** (comunque); comente = ***ut***, ***sicut***, ***velut***, ***tamquam*** (come). Esempio:

custu pro tantu est, **comente su chi** deo nèrgia = *hoc proinde est, **tamquam** si ego dicam;*
(questo è pertanto, **come quello** che io dica)[31].

25 Marcus Tullius Cicero, *Rhetorica - Cato Maior De Senectude*, 6.
26 Marcus Terentius Varro, *De Lingua Latina*, Fragmenta, 0.
27 Marcus Tullius Cicero, *Orationes - In Verrem*, Liber V, 140.
28 Gaius Sallustius Crispus, *Bellum Iugurthinum*, 61.
29 Titus Maccius Plautus, *Aulularia*, II, 7.
30 Valerius Maximus, *Factorum et Dictorum Memorabilium Libri Novem*, Liber IV, 1.
31 Aulus Gellius, *Noctes Atticae*, XV, 29.

14.4 LE LOCUZIONI CONGIUNTIVE

Le locuzioni congiuntive sono gruppi di parole che hanno valore di congiunzione: **pro su fatu chi** (per il fatto che), **a manera chi** (in modo che), **dae su mamentu chi** (dal momento che) = ***quandoquidem***. In latino le locuzioni congiuntive sono rare, qualche esempio lo possiamo trovare nella perifrastica ***verum etiam***, che traduce il sardo **beru siat** (vero sia) o **beru fintzas** (vero anche). Esempio:

beru fintzas chi est netzessàriu = ***verum etiam*** *necesse est* (**vero anche** che è necessario)[32].

14.5 CARATTERISTICHE PARTICOLARI DELLE CONGIUNZIONI

A seconda del verbo espresso dalla proposizione subordinata, la frase può essere **esplicita** o **implicita**.

È **esplicita** quando **due proposizioni** sono **unite da una congiunzione**.
È **implicita** quando le **due proposizioni** sono **unite da una preposizione**. Esempi:

ti prommito **chi** andamus a Parigi (ti prometto **che** andiamo a Parigi).
ti prommito **de** andare a Parigi (ti prometto **di** andare a Parigi).

- Come facciamo a distinguere **chi** (che) congiunzione da **chi** pronome relativo? Basta provare a sostituirlo con "il tale, la tale". Allora diremo:

sa pessone **chi** = la persona **che** (la tale = pronome relativo) ho incontrato non è Giovanni;
ammito **chi** = ammetto **che** (congiunzione) mi sono sbagliato.

In questo esempio non posso dire: ammito **chi** = ammetto **che** (il tale).

Quale è la differenza tra **proite** = ***cur***, ***quid***, ***quare*** (perché) e **ca** = ***quia***, ***quod*** (perché)? **Proite** (***quare***) si utilizza nelle frasi interrogative e relative, **ca** (***quia***) in quelle esplicative.

CONGIUNZIONI SUBORDINATIVE

declarativas (dichiarative)	finales (finali)	causales (causali)
cunsighidoras (consecutive)	cunditzionales (condizionali)	cuntzessivas (concessive)
temporales (temporali)	limitativas (limitative)	cumparativas (comparative)
modales (modali)	ipotèticas (ipotetiche)	

32 Marcus Tullius Cicero, *Orationes - Philippicae*, XIV, 21.

15. L'ESCLAMAZIONE

Si dicono **esclamazioni**, in latino *exclamatiōnem* (*exclamāre* = isclamare), o **interiezioni**, in latino *interiectiōnem*, *interiĕctus* (participio passato di *interĭcere* = mettere in mezzo), quelle parti del discorso che non mutano e che servono ad esprimere sentimenti, emozioni, stati d'animo, o anche suoni.

15.1 CLASSIFICAZIONE DELLE ESCLAMAZIONI (O INTERIEZIONI)

La morfologia distingue tra **esclamazioni proprie** (semplici e composte) e **improprie**.

- Sono **esclamazioni proprie** quelle che hanno funzione solo di esclamazioni, e si dividono in:

semplici, formate da una o più vocali in cui viene posta all'interno la lettera -**h**-:

ah! - eh! - ih! – oh! - uh! / ahi! – ehi! – ohi! – uhi!;

composte, formate da una o due sillabe:

Ello! Ufa! Ba! Bo, bo! Oja! Ohiohi! Oja! Ufa! Eia! (Eja) Boh! Mah! Vae! (Bae) Hem! (Emmo).

In latino i due avverbi sardi di affermazione, **eja** e **emmo (si)**, sono diventati esclamazioni, ***eia*** et ***hem***, probabilmente per essere equiparati al greco εἶα, che significa "coraggio!". Il sardo **bae** (vai), ha la doppia funzione di imperativo (**vai**) e di esclamativo (**bae**! = **ma dai!**) e lo troviamo in latino con ***vae***.

- Si dicono **esclamazioni improprie** quelle costituite da varie parti del discorso (nomi, avverbi, aggettivi, ecc.) utilizzate in funzione esclamativa: mudu! = *mutu*! (muto!), ànimu = *animu*! (animo!), Dià[b]ulu! = *diabolu*! (diavolo!), làstima! = *laesura!* (peccato!), ajò! = *aio*! (andiamo!), bastat! = *bastat*! (basta!), e beniminde! = *et beni me inde*! (non è certo...!), diàntzine! = *diabolu!* (diavolo!), balla! = *palla*! (palla!), iscuru! = *obscurum*! (poverino!), lampu! = *lampas!* (lampo!), perdeu! *per deus!* (perdio!), marranu! (marrano!), mancari = *utĭnam* (sebbene!), malaitu = *malum ditum* (maledetto!), abbàida! = *mira!* (guarda!), gesummaria! (gesummaria!), biadu! = *beatus*! (beato!), cessu! (peccato!), acudide! = *hac audite*! (accudite!), a ite! = *agĭte*! (per cosa!), iscurigadu! (oscurato!), coromeu! = *cor meus!* (mio cuore!), dimo'! = *daemonium!* (demonio!).

L'espressione "tzuca!" sarebbe "catzu!" al contrario, perché la **zucca** in latino si chiama ***cucurbĭta*** e in sardo similmente **cucuriga** (L), **crucubica** (N), **crucuriga** (C).

15.1.1 LOCUZIONI ESCLAMATIVE

Sono **locuzioni esclamative** le perifrastiche costituite da gruppi di parole, o da frasi intere, con valore complessivo di esclamazione: a dolu mannu meu! = *ad dolum magnum meum* (con grande dolo mio), diat èssere bellu! = *det esse bellum* (sarebbe bello), belle gasi! (la guerra e così), ecc.).

15.2 LE ONOMATOPEE

Si dicono **onomatopee** quelle parole che assomigliano alle voci degli animali o ai suoni della natura: **brr**, per dire che c'è freddo; **mussi**, ***mus***, che in latino vuol dire **topo**, per chiamare un gatto; **bang**, per imitare il suono di una pistola; **titia**, per riproporre il sono dei denti che sbattono dal freddo; ecc.

Cartina linguistica del Regno di Arborea (XIII secolo). Rappresentazione territoriale dell'avverbio: qui = inoghe (Realizzazione di B. Porcheddu).

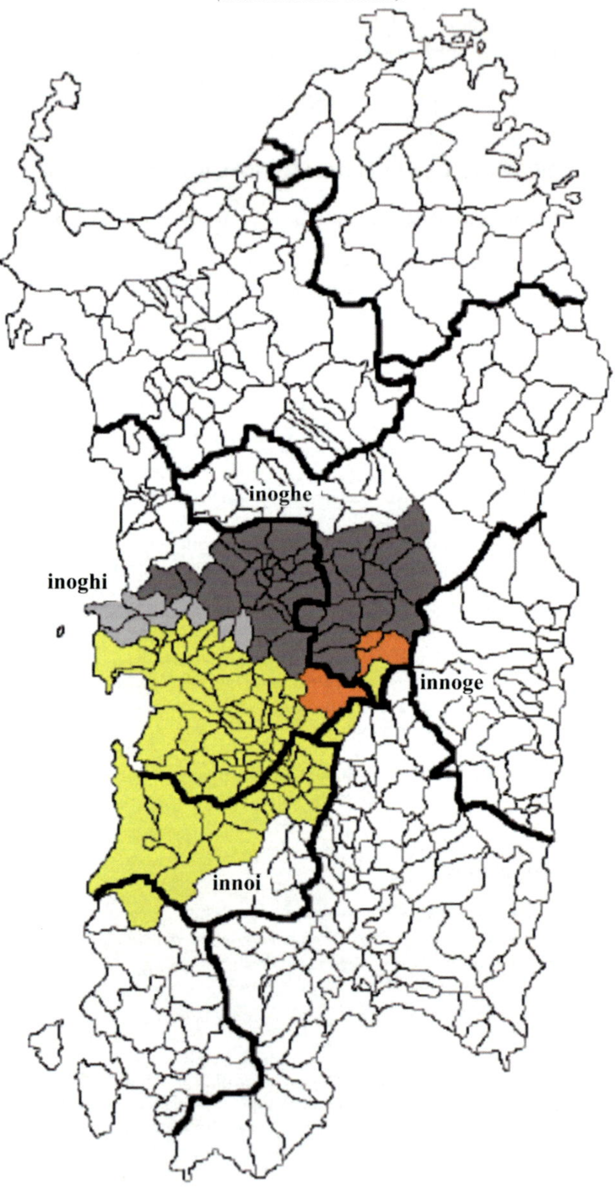

SINTASSI

16. LA SINTASSI

La **sintassi** (dal greco σύνταξις = ordinamento, sistema), in sardo "s'assentadu", è quella parte della linguistica che serve a sistemare bene le parole in una proposizione e le proposizioni in un periodo, mettendole in ordine, concordandone i termini, dandole un senso all'interno di un contesto.

La posizione delle parole nella frase latina è libera. Ad esempio: *Catilina necavit amicum / amicum necavit Catilina / Amicum Catilina necavit / Catilina amicum necavit / Necavit amicum Catilina* = Catilina aiat mortu s'amigu (Catilina aveva ucciso l'amico).

Una certa libertà nella posizione delle parole all'interno della frase è presente anche nella lingua sarda. Ad esempio: Cateddina aiat mortu s'amigu / s'amigu l'aiat mortu Cateddina / s'amigu Cateddina aiat mortu / Cateddina s'amigu aiat mortu / mortu s'amigu aiat Cateddina.

Il soprannome "Catilina" lo troviamo nelle scritture del suo tempo come "Catellina", pronunciato "Cateddina", che significa "catedda minore", ovverosia "cagnetta".

Nella poesia sarda, la "Moda" consiste in una sestina rimata in cui lo stesso verso viene ripetuto ma cambiando l'ordine delle parole. Per cui il significato rimane lo stesso, come avviene nella composizione delle frasi latine, ma con la differenza che nella "Moda" sarda si deve rispettare la metrica (endecasillabi) e la rima. Ecco un esempio costituito da una Moda scritta dal poeta di Ossi Mateu Canu Manconi dedicata a Mastru Luca Biosa:

[...] Si fut istadu che deo sididu (se fosse stato come me assetato)
non creo chi s'esseret azardadu (non credo si sarebbe azzardato)
e si che deo sididu fut istadu (e se come me assetato fosse stato)
chi s'esseret azardadu non creo (che si sarebbe azzardato non credo)
e si fut istadu sididu che deo [...] (e se fosse stato assetato come me).

16.1 LA FRASE: SINTAGMI ED ESPANSIONI

Un **sintagma** è l'unità minima che compone la frase e può comprendere una o più parole. Il sintagma nominale è formato da nomi comuni accompagnati dall'articolo, da nomi propri o da pronomi. Esempio:

issu (sintagma nominale) màndigat = *ipse mandŭcat* (egli mangia).

Il sintagma verbale è formato dai verbi. Esempio:

issu màndicat (sintagma verbale) = *ipse mandŭcat* (egli mangia).

L'unità minima può essere ingrandita e specificata attraverso altri termini, che si chiamano espansioni:

infine isse narat: chi mandigat carre mea = *denique ipse dicit: qui manducat carnem meam;*
(inoltre egli dice: che mangia la mia carne)[1].

16.2 TIPI DI FRASE

Sono **frasi semplici** o **proposizioni** quelle organizzate intorno a un solo verbo. Sono, invece, **composte** quelle frasi in cui compaiono due o più verbi. Le frasi composte possono essere unite da una coordinazione o da una subordinazione.

1 Augustinus Hipponensis, *De Civitate Dei*, Liber XXI, 25.

16.2.1 FRASI SEMPLICI

Sono **semplici** le frasi: affermativa o negativa, interrogativa o esclamativa, attiva o passiva, imperativa, esortativa, dubitativa, concessiva.

- **Affermativa** e **negativa**. È **affermativa** una frase che afferma qualcosa; è **negativa** quella in cui qualcosa è negata. Esempi:

duncas, deo oje so infelitze cun sos Deos meos irados meda = *nam ego hodie infelix Dis meis iratissimos;* (dunque, io oggi sono infelice con gli Dei miei iratissimi)[2].

non potzat intro resìstere = ***non** possit intro resistere* (**non** possa dentro resistere)[3].

Nella frase affermativa, il modo indicativo del verbo viene utilizzato in latino, e qualche volta anche in sardo, al posto del condizionale con i verbi **potzo** = ***possum*** (posso) e **depo** = ***debeo*** (devo). Esempio:

sa sorte de s'Africa cun Tuberu otènnere **depiat** (diat àere dèpidu otènnere = avrebbe dovuto ottenere) = *Africam sorte Tubero obtinere **debebat*** (la sorte dell'Africa con Tiberio **doveva** ottenere)[4].

- **Interrogativa** e **esclamativa**. È interrogativa quella frase che con una domanda mira ad ottenere una risposta. Sono esclamative le frasi che mostrano entusiasmo, curiosità, ammirazione, compassione, ecc.

Nella scrittura sarda la frase interrogativa è segnata con il punto interrogativo e quella esclamativa con il punto esclamativo; in latino non esistevano i punti interrogativi ed esclamativi, pertanto si doveva comprendere dalla struttura e dagli elementi della frase se questa era interrogativa o esclamativa. Esempio:

chie est tantu imbidiosu? = *quis est tam invidus?* (chi è tanto invidioso?)[5].
chie est tantu imbidiosu! = *quis est tam invidus!* (chi è tanto invidioso!).

calicunu deus o calicunu dimòniu? Deus! = *aliquis deus aut aliquis daemon? Deus!* (qualche dio o qualche demonio? Dio!)[6].

Nelle frasi interrogative o esclamative in cui il pronome è sottinteso, come abbiamo visto nel capitolo dedicato ai verbi, l'ausiliare del verbo è unito in modo enclitico alla persona verbale, dando forma sintetica al tempo passato. Ecco alcuni esempi di frasi interrogative e esclamative:

forsis oje etotu **ses bènnidu**? = *ecquid hodie totus **venisti?*** (forse oggi stesso **sei venuto?**)[7].

In latino, nella frase interrogativa indiretta, il verbo si mette al congiuntivo. Esempio:

si de fatu si cherfat [ischire] si **siat** sa matessi cosa pertinàntzia e perseveràntzia? = *si enim quaeratur idemne **sit** pertinacia et perseverantia?* (se di fatto si voglia sapere **sia** la stessa cosa pertinenza e perseveranza?)[8].

- **Attiva** e **passiva**. La frase attiva si distingue da quella passiva poiché il verbo è transitivo di forma attiva. La frase passiva è quella segnata da un verbo transitivo di forma passiva. Esempio:

su cane s'**at** mandigadu s'ossu – s'ossu **est istadu** mandigadu dae su cane; (il cane si ha mangiato l'osso - l'osso **è stato** mangiato dal cane).

In sardo però la frase di forma passiva non si costruisce in questo modo, perché il verbo rimane sempre in forma passiva, ma, nei tempi passati, l'ausiliare rimane quello del verbo avere, accompagnato dal prono-

2 Titus Maccius Plautus, *Poenulus*, II, 1.
3 Marcus Vitruvius Pollio, *De Architectura*, Liber V, 10.
4 Gaius Iulius Caesar, *De Bello Civili*, Liber I, 30.
5 Marcus Tullius Cicero, *Rhetorica, De Finibus*, Liber I, 3.
6 Augustinus Hipponensis, *De Civitate Dei*, Liber XXII, 11.
7 Gaius Petronius Arbiter, *Satyricon*, 131.
8 Marcus Tullius Cicero, *Rhetorica Topica*, 87.

me che fa funzione di complemento oggetto e dal participio passato passivo del verbo lessicale. Quello che nella frase attiva era il complemento di agente nella frase passiva svolge il ruolo di soggetto.

Anche **in latino** la struttura del passivo può essere fatta alla stessa maniera del sardo. Nella regola generale, il latino non usa l'ausiliare avere nei tempi composti passivi, ma utilizza l'ausiliare essere. Questa costruzione della frase passiva con l'ausiliare essere e l'ablativo si può ottenere anche in sardo. Quindi:

Chèsare at mortu a Antoni = dae neghe de, pro manu de, Chèsare Antoni **est** mortu;
(Cesare ha ucciso Antonio = per colpa di, per mano di, Cesare Antonio è morto).

apo frabicadu sa domo (attiva) = sa domo **l'apo frabicada** deo (passiva);
(ho costruito la casa) attiva = (la casa **l'ho costruita** io) passiva.

In latino infatti si potrebbe anche dire: ***domum constructam habeo***, che significa "la casa l'ho costruita io". I Latini, per seguire la grammatica greca, hanno eliminato l'ausiliare avere per quello essere, ma il passivo alla sarda con il verbo avere in funzione di ausiliare al participio perfetto passivo declinato in accusativo come il pronome atono (sottinteso) è ugualmente presente: ***qui compertum habeo*** = che è stato scopert**o da me**[9].

In latino, se il complemento è di agente, ovverosia un essere animato, si utilizza **a/ab** + **ablativo**; se il complemento è di causa efficiente, vale a dire un essere inanimato, si usa l'**ablativo semplice**. Esempio:

dae sa tertza ora sa giustìtzia o ecuidade l'ant numenada = *tertia iustitia aut aequitas nominatur;*
(**dalla** terza ora la giustizia o l'equità è stata nominata)[10].

- **Imperativa**, **esortativa**, **dubitativa**, **concessiva**.

È imperativa la frase in cui il verbo esprime un comando. Esempio:

O Lygdame, **curre bae** = *Lygdame, **curre via*** (O Lygdame, **corri via**)[11].

In latino come in sardo si utilizzano le forme dell'imperativo presente e futuro. Con le seconde persone dell'imperativo presente si esprime un comando diretto. Esempio:

beni = *veni* (vieni), curre = *curre* (corri), benide = *venite* (venite), curride = *currite* (correte).

In sardo con la terza persona si esprime invece un comando indiretto e, in questo caso, l'imperativo corrisponde al congiuntivo. Esempio: bèngiat = *venĭat* (venga), currat = *currat* (corra).

In latino come in sardo, la frase imperativa negativa si esprime con la negazione **non** (*ne*, *nec*) seguita dal congiuntivo. Esempio:

non bèngiat sena a tie = ***nec veniat*** *sine te* (**non venga** senza di te)[12].

- **Esortativa** è la frase in cui il verbo esprime un invito a fare o non fare qualcosa. Esempio:

a mie de tzertu in mente bènnere **non podes** = *mihi certe in mente venire **non potest;***
(a me di certo in mente **non puoi** venire)[13].

In latino come in sardo la frase esortativa può essere espressa con il congiuntivo, che corrisponde all'im-

9 Gaius Svetonius Tranquillus, *De Vita Caesarum - Divus Iulius*, 66.
10 Marcus Tullius Cicero, *Rhetorica*, Topica, 90.
11 Sestus Aurelius Propertius, *Elegiarum Libri IV, Elegiae*, Liber III, 6.
12 Sestus Aurelius Propertius, *Elegiarum libri IV, Elegiae*, Liber III, 15.
13 Marcus Tullius Cicero, *Rhetorica - Tusculanae Disputationes*, Liber V, 81.

perativo indiretto. Esempio:

gasi cun inferiore **bivas**, chi a su matessi modu cun tegus su superiore **bollas bìvere** =
*sic cum inferiore **vivas**, quemadmodum tecum superiorem **velis vivere;***
(così con inferiore tu **viva**, che allo stesso modo con te il superiore **voglia vivere**)[14].

- **Dubitativa** è la frase in cui il verbo esprime dubbio. Esempio:

non **podet** issu èssere sena sensu = *non **potest** ipse esse sine sensu* (non **può** lui essere senza senso)[15].

- **Concessiva** è la frase in cui il verbo concede una possibilità. Esempio:

e de meda àteros esempros **podet èssere insinnadu** = *et multis aliis exemplis **doceri potest;***
(e di molti altri esempi **può essere insegnato**)[16].

LE FRASI SEMPLICI

afirmativa = affermativa	negativa = negativa	interrogativa = interrogativa	isclamativa = esclamativa	ativa = attiva
passiva = passiva	imperativa = imperativa	esortativa = esortativa	dudadora = dubitativa	cuntzessiva = concessiva

14 Lucius Annaeus Seneca, *Epistulae Morales - Ad Lucilium*, Liber V, 47.
15 Marcus Tullius Cicero, *Rhetorica - De Natura Deorum*, Liber III, 36.
16 Augustinus Hipponensis, *De Trinitate*, Liber XV, 30.

17. ANALISI LOGICA DELLA PROPOSIZIONE

Se la **morfologia** è quella disciplina della grammatica che si occupa di classificare le parti del discorso (nome, verbo, avverbio, preposizione, ecc.), la **sintassi** invece è preposta a mettere in ordine le parole. Pertanto, l'**analisi logica** è quella parte della grammatica che si occupa delle relazioni tra gli elementi di una frase, vale a dire delle funzione che le parole hanno per dare un significato a una proposizione.

Le funzioni logiche dei sostantivi, aggettivi e pronomi all'interno della frase sono tenute in latino dai casi. Il latino, per aiutarsi a compiere le funzioni sintattiche dei casi, utilizza anche [gli articoli e] le preposizioni che in sardo, invece, sono essenziali per comporre i complementi e le proposizioni.

17.1 IL SOGGETTO

Il **soggetto** è la persona, l'animale o la cosa che fa o riceve l'azione e, in una frase condizionale, chi si trova nell'azione espressa dal verbo. Il soggetto concorda con il verbo e ne determina la persona, il numero e, nei tempi composti, anche il genere. Esempi:

Marcu est cun nois = ***Marcus*** *est nobiscum* (**Marco** è con noi)[1].
Lucia bona fèmina est = ***Lucia*** *bona femina est* (**Lucia** è una brava donna)[2].
Cussu ma[g]istru est = ***Iste*** *magister est* (**Codesto** è un maestro)[3].

Se il soggetto occupa la posizione iniziale della frase è facile da individuare, ma non sempre si trova all'inizio della proposizione. Ad esempio, può essere sottinteso, come qui appresso. In questo caso la frase si dice **ellittica del soggetto** che è, appunto, sottinteso:

[deo] a tie bèngio = *[ego] ad te venio* ([io] a te vengo)[4].

Si può trovare un soggetto che è anche alla fine della frase, e pertanto di difficile indicazione. Nel caso rappresentato sotto, il soggetto è chi ha interrogato i tre indagatori:

in su mentres chi dae s'indàgine de Mamilia esserent interrogados dae sos **tres inchisidores** =
cum ex Mamilia rogatione ***tres quaesitores*** *rogarentur;*
(nel mentre che con l'indagine di Mamilia fossero interrogati dai **tre inquisitori**)[5].

Il soggetto è quasi sempre un nome o un pronome, ma può capitare che svolgano funzione di soggetto anche altri tipi di parole, come aggettivi, verbi, avverbi e così di seguito. In questi casi tali parole si dicono sostantivate:

sas **bìrghines** pro s'incestu cundennadas sunt = ***virgines*** *incesti damnatae sunt;*
(le **vergini** per l'incesto condannate sono)[6].

podet èssere chi **subra** fortuna est = *potest esse qui* ***supra*** *fortuna est;*
(può essere che **sopra** è fortuna)[7].

bìdere est filosofare prus de cùrrere = ***videre*** *est philosophos ultro currere;*
(**vedere** è filosofare più di correre)[8].

1 Marcus Tullius Cicero, *Epistulae - Ad Familiares*, XIII, 79.
2 Titus Maccius Plautus, *Cistellaria*, IV, 2.
3 Titus Livius, *Ab Urbe Condita Libri*, Liber XXII, 39.
4 Titus Maccius Plautus, *Menaechmi*, IV, 3.
5 Gaius Sallustius Crispus, *Bellum Iugurthinum*, 40.
6 Titus Livius, *Ab Urbe Condita Libri*, Periochae, 63.
7 Lucius Annaeus Seneca, *De Brevitate Vitae*, 5.
8 Aulus Gellius, *Noctes Atticae*, VII, 10.

17.1.1 IL CASO NOMINATIVO

Il **nominativo** è il **caso del soggetto** e di tutto quello che è legato ad esso: attributo, apposizione, predicato nominale e complemento predicativo del soggetto. Quando il complemento predicativo del soggetto è unito al nome per mezzo di una copula, vale a dire il verbo *sum* (essere) o altri verbi utilizzati in funzione copulativa, si ha il **doppio nominativo.** Nel caso nominativo, il verbo concorda con il soggetto nel numero e nella persona. Esempio:

frades nois semus = ***fratres nos*** *sumus* (**noi** siamo **fratelli**)[9].

Il **doppio nominativo** lo troviamo anche nei **verbi copulativi** e nei verbi intransitivi usati in funzione di copula: *videri* = bìdere (vedere), *nasci* = nàschere (nascere), *vivere* = bìvere (vivere), *mŏri* = mòrrere (morire), *creare* = criare (creare). Esempi:

Numa Pompilzu re **criadu** est = *Numa Pompilius rex* ***creatus*** *est* (Numa Pompilio è **creato** re)[10].

17.1.2 IL GRUPPO DEL SOGGETTO

Il **gruppo del soggetto** può essere composto:

- Da un solo sostantivo:

giai tota istaiat in sa tzitade sa **domo** = *iam tota stabat in urbe* ***domus*** (già tutta stava nella città la **casa**)[11].

- Da un sostantivo più un [articolo]:

sa solitùdine = ***ipsa solitudo*** **(la solitudine)**[12].

- Da un sostantivo, più un aggettivo, riferito al soggetto, che chiameremo attributo. L'attributo, in sardo, concorda con il sostantivo nel genere e nel numero, in latino anche nel caso:

sa parte manna no aiat pòtidu = ***magna pars*** *non potuerat;*
(**la grande parte** non aveva potuto)[13].

Nel caso nominativo l'attributo concorda con il nome o il pronome nel genere, numero e caso. L'aggettivo può fare da attributo e concordare con il caso del soggetto. Esempio:

e **sa muzere Cleopatra** re[gh]ina = *et* ***uxor Cleopatra*** *regina* (e la **moglie Cleopatra** regina)[14].

L'aggettivo può essere sostantivato e prendere il posto del nome. Esempio:

chie ischit **sapiente** est = *qui sapit* ***sapiens*** *est* (chi sa è **sapiente**)[15].

- Un sostantivo più un altro sostantivo, riferito al soggetto, lo chiameremo apposizione. L'**apposizione**, in sardo, concorda nel genere e nel numero con il nome, in latino alche nel caso:

Lichinzu Rassu, **Procònsule**, medas in Grètzia tzitades at ispunnadu =
Licinius Crassus, ***Proconsul,*** *complures in Graecia urbes expugnavit;*
(Licinio Crasso, **Proconsole**, molte città in Grecia ha espugnato)[16].

---

9 Augustinus Hipponensis, *De Civitate Dei,* Liber XVI, 20.
10 Flavius Eutropius, *Breviarium Ab Urbe Condita*, Liber I, 3.
11 Marcus Valerius Martialis, *Epigrammaton, De Spectaculis*, 2.
12 Lucius Apuleius Madauresis (Saturninus), *Metamorphoses*, Liber IV, 1.
13 Quintus Curtius Rufus, *Historiarum Alexandri Magni*, Liber VII, 5.
14 Marcus Iunianus Iustinus, *Historiarum Philippicarum T. Pompeii Trogi, Libri XLIV*, Liber XXXVIII, 8.
15 Lucius Annaeus Seneca, *Epistulae Morales - Ad Lucilium*, Liber XIX, 117.
16 Titus Livius, *Ab Urbe Condita Libri*, Periochae, 43.

Due nomi uniti dalla preposizione "di" non vanno al genitivo, come nell'esempio in basso, ma al nominativo quando formano apposizione:

Cleopatra reghina de Egitu est = ***Cleopatră regina*** *Aegypti est* (**Cleopatra** è **regina de**ll'Egitto)[17].

- Da tutti questi elementi elencati sopra messi insieme:

arma romana, cun P. Petronio, de s'òrdine ecuestre, prefetu de Egitu, tzitades at ispunnadu =
arma romana, P. Petronio, equestris ordinis, praefecto Aegypti, oppida expugnavit;
(arma romana, con P. Petronio, dell'ordine equestre, prefetto dell'Egitto, città ha espugnato)[18].

Come abbiamo visto dagli esempi precedentemente mostrati, nel latino al soggetto espresso nel caso nominativo vengono concordati tutti gli elementi della frase che ad esso sono legati: attributo, apposizione, predicato nominale, complemento predicativo del soggetto.

17.2 IL PREDICATO

Il **predicato**, in latino *praedicāre* (declarare = dichiarare) è quella parte del discorso che dice qualcosa del soggetto e lo qualifica in relazione all'azione che tiene nella frase.

17.2.1 IL GRUPPO DEL PREDICATO

Esistono **due predicati**: **verbale** e **nominale**.

- Il **predicato verbale** è formato da un verbo attivo, passivo o riflessivo, in latino anche deponente o semideponente, che mantiene un ruolo essenziale nella frase. Il predicato verbale si differenzia da quello nominale poiché non ha funzione di copula.

I verbi capaci di esprimere un significato compiuto si dicono verbi predicativi. Esempi:

ma malu at a èssere a s'òmine chi peri ofendende **màndigat** =
sed malum esse homini qui per offensionem ***manducat****;*
(ma malvagio sarà all'uomo che attraverso le offese **mangia**)[19].

- Il **predicato nominale** è formato dal verbo essere (copula) che pone in relazione il soggetto con un'altra parola, un sostantivo o un aggettivo. Il predicato nominale, al contrario di quello verbale, se non è accompagnato da un sostantivo o da un aggettivo non può concludere la frase. Il predicato nominale deve concordare con il soggetto. Esempio:

[issa] dota pobidda fiat = *[ipsa] docta puella* ***fuit*** ([ella] una dotta ragazza **è stata**)[20].

Il verbo può tenere il sostantivo come attributo dentro di se. Esempio:

predada pobidda est = ***praedata*** *puella est* = (**predata** ragazza è)[21].

Il verbo essere non è copula quando vuole dire esistere, appartenere, essere nel luogo, o quando viene impiegato come ausiliare. Esempio:

educadu **est** in domo de Pèricle = *educatus* ***est*** *in domo Pericli* (educato **è** a casa di Pericle)[22].

17 Titus Livius, *Ab Urbe Condita Libri*, Periochae, 111.
18 Gaius Plinius Secundus (su betzu), *Naturalis Historia*, Liber VI, 35.
19 Augustinus Hipponensis, *Confessiones*, Liber X, 46.
20 Sestus Aurelius Propertius, *Elegiarum Libri LV, Elegiae*, Liber II, 11.
21 Publius Ovidius Naso, *Amores*, Liber I, 3.
22 Cornelius Nepos, *Liber De Excellentibus Decibus Exterarum Gentium - Alcibiades*, 2.

17.2.2 I COMPLEMENTI PREDICATIVI DEL SOGGETTO E DELL'OGGETTO

Il **complemento predicativo del soggetto è**, nella sintassi della frase semplice, un **sostantivo** o un **aggettivo che si riferisce al soggetto**, completando il significato del verbo. Esempio:

C. **Màriu** ses bortas **cònsule** ha dato = *C. **Marius** sexiens **consul** dedit;*
(C. **Mario** sei volte **console** ha dato)[23].

Il **complemento predicativo dell'oggetto è**, nella sintassi della frase semplice, un **sostantivo** o un **aggettivo che si riferisce all'oggetto**, completando il significato del verbo. Il predicativo dell'oggetto deve concordare con l'oggetto. Esempio:

su primu òmine **cònsule novu** [bois] ais fatu = *primum hominem **novum consulem** fecistis;*
*(*il primo uomo **nuovo console** [voi] avete fatto)[24].

Gli **aggettivi con funzione predicativa** si comportano come un avverbio completando il significato di un verbo copulativo. Esempio:

su fizu est **bonu** = ***bonus** liber est* (il figlio è **buono**)[25].

Il **doppio nominativo** è composto anche dal **passivo di alcuni verbi:**
appellativi: *appellari* (chiamare, essere chiamato); *salutari* (salutare, essere salutato);
elettivi: *creari* (creare, essere creato); *nominari* (nominare, essere nominato);
estimativi: *existimari* (stimare, essere stimato); *iudicari* (giudicare, essere giudicato).

17.3 LE ESPANSIONI

Sono **espansioni** (*expansionem*) tutte quelle parole che completano una frase semplice. Le espansioni possono essere **dirette**, se si uniscono al verbo senza preposizione, e **indirette**, se si uniscono al verbo con una preposizione.

- Sono **espansioni dirette**: l'attributo, l'apposizione, il complemento oggetto e i predicativi.
- Sono **espansioni indirette**: i complementi di tempo, di termine, di luogo, di qualità, ecc.

17.3.1. IL COMPLEMENTO OGGETTO O COMPLEMENTO DIRETTO

Si dice **complemento oggetto** o **complemento diretto** quella espansione (persona, animale, cosa) che riceve direttamente l'azione espressa da un verbo transitivo attivo senza legarsi ad alcuna preposizione.

Il complemento oggetto può essere rappresentato da diverse parti del discorso: sostantivo, verbo, avverbio, pronome, ecc. Soggetto e oggetto si possono cambiare di posto costruendo una frase passiva. In latino il complemento oggetto è rappresentato dal **caso accusativo**. Esempio:

a tota die gasi a de note bene **tres eminas** (mesura de 270 cc) preocupadu bi[b]et =
*totodie ac nocte vel **tres heminas** aeger bibet;*
(tutto il giorno e tutta la notte beve preoccupato **tre emine**)[26].

In sardo, quando l'oggetto di una frase è rappresentato da una persona, il complemento diretto viene

23 Flavius Eutropius, *Breviarium Ab Urbe Condita*, Liber V, 4.
24 Marcus Tullius Cicero, *Orationes - De Lege Agraria Contra Rullum*, *Oratio II*, 3.
25 Marcus Valerius Martialis, *Epigrammaton*, Liber VII, 81.
26 Aulus Cornelius Celsus, *De Medicina*, III, 19.

preceduto dalla preposizione **a**. Anche in latino la frase è costruita nello stesso modo, ma invece del complemento oggetto talvolta si adopera il complemento indiretto con il **dativo**. Esempi:

e cramo de ispissu [...] **a** Istèvene = *et clamo saepe [...] Stephani**o;***
(e chiamo spesso [**a**] Stefano)[27].

17.3.2 ACCUSATIVO

L'**accusativo** corrisponde al **complemento oggetto** e a tutti gli elementi della frase che ad esso sono legati (attributo, apposizione, complemento predicativo dell'oggetto) e risponde alla domanda **chie (chi)?**, **Ite (che cosa)**? Il complemento oggetto è un complemento diretto che si lega sempre al verbo senza preposizione. Sono i verbi transitivi che nella maggior parte dei casi sostengono l'**accusativo**. Esempio:

cun sa crudelidade sos **inimigos** at bìnchidu = *crudelitate **hostes** vicerit;*
(con la crudeltà ha vinto **i nemici**)[28].

I verbi **chelare** = *celare* (celare), **orare** = *orare* (chiedere pregando), **pregare** = *precari* (pregare), **pedire** o **pètere** = *petĕre* (chiedere) sostengono due accusativi (doppio accusativo):

non **t**'apo pro tantu cheladu **sermone** = *non enim **te** celavi sermon**em;***
(non **ti** ho pertanto celato **sermone**)[29].

Il verbo latino **celare** (nascondere, ma lasciando trasparire qualcosa), che si legge come l'omologo sardo **chelare**, non viene dal sostantivo **cielo**, come potrebbe sembrare, ma dalla parola **chelu**, che significa in sardo, oltre a **cielo**, anche **ragnatela**. Infatti il significato è quello di nascondersi dietro una tela di ragno, non dietro il cielo, ed essere intravisto.

Un verbo transitivo e intransitivo, come ad esempio **fatzo** = *făcĭo* (faccio), tiene per complemento accusativo un nome preso dal nome stesso, in poche parole un sinonimo. Esempio:

Labienu in Treveri sa **batalla echestre** faghet =
*Labienus in Treveris **equestre proelium** facit;*
(Labieno in Treveri la **battaglia equestre** fa)[30].

Certi aggettivi sostengono l'accusativo, come nell'esempio: pedes nudos = *nuda pedes* (piedi nudi). Alcuni accusativi sono presi dagli avverbi. Esempio: sa parte manna = *magnam partem* (la gran parte).

L'accusativo può essere inoltre soggetto nelle frasi infinitive e con i verbi impersonali (*piget, pudet, paenitet, miseret, taedet*). Regge in più le preposizioni di moto a luogo per le città e per le piccole isole (*Caralem eo* = ando a Casteddu = vado a Cagliari).

L'accusativo forma anche quello che viene definito "**accusativo di relazione o alla greca**", poiché prende un costrutto della lingua greca che non ha corrispondente nella lingua sarda e neppure in quella italica. In sintesi, l'aggettivo che sembra un attributo del complemento oggetto in effetti è un complemento di specificazione su cui però è omessa la preposizione. Esempio:

*puer **nudus pedes** apparvit* = pitzinnu **nudos pedes** aparit = il ragazzo **nudi piedi** apparve.

In altre parole, per essere compresa, nella frase deve essere inserita la preposizione "**con**" che in greco manca: "il ragazzo apparve **con** i piedi nudi".
È chiaro che si tratta di un costrutto estraneo alle parlate sardo-latine italiche in cui la preposizione è un elemento essenziale per legare i complementi al verbo.

27 Publius Terentius Afer, *Adelphoe*, Actus III, Scaena III.
28 Marcus Tullius Cicero, *Orationes - In Verrem*, Liber II, IV, 112.
29 Marcus Tullius Cicero, *Epistulae - Ad Familiares*, II, 16.
30 Aulus Hirtius, *De Bello Gallico*, Liber VIII, 45.

17.3.3 IL COMPLEMENTO DI SPECIFICAZIONE

I **complementi di specificazione** servono a precisare il significato della parola da cui dipendono e danno risposta alla domanda **de chie? (di chi?)**, **de ite? (di cosa?)**. Tali complementi sono preceduti in sardo dalla preposizione **de** (di) o da **de + articulu** (del, della).

In latino il complemento di specificazione è rappresentato dal **genitivo**, che si usa senza la preposizione "de", come nel secondo esempio mostrato sotto:

custu si chie bramosu **de** preju aeret bidu de a tie =
*hoc si quis **pretii** cupidus vidisset tui;*
(questo se chi bramoso **di** prezzo avesse visto di te)[31].

Occorre dire che non sempre la preposizione **de** introduce il complemento di specificazione, poiché in altri casi serve ad indicare complementi di misura (artària de tres metros = altezza di tre metri), di tempo (durada de tres meses = durata di tre mesi), ecc. Comunque occorre giungere alla risoluzione con il ragionamento.

In latino non è usato il **complemento di denominazione** che noi adoperiamo per indicare nomi, luoghi e mesi dell'anno con la preposizione "de = di". Esempio: sa tzitade **de** Ossi = la città **di** Ossi. In questo caso in latino Ossi diventa un attributo della città e la preposizione **de** (di) non si scrive. Esempio: ***oppidum Ossis***.

17.3.4 IL CASO GENITIVO

Il **genitivo** si utilizza per rappresentare il possesso di un bene concreto o astratto che tiene il soggetto. Quindi si usa il genitivo quando la persona o la cosa detiene il bene. In tal caso, questa è seguita dalla preposizione **de** (di), che apre un complemento indiretto, e viene declinata nel caso genitivo. Esempio:

medas sunt sena amore **de** pobidda! = *tot sunt sine amore puell**ae***!;
(molti sono senza amore **di** ragazza!)[32].

Il genitivo può far parte del soggetto, dell'attributo o del complemento. Esempio:

de pobidda laudende custùmenes = *puell**ae** laudare mores* (lodando i costumi **di** una ragazza)[33].

La frase che rappresenta il possesso è prevalentemente composta dal genitivo con il verbo essere o altro verbo copulativo. Esempio:

issu pro tantu su nùmene **de sa** pobidda fiat = *id enim nomen puell**ae** fuit;*
(esso pertanto fu il nome **della** ragazza)[34].

Alcuni complementi (convenienza, colpa, stima, qualità, quantità) sono espressi in latino con il caso **genitivo**. Esempio:

de classe romana una nave pùnica = *roman**ae** class**is** una punica navis;*
(**di** classe romana una nave punica)[35].

Alcuni aggettivi e participi presenti sostengono il genitivo. Esempio:

ma **de** glòria àvidu = *sed glori**ae** avidus* (ma **di** gloria avido)[36].

Alcuni verbi o verbi sostantivati sostengono il genitivo. Esempio:

---

31 Gaius Iulius Phaedrus, *Fabularum Phaedri*, Liber III, *Pullus Ad Margaritam*.
32 Publius Ovidius Naso, *Amores*, Liber II, 9.
33 Marcus Fabius Quintilianus, *Declamationes Maiores - Declamatio Maior*, XV, 2.
34 Publius Cornelius Tacitus, *Annales*, Liber XVI, 30.
35 Titus Livius, *Ab Urbe Condita Libri*, Liber XXXVI, 45.
36 Publius Cornelius Tacitus, *Historiae*, Liber III, 8.

e a issu tue acusas **de** avarìtzia = *et eum tu accusas avariti**ae*** (e a lui tu accusi **di** avarizia)[37].

Alcuni partitivi sostengono il genitivo. Esempio:

nemos **de sos** Gallos = *nemo **Gallorum;***
(nessuno **dei** Galli)[38].

Alcuni avverbi di luogo e di tempo sostengono il genitivo. Esempio:

nen che **de ube** cales terras siat isco = *neque **ubi terrarum** sit scio* (né so **di** quali terre sia)[39].

17.3.5 IL COMPLEMENTO DI TERMINE

Il **complemento di termine** indica la persona, l'animale o la cosa su cui si compie l'azione e da risposta alla domanda **a chie? (a chi?)**, **a ite? (a che cosa?)**. In sardo il complemento di termine è introdotto dalla preposizione **a** (semplice o con l'articolo) o è costituito dai pronomi personali **mi** (a me = *mihi*), **ti** (a te = *tibi*), **li/ddi** (a lui), **nos** (a noi = *nobis*), **bos** (a voi = *vobis*), **lis/ddis** (a loro):

duncas noghende **a** bèstia = *igitur nocere besti**ae*** (dunque nuocere **a** bestia)[40].

17.3.6 IL CASO DATIVO

Il **dativo** corrisponde al **complemento sardo di termine** o **di conclusione** e risponde alla domanda **a chie? (a chi?)**, **a ite**? (**a che cosa?**) Nella maggior parte delle situazioni il dativo viene espresso in sardo con la preposizione **a**. Esempio:

sìmile **a** prantàghine = *simil**i** plantagin**i*** (simile **a** pianta erbacea)[41].

Fa parte del dativo la locuzione latina: *est **mihi** nomen Marcus* = est **a mie** su nùmene Marcu (è **a me** - il mio nome - è Marco). Il dativo corrisponde al sardo "**a mie** mi narant Marcu" o "**a mie** mi nùmenant Marcu" (**a me** mi chiamano Marco), poiché uno da solo non si può chiamare.

In latino e in sardo i verbi riferiti a persone (*insulto, invideo, maledico*, ecc.) si costruiscono con il dativo (complemento di termine) poiché antepongono la preposizione "a" al verbo, che in italiano invece esce in accusativo (complemento oggetto). Esempio: insulto te e non insulto **a** te. In latino: *Iugurth**ae** filia Bocchi nupserat* = **a** Giugurta sa figia de Boco aiat cojuadu (la figlia di Bocco aveva sposato [**a**] Giugurta).
Altri complementi (di fine, di vantaggio, di relazione, di possesso, di effetto) sono retti dal dativo.
Il "**dativo di possesso**" è un costrutto preso dalla lingua greca, poiché sostituisce l'ausiliare avere, quando ha funzione di possesso, tipico della lingua sardo-latina italica, con l'ausiliare essere. Esempio:

ateras bortas **las apo** agradadas = *quum multa **mihi** grata **sunt*** = (altre volte **le ho** gradite)[42].

17.3.7 I COMPLEMENTI DI LUOGO

Il **complemento di luogo** indica il luogo in cui si tiene l'azione. Tale complemento si divide in **quattro parti**: complemento di **stato in luogo**, complemento di **moto a luogo**, complemento di **moto da luogo**, complemento di **moto attraverso il luogo**, più un complemento di **luogo figurato** (se il luogo non è reale).

---

37 Marcus Tullius Cicero, *Orationes - Pro Flacco*, 83.
38 Marcus Tullius Cicero, *Orationes - Pro Fonteio*, 11.
39 Marcus Tullius Cicero, *Epistulae - Ad Atticum*, XI, 1.
40 Marcus Tullius Cicero, *Rhetorica - De Re Publica*, Liber III, 19.
41 Gaius Plinius Secundus (su betzu), *Naturalis Historia*, Liber XXII, 2.
42 Marcus Tullius Cicero, *Epistulae - Ad Familiares*, XIII, 54.

- Il **complemento di stato in luogo** indica il luogo in cui si compie l'azione o in cui uno si trova e da risposta alla domanda **in ube**? (**dove?**), **in cale logu**? (**in quale luogo?**). In sardo il complemento di stato in luogo è introdotto dalle preposizioni **in** (in), **intre** (tra), **subra** (sopra), **suta** (sotto), **intro** (dentro), **foras** (fuori), ecc., e dalle locuzioni **a curtzu a** (vicino a), **a faca a** (vicino a), **in sos tretos de**, **probe a** (nei pressi di, vicino a), ecc. In latino il complemento di **stato in luogo** si esprime con la preposizione ***in*** (in), ***sub*** (sotto), ***supra*** (sopra) **+ ablativo**, o da ***apud*** (al punto di, nei pressi di), ***prope*** (vicino a) **+ acusativu**. Esempi:

sèmpere **in** custa Repùblica bivet = *semper **in** **hac** Re Publica vivet* (sempre **in** questa Res pubblica vive)[43].

giai a **probe** desertos = *iam **prope** desertos* (già **vicino** ai deserti)[44].

suta terra de abberu cale si siat cosa est = ***sub** terrā vero quid quid est* (**sotto** terra davvero qualsiasi cosa è)[45].

in Alesia at bìnchidu onni populatzione de Gallia chi **in** armas fiant istados =
*ad Alesiam vicit omnes que Galliae civitates quae **in** arm**is** fuerant;*
(in Alesia ha vinto ognuna delle popolazioni della Gallia che **in** armi erano state)[46].

Non sempre la preposizione **in** viene utilizzata, spesso non compare quando il nome è accompagnato da un aggettivo, pertanto l'ablativo va da solo. Esempio:

chi de àteros dant primadu **in** bonos padros = *quod alii dant primatum bon**is** prat**is**;*
(che di altri danno primato **in** buoni prati)[47].

Per indicare il luogo di residenza, al contrario dell'italiano, in sardo e in latino il complemento di stato in luogo viene introdotto dalla preposizione **in** e non dalla preposizione **a**. Esempio:

educatu est **in** domo = *educatus est **in** dom**o*** (educato è **a** casa)[48].

I nomi di città, paese o piccola isola della prima e della seconda declinazione singolari vanno in caso locativo. Esempio: *Rhod**i*** = **a** Rodi. I nomi, invece, della prima e della seconda declinazione singolari, e quelli delle altre declinazioni vanno in ablativo semplice. Esempio: *Athen**is*** = **ad** Atene. Esempio:

in Siracusa sa lege est de religione = *Syracus**is** lex est de religione* (**a** Siracusa la legge è di rigore)[49].

- Il **complemento di moto a luogo** indica il luogo a cui andare e da risposta alle domande **a ube**? (dove?), **Deretu a ube**? (diretto dove?). Il complemento di moto a luogo in sardo è introdotto quasi sempre dalla preposizione **a** e dalle locuzioni **deretu a** (diretto a), ecc. In qualche caso si usano anche le preposizioni **dae** (da), **in** (in), **subra** (sopra), **suta** (sotto), ecc.

In latino si usa la preposizione **in + accusativo** per il moto all'interno di un luogo e la preposizione ***ad*** o ***sub*** **+ accusativo** per il moto diretto ad un luogo. Con nomi di città o di isole minori il complemento di moto a luogo si esprime con l'**accusativo semplice**. Esempi:

in s'acampamentu pagu in antis a s'acàpiu sou benit =
***in** castr**a** paulo ante a suis capta pervenit;*
(**nel**l'accampamento poco prima della sua presa venne)[50].

in abba durche o salida intrant pisches **in** bidda =
*in aqua dulci aut salsa inclusos habent pisces **ad** vill**am**;*
(in acqua dolce o salata entrano pesci **nel** villaggio)[51].

43 Marcus Tullius Cicero, *Orationes - Philippicae*, II, 12.
44 Marcus Valerius Martialis, *Epigrammaton*, Liber XI, 50.
45 Lucius Annaeus Seneca, *Naturales Quaestiones*, Liber III, 9.
46 Titus Livius, *Ab Urbe Condita Libri*, Periochae, 108.
47 Marcus Terentius Varro, *Rerum Rusticarum - De Agri Cultura*, Liber I, 7.
48 Cornelius Nepos, *Liber De Excellentibus Decibus Exterarum Gentium - Alcibiades*, 2.
49 Marcus Tullius Cicero, Orationes - *In Verrem*, Liber II, 126.
50 Quintus Curtius Rufus, *Historiarum Alexandri Magni*, Liber III, 12.
51 Marcus Terentius Varro, *Rerum Rusticarum - De Agri Cultura*, Liber III, 3.

a su riu matessi lupu e angione sunt bènnidos =
***ad** rivum eundem lupus et agnus venerant;*
(**al** fiume ugualmente lupo e agnello sono venuti)[52].

ca de miseràbile massimu cun Cassiu **a** Roma benit =
*quam maxime miseràbili cum Cassio Roma**m** venit;*
(perché da grande miserabile è venuto **a** Roma con Cassio)[53].

- Il **complemento di moto da luogo** indica il luogo da cui si sta tornando o da cui muove l'azione e risponde alla domanda **dae ube?** (da dove?). Il complemento di moto da luogo è introdotto dalla preposizione **dae** (da).

In latino il complemento di moto da luogo si esprime con le preposizioni: **a/ab + ablativo** se c'è allontanamento; **e/ex + ablativo** se c'è un'uscita da un luogo chiuso a un luogo aperto; **de + ablativo** se il moto avviene dall'alto verbo il basso. Con nomi di città o di isole minori si utilizza l'**ablativo semplice**.
Esempi:

medas basos dat a tie **dae** Roma = *tantum dat tibi Romā basiorum;*
(molti baci da a te **da** Roma)[54].

dae domo sua est bessidu. = *eius domu sua eiecit* (**da**lla sua casa è uscito)[55].

gasi cun sas primas libras **dae** su muru =
*ut in prioribus libris **de** muro* (così con le prime libbre **da**l muro)[56].

- Il **complemento di moto attraverso il luogo** indica il luogo che si sta attraversando o attraverso cui si sta compiendo l'azione e da risposta alla domanda **peri ube?** (attraverso dove?), **peri cale logu?** (attraverso quale luogo?). Il complemento di moto attraverso il luogo è introdotto in sardo quasi sempre dalla preposizione **peri** (***per*** in latino). Esempio:

peri tota sa tzitade = ***per** tota**m** civitate**m*** (**attraverso** tutta la città)[57].

In latino il moto attraverso il luogo si esprime con la preposizione **per + l'accusativo** o con l'**ablativo senza preposizione**. Questo ablativo si usa anche con nomi che indicano strade, ponti, vie e porte. Esempio:

peri Oricu (tzitade) dae s'Epiru benit = ***per** Epiru**m** Oricum venit;*
(viene dall'Epiro **attraverso** Orico)[58].

minore est pro a mie sa domo, ma **peri** sa gianna aberta = *parva mihi domus est, sed ianu**ā** apert**ā**;*
(è piccola per me la casa, ma **con** la porta aperta)[59].

Quando il nome della città diventa apposizione ad un nome comune, si utilizza la preposizione seguita dall'ablativo. Esempio:

dae sa parte de sa tzitade de Utica = ***ex** part**e** ips**o** oppid**o** Utica* (**da**lla parte della città di Utica)[60].

non **dae** domo in domo in totue cheret chircada = *non **ex** dom**o** dom**o** tota quaerenda;*
(non **di** casa in casa deve essere cercata)[61].

52 Gaius Iulius Phaedrus, *Fabularum Phaedri*, Liber I, *Lupus et Agnus*.
53 Gaius Sallustius Crispus, *Bellum Iugurthinum*, 33.
54 Marcus Valerius Martialis, *Epigrammaton*, Liber XII, 59.
55 Marcus Tullius Cicero, *Orationes - Philippicae*, II, 45.
56 Marcus Vitruvius Pollio, *De Architectura*, Liber VI, 8.
57 Gaius Petronius Arbiter, *Satyricon*, 8.
58 Titus Livius, *Ab Urbe Condita Libri*, Liber XXXIV, 52.
59 Celius Firmianus Symphosius, *Symphosii scholastici Aenigmata*, 25.
60 Gaius Iulius Caesar, *De Bello Civili*, Liber II, 25.
61 Marcus Tullius Cicero, *Rhetorica, De Officiis*, Liber I, 139.

- Il **complemento di luogo figurato** non indica un luogo reale ma un luogo immaginario. Esempio:

deos irridende fintzas **peri** su giogu = *etiam **per** iocum deos inridens;*
(dei irridenti anche **attraverso** il gioco)[62].

17.3.8 IL CASO ABLATIVO

L'**ablativo** regge alcuni complementi con funzione strumentale sociativa: causa (prae + ablativo), modo, tempo (determinato e continuato), compagnia, abbondanza, mezzo, qualità, limitazione, origine, ecc.

L'**ablativo assoluto** latino è soggetto della frase subordinata e corrisponde alla forma sarda del gerundio. Si dice "assoluto" perché sintatticamente non è collegato alla frase reggente. Esempio di ablativo assoluto con il participio presente dei verbi transitivi:

defendende dae niunu in armas in tamen pigare esseret difitzile =
***defendente** nullo tamen armati ascendere esset difficile;*
(**difendenti da** nessuno in armi nonostante salire fosse difficile)[63].

Entrano a fare parte dell'ablativo i complementi sostenuti dalla preposizione **da**, che indica moto da luogo, origine. Esempio:

sa mascella **dae** su logu est mòvida = *maxilla loco movetur;*
(la mascella **da**l luogo è mossa)[64].

I nomi propri di città o di isole minori e il sostantivo *humus* (terra) vogliono il locativo con la terminazione ***-ai*** per la prima declinazione e ***-i*** per la seconda. Esempio:

chi fiant assìduos **de** Roma = *qui Rom**ae** erant adsidui*;
(che erano assidui di Roma)[65].

17.3.9 IL COMPLEMENTO DI TEMPO

Il **complemento di tempo** indica quando succede un'azione o quanto tempo dura e da risposta alle domande **cando?** (quando?), **in cale momentu?** (in quale momento?), **pro cantu?** (per quanto?), **pro cantu tempus?** (per quanto tempo?). Il complemento di tempo in sardo è diviso in due parti: **complemento di tempo determinato** e **complemento di tempo continuato.**

Il primo si adopera per indicare il momento giusto di quando un fatto o un evento accade ed è introdotto dalle preposizioni: **a** (a), **de** (di), **in** (in), **peri** (attraverso), **intre** (tra), ecc.

Il secondo si usa per indicare la durata di un evento o di un fatto ed è introdotto dalle preposizioni: **pro** (per), **dae** (da), **in** (in), e dalle locuzioni: **a pustis de** (dopo che), **in antis de** (prima di), **finas a** (fino a).

In latino il tempo che indica un momento esatto si esprime con l'**ablativo semplice**, mentre il tempo che indica un fatto accaduto si esprime con la preposizione **in + ablativo**. Il tempo continuato, invece, si indica con la preposizione **per + accusativo**. Esempi:

comente sos Britannos **in** tempos issoro tzertos = *vel Britanni eorumque certi**s** tempor**ibus;***
(come, per esempio, i Britanni e i loro certi tempi)[66].

chi **in** sos annos IX a pustis sou fiat Cònsule = *qui annis IX post eum fuit Consul;*
(che **ne**gli anni IX dopo di lui era stato Console)[67].

62 Marcus Tullius Cicero, *Rhetorica - De Natura Deorum*, Liber II, 7.
63 Aulus Hirtius, *De Bello Gallico*, Liber VIII. 33.
64 Aulus Cornelius Celsus, *De Medicina*, Liber VII, 12.
65 Marcus Tullius Cicero, *Pro Roscio Amerino*, 81.
66 Marcus Tullius Cicero, *Rhetorica - De Natura Deorum*, Liber III, 24.
67 Marcus Tullius Cicero, *Rhetorica - Brutus*, 61.

triùnviru de sa costitu[b]enda Repùblica fia **peri** contìnuos deghe annos =
triunvirum Rei Publicae costituendae fui ***per*** *continu**os** ann**os** decem;*
(triunviro della costituenda Repubblica sono stato **per** continui dieci anni)[68].

17.3.10 IL COMPLEMENTO DI QUANTITÀ O MISURA

Il **complemento di quantità** indica la quantità o la misura di una cosa e da risposta alla domanda ***cantu?*** (quanto?), ***de cantu?*** (di quanto?). Il complemento di quantità in sardo è introdotto dalla preposizione **de**. In latino il complemento di quantità è espresso generalmente dall'ablativo, ma anche dal genitivo:

de fatu sos acampamentos non atesiaiant unu cun s'àteru prus **de** duamìgia pedes =
non enim amplius pedum milibus ***duobus*** *ab castris castra distabant;*
(infatti gli accampamenti non distavano tra loro più di duemila piedi)[69].

chi aizu esserent istados **de** deghe sestèrtzios = *quae vix fuissent decem sestert**iōrum;***
(che poco fossero stati **di** dieci sesterzi)[70].

17.3.11 IL COMPLEMENTO DI MATERIA

Il **complemento di materia** indica di cosa è fatta una materia e da risposta alla domanda **de ite cosa?** (di che cosa?), **de cale matèria?** (di quale materia?). Il complemento di materia in sardo è introdotto dalle preposizioni **de** e **in**. In latino il complemento di materia si forma con le preposizioni **e/ex** + **ablativo**:

ma su simulacru **de** linna = *sed* ***ex*** *lign**o** simulacrum* (ma il simulacro **di** legno)[71].

17.3.12 IL COMPLEMENTO DI ARGOMENTO

Il **complemento di argomento** indica di quale questione si parla o si scrive e risponde alle domande: **subra chie?** (sopra chi?), **subra ite?** (sopra cosa?), **regardu a chie?** (riguardo a chi?, **a propòsitu de ite?** (a proposito di cosa?). Il complemento di argomento in sardo è introdotto dalle preposizioni **de** (di), **subra** (sopra) e dalle locuzioni **a propòsitu de** (a proposito di), **regardu a** (riguardo a), ecc.
In latino il complemento di argomento si costruisce con la preposizione **de + ablativo**. Esempio:

de pudore pronùntziat = ***de*** *pudor**e** pronuntiat* (parla **di** pudore)[72].

su libru **de** sa vida de issu at retzitadu = *librum* ***de*** *vit**a** eius recitavit* (il libro **de**lla vita lui ha recitato)[73].

17.3.13 IL COMPLEMENTO DI MEZZO

Il **complemento di mezzo** indica la persona o la cosa per mezzo delle quali si compie un'azione e da risposta alla domanda **pro mesu de chie?** (per mezzo di chi?), **pro mesu de ite?** (per mezzo di cosa?). Il complemento di mezzo è introdotto in sardo dalle preposizioni **cun** (con), **peri** (per, attraverso) e dalle locuzioni **pro mesu de** (per mezzo di), **pro neghe de** (per colpa di), ecc.

In latino il complemento di mezzo si fa con l'**ablativo** per le cose o con la preposizione **per + accusativo** (se il complemento è tenuto da persone, con volontà altrui). Esempio:

68 Gaius Iulius Caesar Octavianus Augustus, *Res Gestae*, II, 7.
69 Gaius Iulius Caesar, *De Bello Civili*, Liber I, 82.
70 Gaius Petronius Arbiter, *Satyricon*, 30.
71 Lucius Apuleius Madauresis (Saturninus), *Apologia (De Magia)*, 65.
72 Marcus Fabius Quintilianus, *Declamationes Maiores - Declamatio Maior*, XXII, 5.
73 Gaius Plinius Caecilius Secundus (su giòvanu), *Epistularum Libri Decem*, Liber IV, 7.

non **pro mesu de** sos coeredes pedit = *non cohered**ibus** petit* (non **per mezzo de**i coeredi chiede)[74].

Sufache **peri** C. Laelius e Masinissa at acapiadu = *Syphacem **per** C. Laelium et Masinessam cepit;* (Syface **attraverso** Laelius e Masinissa ha preso)[75].

17.3.14 IL COMPLEMENTO DI MANIERA O DI MODO

Il **complemento di maniera** o **di modo** indica la maniera che si usa per compiere un'azione o il modo di essere e da risposta alla domanda **in cale manera?** (in quale maniera?), **comente?** (come?). Il complemento di maniera è introdotto in sardo quasi sempre dalle preposizioni **a** (a), **de** (di), **in** (in), **cun** (con) e dalle locuzioni **in manera chi** (in maniera che), **a manera de** (in modo di).

In latino il **complemento di maniera** o **di modo** si costruisce con la preposizione **cum + ablativo**. Se, invece, il complemento è seguito da un aggettivo, la preposizione **cum** si può omettere o porre in mezzo tra l'aggettivo e il sostantivo. Esempio:

isetada in antis cun disìgiu e como fintzas **cun** timore o apretu =
*exspectatas ac primo quidem cum desiderio, nunc vero etiam **cum** timore;*
(aspettata prima con desiderio e ora anche **con** timore o apprensione)[76].

cun turpe frode at innòdidu = *turpi fraude semel innotuit* (**con** turpe frode una volta ha reso noto[77].

17.3.15 IL COMPLEMENTO DI COMPAGNIA O UNIONE

Il **complemento di compagnia** indica la persona o la cosa che si trova insieme a chi o a cosa compie l'azione e da risposta alla domanda **cun chie?** (con chi?), **cun ite?** (con cosa?), **umpare a chie?** (insieme a chi?), **umpare a ite?** (insieme a cosa?).

Il complemento di compagnia in sardo è introdotto dalla preposizione **cun** (con) e dalla locuzione **umpare a** (insieme a).

In latino il complemento di compagnia si costruisce con la preposizione **cum + ablativo**. Con i pronomi di persona la preposizione **cum** si aggiunge dopo l'**ablativo**. Esempio:

istat **cun** su milite = *stat **cum** milite* (sta **con** il milite)[78].

sa giusta roba **cun megus** tenes = *iuxta rem **mecum** tenes* (la giusta cosa **con me** tieni)[79].

17.3.16 IL COMPLEMENTO DI FINE O DI SCOPO

Il **complemento di fine** o **di scopo** indica il fine o lo scopo utilizzati per compiere un'azione e da risposta alla domanda **pro cale fine?** (per quale fine?), **pro ite?** (per cosa?).

Il complemento di fine o di scopo in sardo è introdotto prevalentemente dalle preposizioni **pro** (per), **a** (a), **de** (di) e dalle locuzioni **cun s'iscopu de** (con lo scopo di).

In latino il complemento di fine o di scopo è introdotto: dalla preposizione **ad + accusativo**; dal **dativo**, dal **genitivo** seguito da **causa** o **grazie**. Esempi:

a cussa congiura che a cussa atzione nefasta atzederent =
***ad** istam coniugation**em** atque **ad** hoc nefari**um** facinus accederent;*
(**a** quella congiura come **a** quella azione nefasta accederono)[80].

---

74 Marcus Tullius Cicero, *Orationes - Pro Roscio Comodeo*, 55.
75 Titus Livius, *Ab Urbe Condita Libri*, Periochae, 30.
76 Marcus Tullius Cicero, *Epistulae - Ad Quintum - Ad Quintem Fratrem*, II, 6.
77 Gaius Iulius Phaedrus, *Fabularum Phaedri*, Liber I, *Lupus et Vulpes Iudice Simio*.
78 Titus Maccius Plautus, *Miles Gloriosus*, IV, 7.
79 Titus Maccius Plautus, *Aulularia*, IV, 7.
80 Marcus Tullius Cicero, *Orationes - Pro Sulla*, 60.

custu nùmene **a** pane e polenta damus = *hoc nomen pani et polent**ae** damus;*
(questo nome **a** pane e polenta diamo)[81].

sa giusta càusa **de** sas fèminas cun sos prus potentes beros òmines =
*aequa **causa** femin**ae** viris potiores;*
(la **giusta** causa delle donne con i più potenti veri uomini)[82].

17.3.17 IL COMPLEMENTO DI CONVENIENZA O VANTAGGIO

Il **complemento di convenienza** indica a chi conviene concludere una determinata azione o a chi spetta farla e risponde alla domanda **a chie cumbenit?** (a chi conviene?), **a chie tocat?** (a chi spetta?).

Il complemento di convenienza è introdotto in sardo dalle locuzioni **est dovere de** (è dovere di), **tocat de** (occorre che), **est còmpitu de** (è compito di), **cumbenit a** (conviene a), ecc.

In latino il complemento di convenienza si forma: con il **dativo**; con la preposizione **pro + ablativo** se vuole dire "in difesa di", per chi è svantaggiato; con **contra + accusativo** o **in + accusativo** se significa "contro di [...]".

Esempi:

bene meda cumbenit **a** sos improbos caghineris = *pulchre convenit improb**is** cinaed**is**;*
(molto bene conviene **a**gli improbi invertiti)[83].

sàmbene **pro** sa pàtria isfundent = *sanguinem **pro** patriā profundunt* (sangue **per** la patria versano)[84].

contra natura sunt = ***contra** naturam sunt* (sono **contro** natura)[85].

17.3.18 IL COMPLEMENTO DI ORIGINE

Il **complemento di origine** indica da chi o da cosa ha origine l'azione e da risposta alla domanda **dae chie?** (da chi?), **dae ite?** (da cosa?), **dae ube?** (da dove?). Il complemento di origine è introdotto in sardo dalle preposizioni **de** (di) e **dae** (da), semplici o con l'articolo.

In latino il complemento di origine si tiene con la particella **e/ex** (da) o con le preposizioni **a/ab** (a) e **de** (di) **+ ablativo**. La preposizione non si usa se il complemento è rivolto a familiari. Esempio:

dae s'interis deviat = ***ex** itinere deflectat* (**dal**l'itinere doveva)[86].

de Troia chi a primu **dae** oros de s'Itàlia = *Troiae qui primus **ab** or**is** Italiam;*
(di Troia che prima **dal**l'estrema Italia)[87].

acàpiet **dae** bìrghine porca = *capiat **de** virgine porca*
(prenda **da** vergine porca)[88].

Il sostantivo latino ***audacia***, mostrato nell'esempio in alto, è composto dal prefisso ***haud***, che vuol dire **per niente**, e ***acia***, che significa in sardo **atza** (cori-aceo = dal cuore o dalla pelle forte). **Atza**, **ata** in logudorese, è il filo della lama o anche della mano (a ata de manu = a filo di mano). Pertanto il significato completo della parola diventa "essere **atzudu**", in italiano "essere ***aud-ace***".

17.3.19 IL COMPLEMENTO DI CAUSA

Il complemento di causa indica il complemento che esprime la causa espressa dal verbo e risponde alla domanda: **pro cale motivu**? (per quale motivo?),

81 Lucius Annaeus Seneca, *Epistulae Morales - Ad Lucilium*, liber V, 45.
82 Aulus Gellius, *Noctes Atticae*, 13.
83 Gaius Valerius Catullus, *Carmina Catulli*, Liber I, 57.
84 Marcus Tullius Cicero, *Rhetorica - De Finibus*, Liber II, 60.
85 Lucius Apuleius Madauresis (Saturninus), *De Dogmate Platonis*, Liber II, 16.
86 Gaius Plinius Caecilius Secundus (su giòvanu), *Epistularum Libri Decem*, Liber VII, 16.
87 Publius Virgilius Maro, *Eneide*, Liber I, 0.
88 Marcus Valerius Martialis, *Epigrammaton*, Liber XIII, 56.

pro neghe de chie? (per colpa di chi?). La causa può essere dovuta al soggetto (interna), a altra persona estranea al soggetto (esterna), oppure può essere "impediente" quando non si avvera la causa.

In latino il complemento di causa si forma con l'**ablativo semplice** quando la causa è dovuta al soggetto (interna); dalla preposizione ***ob*** o ***propter*+accusativo** quando la causa è dovuta a persona che non è il soggetto; dalla preposizione ***prae*+ablativo** per la causa impediente. Esempi:

o **cun** ferru o **cun** fàmene interrent = *aut ferro aut fame intereant* (**con** ferro o **con** fame interrino)[89].

lussuriosos **contra** sa càusa sua = *luxuriosos **ob** eam ipsam causam* (lussuriosi **contro** la sua causa)[90].

oblitas **pro neghe de** gosu decorosu = *oblitae **prae** gaudio decoris* (diffami **per** piacere decoroso)[91].

17.3.20 IL COMPLEMENTO DI QUALITÀ

Il **complemento di qualità** dice la qualità espressa dal verbo e da risposta alla domanda: **de cale calidade**? (di quale qualità?). In sardo il complemento di qualità è introdotto dalla preposizione **de** (di).

In latino il complemento di qualità è introdotto dal **genitivo**, per indicare una qualità morale, e dall'**ablativo**, per indicare una qualità fisica. Esempi:

Publius Suillius, medas e **de** atza emulos de issu = *Publius Suillius, multique audaci**ae** eius aemuli;*
(Publio Suillio, molti e **di** audacia emuli di lui)[92].

tenende isplendente s'ispiga **de** s'istedda = *spicum inlustre tenens splendenti corpor**e** virg**o**;*
(tenendo splendente la spiga - stella - **de**lla costellazione **de**lla vergine)[93].

17.4 ALTRI COMPLEMENTI

- Il **complemento di agente** e di **causa efficiente** indica il complemento con cui si compie l'azione nella forma passiva del verbo. In latino, quando il complemento è una persona o un essere animato (agente), si usa la preposizione **a, ab** + **ablativo**. Esempio:

su regnu **dae** Antoni a Herode dadu = *regnum **ab** Antoni**o** Herodi datum;*
(il regno dato **da** Antonio a Erode)[94].

Quando, invece, il complemento è una cosa o un essere inanimato (causa efficiente) si usa l'**ablativo semplice**. Esempio:

ma belle gasi in una tzitade bìnchida = *sed velut in urb**e** victa;*
(ma quasi in una città vinta)[95].

- Il **complemento di allontanamento** o **di divisione** indica allontanamento da un luogo o divisione di una cosa. In latino questo complemento sostiene i verbi che indicano allontanamento o divisione ed è composto da **a/ab + ablativo**, ma anche da **e, ex, de + ablativo**. Esempio:

chi pro tantu **dae** fora lassat in segus s'immàgine = *quod foris relinquit **ab** imagin**e**;*
(che pertanto **da** fuori lascia dietro l'immagine)[96].

89 Gaius Iulius Caesar, *De Bello Gallico*, Liber V, 30.
90 Marcus Tullius Cicero, *Rhetorica - De Finibus*, Liber II, 22.
91 Titus Livius, *Ab Urbe Condita Libri*, Liber IV, 40.
92 Publius Cornelius Tacitus, *Annales*, Liber XI, 5.
93 Marcus Tullius Cicero, *Rhetorica - De Natura Deorum*, Liber II, 110.
94 Publius Cornelius Tacitus, *Historiae*, Liber V, 9.
95 Publius Cornelius Tacitus, *Annales*, Liber I, 41.
96 Augustinus Hipponensis, *De Trinitate*, Liber X, 8.

- Il **complemento di margine** (limitazione) indica il confine entro cui una persona si muove o si distingue. In latino il complemento di limitazione o margine è tenuto dall'**ablativo** semplice.

fiat meda inferiore **de** nùmeru sa nave = *erat multo inferior numer**o** navium;*
(era molto inferiore **di** numero la nave)[97].

- Il **complemento di abbondanza** indica il bene che uno tiene in abbondanza. In latino questo complemento vuole l'**ablativo** e regge verbi quali: abbondo, riempio, ecc. Esempio:

de largu sucu abbundant = *largo suc**o** abundant* (**di** largo succo abbondano)[98].

- Il **complemento di stima** o di **disistima** indica la stima o la disistima che una persona tiene. In latino questi complementi vengono accompagnati dagli aggettivi "dignus" e "indignus" e vogliono l'**ablativo**. Esempio:

e custu pitzinnu dinnu **de** nùmene = *et puer hoc dignus nomin**e*** (e questo ragazzo degno **di** nome)[99].

- Il **complemento di colpa** e **di pena** indica la colpa o la pena di cui una persona è accusata. Il complemento di colpa o pena si costruisce in latino con **a/ab** + **ablativo**. Esempio:

Clodius **dae** su pòpulu est cundennadu = *Clodius **a** popul**o** condemnatus est*
(Clodio **da**l popolo è condannato)[100].

- Il **complemento di parte** indica la parte che una persona tiene e in latino si esprime con **a/ab** + **ablativo**. Esempio:

massimamente **dae** parte destra = *maxime **a** dextera part**e*** (prevalentemente **da**lla parte destra)[101].

- Il **complemento di vocazione** indica il momento in cui una persona ne invoca un'altra per qualcosa. Questo complemento è espresso in latino con l'ablativo. Esempio:

agiuda·mi **cun** cossìgiu, si podes = *iuva me consili**o**, si potes* (aiutami **con** consiglio, se puoi)[102].

- Il **complemento di paragone**, che abbiamo già visto negli aggettivi e negli avverbi, è espresso in ablativo oppure con la congiunzione *quam* che segue il caso del primo termine.

17.4.1 IL VOCATIVO

Il vocativo è un caso particolare, che non ha corrispondenze nei complementi e che si usa quando si [**ab**]-**bòchinat**, vale a dire si chiama = ***ab vocat*** qualcuno (a voce alta), o quando si invoca una persona. Il vocativo è l'emblema della Sardegna dei nostri giorni e, grazie al latino, ci riporta indietro di migliaia di anni. Ancora oggi possiamo chiamare qualsiasi personalità del mondo della cultura, della politica o dello spettacolo con un semplice "o", chi ti credi di essere? E riportarlo alla dimensione terrena.

In sardo il vocativo è ancora impiegato come quello latino e il nome chiamato in causa viene preceduto dalla vocazione "**o**". Esempio: **o** Chèsare = ***o** Caesar* (o Cesare).

donnu deus meus! = *domine Deus meus!* (padrone Dio mio!)[103].

97 Gaius Iulius Caesar, *De Bello Civili*, Liber I, 57.
98 Gaius Plinius Secundus (su betzu), *Naturalis Historia*, Liber XXIII, 70.
99 Marcus Valerius Martialis, *Epigrammaton*, Liber II, 2.
100 Marcus Tullius Cicero, *Rhetorica - De Natura Deorum*, Liber II, 7.
101 Gaius Plinius Secundus (su betzu), *Naturalis Historia*, Liber XXVIII, 25.
102 Marcus Tullius Cicero, *Epistulae - Ad Atticum*, VII, 21.
103 Augustinus Hipponensis, *Confessiones*, Liber IV, 21.

18. ANALISI LOGICA DEL PERIODO

La grammatica chiama **proposizione** ogni frase composta da un solo predicato. Una proposizione da sola o più proposizioni insieme che terminano con il punto si dicono **periodo**. Il periodo è una frase compiuta formata da una o più proposizioni legate tra loro.

Per riconoscere le proposizione all'interno di un periodo, dobbiamo trovare i predicati.

18.1 FRASI ESPLICITE E FRASI IMPLICITE

Quando in sardo troviamo un verbo all'indicativo, al congiuntivo, al condizionale e all'imperativo sappiamo che la frase è **esplicita**. Quando invece le frasi sono espresse in modo **implicito** troviamo i verbi di modo indefinito con l'infinito, il participio e il gerundio.

Anche in latino la forma della proposizione può essere esplicita e implicita, ma con strutture differenti a seconda del tipo di proposizione.

Quando il verbo di modo indefinito può essere scambiato con uno di modo finito, anche il verbo all'infinito, al gerundio o al participio indica una proposizione. Esempio:

ti cramo pro **ti cumbidare** a bustare = ti chiamo per **offrirti** il pranzo.

Questa frase contiene due proposizioni: una di modo finito e una di modo indefinito. La proposizione espressa con il verbo indefinito (cumbidare = offrire) può essere mutata in modo finito:

ti cramo in manera chi ti **cùmbide** = ti chiamo in maniera che ti **offra il pranzo**.

Quando un verbo è preceduto da un verbo servile: pòdere (potere), chèrrere / bòlere (volere), ischire (sapere), dèpere (dovere), ecc., i due verbi insieme formano un solo predicato e pertanto una sola proposizione. Esempio:

ti **depo contare** una fàbula = ti **devo raccontare** una fiaba.

La stessa cosa vale per i verbi fraseologici: istare (stare), andare (andare), lassare (lasciare), ecc.). Esempio:

so andende a domo = **sto andando** a casa.

18.2 LE PROPOSIZIONI PRINCIPALI E QUELLE SUBORDINATE

Si dice **proposizione principale** quella frase che non dipende da altre frasi, tiene un senso compiuto e può per questo stare da sola.

Si dice **proposizione subordinata** quella frase che dipende da un'altra per compiere il suo senso e pertanto non può stare da sola.

La prima frase, quella principale, si chiama **indipendente**, la seconda, quella subordinata, **dipendente**.

Qui troviamo due proposizioni indipendenti, poiché ognuna può rimanere da sola rispetto all'altra e avere un senso compiuto:

oje benit Giulia e mandigamus cariasa = oggi viene Giulia e mangiamo ciliegie.

Se invece dico:

oje benit Giulia pro mandigare cariasa = oggi viene Giulia per mangiare ciliegie.

troviamo due proposizioni, una principale o reggente:

oje benit Giulia = oggi viene Giulia;

e una subordinata:

pro mandigare cariasa = per mangiare ciliegie.

La subordinata, come si vede, non può stare da sola senza la proposizione principale.

Occorre stare attenti, poiché non sempre la proposizione principale si trova all'inizio della frase. Nel caso rappresentato sotto, la principale si trova in secondo luogo:

sigomente benit Giulia, oje mandigamus cariasa = siccome viene Giulia, oggi mangiamo ciliegie.

In altri casi la subordinata può stare in mezzo:

Giulia, pro mandigare cariasa, est bènnida a domo = Giulia, per mangiare ciliegie, è venuta a casa.

18.3 LA STRUTTURA DEL PERIODO

Quando un periodo è formato da diverse proposizioni, che hanno un senso compiuto (principali), troviamo una **coordinazione** o **paratassi**. In questo caso diciamo che quelle che seguono la prima si dicono principali coordinate alla prima.

Quando invece troviamo una frase del tipo:

Claudia est bènnida a domo, tocadu mesudie, chi sas campanas aiant sonadu =
Claudia è venuta a casa, toccato mezzogiorno, che le campane avevano suonato.

Diciamo che: "Claudia est bènnida a domo = Claudia è venuta a casa" è la frase **principale**; che mantiene la **subordinata** o **ipotassi** "tocadu su mesudie = toccato mezzogiorno", detta **di 1° grado**; e che da questa dipende la proposizione "chi sas campanas aiant sonadu = che le campane avevano suonato", chiamata per questo **subordinata di 2° grado**.

18.3.1 VARIE FORME DI STRUTTURA

Il legame tra proposizione principale e proposizione coordinata alla principale si dice "**orizzontale**", perché la proposizione principale va sulla stessa linea della coordinata alla principale.

Il legame tra proposizione principale e subordinata di 1° e di 2° grado si dice "**verticale**", se una proposizione dipende dall'altra che regge.

18.4 TIPI DI PROPOSIZIONI INDIPENDENTI

Le **proposizioni indipendenti** si distinguono per lo scopo che hanno, e sono:

1. **dichiarativa** (Apo cramadu a Giulia = Ho chiamato Giulia);
2. **interrogativa** (Cramada l'as a Giulia? = Hai chiamato Giulia?);

Le proposizioni interrogative hanno il verbo nel modo indicativo o congiuntivo e sono introdotte da pronomi o aggettivi interrogativi.

In latino le proposizioni interrogative possono essere anche introdotte da particelle interrogative disgiuntive, come il suffisso ***-ne***; dalla particella ***nonne***, quando si vuole ottenere una risposta affermativa; dalla particella ***num*** quando si vuole ottenere una risposta negativa.

3. **esclamativa** (Làstima, no as cramadu a Giulia! = Peccato, non hai chiamato Giulia!);

4. **imperativa** (Crama lu[b]ego a Giulia = Chiama subito Giulia);
5. **desiderativa** (Diat èssere mègius a cramare a Giulia = Sarebbe meglio chiamare Giulia);
6. **esortativa** (Ajò! Crama a Giulia! = Dai! Chiama Giulia);
7. **dubitativa** (Ma, cramada l'as a Giulia? = Ma, hai chiamato Giulia?);
8. **potenziale** (Depes cramare a Giulia = Devi chiamare Giulia);
9. **concessiva** (No isco si faghes bene, ma depes cramare a Giulia = Non so se fai bene, ma devi chiamare Giulia).

18.4.1 COME RICONOSCERE I DIVERSI TIPI DI COORDINAZIONE

Esistono **due tipi di coordinazione**: quello per **asindeto** (dal greco *asỳndeton* = senza collegamenti) e la coordinazione per **polisindeto** (dal greco *polisỳndeton* = con molti collegamenti).

- Si ha la **coordinazione** per **asindeto** quando le proposizioni sono legate e distinte dalla virgola, dal punto, dai due punti e senza alcuna congiunzione:

so bènnidu, apo bidu, apo bìnchidu = *veni, vidi, vici* (sono venuto, ho visto, ho vinto)[1].

- Si ha la **coordinazione** per **polisindeto** quando le proposizioni sono legate per mezzo di congiunzioni coordinanti. In questo caso, le proposizioni coordinate prendono il nome della congiunzione che le mette insieme. Pertanto si distinguono vari tipi di coordinate per polisindeto, che si elencano qui sotto.

- **Proposizioni copulative affermative**: in sardo sono unite dalle congiunzioni **e** (e), **fintzas** (anche), **in prus** (in più), **antzis** (anzi). In latino la coordinazione copulativa più comune è data dalla congiunzione ***et*** (e). Esempio:

esseret instrughidu **e** esseret ornadu = *instruxisset* ***et*** *ornavisset* (fosse o sarebbe istruito **e** ornato)[2].

Le altre sono: ***atque*** e ***ac***, che servono a sottolineare la prima proposizione o la parola che segue. ***Ac*** non viene utilizzata prima di parole che incominciano per vocale o per **h**, **c**, **g**; mentre ***atque*** si usa davanti a parole che cominciano per vocale. Esempi:

atza **gasichi** machine = *audacia* ***atque*** *amentia* (audacia **cosicché** pazzia)[3].

imbetzes mannu at a èssere gasi **che** tristu = *autem magnus esse idem* ***ac*** *maestus;*
(invece grande sarà così **come** triste)[4].

Sia in sardo che in latino, quando c'è una congiunzione, la persona che scrive si mette prima, mentre in italiano si pone al secondo posto. Esempio:

Gracu **e** issu cunflighent = *Gracchus* ***et*** *ipse confligint* (Gracco **ed** egli confliggono)[5].

- **Proposizioni copulative negative**: sono unite in sardo dalle congiunzioni **ne/nen** (né), **non** (non), **nemmancu** (nemmeno). In latino la coordinazione copulativa negativa viene espressa con ***neque*** (non) o ***nec*** (né/nen, non), quando la negazione riguarda tutta la proposizione, e con ***et non*** o ***ac non*** (non), quando la negazione è diretta ad un termine specifico. La copulativa negativa sarda "**nemmancu**" si ottiene in latino con ***ne + parola + quidem***. Esempi:

nen che a custu nostru institutum pertocat = ***neque*** *ad hoc nostrum institutum pertinet;*
(**né come** al nostro istituto è pertinente)[6].

1 Gaius Svetonius Tranquillus, *De Vita Caesarum - Divus Iulius*, 37.
2 Marcus Tullius Cicero, *Orationes - In Verrem* - Liber IV, 40.
3 Marcus Tullius Cicero, *Orationes - In Verrem*, Liber I. 54.
4 Lucius Annaeus Seneca, *De Clementia*, Liber II, 5.
5 Flavius Eutropius, *Breviarium Ab Urbe Condita*, Liber III, 9.
6 Marcus Tullius Cicero, *Rhetorica - De Inventione*, Liber II, 164.

nen sàmbene **nen** su[d]ore = ***nec*** *sanguis* ***nec*** *sudor* (**né** sangue **né** sudore)[7].

ma **nemmancu** at lamentadu = *sed **ne** ingemuit **quidem*** (ma **nemmeno** ha lamentato)[8].

In sardo **neche** / **neghe** vuoi dire "colpa", come il ***nequeo*** latino (non potere), che, non dobbiamo dimenticare, si pronuncia /***necheo***/. Ma ***neque*** è anche la sintesi di ***nen que*** = **nen che** (non), non avere colpa o non potere.

• **Proposizioni disgiuntive**: sono unite dalle congiunzioni **o** (o), **ossiat** (ossia), **puru** (pure), **si nono** (se no, altrimenti). In latino queste copulative disgiuntive sono introdotte da parecchie congiunzioni. Si utilizza ***aut*** (o) per distinguere due elementi che si escludono a vicenda. Esempio:

pro Èrcule netzessàriu est **o** sìmiles **o** dissìmiles = *et Hercule necesse est **aut aut** similes **aut aut** dissimiles;* (per Ercole è necessario **o** simile **o** dissimile)[9].

Si usa ***vel*** (o) quando la distinzione è solo in chi parla. In altre parole, ***aut*** è quello che c'è e distingue due elementi differenti, ***vel*** quello che dovrebbe esserci e serve ad esprimere una sola leggera distinzione. Quando la coordinazione è correlativa *aut*, *vel* e *sine* si ripetono, mantenendo lo stesso significato. Esempio:

sa sorte de s'oràculu **o** at elusu **o** at prenadu = *oraculi sortem **vel vel** elusit **vel vel** implevit;* (la sorte dell'oracolo **o** ha eluso **o** ha riempito)[10].

Si utilizza ***sive*** o ***seu*** (**o** [**si**], **o** [**meglio**]) per chiarire quello che si è detto prima. La parola ***sive***, probabilmente, viene dalla prima persona del congiuntivo presente del verbo essere logudorese, **si**[v]**e** (sia), da cui si è persa la **v** intervocalica, come è accaduto anche in latino con ***siem***. ***Sive*** può fare parte della parlata popolare espressa in sardo-corso con **si v'è** (se c'è), che tiene più o meno lo stesso significato. Esempio:

o siat chi cuddu nèrgiat su beru **o siat** su falsu = ***sive sive*** *ille verum* ***sive sive*** *falsum dicat;* (**o sia** che quello dica il vero **o sia** il falso)[11].

La congiunzione latina ***seu***, se è accompagnata dall'avverbio ***potius*** (piuttosto, preferibilmente, meglio), compone la perifrastica ***seu potius***, che significa "o piuttosto" e può essere tradotta con l'espressione campidanese di ***seu potzu*** (so posso), vale a dire, **si potzo** (se posso). Esempio:

chi tantu sos viventes amant **si cherent** amare = *qui tantum viventes amant **seu potius** amare;* (che tanto i viventi amano **se possono** amare)[12].

• **Proposizioni avversative**: sono unite in sardo dalle congiunzioni **ma** (ma), **peroe** (però), **antzis** (anzi), **a s'imbesse** (al contrario), ecc. In latino la congiunzione **ma** viene tradotta con ***sed***, ***at*** e ***verum***. ***Sed*** è la congiunzione avversativa più comune ed è quasi sempre preceduta o posticipata da una negazione; ***at*** è invece quella più decisa, mentre ***autem*** e ***vero*** sono più deboli. Esempio:

non faghet, non lassat fàghere, **ma** lassat andare = *neque facit, neque agit, **sed** gerit;* (non fa, non lascia fare, **ma** lascia andare)[13].

La coordinazione avversativa si può fare con l'avverbio ***non solum*** = non solu (non solo) in prima proposizione e ***sed etiam*** = ma fintzas (ma anche) in seconda proposizione. Esempio:

torrat a s'òrdine equeste **non solu** dignidade, **ma fintzas** volutuosidade = *equestri ordini restituit **non solum** dignitatem, **sed etiam** voluptatem;* (restituisce all'ordine equestre **non solo** dignità, **ma anche** voluttuosità)[14].

7 Gaius Plinius Secundus (su betzu), *Naturalis Historia*, Liber X, 93.
8 Marcus Tullius Cicero, *Rhetorica - Tusculanae Disputationes*, Liber II, 34.
9 Marcus Fabius Quintilianus, *Istitutiones*, Liber X, 2.
10 Quintus Curtius Rufus, *Historiarum Alexandri Magni*, Liber III, 1.
11 Augustinus Hipponensis, *De Catechizandis Rudibus*, 9.
12 Gaius Plinius Caecilius Secundus (su giòvanu), *Epistularum Libri Decem*, Liber IX, 9.
13 Marcus Terentius Varro, *De Lingua Latina*, Liber VI, 8.
14 Marcus Tullius Cicero, *Orationes - Pro Murena*, 40.

La congiunzione avversativa ***verum*** (beru = vero) è impiegata come ***sed*** (ma), in particolare per distinguere il vero dal falso. Esempio:

mèrito chi a tie amo, **beru** chi deo lu nèrgia = *merito te amo,* ***verum*** *quid ego dicam;*
(merito che ti amo, **vero** che io lo dica)[15].

Le congiunzioni avversative ***autem*** e ***vero*** sono posticipate alla prima parola con cui sono unite. La congiunzione latina ***autem*** corrisponde alla sarda **imbetzes** (invece), mentre la congiunzione latina ***vero*** corrisponde alla sarda **beru** (vero). Esempio:

curret **imbetzes** a su mare de Anemuriu = *decurrit* ***autem*** *ad mare Anemuri;*
(corre **invece** al mare di Anemurio)[16].

chi de a **beru** est? = *quid* ***vero*** *est?* (che dav**vero** è?)[17].

La congiunzione avversativa ***atqui***, pronunciata /**a chi**/, si pone sempre all'inizio della frase. Questa congiunzione la troviamo nella parlata sardo-corsa, **a chi**, e vuol dire **perché** (ma ora, perché) nella risposta, mentre nella domanda abbiamo già visto ***an qui*** (perché?). Esempio:

proite, **ca**, tue gasi iscas = ***atqui*** *ut scias* (**perché** così tu sappia)[18].

La congiunzione avversativa ***immo***, in sardo **emmo** (si, vero), come quella di ***vero***, si trova sempre ad inizio di frase, ed è un'affermazione che presuppone però un mutamento leggero della proposizione reggente. Questa congiunzione viene da ***in mox*** e vuol dire **como** (ora)**, emmo** (certo), in sardo centro settentrionale; **immoi** (ora, certo), in sardo centro meridionale. In sardo la congiunzione **emmo**, quando è avversativa, è seguita da **ma**, **peroe**; in latino ***immo*** è spesso unito con ***certe*** (tzertu = certo), ***etiam*** (fintzas / antzis = anche), ***vero*** (beru est = vero è), ***magis*** (prus = più), ***potius*** (potzu = posso), che ne rafforzano l'espressione. Esempio:

emmo beru, ma [...] = ***immo vero,*** *sed [...];* (**certo vero**, ma [...])[19].

La congiunzione avversativa latina ***tamen***, in sardo **tamen** o **tames** (stante), si trova in latino o da sola o accompagnata da particelle avversativa ***nec tamen, ne tamen*** o ***num tamen***. Ugualmente in sardo è legata ad altre avversative per stemperarne il contenuto, come nel caso di **no in tamen** (nonostante). Esempio:

chi **in tamen** a sa pratza, **nemmancu** a s'iscena connòschidu esseret =
ut ***tamen*** *ad forum,* ***non*** *ad scaenam institutus videretur;*
(che **non solo** alla piazza, ma nemmeno alla scena fosse o sarebbe riconosciuto)[20].

- **Proposizioni dichiarative**: sono unite in sardo dalle congiunzioni **nachi** (dice, dicono), **ossiat** (ossia), **de fatu** (di fatto), **infatis** (infatti), **balet a nàrrere** (vale a dire), ecc. In latino le coordinazioni dichiarative sono composte da parecchie congiunzioni. La congiunzione latina ***nam*** è la più usata in latino e significa "infatti". ***Nam-quis*** corrisponde a quella sarda **nachi**, che vuol dire "**si narat** (si dice) o **narant** (dicono)". Questa congiunzione la troviamo in latino anche nella forma enclitica interrogativa con ***quisnam?*** (nachi? = si dice?), come a dire "beru est? = è vero?". Esempio:

nachi est, chi s'utilidade fu[g]at? = ***nam quis*** *est, qui utilia fugiat?* (**si dice**, che l'utilità fugga)[21]?

Meno frequente in latino è la congiunzione ***namque***, composta da ***nam + que***, che per lo più si trova ad inizio di frase. Se ***namquis*** la troviamo nelle coordinazioni dichiarative interrogative, ***namque*** si incontra spesso in quelle affermative, vale a dire a confermare quello si è detto nella frase precedente. Esempio:

---

15 Publius Terentius Afer, *Adelphoe*, Actus V, Scaena VIII.
16 Gaius Plinius Secundua (su betzu), *Naturalis Historia*, Liber V, 23.
17 Marcus Tullius Cicero, *Rhetorica - De Officiis*, Liber III, 101.
18 Lucius Annaeus Seneca, *De Beneficiis*, Liber IV, 11.
19 Marcus Tullius Cicero, *Rhetorica - De Officiis,* Liber III, 90.
20 Marcus Tullius Cicero, *Rhetorica - Brutus*, 203.
21 Marcus Tullius Cicero, *Rhetorica - De Officiis*, Liber III, 101.

nachi cudda superiore Aristomaca, sorre de Dione, at àpidu in matrimòniu = ***namque*** *ille superior Aristomachen, sororem Dionis, habuit in matrimonio;* (**si è detto** che quella superiore Aristomaca, sorella di Dione, ha avuto in matrimonio)[22].

La congiunzione latina ***enim*** tiene lo stesso significato di ***nam***, ma la sua posizione non si trova all'inizio della frase. ***Enim*** si può trovare insieme ad altre congiunzioni, come ***at enim***, che in sardo si può tradurre con espressioni quali "**a benis chi** [...]", ovverosia "**cheres bìdere chi** [...] = vuoi vedere che [...]". Esempio:

cheres bìdere chi giai narades [...] = ***at enim*** *iam dicitis [...];* (**vuoi vedere** che già dite [...])[23].

La congiunzione latina ***etenim***, al contrario di ***enim***, si trova quasi sempre all'inizio di frase e vuol dire "**e de fatu** = e di fatto / e infatti ". Esempio:

e de fatu chi faghet mannos gosos = ***etenim*** *quae facit magna gaudia* (**e di fatto** che fa grandi piaceri)[24].

- **Proposizioni conclusive**: sono unite dalle congiunzioni **duncas** (dunque), **pro tantu** (pertanto), **tando** (allora), ecc. In latino la coordinazione conclusiva è introdotta da diverse congiunzioni. La congiunzione latina ***ergo*** = duncas (dunque) è quasi sempre all'inizio di frase, ma si trova in secondo luogo quando serve a legare una frase incidentale. Esempio:

giai semus **duncas** che pare = *iam sumus* ***ergo*** *pares* (già siamo dunque pari)[25].

La congiunzione latina ***igitur*** (duncas = dunque, pro tantu = pertanto) è prevalentemente posticipata alla parola cui è legata. Esempio:

su dolore **pro tantu**, issu est summu malu = *dolor* ***igitur****, id est summum malum;* (il dolore **pertanto**, esso è il sommo male)[26].

La congiunzione latina ***itaque*** (pro tantu, ite chi = pertanto, duncas = dunque, gasichi = cosiché) indica la conseguenza di quello che precede e può essere paragonata all'espressione campidanese **ita chi** (cosa che):

ita chi a onni casu sas trupas sussìdiu cumparaiat = ***itaque*** *ad omnes casus subsidia comparabat;* (**cosicché** ad ogni caso le truppe sussidiarie comparava)[27].

La congiunzione latina ***proinde*** (pro tantu, pro nde = pertanto) si pone in frasi che incitano a fare qualcosa:

pro tantu de seru detzideret = ***proinde*** *sedulo consuleret* (**pertanto** decidesse di proposito)[28].

- **Proposizioni correlative**: sono unite sia in sardo che in latino da copie di congiunzioni: **e** [...] **e** (e), **ne** [...] **ne** (né), **siat** [...] **siat** (sia), **tantu** [...] **cantu** (tanto quanto), ecc. In latino la coordinazione correlativa viene espressa in questo modo: ***et*** [...] ***et***, ***neque*** [...] ***neque***, ***tam*** [...] ***quam***, ***ut*** [...] ***ita***. Esempi:

siat cun manu forte **siat** cun gherra lestra, **siat** de rèzere = ***et et*** *manu fortis* ***et et*** *bello strenuus,* ***et et*** *regi;* (**sia** con mano forte **sia** con guerra lesta, **sia** da reggere)[29].

pustis chi Labienu **non** terrapienos **non** fossos = *Labienus postquam* ***neque*** *aggeres* ***neque*** *fossae;* (dopo che Labieno **non** terrapieni **non** fossi [...])[30].

ma nudda est **tantu** mègius **cantu** pische cotu ogni die = *sed nihil* ***tam*** *melius est* ***quam*** *novacula cottidie;* (ma nulla è **tanto** meglio **quanto** pesce cotto tutti i giorni)[31].

22 Cornelius Nepos, *Liber De Excellentibus Decibus Exterarum Gentium - Dion*, 1.
23 Marcus Tullius Cicero, *Rhetorica - De Finibus*, Liber IV, 40.
24 Gaius Plinius Secundus (su betzu), *Naturalis Historia*, Liber VII, 42.
25 Marcus Valerius Martialis, *Epigrammaton*, Liber II, 18.
26 Marcus Tullius Cicero, Rhetorica - *Tusculanae Disputationes*, Liber II, 32.
27 Gaius Iulius Caesar, *De Bello Gallico*, Liber IV, 31.
28 Lucius Apuleius Madauresis (Saturninus), *Florida*, 14.
29 Cornelius Nepos, *Liber De Excellentibus Decibus Exterarum Gentium - Datames*, 1.
30 Gaius Iulius Caesar, *De Bello Gallico*, Liber VII, 87.
31 Aulus Cornelius Celsus, *De Medicina*, VI, 4.

comente a sos magistrados sas leges, **gasi** a su pòpulu prima sunt sos magistrados =
ut *magistratibus leges,* ***ita*** *populo praesunt magistratus;*
(**come** ai magistrati le leggi, **così** al popolo sono prima i magistrati)[32].

18.5 TIPI DI PROPOSIZIONI DIPENDENTI

Come nella frase abbiamo il soggetto, il complemento oggetto e i diversi complementi indiretti, altrettanto nel periodo abbiamo alcune **proposizioni dipendenti** o **subordinate** che hanno la stessa funzione.

18.5.1 *CONSECUTIO TEMPORUM*

In latino, per comprendere le proposizioni dipendenti o subordinate, dobbiamo tenere in considerazione la ***consecutio temporum***, vale a dire le regole che disciplinano i tempi verbali tra la proposizione principale o reggente e quella subordinata.

Molte volte nella lingua latina le proposizioni subordinate escono con il verbo al modo congiuntivo. Pertanto occorre comprendere la relazione di questi congiuntivi rispetto alla proposizione reggente. Prima di tutto dobbiamo sapere che in latino i verbi sono divisi in due categorie: **tempi principali** e **tempi storici**.

Fanno parte dei **tempi principali**: presente, perfetto logico attuale, futuro semplice e futuro anteriore.

Fanno parte dei **tempi storici**: imperfetto, perfetto logico e storico (passato), piuccheperfetto (trapassato prossimo).

Il rapporto tra la proposizione subordinata rispetto a quella reggente è basato inoltre sulla **contemporaneità**, **anteriorità** e **posteriorità** dei tempi.

PROPOSIZIONE PRINCIPALE		PROPOSIZIONE DIPENDENTE	
tempi principali	**esempio**	**tempi principali**	**esempio**
indicativo presente *latino* = logudorese	*ego hisco* = deo isco (io so)	congiuntivo presente (contemporaneità)	*quid hiscas* = ite tue iscas (cosa tu sappia)
indicativo futuro semplice *latino* = logudorese	*ego hiscam* = deo apo a ischire (io saprò)	congiuntivo passato (anteriorità)	*quid feceris* = ite tue apas fatu (cosa tu abbia fatto)
indicativo futuro anteriore *latino* = campidanese	*ego scivero* = deu apu a ai sciu (io avrò saputo)	participio futuro + sim (posteriorità). Perifrastica attiva sardo-latina.	*quid facturus sis* = ite tue dias fàghere (cosa tu faresti) o (cosa tu stia per fare).

PROPOSIZIONE PRINCIPALE		PROPOSIZIONE DIPENDENTE	
tempi storici	**esempio**	**tempi storici**	**esempio**
indicativo imperfetto *latino* = logudorese	*ego hiscebam* = deo ischia (io sapevo)	congiuntivo imperfetto (contemporaneità)	*quid hisceres* = ite tue ischeres (cosa tu sapessi)
indicativo passato *latino* = campidanese	*ego scivi* = deu apu sciu (io ho saputo)	congiuntivo trapassato (anteriorità)	*quid sciisses* = ita tui fessist scìpiu (cosa tu avessi saputo)
indicativo trapassato prossimo	*ego sciveram* = deo aia ischidu (io avevo saputo)	participio futuro + *essem* (posteriorità). Perifrastica attiva sardo-latina.	*quid facturus esses* = ite dias àere fatu (cosa tu avresti fatto).

Come si vede nei prospetti indicati sopra, la posteriorità della proposizione subordinata rispetto alla reggente si ottiene con una perifrastica, che si compone del participio futuro accompagnato dal verbo essere (modo congiuntivo): **perifrastica attiva +** ***sim, sis*** nei tempi **principali**; **perifrastica attiva +** ***essem*****, esses** nei tempi **storici**.

32 Marcus Tullius Cicero, *Rhetorica - De Legibus*, Liber III, 2.

La perifrasi serve a dare alla proposizione l'immediatezza dell'azione espressa dal verbo. Tale costrutto si può tradurre in sardo con "**starei per...**". Questo genere di proposizione tiene più o meno la stessa struttura di quella **greca antica**, costruita, come quella latina, con il verbo essere al congiuntivo per dare l'impressione che l'azione si stia svolgendo.

Alla stessa maniera, in sardo, le perifrasi con il congiuntivo passato (tempi principali) e il congiuntivo trapassato (tempi storici) corrispondono al condizionale italiano. Esempio:

si sididu che deo **fiat istadu**, non creo chi s'**esseret azardadu** = (traduzione letterale)
se assetato come io **era stato** (*futurum fuisse*), non credo che si **fosse azzardato** (congiuntivo trapassato).

Mentre nella traduzione italiana si usa rispettivamente il congiuntivo trapassato e condizionale passato:

se assetato come me **fosse stato**, non credo si **sarebbe azzardato**.

La costruzione in lingua sarda della protasi non prevede la stessa struttura di quella italiana, ma simile alla perifrasi latina. In questo caso, il sardo usa il congiuntivo trapassato del verbo **essere**, come quello latino, al contrario dell'italiano che usa il condizionale passato:

non creo chi **s'esseret azardadu** = non credo si **sarebbe azzardato**.

Possiamo riassumere dicendo che la *consecutio temporum* latina è costruita similmente a quella sarda.

Esempio di contemporaneità per un tempo storico:

lìteras imbetzes a Gaiu Fàbiu **mandat**, gasichi in territòriu Suessoniu duas legiones **addu[gh]eret** =
litteras autem ad Gaium Fabium ***mittit****, ut in fines Suessionum legiones duas* ***adduceret;***
(lettere invece a Gaio Fabio **manda**, cosicché in territorio Suessone due legioni a se **porti**)[33].

Esempio di anteriorità per un tempo principale:

cherimus fintzas chi cussa in ultima Fria, chi in sas istremas partes de sa Pamfulza **apat fatu** =
quaerimus *etiam quid iste in ultima Phrya, quid in extremis Pamphyliae partibus* ***fecerit;***
(**vogliamo sapere** anche cosa codesta in ultima Fria, che nelle estreme parti della Pamfilia **abbia fatto**)[34].

Esempio di posteriorità per un tempo storico:

e no **ischiat** cantos gosos l'**aeres dadu** =
et ***nesciebat*** *quid tu illi gaudiorum* ***facturus esses;***
(e non **sapeva** quante gioie le **avresti procurato**)[35].

- ***Consecutio temporum*** **nelle proposizioni subordinate di 1° grado.**

Quando nella proposizione reggente c'è un **tempo principale**, in quella subordinata si avrà:

il **congiuntivo presente** per la contemporaneità. Esempio:

non **so** indovinu, ma isco ite **fatzas** = *non* ***sum*** *divinus, sed scio quid* ***facias;***
(non **sono** indovino, ma so cosa tu **faccia**)[36].

il **congiuntivo passato** per l'anteriorità. Esempio:

isco, si **apas bidu** = ***scio****, si* ***videris*** (**so**, se ti **sia sembrato**)[37].

33 Aulus Hirtius, *De Bello Gallico*, Liber VIII, 6.
34 Marcus Tullius Cicero, *Orationes - In Verrem*, Liber I, 154.
35 Augustinus Hipponensis, *Confessiones*, Liber V, 15.
36 Marcus Valerius Martialis, *Epigrammaton*, Liber III, 71.
37 Publius Terentius Afer, *Eunuchus*, III, 5.

La **perifrastica attiva** per la posteriorità. Esempio:

dudo chi mi pertocat de ischire ite Domitziu at a fàghere =
dubito ***pertinet*** *me scire quid Domitius* ***acturus sit;***
(dubito che mi **competa** sapere cosa Domizio **farebbe**)[38].

Quando nella proposizione reggente c'è un **tempo storico**, in quella subordinata si avrà:

il **congiuntivo imperfetto** per la contemporaneità: ischeres = ***hisceres*** (sapessi);
il **congiuntivo trapassato** per l'anteriorità: aeres ischidu = ***sciisses*** (avessi saputo);
la **perifrastica attiva** con ***essem***, ***esses*** per la posteriorità: aeres fatu o dias àere fatu = ***facturus esses*** (avresti fatto).

18.6 LE PROPOSIZIONI SUBORDINATE

Le **proposizioni subordinate** si dividono in: **soggettive**, **oggettive**, **finali**, **causali**, **temporali**, **modali**, **comparative**. Altri tipi di proposizione tengono caratteristiche proprie e non corrispondono ad alcun complemento, come le consecutive, concessive, condizionali, interrogative e relative.
Caratteristiche delle proposizioni subordinate:

- **Soggettiva**: fa da soggetto al verbo della principale:

  est unu praghere pro nois chi tue sias giòmpidu = è un piacere per noi che tu sia venuto.

- **Oggettiva**: fa da complemento oggetto al verbo della principale e sono introdotte in italiano dalla preposizione **che** + indicativo o congiuntivo nelle frasi esplicite o dalla preposizione **di** + infinito nelle frasi implicite. In latino questa proposizione si costruisce con il soggetto in accusativo e il verbo all'infinito:

su postinu nos at naradu chi depet ispedire una lìtera = il postino ci ha detto che deve spedire una lettera.

- **Causale**: dice la causa, vale a dire il motivo di quanto viene detto nella proposizione principale e risponde alla domanda perché?. In latino questa proposizione, quando è esplicita, è costruita dalle congiunzioni ***quia*** = **ca** (poiché), ***quod*** = **proite** (perché), ***quoniam*** = **sigomente** (siccome). Questa proposizione in latino può essere oggettiva, sostenuta prevalentemente dall'indicativo, e soggettiva, dal congiuntivo.

Esempio di proposizione **causale oggettiva**:

pro tantu deos cun pedes lanados ant, **ca** nois religiosos non semus =
itaque dii pedes lanatos habent, ***quia*** *nos religiosi non sumus;*
(pertanto dei con i piedi lanosi hanno, **poiché** noi non siamo religiosi)[39].

Esempio di proposizione **causale soggettiva**:

non si nde impudat su Filosofu de si gloriare, **ca** custa non timat =
non pudet Philosophum in eo gloriari, ***quod*** *haec non timeat;*
(non si vergogna il Filosofo di Gloriarsi, **perché** questa non tema)[40].

Esempio di proposizione **causale** con ***cum***:

dae su momentu chi de fatu a mie privende siat =
cum *enim mihi carendum sit;*
(**dal momento che** di fatto a me stia privando)[41].

38 Marcus Tullius Cicero, *Epistulae - Ad Atticum*, VIII, 14.
39 Gaius Petronius Arbiter, *Satyricon*, 44.
40 Marcus Tullius Cicero, *Rhetorica - Tusculanae Disputationes*, Liber I, 48.
41 Marcus Tullius Cicero, *Epistulae - Ad Atticum*, XII, 13.

- **Finale**: dice il fine, lo scopo dell'azione indicata dal verbo della principale. In latino questa proposizione è costruita da ***ut* + congiuntivo** se è affermativa e da ***ne* + congiuntivo** se è negativa.

Nelle proposizioni coordinate tra loro si utilizza ***neque*** se la prima proposizione contiene ***ut***, e ***neve*** se si adopera ***ne***.

Nella proposizione subordinata s'impiega il congiuntivo presente quando il tempo della proposizione principale è l'indicativo presente, futuro semplice, imperativo presente, imperativo futuro, congiuntivo presente.

Nella proposizione subordinata si usa il congiuntivo imperfetto quando il tempo della proposizione principale va all'indicativo imperfetto, passato (*perfectum*), trapassato (*plusquamperfectum*), e, in certi casi, anche al presente quando questi è storico:

at tènnidu a Toante, **pro** chi ***ademperet*** a promissas = *Thoantem retinuit, **ut** promissorum **adesset**;* (ha trattenuto Toante, **perché mantenesse** le promesse)[42].

- **Temporale**: dice il fatto che interessa il tempo indicato dalla principale. In latino questa proposizione è costruita da alcune congiunzioni: ***cum*** + **indicativo** (**quando**), ***cum primum*** (**nel momento che**), ***ubi primum*** (**in primo luogo**). La proposizione temporale è espressa per lo più dall'indicativo e, qualche volta, dal congiuntivo. La temporale è introdotta anche da ***ut*** che traduce l'italiano "appena" e il sardo "azigu".

Le preposizione ***cum*** e ***ubi***, nel caso della **proposizione temporale**, tengono il significato di **quando, nel momento di**. Esempio:

duos motos de sole: [...] **cando** dae Oriente **benit** a Ochidente = *duo motus solis: [...] **cum** ab oriente ad occasum **venit**;* (Due sono i movimenti del sole: [...] **quando** dall'Est **viene** verso l'Ovest)[43].

La proposizione temporale si può costruire anche con ***dum*** = duncas (**nel momento che**), ***antequam*** = antis chi (prima che), ***priusquam*** = a primu chi (prima che), ***postquam*** = pustis chi (dopo che), ***donec*** = do nos (finché non). Esempio:

non cre[d]es? is[p]eta, **in su mentres chi** sas undas ant a àere istracadu a Marte [sos cumbatentes] =
*non credis? specta, **dum** lassant aequora Martem;*
(non credi? aspetta, nel momento in cui le onde avranno stancato Marte [i combattenti])[44].

In più, la proposizione temporale può essere strutturata con l'**ablativo assoluto**. Esempio:

pèrdidu cun s'istranzu, cun s'inimigu in mutuu disastru sa gherra parant torra =
*omiss**o** extern**o**, hoste in mutuum exitium bellum reparant;*
(perso con l'estraneo, con il nemico in mutuo disastro fermano la guerra)[45].

- **Modale**: dice la maniera di come è andato il fatto raccontato nella principale. In latino questa proposizione vuole il verbo al modo indicativo e, qualche volta, al participio presente. Essa è introdotta dalle congiunzioni ***ut***, ***velut***, ***sicut***, ***quemadmodum*** (così come), a manera de = al modo di. Esempio:

mi paret isco **comente** est sa congetura = *scire mihi iam videor **quemadmodum** coniectura tractanda sit;* (già mi sembra di sapere **in quale modo** sia stata trattata la congettura)[46].

- **Consecutiva**: dice un fatto che segue a quanto narrato dalla principale. In latino questa proposizione viene costruita prevalentemente da ***ut* + congiuntivo** quando è affermativa, e da ***ut* + negazione + congiuntivo** quando è negativa.

Se la frase è espressa al presente si utilizza il congiuntivo presente, se invece è detta al passato si usa il congiuntivo imperfetto o il congiuntivo passato (perfetto).

---

42 Titus Livius, *Ab Urbe Condita Libri*, Liber XXXVI, 26.
43 Marcus Terentius Varro, *De Lingua Latina*, Liber VI, 2.
44 Marcus Valerius Martialis, *Epigrammaton - De Spectaculis*, 24.
45 Marcus Iunianus Iustinus, *Historiarum Philippicarum T. Pompeii Trogi, Libri XLIV*, Liber XXVII, 3.
46 Marcus Tullius Cicero, *Rhetorica - De Partitione Oratoria*, 123.

Con il **congiuntivo presente** troviamo la frase strutturata in questa maniera:

Il verbo latino ***decet***, che si legge come il sardo ***dechet*** (si addice), è coniugato solo con le terze persone singolare e plurale nei modi indicativo, congiuntivo e infinito presente.

de sa virtude de sa gherra de sos armados apo meritadu, **gasi** che a mie a onni mortale li **degat** sa gràtzia = *virtute belli armatus promerui,*
ut *mihi omnis mortalis agere* ***deceat*** *gratias;*
(della virtù della guerra degli armati ho meritato, **così** come me ad ogni mortale gli **confaccia** la grazia)[47].

Con il **congiuntivo imperfetto** troviamo la frase strutturata in questo modo:

chie at iscobiadu custu [sa congiura] at datu atintzione, **gasi chi** totus **biderent** =
qui patefecerit hoc curasse, ***ut*** *id omnes* ***viderent;***
(chi ha svelato questo [la congiura] ha fatto in modo, **cosicché** tutti **vedessero**)[48].

Con il **congiuntivo perfetto** troviamo la frase strutturata in questo modo:

su cònsule rèplicat chi sos bìnchidos depent subire sas condiziones, non las detare, nen **gasi siant bènnidos**
= *adversus ea consul victis condiciones accipiendas esse, non ferendas respondit, neque* ***ut venerint****;*
(il console replica che i vinti devono subire le condizioni, non dettarle, né **così siano venuti**)[49].

- **Concessiva**: dice un fatto contrario a quello che vorrebbe la principale. In latino la proposizione concessiva è introdotta dalle congiunzioni ***tametsi*** (sebbene), ***etsi***, ***quamquam*** (quantunque) che vogliono il verbo all'indicativo. In questo caso ***tamen*** (tamen = stante) è accompagnato dalla particella enclitica ***etsi*** (se, anche) che presuppone una concessione positiva, al contrario di ***ne tamen*** che la indica negativa. Es.:

cun suspetu, in **tamen** non mancat, in tamen gasi mìseru est =
suspicione, tamen non caret, ***tametsi*** *miserum est;*
(con sospetto, nonostante non senta la mancanza, **sebbene** è misero)[50].

La congiunzione ***quamvis*** (per quanto si voglia), invece, vuole il verbo al congiuntivo. Esempio:

[...], **pro cantu** nudda iscas = [...], ***quamvis*** *nihil sapias* ([...], **per quanto** nulla sappia)[51].

La congiunzione ***licet*** (sebbene, benché), ugualmente, vuole il verbo al congiuntivo presente o passato. Esempio:

ca peruna de cussas de abba est prus utile de custa, **mancari** sos fustiarvos **pragant** a sas bides =
qua nulla aquaticarum utilior, ***licet*** *populi vitibus* ***placeant;***
(perché nessuna di quelle acquatiche è più utile di questa, **sebbene** i pioppi **piacciano** alle viti)[52].

La congiunzione ***si*** (si, sebbene), come sopra, vuole il verbo al congiuntivo. Esempio:

[...], **mancari** a manera **potzas** = [...], ***si*** *modo* ***possis*** ([...], **sebbene** in questo modo **possa**)[53].

La congiunzione ***si*** si può utilizzare nella subordinata concessiva sia all'indicativo sia al congiuntivo. Esempi:

beru fintzas, **mancari** meda forte o forsis **simulaiant** = *verum etiam,* ***si*** *qui forte* ***simulabant;***
(vero anche, **sebbene** forte o forse **simulavano**)[54].

47 Titus Maccius Plautus, *Epiducus*, III, 4.
48 Marcus Tullius Cicero, *Orationes - Pro Sulla*, 4.
49 Titus Livius, *Ab Urbe Condita Libri*, Liber IV, 10.
50 Marcus Tullius Cicero, *Orationes - Pro Roscio Amerino*, 56.
51 Marcus Tullius Cicero, *Orationes - Philippicae*, II, 68.
52 Gaius Plinius Secundus (su betzu), *Naturalis Historia*, Liber XVI, 67.
53 Marcus Tullius Cicero, *Rhetorica - De Officiis*, Liber I, 48.
54 Marcus Tullius Cicero, *Orationes - Pro Archia*, 6.

chi fintzas apo a rapresentare, **si** as a èssere bènnidu = *quem etiam repraesentabo, **si adveneris**;*
(che anche rappresenterò, **se sarai venuto**)[55].

- **Avversativa**: dice un fatto contrario a quanto dice la principale. In latino è introdotta prevalentemente dalla congiunzione ***cum*** (mentre), e dalla negazione ***non*** quando è espressa al modo congiuntivo:

[...], **mentres** ambas provìntzias de Apulia aerent [...]=
[...], ***cum** ambo Apuliam provinciam haberent [...];*
([...], **mentre** entrambe le province di Apulia avessero [...])[56].

- **Relativa**: si unisce alla principale per mezzo di pronomi o avverbi relativi. In latino la proposizione relativa viene introdotta dal pronome relativo ***qui***, ***quae***, ***quod*** (che). Esempio:

fiant istados logos bòidos, **chi** li narant Chara =
*fuerant vacui ab operibus, **quod** appellatur Chara;*
(erano stati spazi vuoti da lavoro, **che** sono chiamati Chara)[57].

- **Interrogativa diretta**: dice una domanda o una richiesta in modo diretto. Le proposizioni subordinate interrogative dirette, con valore dubitativo, hanno il verbo al congiuntivo. Le altre interrogative hanno il verbo all'indicativo e sono introdotte da pronomi, aggettivi e particelle interrogative: ***quae*** = **cale** (quale), ***ubi*** = **ube** (dove), ***quando*** = **cando** (quando), ***cur*** = **proite** (perché), ***uter*** = **chie** (chi). Esempio:

cale giudant a Tellus a iscavare surcos? = ***quae iubeant** Telluri infindere sulcos?*
(quale occorrano a Tellus per scavare solchi?)[58]

- **Interrogativa indiretta**: dice una domanda o una richiesta in modo indiretto. Le interrogative indirette sono **completive**, chiedono il verbo al congiuntivo e vengono introdotte da: ***quis*** = **chie** (chi), ***qualis*** = **cale** (quale), ***ubi*** = **ube** (dove), ecc. Se sono disgiuntive vengono introdotte da ***utrum***, ***-ne***, ***an***. Esempio:

cale domo non **imbèngiat** in misereddu agiudu = *domum **quae** non **inveniat** in miseriore solacium;*
(**quale** casa non **venga** in misero aiuto)[59].

- **Condizionale**: dice la condizione che deve capitare in modo che la principale decida una cosa o un'altra. In latino la proposizione condizionale compone il **periodo ipotetico**.

Sono **tre** i periodi ipotetici.
- **oggettivo:** quando l'ipotesi della protasi è **reale** si utilizza il tempo indicativo;
- **possibile:** quando l'evento si può realizzare nella protasi si usa il congiuntivo (presente o perfetto);
- **irreale:** quando il fatto non può succedere sia nella protasi (congiuntivo), sia nell'apodosi (congiuntivo imperfetto o piuccheperfetto).

La protasi in latino è introdotta dalle particelle: ***si*** = **si** (se), ***nisi*** = **si non** (se non), ***sin*** = **si imbetzes** (se invece). Esempi:

si memòria **tenes**, opinione **fiat** (est istada) = ***si** memoria **tenes**, opinio **fuit**;*
(se memoria **tieni**, opinione **è stata**)[60].

si apas evitadu, **apo a repitere** a tie cussu pro educatzione =
***si praeterieris, repetam** a te istum de educatione* (**se abbia evitato**, ti **ripeterò** codesto per educazione)[61].

55 Marcus Tullius Cicero, *Epistulae - Ad Familiares*, XVI, 14.
56 Titus Livius, *Ab Urbe Condita Libri*, Liber XXVI, 22.
57 Gaius Iulius Caesar, *De Bello Civili*, Liber III, 48.
58 Publius Virgilius Maro, *Bucolica*, *Ecloga*, IV, 0.
59 Lucius Annaeus Seneca, *De Consolatione - Ad Marciam*, 12.
60 Marcus Tullius Cicero, *Rhetorica - De Oratore*, Liber II, 1.
61 Marcus Tullius Cicero, *Rhetorica - De Legibus*, Liber III, 30.

si onni chera **esseret** mudàbile, nudda **esseret** de chera =
si *omnis cera commutabilis* ***esset,*** *nihil* ***esset*** *cereum;*
(**se** ogni cera **fosse** mutabile, nulla **sarebbe** di cera)[62].

- **Infinitiva**: le proposizioni infinitive si traducono in italiano con **di + infinito** o con **che** + indicativo o congiuntivo e riprendono la costruzione latina **accusativo** + **infinito**. Per legare insieme la principale con la subordinata, nella variante sarda centro settentrionale si usa la congiunzione **si** o **chi + congiuntivo**, mentre nel sardo centro meridionale si utilizza **chi + congiuntivo**, come la frase latina con verbo al congiuntivo:

bene faches **chi** m'**agiudas** = *bene facis* ***quod*** *me* ***adiuvas*** (fai bene **che** mi **aiuti**)[63].

La proposizione infinitiva è una delle **completive** più usate e vuole il **congiuntivo** quando non esprime il pensiero di chi parla, mentre vuole il soggetto e l'attributo in **accusativo** + **infinito** quando indica qualcuno che è soggetto della principale. Esempio:

Omeru cun pitzinnos e pitzinnas pro dòighi bortas narat chi **fiat istadu** =
*Homeru****s*** *pueros puellasque eius bis senos dicit* ***fuisse****;*
(Omero con ragazzi e ragazze per dodici volte dice **di essere stato**)[64].

- **Eccettuativa**: esprime un fatto che pone un'eccezione a quanto si dice nella principale. In latino vuole il verbo al modo indicativo o congiuntivo ed è espressa dalla locuzione ***praeterquam quod*** (ad eccezione che) e ***nisi quod*** (se non è che). Esempio:

nudda podet èssere faddidu, **si no est chi** biaitu est tentu dae s'imbidia =
nihil esse fallacius potest, ***nisi quod*** *livore deprehenduntur;*
(nulla può essere fallace, **se non è che** è stato preso dalla gelosia)[65].

- **Limitativa (restrittiva)**: esprime una limitazione rispetto a quanto si dice nella principale. In latino viene espressa con il verbo al modo indicativo, qualche volta al congiuntivo, ed è introdotta dalla congiunzione ***ut*** (per quanto), ***quoad*** (secondo che), ***quantum*** (per quello che), ***quod*** (quello che), ecc. Esempio:

apo sustènnidu, **segundu cussu chi** apo a pòdere prefèrrere =
suscepi, ***quoad*** *potero perferam;*
(ho sostenuto, **secondo quello che** potrò sostenere)[66].

- **Comparativa**: stabilisce una comparazione tra due fatti accaduti. In latino vuole il verbo all'indicativo e, qualche volta, al congiuntivo. Esempi di proposizioni di **maggioranza**, **minoranza** e **uguaglianza**:

sa volontade tua no est **majore** de sa potèntzia tua =
voluntas tua non est ***maior quam*** *potentia tua;*
(la tua volontà non è **maggiore** della tua potenza[67])

no est issu **prus pagu** famadu che Sufaghe **de cantu** est P. Scipio =
neque ***minus*** *id clarum* ***quam*** *quod Syphacem P. Scipio;*
(non è egli **meno** famoso di Syface di **quanto** è P. Scipio)[68].

puru L. Crassu, **tantu** a curtzu a giù[d]ighes, **cantu** a curzu a padres custrintos (senadores) Emìliu Scàuru =
L. quoque Crassus, ***tantus*** *apud iudices,* ***quantus*** *apud patres conscriptos Aemilius Scaurus;*
(anche L. Crasso, **tanto** vicino a giudici, **quanto** vicino a padri coscritti - senatori - Emilio Scauro)[69].

62 Marcus Tullius Cicero, *Rhetorica - De Natura Deorum*, Liber III, 30.
63 Marcus Tullius Cicero, *Rhetorica - De Finibus*, Liber III, 16.
64 Aulus Gellius, *Noctes Atticae*, XX, 7.
65 Gaius Plinius Secundus (su betzu), *Naturalis Historia*, Liber XXI, 45.
66 Marcus Tullius Cicero, *Orationes - Pro Roscio Amerino*, 10.
67 Augustinus Hipponensis, *Confessiones*, Liber VII, 6.
68 Publius Cornelius Tacitus, *Annales*, Liber XII, 38.
69 Valerius Maximus, *Factorum et Dictorum Memorabilium Libri Novem*, Liber VIII, 5.

LE PROPOSIZIONI DIPENDENTI

soggettiva	oggettiva	causale	finale
temporale	modale	consecutiva	concessiva
oppositiva	relativa	interrogativa indiretta	condizionale
comparativa	eccettuativa	limitativa	infinitiva

18.7 LE PROPOSIZIONI INCIDENTALI E LE FRASI NOMINALI

Le **proposizioni** si dicono **incidentali** quando non sono necessarie a fare comprendere del tutto il testo, ma aiutano a chiarirlo. Le proposizioni incidentali possono essere chiuse tra due parentesi, lineette o virgolette:

unu mascaradu (no isco chie) est bessidu a fusile in manu =
uno mascherato (non so chi) è uscito con il fucile in mano.

Sono frasi **nominali** quelle prive di verbo. In realtà il verbo è sottinteso. Quando si dice ad un'altra persona "salute" si vuole dire che gli auguriamo la salute. Sono frasi nominali ad esempio:

die bona oe (buon giorno oggi); gràtzias (grazie); nos bidimus (ci vediamo); augùrios (auguri); ecc.

LA LINGUA SARDA STATUALE DEL REGNO DI ARBOREA E LA LIMBA SARDA COMUNA DI OGGI

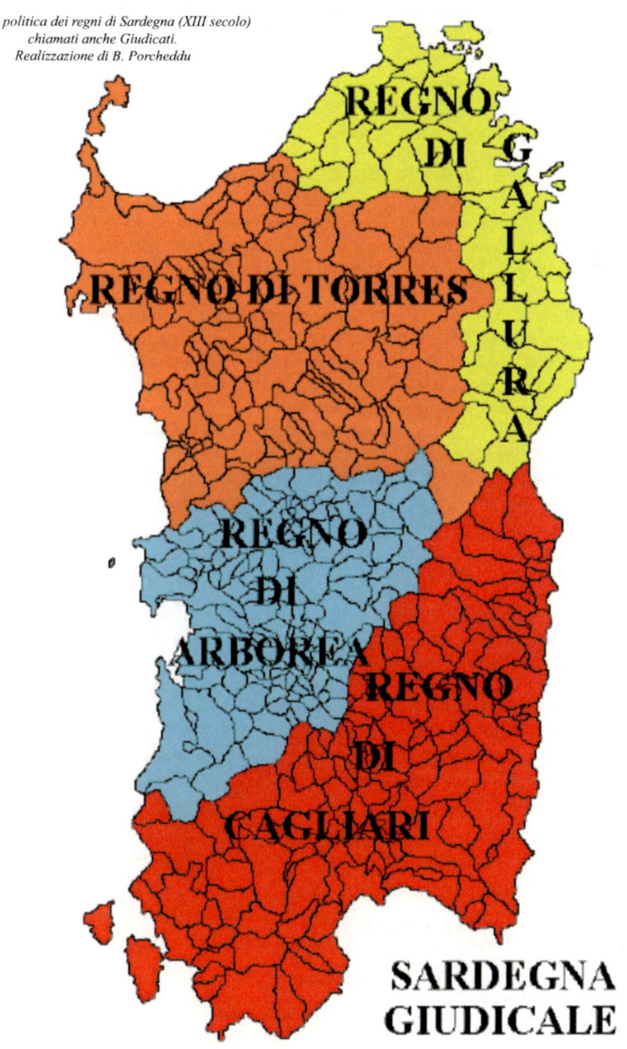

Cartina politica dei regni di Sardegna (XIII secolo) chiamati anche Giudicati. Realizzazione di B. Porcheddu

19. LA LINGUA SARDA COMUNE NEL TEMPO

È mai esistita una Lingua Sarda Comune? C'è mai stato in Sardegna l'intento di creare una lingua scritta unitaria che facesse da indicatore linguistico per una lingua ufficiale, all'interno dell'isola per i Sardi e all'esterno per essere imparata dagli stranieri?

Per dare risposte a queste due domande si dovrebbe analizzare tutta la letteratura sarda dal Medioevo fino ad oggi, ma di sicuro avremmo qualche difficoltà a sintetizzarne i risultati. Potremmo però in parte aggirare l'ostacolo prendendo come indicazione il più importante e longevo documento scritto della storia della Sardegna: La **Carta de Logu**, il codice di leggi civili e criminali scritto in sardo nel regno di Arborea (almeno dal XIV secolo) fino al 1827, quando è stato sostituito con il codice di Carlo Felice[1].

19.1 LA STORIA LINGUISTICA DEL REGNO DI ARBOREA

Il regno di Arborea, con capitale Aristanis (Oristano), nella seconda metà del XIV secolo era stato disciplinato dalla legislazione di Mariano IV, sovrano che con le sue conquiste territoriali, partendo dal 1365, aveva liberato dai Catalano Aragonesi quasi tutta l'Isola, ad eccezione di Cagliari, Alghero e qualche altra fortificazione[2].

Sedici anni dopo la morte di Mariano, la figlia Eleonora aveva corretto "di bene in meglio" e promulgato, forse il giorno di Pasqua dell'aprile 1392, la nuova *Carta de Logu* di Arborea, costituita in tutto da 198 capitoli, di cui i primi 132 che riguardavano il "Codice civile e penale", e gli ultimi 66 che già facevano parte del "Codice rurale" promulgato dal padre Mariano[3].

Per la codifica di tali norme, Eleonora aveva chiamato senz'altro a corte i migliori giureconsulti del tempo, affiancati da altrettanti esperti linguisti, in modo da fare concordare il "verbo" giuridico con la pluralità dei "soggetti" linguistici che animavano il regno[4].

La situazione socio linguistica dell'Isola nella seconda metà del XIV secolo non doveva essere molto diversa da quella di oggi, allora come adesso caratterizzata da un coacervo di linguaggi a volte differenti di villaggio in villaggio[5].

Qualche secolo prima, i giudici dei quattro regni di Torres, Gallura, Arborea e Cagliari, per colmare la differenza diatopica (dimensione linguistica nel luogo geografico), avevano fatto uso di una lingua scritta di "superstrato" adattandola alle varianti locali[6].

Il logudorese, quale lingua sovraordinata, aveva iniziato a declinare nel corso della seconda metà del XIII secolo, a causa delle vicende politiche che avevano portato alla caduta del giudicato di Torres o Logudoro. Nonostante questo, il suo dominio aveva resistito tra gli altri a Sassari (Comune autonomo dal 1235[7]) e a Castelgenovese (Castelsardo), quest'ultimo già possedimento dei Doria[8].

Sempre nella seconda metà del XIII secolo, nei regni di Cagliari e Gallura, conquistati dal Comune di Pisa, era entrata a corte la lingua volgare pisana, lasciando tracce importanti con i "brevi" (statuti) dei *Castellanos de su casteddu de Castro* (Cagliari), del *Portus Kallaritani* (1319-21) e del *Breve* di Bidda de Crèsia, vale a dire Villa di Chiesa (Igrèsias), l'attuale Iglesias[9].

1 Emily A. Schultz - Robert H. Lavenda, *Antropologia culturale*, Zanichelli Editore, Bologna, 1999, p. 11.

2 Francesco Cesare Casula, *La "Carta de Logu" del regno di Arborea. Traduzione libera e commento storico*, Carlo Delfino Editore, Sassari, 1995, pp. 25-7.

3 Francesco Cesare Casula, *Cultura e scrittura nell'Arborea al tempo della Carta de Logu*, in AA. VV., *Il mondo della Carta de Logu*, Edizioni "3T", Cagliari, 1979, pp. 71-109.

4 Antonina Scanu, *La Carta de Logu*, T.A.S., Sassari, 1991, pp. 1-99.

5 Pasquale Tola, *Codice diplomatico della Sardegna*, Tomo I, parte prima, presentazione di A. Boscolo e introduzione di F.C. Casula, Carlo Delfino Editore, Sassari, 1984, pp. 154-349.

6 Oliver Soutet, *Manuale di Linguistica*, Il Mulino, Bologna, 1998, pp. 21-22.

7 Angelo Castellaccio, *Sassari medioevale*, I, Carlo Delfino Editore, Sassari, 1996, pp. 179-205.

8 Francesco Cesare Casula, *La Storia di Sardegna*, 3 voll., Carlo Delfino Editore, Sassari, 1994, vol. 2, p. 15 ss.

9 Pasquale Tola, *Codice diplomatico della Sardegna*, Tomo I, parte prima, presentazione di A. Boscolo e introduzione di F.C. Casula, Carlo Delfino, Sassari, 1984, pp. 154-349.

Dal 1323, in questi stessi territori, gli amanuensi aragonesi, giunti appresso alle truppe comandate dall'*infante* Alfonso d'Aragona, avevano riempito di inchiostro catalano i calamai lasciati vuoti dai fuggiaschi pisani, fino a quando lo scontro politico ingaggiato nel 1353 da Mariano IV d'Arborea contro il re di Aragona non li aveva costretti a lasciare parte delle scrivanie. La spada aveva sollevato la penna e la "varietà arborense" aveva assunto i connotati di lingua "ufficiale" dove campeggiava lo scudo con l'albero deradicato, emblema "nazionale" arborense[10].

La guerra contro gli Aragonesi, che era sembrata andare per il meglio con Mariano IV prima e con la figlia Eleonora dopo (insieme al marito Brancaleone Doria*)*, si era conclusa in peggio con Guglielmo III di Narbona (Nipote di Beatrice di Arborea, sorella di Eleonora). I Sardi, vinti in battaglia (Sanluri 1409), erano stati costretti da allora in poi a sentire i proclami e a leggere le ordinanze nelle lingue dei vincitori (catalano e castigliano)[11].

La lingua arborense era riuscita a mantenersi viva in forma scritta nella "Carta de Logu", adottata dagli Aragonesi nel 1420 per regolare la giustizia nei villaggi infeudati. Pertanto, questo codice aveva continuato il proprio cammino nell'epoca spagnola e sabauda fino all'emanazione del "Codice" di Carlo Felice, pubblicato il 16 aprile del 1827, oramai alle porte del Risorgimento italiano[12].

19.2 DOMANDE PER UNA RICERCA

I quesiti che quasi spontaneamente escono fuori da questa breve introduzione storica sono i seguenti:
Quali mutamenti ha subito con il tempo la lingua originaria della Carta de Logu?
La lingua della Carta de Logu è stata lingua convenzionale o anche lingua di popolo?
Se fu lingua di popolo, quale è stato, o è tutt'oggi, il suo dominio areale?

Si cercherà di dare risposte a queste domande seguendo in diacronia il percorso linguistico trattato dalla *Carta de Logu* sia analizzando la variazione diamesica (differenza tra lo scritto e il parlato) della varietà arborense sia cercando di comprendere quale sia stata la sua dimensione diatopica, ovverosia il suo dominio linguistico nel luogo.

Non essendo giunto fino a noi il manoscritto originale, che almeno in parte avrebbe potuto esso stesso dare risposte alle questioni sopra menzionate, ma diverse riproduzioni postume, tra queste un manoscritto del Quattrocento (cartaceo e mutilo), si analizzerà la lingua arborense della *Carta de Logu* attraverso la comparazione dell'*Incunabolo* (la prima edizione a stampa) del Quattrocento (che si presume sia derivato direttamente dal manoscritto originale) con la Lingua Sarda Comuna di oggi.

Saranno prese in più ad esempio le riproduzioni postume della Carta de Logu, rispettivamente pubblicate a Sassari nel 1617 (chi tende al logudorese) e a Cagliari nel 1807 (chi tende al campidanese).
Con il sistema a "campione casuale" saranno scelti nove dei primi 112 capitoli, precisamente: il "Proemio" e i capitoli I, II, VI, XXXIV, LII, LXXI, XCVI, CI.
La comparazione attraverso tabelle interesserà la fonetica/fonologia e la morfologia.
La sintassi sarà elaborata ugualmente mettendo a confronto le corrispondenze lessicali tra le tre Carte e la Lingua Sarda Comune di oggi.

Cartine linguistiche aiuteranno a comprendere dove passano e, molto probabilmente, dove passavano le isoglosse linguistiche che segnano il confine tra le varianti della lingua sarda[13].

---

10 Pasquale Tola, *Codice diplomatico della Sardegna*, Tomo I, parte prima, presentazione di A. Boscolo e introduzione di F.C. Casula, Carlo Delfino, Sassari, 1984, pp. 154-349.

11 Giulio Paulis, *La lingua sarda e l'identità ritrovata*, in *Storia d'Italia. Le regioni dall'Unità a oggi, La Sardegna* (a cura di L. Berlinguber e A. Mattone), Giulio Einaudi Editore, Milano, 1998, pp. 1200-1221.

12 Antonietta Dettori, *Italiano e Sardo prima dell'Unità, in Storia d'Italia. Le regioni dall'Unità a oggi, La Sardegna* (a cura di L. Berlinguber e A. Mattone), Giulio Einaudi Editore, Milano, 1998, pp. 1155-1196.

13 Bartolomeo Porcheddu, *La lingua - sa limba della - dessa Carta de Logu*, Logosardigna, Sassari, 2011, pp. 22-29.

19.3 COMPARAZIONE TRA LINGUA SARDA COMUNE DI OGGI E DI IERI

FONETICA E FONOLOGIA

OCCLUSIVA BILABIALE SONORA [b], /b/, (chimbe) e OCCLUSICA VELARE SORDA [k], /cu/, (cincu)

Limba Sarda Comuna	Incunàbolu	Carta Logudoresa	Carta Campidanesa
chim**b**e (cinque)	chim**b**e	chim**b**e	chim**b**i

Come si vede, il suono bilabiale è preferito a quello velare, sebbene solo la Carta Campidanesa si differenzi dalle altre con la desinenza dell'aggettivo in **-i**. Tutte le voci concordano con la Limba Sarda Comuna.

OCCLUSIVA VELARE SORDA [k], /ch/, (chentu) e AFRICATA PALATO ALVEOLARE SORDA [tʃ], /ce/, (centu)

Limba Sarda Comuna	Incunàbolu	Carta Logudoresa	Carta Campidanesa
chentu (cento)	**ch**entu	**ch**entu	**ch**entu

OCCLUSIVA VELARE SONORA [g], /gh/, (paghe) e FRICATIVA PALATO ALVEOLARE SONORA [ʒ], /x/, (paxi)

Limba Sarda Comuna	Incunàbolu	Carta Logudoresa	Carta Campidanesa
pa**gh**e (pace)	pa**gh**e	pa**gh**e	pa**gh**e

In tutte le Carte, il suono velare è preferito a quello palato alveolare. Tutte le Carte concordano con la Limba Sarda Comuna.

AFRICATA ALVEOLARE SORDA [ts], /tz/, (negligèntzia) e AFRICATA PALATO ALVEOLARE SORDA [tʃ], /ci/, (negligència)

Limba Sarda Comuna	Incunàbolu	Carta Logudoresa	Carta Campidanesa
negligèn**tz**ia (negligenza)	negligèn**t**ia	negligen**ç**ia	negligen**c**ia

In tutte le Carte, ad eccezione di quella Campidanesa, il suono alveolare è preferito a quello palato alveolare. Per la difficoltà di rappresentare graficamente il suono alveolare, nelle Carte si utilizzano anche altri grafemi differenti per lo stesso suono: ç(e-i), nesso latino ti+voc. Due Carte su tre concordano con la Limba Sarda Comuna

NESSI NASALI SONORI: ALVEOLARE [ŋdz], /nz/, (testimonzu) e PALATO ALVEOLARE [ŋdʒ], /ng/, (testimòngiu)

Limba Sarda Comuna	Incunàbolu	Carta Logudoresa	Carta Campidanesa
testimò**ngi**u (testimone)	testimo**ngi**u	testimo**ngi**u	testimo**ngi**u

In tutte le Carte il suono palato alveolare è preferito a quello alveolare. Tutte le Carte concordano con la Limba Sarda Comuna.

AFRICATA ALVEOLARE SONORA [dz], /z/, (fizu), LATERALE ALVEOLARE SONORA [l], /ll/, (fillu) e AFRICATA PALATO ALVEOLARE SONORA [dʒ], /gi/, (figiu)

Limba Sarda Comuna	Incunàbolu	Carta Logudoresa	Carta Campidanesa
fi**gi**u (figlio)	fi**gi**u	fi**gi**u	fi**gi**u

In tutte le Carte il suono palato alveolare è preferito a quello alveolare e laterale alveolare. Tutte le Carte concordano con la Limba Sarda Comuna.

OCCLUSIVA DENTALE SORDA [t], /t/, (fatat) e AFRICATA ALVEOLARE SORDA [ts], /tz/, (fatzat)

Limba Sarda Comuna	Incunàbolu	Carta Logudoresa	Carta Campidanesa
fat**z**at (faccia, verbo)	fa**z**at	fa**tt**at	fa**zz**at

In tutte le Carte, ad eccezione di quella Logudoresa, è preferito il suono alveolare a quello dentale. Per la difficoltà di rappresentare graficamente il suono alveolare, nelle Carte si utilizzano altri grafemi differenti per lo stesso suono. Due Carte concordano con la Limba Sarda Comuna.

I NESSI CONSONANTICI LATINI CL, PL, GL, FL, RISOLTI IN LOGUDORESE E CAMPIDANESE COMUNE IN: CR (CRARU), PR (PRENU), GR (OGRU), FR (FRORE); ESCONO INVECE IN LOGUDORESE SETTENTRIONALE CON: GI (GIARU), PI (PIENU), J (OJU), FI (FIORE)

Limba Sarda Comuna	Incunàbolu	Carta Logudoresa	Carta Campidanesa
prus (più)	**pl**us	**pi**us	**pl**us
ori**gra** (orecchio)	ori**gl**a	ori**j**a	ori**gl**a

In tutte le Carte, ad eccezione di quella Logudoresa, i nessi consonantici sono rappresentati al modo logudorese e campidanese comune. Per la difficoltà di rappresentare graficamente i suoni in sardo, nelle Carte sono stati utilizzati grafemi differenti anche di provenienza latina.

LA VOCALE PARAGOGICA

Limba Sarda Comuna	Incunàbolu	Carta Logudoresa	Carta Campidanesa
siat (sia)	siat	sia**da**	siat

In nessuna Carta, ad eccezione di quella Logudoresa, è utilizzata la vocale paragogica. Quasi tutte le Carte concordano con la Limba Sarda Comuna.

LA VOCALE PROSTETICA I-

Limba Sarda Comuna	Incunàbolu	Carta Logudoresa	Carta Campidanesa
iscrìere (scrivere)	**i**scrivere	**i**scriere	**i**scriviri

La vocale prostetica **i-** davanti alla **-s-** impura è sempre rappresentata in tutte le Carte. L'incunabolo è scritto nella forma ampia con la **-v-** intervocalica. Tutte le Carte concordano con la Limba Sarda Comuna.

MORFOLOGIA

L'ARTICOLO

Limba Sarda Comuna	Incunàbolu	Carta Logudoresa	Carta Campidanesa
sos benes - is benes (i beni)	**sos** benes	**sos** benes	**sos** benis

In tutte le Carte è preferito l'articolo determinativo plurale **sos/sas** a quello **is**. Dopo la congiunzione **et** e la preposizione **per**, l'articolo compare nella forma piena con **issos**. Di tale maniera ne rimane ancora traccia nella comunicazione orale con **ei sos**. Si può dire che in questo caso sono detti allo stesso tempo entrambi gli articoli: **is-sos**. Nella forma piena troviamo l'articolo anche in latino con ***ipsos***. Tutte le Carte concordano con la Limba Sarda Comuna.

IL NOME

Limba Sarda Comuna	Incunàbolu	Carta Logudoresa	Carta Campidanesa
sa dom**o** (la casa)	sa dom**o**	sa dom**o**	sa dom**u**
sos òmin**es** (gli uomini)	sos homin**is**	sos homin**es**	sos homin**is**
sos sodd**os** (i soldi)	sos sodd**os**	sos sodd**os**	sos sodd**os**

In tutte le Carte il plurale dei nomi è segnato in maniera corretta con la **-s** finale. Per quanto riguarda il morfema delle tre classi, risultano uscite in **-e** (logudoresa) e in **-i** (campidanesa), che al plurale finiscono rispettivamente in **-es** e in **-is**. In tutte le Carte il plurale concorda con la Limba Sarda Comuna.

L'AGGETTIVO

Limba Sarda Comuna	Incunàbolu	Carta Logudoresa	Carta Campidanesa
rennu **nostru** (regno nostro)	rennu **nostru**	regnu **nostru**	regnu **nostru**
bona memòria (buona memoria)	**bona** memoria	**bona** memoria	**bona** memoria

In tutte le Carte l'aggettivo possessivo segue sempre il nome, mentre quello qualificativo a volte lo precede. In qualsiasi Carta gli aggettivi concordano con quelli della Limba Sarda Comuna.

AGGETTIVI E PRONOMI POSSESSIVI

Limba Sarda Comuna	Incunàbolu	Carta Logudoresa	Carta Campidanesa
suo (suo)	suo	so**u**	suo
issoro (loro)	issoro	issoro	issor**u**
nostros (nostro)	nostros	nostros	nostros

In tutte le Carte la forma degli aggettivi e dei pronomi possessivi concorda con quella della Limba Sarda Comuna, ad eccezione della Carta Logudoresa per il pronome **sou** e di quella Campidanesa per l'uscita in **-u** del pronome **issoru**.

AGGETTIVI E PRONOMI DIMOSTRATIVI

Limba Sarda Comuna	Incunàbolu	Carta Logudoresa	Carta Campidanesa
cussos (codesti)	cussos	cussos	cussos
cuddu (quello)	cu**ll**u	cuddu	cu**ll**u

In tutte le Carte gli aggettivi e pronomi dimostrativi concordano con quelli della Limba Sarda Comuna, sebbene in due Carte (Incunàbolu e Carta Campidanesa) il suono cacuminale della doppia -**dd**- di *cuddu* sia rappresentato con la doppia **-ll-** latina.

AGGETTIVI E PRONOMI INDEFINITI

Limba Sarda Comuna	Incunàbolu	Carta Logudoresa	Carta Campidanesa
àteros (altri)	ateros	ateros	atteros
alcunas (alcune)	alcunas	alcunas	alcunas
perunu (nessuno)	perunu	per unu	perunu

In tutte le Carte gli aggettivi e pronomi indefiniti concordano con quelli della Limba Sarda Comuna.

AGGETTIVI E PRONOMI INTERROGATIVI

Limba Sarda Comuna	Incunàbolu	Carta Logudoresa	Carta Campidanesa
chie (chi)	**qui**	chie	**qui**
ite (cosa)	iteu	ite	iteu

In tutte le Carte, ad eccezione di qualche differenza di poco conto, gli aggettivi e i pronomi interrogativi concordano con quelli della Limba Sarda Comuna. Nell'incunabolo e nella Carta Campidanesa sono ancora rappresentati i grafemi di origine latina.

AGGETTIVI NUMERALI

Limba Sarda Comuna	Incunàbolu	Carta Logudoresa	Carta Campidanesa
bindighi (quindici)	bindichi	bindigui	bindighi
dughentos (duecento)	du**ce**ntas	du**gu**entos	du**ce**ntas

In tutte le Carte gli aggettivi numerali concordano quasi del tutto con quelli della Limba Sarda Comuna, ad eccezione del suono palato alveolare di du**ce**ntas riportato nell'Incunabolo e nella Carta Campidanesa con il grafema di origine latina.

I PRONOMI PERSONALI SOGGETTO

Limba Sarda Comuna	Incunàbolu	Carta Logudoresa	Carta Campidanesa
nois (noi)	**nos**	nois	**nos**

In questa forma di pronome personale soggetto, l'Incunabolo e la Carta Campidanesa seguono la varian-te centro meridionale (*noso, nosu*) con il pronome **nos** alla latina, mentre la Carta Logudoresa lo esprime in Limba Sarda Comuna.

I PRONOMI PERSONALI COMPLEMENTO

Limba Sarda Comuna	Incunàbolu	Carta Logudoresa	Carta Campidanesa
si lu / si ddu (se lo)	si**ll**u	si lu	si'**ll**u
atenaghènde·lu (attanagliandolo)	atanagandolu	attenagiandolu	attanagiando**ll**a

In tutte le Carte i pronomi personali complemento di forma atona, proclitici ed enclitici, concordano con la Limba Sarda Comuna. Nell'Incunabolo e nella Carta Campidanesa il suono cacuminale **-dd-** è rappresen-tato con la doppia **-ll-**, come lo troviamo in latino nel dimostrativo ***ille***.

PRONOMI RELATIVI

Limba Sarda Comuna	Incunàbolu	Carta Logudoresa	Carta Campidanesa
chi	**qui**	**qui**	chi
chi li / chi ddi (che lo)	qui lli	chi li	ch'illi

In tutte le Carte il pronome relativo, sia da solo sia accompagnato dal pronome personale (quando svolge funzione di complemento indiretto o di termine), concorda con la Limba Sarda Comuna. I grafemi **qui**, scritti con la grafia latina, rappresentano il suono velare **chi**, e la doppia **-ll-** quello cacuminale **-dd-**.

AFRICATA ALVEOLARE SONORA [dz], /z/, (fizu), LATERALE ALVEOLARE SONORA [l], /ll/, (fillu) e AFRICATA PALATO ALVEOLARE SONORA [dʒ], /gi/, (figiu)

Limba Sarda Comuna	Incunàbolu	Carta Logudoresa	Carta Campidanesa
figiu (figlio)	figiu	figiu	figiu

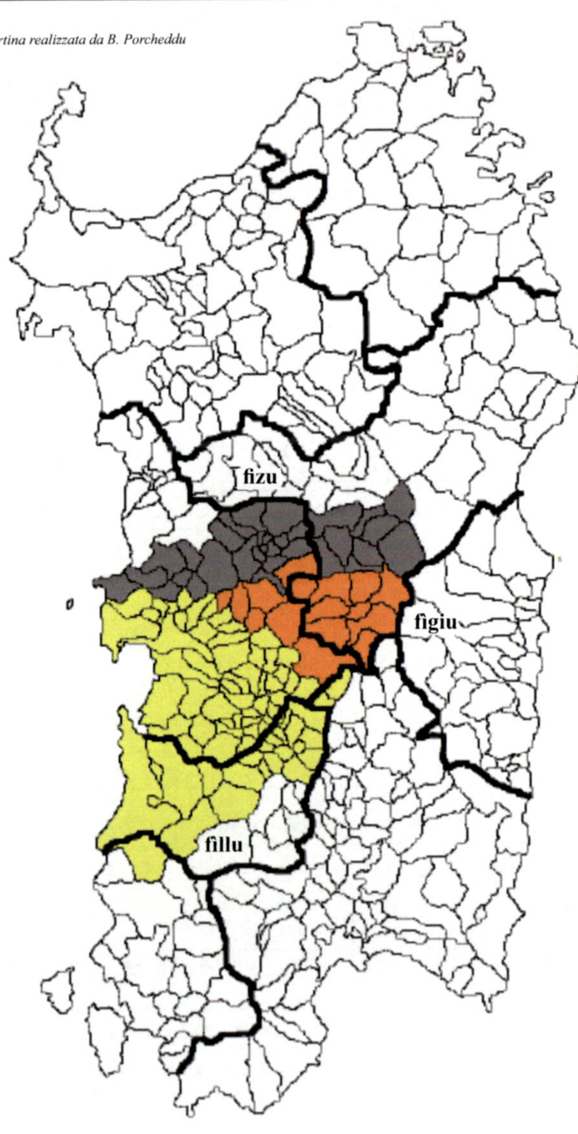

IL VERBO

MODO INDICATIVO, TEMPO PASSATO PROSSIMO DEL VERBO ESSERE

Limba Sarda Comuna	Incunàbolu	Carta Logudoresa	Carta Campidanesa
est istadu (è stato)	est istadu	est istadu	est istadu
sunt istados (sono stati)	suntu istados	sunt istados	suntu istados

In tutte le Carte i tempi del passato prossimo concordano con quelli della Limba Sarda Comuna, ad ecce-zione del particolare che l'Incunabolo e la Carta Campidanesa aggiungono una vocale paragogica alla terza persona plurale.

MODO INDICATIVO, TEMPO IMPERFETTO DEL VERBO ESSERE

Limba Sarda Comuna	Incunàbolu	Carta Logudoresa	Carta Campidanesa
fiat (era)	**fudi**	fuit	**fudi**

L'imperfetto indicativo del verbo essere è uno dei rari esempi in cui la forma verbale non concorda con quella della Limba Sarda Comuna. La Carta Logudoresa impiega la **-t** della terza persona verbale ma preferi-sce il latino ***fuit*** a **fiat**, perché più vicino al Logudorese. L'incunabolo e la Carta Campidanesa, invece, seguo-no la propria variante scrivendo la voce verbale come si pronuncia nella forma parlata. Come abbiamo già spiegato nella comparazione con il latino, l'imperfetto indicativo del verbo essere in sardo contiene anche le forme del la prima persona singolare con **fio**, **fui**, **fia**.

MODO CONGIUNTIVO, TEMPI PRESENTE E IMPERFETTO DEL VERBO ESSERE

Limba Sarda Comuna	Incunàbolu	Carta Logudoresa	Carta Campidanesa
siant (siano)	siant	siant	siant
essèremus (fossimo)	esseremus	esseremus	esseremus

In tutte le Carte i congiuntivi presente e imperfetto del verbo essere concordano con la Limba Sarda Co-muna.

MODI INFINITO, GERUNDIO E PARTICIPIO PASSATO DEL VERBO ESSERE

Limba Sarda Comuna	Incunàbolu	Carta Logudoresa	Carta Campidanesa
èssere (essere)	esser	essere	esser
essende (essendo)	essend**o**	essende	essend**o**
istadu (stato)	istadu	istadu	istadu

In tutte le Carte, ad eccezione di qualche particolare di poco conto, le forme verbali concordano con quelle della Limba Sarda Comuna. Nell'Incunabolo e nella Carta Campidanesa troviamo l'uscita del gerundio in **-o**, utilizzato nella Sardegna centro meridionale, simile a quello latino (dativo e ablativo) dei verbi attivi.

MODO INDICATIVO, TEMPI PRESENTE e FUTURO DEL VERBO AVERE

Limba Sarda Comuna	Incunàbolu	Carta Logudoresa	Carta Campidanesa
amus (abbiamo)	amus	**h**amus	**h**amus
at a àere (avremo)	ad avir**i**	hat avere	hat a avir**i**

In tutte le Carte la prima persona plurale dell'indicativo presente del verbo avere concorda con quella della Limba Sarda Comuna. Il futuro, invece, concorda solo in parte, poiché nell'Incunabolo e nella Carta Campidanesa l'uscita del verbo è in **-i** (campidanese) al posto di **-e** (logudorese).

L'ARTICOLO

Limba Sarda Comuna	Incunàbolu	Carta Logudoresa	Carta Campidanesa
sos benes - is benes (i beni)	sos benes	sos benes	sos benis

Cartina realizzata da B. Porcheddu

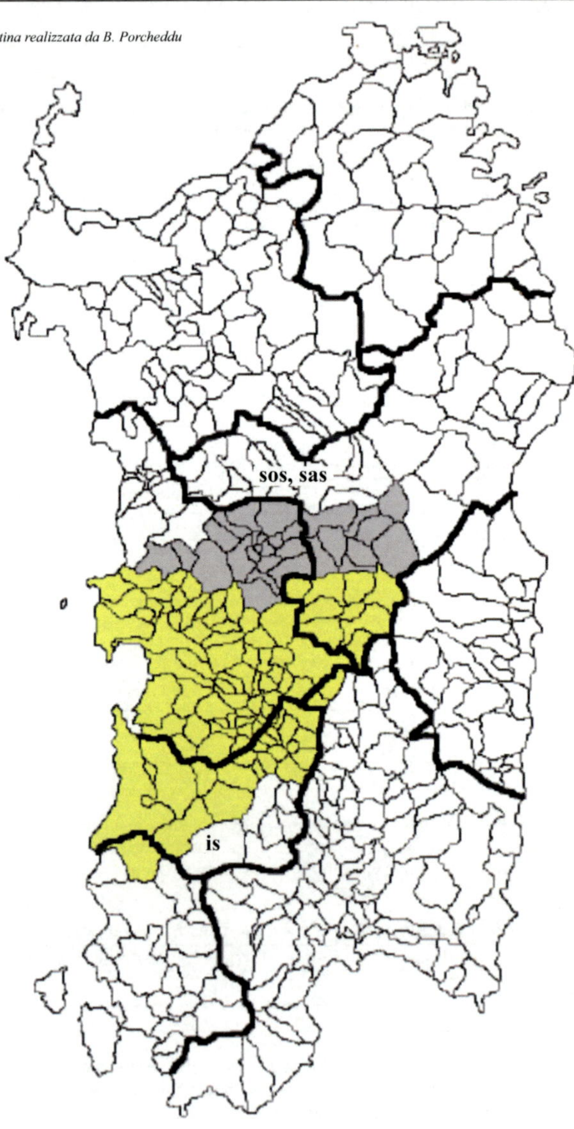

MODO IMPERATIVO, TEMPO PRESENTE DEL VERBO IMPERARE (UTILIZZARE)

Limba Sarda Comuna	Incunàbolu	Carta Logudoresa	Carta Campidanesa
impero (utilizzare)	impero	impero	impero

In tutte le Carte il modo imperativo concorda del tutto con quello della Limba Sarda Comuna.

MODO CONGIUNTIVO, TEMPO PRESENTE DEL VERBO AVERE

Limba Sarda Comuna	Incunàbolu	Carta Logudoresa	Carta Campidanesa
apat (abbia)	appat	**h**appat	**h**appat

In tutte le Carte il congiuntivo presente del verbo avere concorda del tutto con quello della Limba Sarda Comuna. È da notare che nelle Carte Logudoresa e Campidanesa è stata introdotta la lettera **h-** all'inizio, originata dal latino e seguita dall'italiano, che invece manca nell'Incunabolo e in Limba Comune.

MODI INFINITO, GERUNDIO E PARTICIPIO DEL VERBO AVERE

Limba Sarda Comuna	Incunàbolu	Carta Logudoresa	Carta Campidanesa
àere (avere)	aver	**h**aver	**h**aver
aende (avendo)	avendo	**h**avende	avendo
àpidu (avuto)	appidu	**h**apidu	**h**appidu

In tutte le Carte il participio passato del verbo avere concorda con quello della Limba Sarda Comuna. Gli altri due modi concordano in linea generale.

MODO INFINITO (PRESENTE) DEL VERBO STARE E MODO INDICATIVO (PRESENTE) DEL VERBO POTERE

Limba Sarda Comuna	Incunàbolu	Carta Logudoresa	Carta Campidanesa
istare (stare)	istare	istare	istar**i**
podent (possono)	podent	podent	podent

In tutte le Carte, le forme verbali dell'infinito presente del verbo stare e dell'indicativo presente del verbo potere concordano del tutto con quelle della Limba Sarda Comuna, ad eccezione dell'uscita del verbo in **-i** nella Carta Campidanesa.

MODO CONGIUNTIVO, TEMPI PRESENTE DEL VERBO BÈNNERE E IMPERFETTO DEL VERBO TÈNNERE

Limba Sarda Comuna	Incunàbolu	Carta Logudoresa	Carta Campidanesa
bengiant (vengano)	bengiant	bengiant	bengiant
tennerent (tenessero)	tenerent	tennerent	tenner**i**nt

In tutte le Carte, il congiuntivo presente e l'imperfetto, rispettivamente dei verbi **bènnere** (venire) e **tèn-nere** (tenere), concordano del tutto con quelli della Limba Sarda Comuna, ad eccezione dell'uscita in **-i** al posto della **-e** in tenner**i**nt.

AVVERBIO

AVVERBI DI MODO

Limba Sarda Comuna	Incunàbolu	Carta Logudoresa	Carta Campidanesa
bene (bene)	bene	bene	ben**i**
comente (come)	comente	comente	coment**i**
mègius (meglio)	megius	megius	megius

NESSI NASALI SONORI: ALVEOLARE [ŋdz], /nz/, (anzone) e PALATO ALVEOLARE [ŋdʒ], /ng/, (angione)

Limba Sarda Comuna	Incunàbolu	Carta Logudoresa	Carta Campidanesa
testimòngiu (testimone)	testimongiu	testimongiu	testimongiu

Cartina realizzata da B. Porcheddu

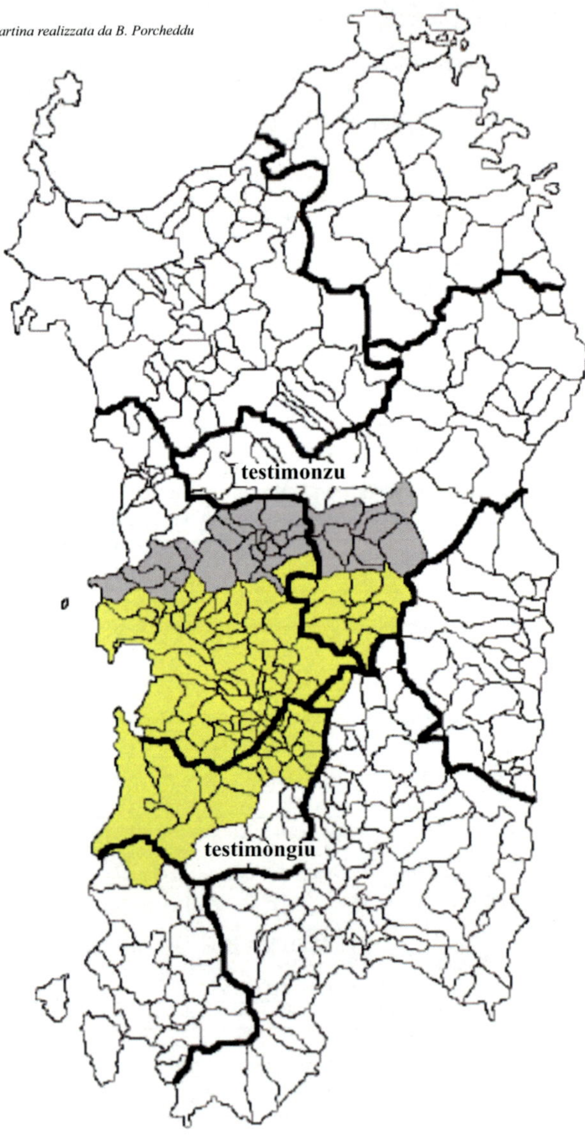

In tutte le Carte gli avverbi di modo concordano del tutto con quelli della Limba Sarda Comuna, ad ecce-zione dell'uscita in **-i** al posto della **-e** in ***beni*** e ***comenti*** della Carta Campidanesa.

AVVERBI DI TEMPO

Limba Sarda Comuna	Incunàbolu	Carta Logudoresa	Carta Campidanesa
oje (oggi)	**h**oe	**h**oe	**h**oe
posca (dopo)	posc**h**a	posca	posca
como (ora)	como	como	como

In tutte le Carte gli avverbi di tempo concordano con quelli della Limba Sarda Comuna. La lettera **h-** rap-presenta il suono aspirato e risente dell'influenza latina (*hodie*) nella scrittura. Qui, nell'avverbio "oje", è utile scrivere la parola in forma piena mettendo la **-j-** mediana che corrisponde alla **di+**vocale latina.

AVVERBI DI LUOGO

Limba Sarda Comuna	Incunàbolu	Carta Logudoresa	Carta Campidanesa
inoghe (qui)	inogh**i**	nog**uey**	inogh**i**
subra (sopra)	supra	subra	supra
inie (lì)	inie	inie	innie

In tutte le Carte gli avverbi di luogo concordano quasi del tutto con quelli della Limba Sarda Comuna, ad eccezione della lettera **-b-** al posto della **-p-** (sonorizzata) in **subra** e per l'uscita in **-i** al posto di **-e** nell'Incu-nabolo e nella Carta Campidanesa. La Carta Logudoresa risente della scrittura spagnola con il nesso velare -**gue** per **-ghe** in ino**gh**e.

AVVERBI DI QUANTITÀ

Limba Sarda Comuna	Incunàbolu	Carta Logudoresa	Carta Campidanesa
totu (tutto)	totu	totu	totu
prus (più)	p**l**us	p**i**us	p**l**us

In tutte le Carte l'avverbio di quantità concorda quasi del tutto con quello della Limba Sarda Comuna, ad eccezione della Carta Logudoresa che lo rappresenta nella sua variante. La lettera **-l-** del suono laterale [l] di ***plus*** rappresenta la forma latina della liquida che in tutta la Sardegna, tranne che in Logudoro centrale, è stata rotacizzata in **-r-**, come nell'esempio di **prus**.

PREPOSIZIONI

PREPOSIZIONI SEMPLICI

Limba Sarda Comuna	Incunàbolu	Carta Logudoresa	Carta Campidanesa
de (di)	de	de	di
a (a)	a	a	a
dae (da)	dae	dae	dae
in (in)	in	in	in
cun (con)	cum	cun	cun
pro (per)	per	pro	pro
peri (attraverso)	peri	peri	peri

In tutte le Carte le preposizioni semplici concordano quasi del tutto con quelle della Limba Sarda Comu-na, ad eccezione dell'Incunabolo in cui al posto di **cun** compare **cum** per l'influenza che la lingua latina aveva nella scrittura.

Cartina realizzata da B. Porcheddu

I PRONOMI PERSONALI COMPLEMENTO

Limba Sarda Comuna	Incunàbolu	Carta Logudoresa	Carta Campidanesa
si lu / si ddu (se lo)	si llu	si lu	si'llu
atenaghènde·lu (attanagliandolo)	atanagandolu	attenagiandolu	attanagiandolla

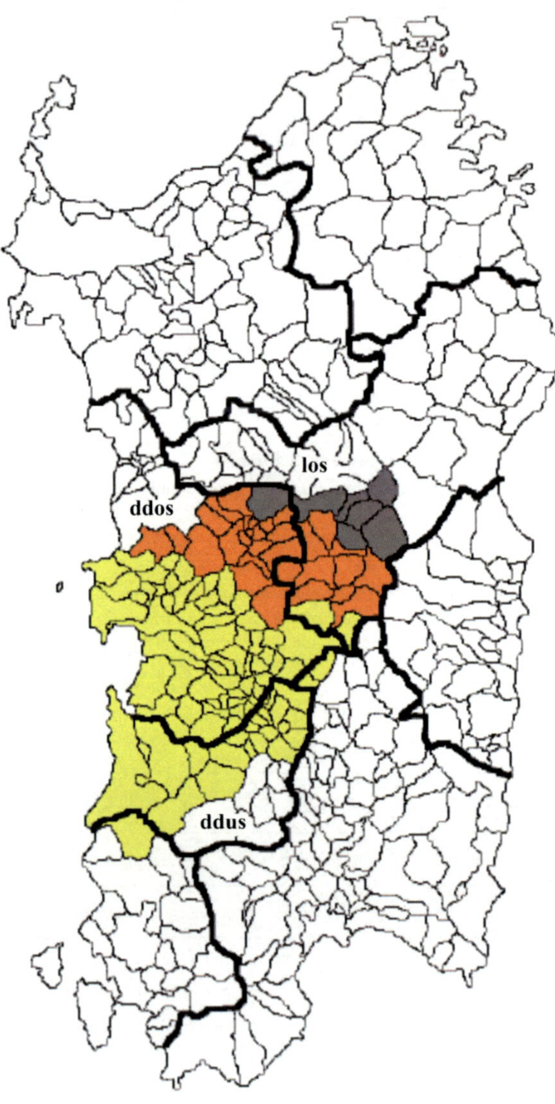

19.4. LA DIMENSIONE DIACRONICA

Nelle pagine precedenti si è analizzata la struttura fonologica e morfologica delle tre Carte de Logu rispetto alla Limba Sarda Comuna di oggi. È stato semplice rilevare che le differenze tra le tre Carte e la Limba Sarda Comuna di ora sono quasi inesistenti. Questo vuol dire che, nella struttura fonologica e morfologica, la lingua sarda scritta si è mantenuta senza mutamenti significativi nel tempo.

Più difficile è stato misurare la variazione diacronica della sintassi, ovverosia il mutamento dell'ordine delle parole all'interno della frase nel tempo. La comparazione dei testi è stata questa volta finalizzata a mettere in evidenza le concordanze e le discordanze della posizione delle parole all'interno della frase.

Possiamo dire che anche dal punto di vista sintattico, tutte le Carte concordano pienamente tra di loro, segno evidente che l'Incunabolo è stato copiato da un manoscritto originale e che da questo siano state nel tempo che ne è seguito scritte le altre Carte. Dal momento che la sintassi dell'Incunabolo si avvicina molto a quella della Limba Sarda Comuna, possiamo concludere dicendo che la lingua sarda scritta non ha subito mutamenti di rilievo dal '300 fino ad oggi.

19.5. LA DIMENSIONE DIAMESICA

Per dimensione **diamesica** s'intende la differenza che intercorre tra la lingua scritta e quella parlata. Questa ha interessato dal Medioevo fino ai nostri giorni tutte le varianti linguistiche dell'isola. Tale fatto è dovuto probabilmente al tentativo, sempre cercato, di unire la scrittura, almeno a livello ufficiale. Nel Logudoro si è sempre inseguito un'ideale di "Logudorese illustre"; nel Campidano di Cagliari, al contrario, si è sempre combattuto per divincolarsi dalla lingua logudorese; ad Oristano si è operato invece per una mediazione.

19.5.1 LA DIMENSIONE DIAMESICA FINO ALLA METÀ DEL XIV SECOLO.

Il giudicato di Arborea chiudeva entro i suoi confini storici una popolazione non certo omogenea dal punto di vista linguistico. Le differenze grafiche (e pertanto fonetiche) delle tredici curatorie (Barbagia di Belvì, Barbagia di Ollolai, Barigadu, Bonurzuli, Campidanu Majore, Campidanu di Milis, Guilcier, Mandrolisai, Marmilla, Montis, Usellus, Valenza e Brabaxiana) si possono vedere nel condaghe di Santa Maria de Bonàrcado[14]. Dall'analisi paleografica, è stato infatti individuato nel presente condaghe l'intervento di un centinaio di mani differenti, che hanno segnato il cammino di ben quattro secoli di scrittura popolare in Sardegna, dalle ultime manifestazioni della "Carolina" all'avvento della "Umanistica"[15].

Nel condaghe, il suono [ts], /tz/, (pu**tz**u = pozzo) è quasi sempre rappresentato graficamente dalle lettere **-z-** o **-ç-** (pe**z**a = carne, fa**ç**o = faccio). Il pronome atono delle terze persone è mantenuto quasi sempre con la doppia **-ll-** latina, a rappresentare il suono cacuminale [ɖ], /dd/, (**ll**i fazo / **dd**i fatzo = gli faccio). È frequente la prostesi vocalica davanti a parole che incominciano con la **-r-** (**ar**regendo, **ar**resone, **er**riu) comune al campidanese e all'arborense. Insieme a questi elementi, propri dell'area meridionale e centrale, si registrano anche esiti peculiari del logudorese: mea (mia), fato (fatto), lis (gli), pius (più), sos (i), sas (le) e così di seguito[16].

Gli stessi contrasti si possono vedere nelle *Pergamenas Arborenses* del XII secolo, che nel lessico mostrano: mea e mia (mia), fato e fazo (faccio), muiere e mucere (moglie); i sostantivi e gli aggettivi escono alternativamente quando in **-e** (òmin**e** = uomo), al modo logudorese, quando in **-i** (òmin**i** = uomo), alla maniera campidanese[17].

Gli scostamenti tra logudorese e campidanese si trovano nella *Carta Calaritana* del XI secolo, scritta in caratteri greci, prevalentemente per quel che concerne la terminazione delle vocali nei sostantivi e le desinenze nei verbi. Tra le uscite in **-e** (logudoresi) e quelle in **-i** (campidanesi) prevalgono quelle in **-i** (òmin**i** =

14 Eduardo Blasco Ferrer, *Storia linguistica della Sardegna*, Max Niemeyer Verlag, Tübingen, 1984, pp. 134-135.

15 Oliveta Schena, *Il Condaghe di Santa Maria di Bonarcado (Note paleografiche e diplomatistiche)*, in *Il Condaghe di Santa Maria di Bonarcado* (a cura di M. Virdis), S'Alvure, Oristano, 1995, pp. XLIII-LXI.

16 Maurizio Virdis, *Il Condaghe di Santa Maria di Bonarcado*, S'Alvure, Oristano, 1995, pp. 23-29.

17 Enrico Besta, *Intorno ad alcune pergamene arborensi del secolo decimosecondo*, in *Archivio Storico Sardo*, vol. II (1906), pp. 421-433.

uomo). La stessa oscillazione avviene nelle uscite dei sostantivi in **-o** (dom**o** = casa), logudoresi, che vanno di pari passo con quelle in **-u** (dom**u** = casa), campidanesi, con il plurale che esce quasi sempre in **-us** (dom**us** = case) alla maniera campidanese[18].

Anche nel Logudoro la lingua scritta non corrisponde a quella parlata. Il condaghe di Santu Pedru de Silki presenta esso stesso una doppia grafia: il possessivo **mia** (logudorese settentrionale) e vicino a **mea** (logudorese comune); **nois** (noi) e **bois** (voi), tipici del logudorese centro settentrionale, si alternano con **nos** e **bos**, parlati nella Sardegna centro meridionale con **nos**u e **bos**atrus; **isse** (egli) e **issu** (egli), così come li troviamo in latino con ***ipse*** e ***ipsus***, si dividono i numeri a metà; **plus** (più), di impronta latina, è preferito a **pius**. Le tre persone plurali dei verbi fanno fuori spesso la **-t** finale, perché in Logudorese non si pronuncia, e il suono alveo dentale [t], /t/, (pe**t**a = carne), usato nella Sardegna settentrionale, è a volte scambiato per quello [ts], /tz/, (pe**tz**a = carne), rappresentato graficamente con le lettere **-th-** (pe**th**a) o **-z-** (pe**z**a), impiegato nella Sardegna centro meridionale[19].

Altrettanto accade nel condaghe di Santu Nigola de Truddas, in cui dal XII al XIII secolo scrivono una dopo l'altra sedici mani differenti (oltre a tre interventi successivi) e altre cinque scrivono alternativamente nell'ultimo fascicolo[20].

Il contrasto tra scritto e parlato non manca neppure negli Statuti della Repubblica di Sassari (pubblicati nel 1316), in cui, ad esempio, si trovano allo stesso tempo: **pongiat** e **pognat** (ponga), **fathat** e **fachat** (faccia), **horigla** e **orighia** (orecchio), **secundu** e **segundu** (secondo), e così via[21].

19.5.2 LA DIMENSIONE DIAMESICA NEL REGNO DI ELEONORA D'ARBOREA

A partire dal 1365, con la conquista da parte di Mariano IV di quasi tutta l'Isola, si era posto per il "nuovo" Stato il problema della lingua. In tempi precedenti, il giudicato di Arborea aveva affrontato tale esperienza all'interno dei suoi confini sviluppando una forma scritta che era stata il risultato della mediazione tra montagna e pianura, logudorese e campidanese, scritto e parlato[22].

Tant'è vero che escono dalla cancelleria arborense lettere in cui compaiono morfemi di sostantivi in **-i**, alla maniera campidanese (derogar**i**, rumpir**i**, ischir**i**, fachir**i**, na**i**) e plurali in **-os** alla logudorese; la fricativa palatoalveolare **conoscet** (conosce) insieme alla velare **ischiri** (sapere) e il numerale palatale **ducentas** (duecento) vicino al velare ***chi*mbanta** (cinquanta)[23].

Il successore di Mariano IV, il figlio Ugone III (1337-1383), dettava in arborense alla città di Sassari la legge che negava l'estinzione della pena in cambio di soldi: «*Nos Hugo per gratia de Deu..., pro parte nexuna o difendendo ad sy ochiret alcunu homini, siat de presente su dictu homini, qui aueret mortu su homini, siat impichatu per issa gula per modu qui'nde morgiat et pro dinarj alcunu campare non pothat nen pro ischusa nen pro atera resione qui boleret mostrare qui lu aueret mortu et resione sua bolemus qui siat illi resida, ma inde fathat sa justithia de presente secundu qui sa resione bolet et cumandat*»[24].

Pure Brancaleone Doria (1337-1409), sebbene provenisse dalla cultura linguistica logudorese, una volta seduto a fianco di Eleonora de Arborea, si adeguava alla lingua di Stato, aggiungendo in lingua comune al manoscritto latino dello Statuto di Sassari la legge sulle eredità: «*Dominus Brancha de Auria..., qui sa iusta et comuni rasone ordinant et in tempus antiguo fuit observadu per issu privilegiu nostru ordinamus et bolemus qui su patri ad su figiu non isu figiu ad su patri non poçat diseredare dessa legittima sua exceptu cum iusta casione de sa lege comuni ordinadu*»[25].

Ma è con Eleonora di Arborea (1347-1404) che la lingua arborense inizia, e purtroppo finisce, a darsi una

18 Louis Blancard - Karl Wesher, *Charte sarde de l'abbaye de Saint Victor de Marseille, ècrite en charactères grecs*, in *Bibliothèque de l'Ecole des Chartes*, XXXV (1874).

19 Guglielmo Bonazzi, *Il Condaghe di San Pietro di Silki*, Dessì, Sassari, 1900. Tr. It. in *Il Condaghe di San Pietro di Silki* (a cura di Ignazio Delogu), Libreria Dessì Editore, Sassari, 1997, pp. 56-172.

20 Paolo Merci, *Il Condaghe di San Nicola di Trullas*, Carlo Delfino Editore, Sassari, 1992, p. 21 ss.

21 Pier Enea Guarnerio, *Gli Statuti della Repubblica Sassarese*, in *Archivio Glottologico Italiano*, vol XIV, Società Tipografica Sarda, Cagliari, 1913, pp. 107-126.

22 Francesco Cesare Casula, *Cultura e scrittura nell'Arborea al tempo della Carta de Logu*, in *AA. VV. Il mondo della Carta de Logu*, Edizioni "3T", Cagliari, 1979, p. 92.

23 Pasquale Tola, *Codice degli Statuti della repubblica di Sassari*, A. Timon, Cagliari, 1850, p. 228.

24 Pasquale Tola, *Codice degli Statuti della repubblica di Sassari*, cit., p. 228.

25 Pasquale Tola, *Codice degli Statuti della repubblica di Sassari*, cit., p. 228.

struttura stabile. Il mondo della **Carta de Logu** rispecchia la lingua del giudicato di Arborea, che aveva come fondo il substrato logudorese, ma con caratteri propri e distintivi di fenomeni peculiari al campidanese[26].

Se da una parte si torna a cadere nel solito ondulamento tra le uscite in **-e** ed **-i** (narr**e** e narr**i** = dire, tenn**e** e tenn**i** = tenere, ponn**e** e ponn**i** = mettere, benn**e** e benn**i** = venire), dall'altra si mantengono invariati i nessi consonantici **-rg-** (freà**rg**iu = febbraio), **-ng-** (a**ng**ione = agnello), **-g-** (fi**g**iu = figlio), **-tz-** (fa**z**at = faccia). La vocale paragogica, che in sardo segna quasi sempre il confine tra lo scritto ed il parlato, compare poche volte, mentre è quasi sempre presente la vocale **i-** prostetica davanti alla **-s-** impura (**is**crìere). I nessi consonantici di origine latina **cl-** (*claru*), **pl-** (*plenu*), **-gl-** (*oglu*), **fl-** (*flore*), rimangono così e accontentano logudorese settentrionale (*giaru, pienu, oju, fiore*) e logudorese e campidanese comuni (*craru, prenu, ogru, frore*). Il suono velare (**ch**entu) sostituisce del tutto quello palatale (**ce**ntu), tranne che in qualche numerale di grande utilizzo (du**ce**ntas). Articolo, nome e verbo mantengono la base logudorese, quando invece pronomi e combinazioni di forme pronominali sono rappresentati in campidanese[27].

19.5.3 LA DIMENSIONE DIAMESICA DOPO IL REGNO DI ELEONORA D'ARBOREA

Con la caduta del giudicato di Arborea (1420), una volta scomparsi i confini politici, si erano allentati di conseguenza i cordoni linguistici. Tanto più la scrittura si era allontanata dall'ufficialità, quanto più si erano segnalate le differenze tra logudorese e campidanese e tra forma scritta e parlata.

A mantenere la scrittura ufficiale era stato il **Condaxi Cabrevadu** del convento di San Martino di Oristano, composto da atti notarili che vanno dal 3 febbraio 1403 al 5 settembre 1529, che nel lessico utilizza ancora i lessemi della lingua statuale arborense: bingia (vigna), treiguj (tredici), citade (città), lassadu (lasciato), juigue (giudice), domos (case), qujnbe (cinque), narande (dicendo), degue (dieci), gosi (così), e via dicendo[28].

Di fattura contraria è invece il condaghe di **Santa Clara**, manoscritto del monastero di Santa Chiara di Oristano (XV - XVI secolo), del quale non è da escludere sia stato copiato da un altro condaghe più antico. A curare la redazione della maggior parte dei contratti era stato il procuratore *Bartolo Passiu*, che scrive: «*Su dittu contaghi ffudi pleno e no teniat inui iscriviri* (Il detto condaghe era pieno e non teneva dove scrivere)». Egli annota in campidanese tra le altre cose parole che fanno parte della vita quotidiana di Oristano, come: dommu (casa), mulleri (moglie), is (le), e così via di seguito[29].

È espressione della scrittura popolare anche il **Brogliaccio** del convento di San Martino di Oristano, in cui, dal 1415 al 1579, compare un lessico abbastanza variegato: ortigheddu (orticello), fudi (era), sus annos (gli anni), anti pagadu (hanno pagato), madi dadu (mi ha dato), poderi miu (potere mio), plus (più), s'ortu suo (l'orto suo), domu (casa), cittadi (città), stari (stare), e via di seguito[30].

Diverso è invece il caso del **Codice degli statuti di Galeotto Doria** per Castelgenovese (Castelsardo), del 1435, che presenta i canoni dell'ufficialità con lessemi di forma statuale arborense: faguer (fare), tenudo (tenuto), tengiat (tenga), adimandante (richiedente), ispesas (spese), boleret (volesse), poçat (possa), salvu (salvo), suo (suo), plus (più), chento (cento), quimbe (cinque), impero (utilizzo), ed altri[31].

Parte del lessico statuale è impiegato dallo scrittore **Ziròmine Araolla** nell'opera "Sa vida, su Martìriu et morte dessos gloriosos martires Gavinu, Brothu et Gianuari" (1597)[32]; seguito nell'intento da **Giuanne Mateu Garippa** nella sua "Legendariu de Santas Virgines, et Martires de Jesu Crhistu" (1627)[33]. Entrambi usano parole quali "mu<u>g</u>ere (moglie), fi<u>g</u>iu (figlio), consì<u>g</u>iu (consiglio)", sebbene nella Sardegna centro settentrionale inizino già a comparire in forma scritta logudorese: *mu<u>z</u>ere, fi<u>z</u>u, consi<u>z</u>u*.

---

26 Francesco Cesare Casula, *Cultura e scrittura nell'Arborea al tempo della Carta de Logu*, in *AA. VV. Il mondo della Carta de Logu*, Edizioni "3T", Cagliari, 1979, pp. 104-5.

27 Enrico Besta - Pier Enea Guarnerio, *Carta de Logu de Arborea*, Dessì, Estratto dagli Studi Sassaresi, anno III, Sassari, 1905, pp. 73-4.

28 Maria Teresa Atzori, *Il Condaxi Cabrevadu*, Società Tipografica Editrice Modenese, Modena, 1957, pp. 45-77.

29 Paolo Maninchedda, *Il Condaghe di Santa Chiara*, S'Alvure, Oristano, 1987, pp. 48-87.

30 Maria Teresa Atzori, *Brogliaccio del convento di San Martino di Oristano*, Scuola Tipografica Benedettina, Parma, 1959, pp. 25-33.

31 Domenico Ciampoli, *Gli statuti di Galeotto D'Oria per Castel Genovese nei frammenti di un codice sardo del secolo XIV*, Olschki, Firenze, 1908, p. 11 ss.

32 Gerolamo Araolla, *Sa vida, su martiriu, et morte dessos gloriosos martires Gavinu, Brothu et Giaguari*, Francesco Guarnerio Editore, Cagliari, 1582, pp. 23-70. Ora in *Iscrittore Sardos* (a cura di Michele Pinna), Il Rosello, Sassari, 2000, p. 12 ss.

33 Giovanni Matteo Garippa, *Legendariu de Santas Virgines, et Martires de Jesu Crhistu*, Lodovico Grignano Editore, Roma, 1627. Ristampa anastatica in *Monumentos de sa limba sarda* (a cura di Diego Corraine), Papiros, Nuoro, 1998, p. 8 ss.

19.6 LA DIMENSIONE DIATOPICA

Se per ipotesi ammettiamo che la lingua arborense sia stata anche lingua di popolo, quale fu, o è tutt'ora, il suo dominio areale, ovverosia la sua dimensione diatopica?

Non c'è oggi una sola isoglossa che misura dove arriva il logudorese e dove si ferma il campidanese, ma tutta una serie di isoglosse che segnano un territorio abbastanza vasto chiamato "de mesania", mediano.

Se noi ad esempio misuriamo l'uscita dei sostantivi in **-e** o in **-i**, sappiamo che l'isoglossa va dal paese di Seneghe passando per Ghilarza, Sedilo, Allai, Ortueri e Busachi fino ad arrivare a Laconi (in parte). Se invece prendiamo l'isoglossa dell'articolo plurale **is** (campidanese) o **sos/sas** (logudorese) vediamo che questa passa più a nord rispetto alla precedente, e così per altri esempi.

Pertanto oggi non possiamo dire che la Limba Sarda Comuna e l'Arborense si parlano o si parlavano in un determinato luogo, ma solo stabilire percentuali in relazione ai parametri utilizzati. Possiamo pertanto riassumere dicendo che nelle regioni storiche del Guilcier, Barigadu, Mandrolisai e Barbagia di Belvì la percentuale di Limba Sarda Comuna e di Arborense risulta più alta, oltrepassando il 90%.

In conclusione, possiamo affermare che, oggi come ieri, quanto più ampio era, ed è, l'allontanamento linguistico da questa zona, tanto più la Limba Sarda Comuna e l'Arborense venivano ad essere lingue sovraordinate o di superstrato, pertanto lingue da utilizzare prevalentemente nella scrittura.

La loro buona riuscita è dovuta al fatto che tenevano, e tengono, una funzione di legame tra le due varianti più grandi: logudorese e campidanese.

Una seconda funzione è stata quella di rappresentare linguisticamente un popolo.

Nel Medioevo sardo, i governanti dell'Arborea avevano adottato l'Arborense quale lingua del regno, ma caduto il re anche la lingua aveva cessato di battere. Oggi, al contrario, dal momento che è il popolo l'istituzione sovrana dello Stato, la vita o la morte della Limba Sarda Comuna dipenderà solo da esso[34].

34 Bartolomeo Porcheddu, *Grammatica de sa Limba Sarda Comuna*, Logosardigna, Sassari, 2012, pp. 147-149.

CONCLUSIONI

Affermare che il latino sia stata una lingua parlata è oggi improponibile. Nessuna lingua parlata scompare nel nulla, ad eccezione che non siano fatti fuori i suoi parlanti. Ma, dal momento che la popolazione italiana non ha subito avvicendamenti linguistici da parti degli eserciti e dei popoli di stirpe germanica che l'hanno occupata dopo la caduta dell'impero romano, si deduce che il latino non sia mai entrato nella vita del popolo.

Tante parole greche fanno parte del nostro vocabolario e riguardano termini legati prevalentemente alle scienze, di cui i Greci nel Millennio prima di Cristo erano i percussori (linguistica, medicina, politica e filosofia). Ma la lingua greca antica possiede circa centomila lemmi, di cui solo qualche centinaio è condivisibile nella radice con quelli latini. Questo significa che il latino e il greco erano lingue del tutto differenti. Allora come è possibile che abbiano morfemi simili? È evidente che una delle due lingue ha preso dall'altra. Come abbiamo illustrato in questa grammatica, il latino ha acquisito dal greco la flessione dei casi, i tempi sintetici dei verbi composti, e buona parte dei costrutti sintattici.

Pertanto oggi non possiamo accettare la tesi secondo cui nell'arco di soli settecento anni, tanti quanto è durato l'impero romano d'Occidente, la lingua latina (per intenderci, la koinè che si studia oggi a scuola) si sia prima radicata in un territorio vasto quanto l'Europa occidentale, specialmente in Sardegna dove le corrispondenze tra le due lingue sono migliaia, e poi sia scomparsa nel nulla dimenticando per strada i suoi morfemi di origine greca.

Ciascuno Stato, al momento della sua formazione, necessita di una lingua comune. Ma quando lo stesso viene a mancare per smembramento o incorporazione con altri Stati, anche la lingua scritta ritorna al parlato. Questo è quanto accaduto al latino, ma anche, in tempi più recenti (XV secolo), alla Lingua Sarda Comune arborense che, una volta perso il controllo politico da parte dei regnanti sardi, è andata a morire lentamente.

La differenza tra il latino e l'arborense è che il latino era composto da lingue molto distanti l'una dall'altra (sardo-latino, greco e osco) e non era capito dalla popolazione, mentre l'arborense era composto da varianti della lingua sarda e poteva essere compreso da tutti.

Attraverso il latino noi possiamo vedere la lingua sarda del primo millennio avanti Cristo e attraverso l'arborense la lingua sarda del secondo millennio dopo Cristo. La cosa più incredibile è che i mutamenti diacronici del sardo sono stati limitati e ancora oggi possiamo trovare nel latino e nell'arborense la lingua sarda come l'avessimo scritta ora.

Possiamo pertanto affermare che il sardo è una lingua millenaria, una delle poche lingue antiche del Mediterraneo ancora parlate. Possiamo dire che teniamo a portata di mano un tesoro di grandezza inestimabile.

Il fatto che la lingua sarda stia subendo una colonizzazione culturale che la sta ponendo a rischio di estinzione, oggi, rappresenta un danno incalcolabile non solo per la Sardegna ma per tutto l'Occidente europeo. Ora tocca a noi, Sardi di genia millenaria, combattenti di ogni guerra, eredi di fortezze e cultura, difendere questo tesoro.

Ite àteru depo nàrrere (cosa altro devo dire)?

Bartolomeo Bèrtulu Porcheddu

BIBLIOGRAFIA

AUTORI ANTICHI

Augustinus Hipponensis, *De Civitate Dei*.
Augustinus Hipponensis, *Confessione*.
Augustinus Hipponensis, *De Catechizandis Rudibus*.
Augustinus Hipponensis, *De Trinitate*.

Aulus Cornelius Celsus, *De Medicina*.

Aulus Gellius, *Noctes Atticae*.

Aulus Hirtius, *De Bello Gallico*.

Celius Firmianus Symphosius, *Symphosii scholastici Aenigmata*.

Cornelius Nepos, *Liber De Excellentibus Decibus Exterarum Gentium*.
Cornelius Nepos, *Liber De Latinis Historicis*.
Cornelius Nepos, *Vita Epaminondae*.

Dionisius Halicarnasseus, *Antichità romane*.

Flavius Eutropius, *Breviarium Ab Urbe Condita*.

Gaius Iulius Caesar Octavianus Augustus, *Res Gestae*.

Gaius Iulius Caesar, *Bellum Africum*.
Gaius Iulius Caesar, *De Bello Civili*.
Gaius Iulius Caesar, *De Bello Gallico*.

Gaius Iulius Phaedrus, *Fabularum Phaedri*.

Gaius Petronius Arbiter, *Satyricom*.

Gaius Plinius Caecilius Secundus (su giòvanu), *Epistularum Libri Decem*.

Gaius Plinius Secundus (su betzu), *Naturalis Historia*.

Gaius Sallustius Crispus, *Bellum Iugurthinum*.
Gaius Sallustius Crispus, *De Catilinae Coniuratione*.
Gaius Sallustius Crispus, *Fragmenta Historicarum - Epistula Mithridatis*.

Gaius Svetonius Tranquillus, *De Vita Caesarum*.

Gaius Valerius Catullus, *Carmina Catulli*.

Herodotus, *Historiae*.

Lucius Annaeus Seneca, *Apocolocyntosis*.
Lucius Annaeus Seneca, *De Beneficiis*.
Lucius Annaeus Seneca, *De Brevitate Vitae*.
Lucius Annaeus Seneca, *De Clementia*.
Lucius Annaeus Seneca, *De Consolatione*.
Lucius Annaeus Seneca, *De Ira*.
Lucius Annaeus Seneca, *De Vita Beata*.
Lucius Annaeus Seneca, *Epistulae Morales*.
Lucius Annaeus Seneca, *Naturales Quaestiones*.

Lucius Apuleius Madauresis (Saturninus), *Florida*.
Lucius Apuleius Madauresis (Saturninus), *Apologia (De Magia)*.
Lucius Apuleius Madauresis (Saturninus), *De Deo Socratis*.
Lucius Apuleius Madauresis (Saturninus), *De Dogmate Platonis*.
Lucius Apuleius Madauresis (Saturninus), *De Mundo*.

Lucius Apuleius Madauresis (Saturninus), *Metamorphoses*.

Lucius Iunius Moderatus Columella, *Res Rustica*.

Marcus Aurelius Olimpius Nemesianus, *Egloghe - IV*.

Marcus Fabius Quintilianus, *Declamationes Maiores - Declamatio Maior*.
Marcus Fabius Quintilianus, *Istitutiones*.
Marcus Fabius Quintilianus, *Oratoria*.

Marcus Iunianus Iustinus, *Historiarum Philippicarum T. Pompeii Trogi, Libri XLIV*.

Marcus Terentius Varro, *De Lingua Latina*.
Marcus Terentius Varro, *Rerum Rusticarum - De Agri Cultura*.

Marcus Tullius Cicero, *Epistuale - Ad Atticum*.
Marcus Tullius Cicero, *Epistulae - Ad Familiares*.
Marcus Tullius Cicero, *Orationes - De Domo Sua*.
Marcus Tullius Cicero, *Orationes - De Imperio Cn. Pompei Pro Lege Manilia*.
Marcus Tullius Cicero, *Orationes - De Lege Agraria Contra Rullum, Oratio*.
Marcus Tullius Cicero, *Orationes - In Catilinam*.
Marcus Tullius Cicero, *Orationes - In Pisones*.
Marcus Tullius Cicero, *Orationes - In Verrem*.
Marcus Tullius Cicero, *Orationes - Philippicae*.
Marcus Tullius Cicero, *Orationes - Pro Archia*.
Marcus Tullius Cicero, *Orationes - Pro Caelio*.
Marcus Tullius Cicero, *Orationes - Pro Cn. Plancio*.
Marcus Tullius Cicero, *Orationes - Pro Flacco*.
Marcus Tullius Cicero, *Orationes - Pro Marcello*.
Marcus Tullius Cicero, *Orationes - Pro Milone*.
Marcus Tullius Cicero, *Orationes - Pro Murena*.
Marcus Tullius Cicero, *Orationes - Pro Quinctio*.
Marcus Tullius Cicero, *Orationes - Pro Roscio Amerino*.
Marcus Tullius Cicero, *Orationes - Pro Roscio Comodeo*.
Marcus Tullius Cicero, *Orationes - Pro Scauro*.
Marcus Tullius Cicero, *Orationes - Pro Sulla*.
Marcus Tullius Cicero, *Rhetorica - Brutus*.
Marcus Tullius Cicero, *Rhetorica - Cato Maior De Senectude*.
Marcus Tullius Cicero, *Rhetorica - De Divinatione*.
Marcus Tullius Cicero, *Rhetorica - De Finibus*.
Marcus Tullius Cicero, *Rhetorica - De Inventione*.
Marcus Tullius Cicero, *Rhetorica - De Legibus*.
Marcus Tullius Cicero, *Rhetorica - De Natura Deorum*.
Marcus Tullius Cicero, *Rhetorica - De Officiis*.
Marcus Tullius Cicero, *Rhetorica - De Optimo Genere Oratorum*.
Marcus Tullius Cicero, *Rhetorica - De Oratore*.
Marcus Tullius Cicero, *Rhetorica - De Partitione Oratoria*.
Marcus Tullius Cicero, *Rhetorica - De Re Publica*.
Marcus Tullius Cicero, *Rhetorica - Laelius De Amicitia*.
Marcus Tullius Cicero, *Rhetorica - Topica*.
Marcus Tullius Cicero, *Rhetorica - Tuscolanae Disputationes*.

Marcus Valerius Martialis, *Epigrammaton*.

Marcus Velleius Paterculus, *Historiae Romanae*.

Marcus Vitruvius Pollio, *De Architectura*.

Publius Cornelius Tacitus, *Annales*.
Publius Cornelius Tacitus, *De Origine Et Situ Germanorum*.
Publius Cornelius Tacitus, *De Vita Et Moribus Iulii Agricolae*.
Publius Cornelius Tacitus, *Historiae*.

Publius Ovidius Naso, *Amores*.
Publius Ovidius Naso, *Ex Ponto*.
Publius Ovidius Naso, *Fasti*.

Publius Terentius Afer, *Adelphoe.*
Publius Terentius Afer, *Commediae.*
Publius Terentius Afer, *Eunuchus.*
Publius Terentius Afer, *Heauton Timorumenos.*
Publius Terentius Afer, *Hecyra.*

Publius Virgilius Maro, *Bucolica, Ecloga.*
Publius Virgilius Maro, *Eneide.*

Quintus Curtius Rufus, *Historiarum Alexandri Magni.*

Quintus Ennius, *Annales.*

Quintus Oratius Flaccus, *Carmina.*
Quintus Oratius Flaccus, *Sermones.*

Quintus Tullius Cicero, *Commentariolum Petitionis.*
Sestus Aurelius Propertius, *Elegiarum Libri IV, Elegiae.*

Titus Livius, *Ab Urbe Condita Libri.*

Titus Maccius Plautus, *Aulularia.*
Titus Maccius Plautus, *Bacchides.*
Titus Maccius Plautus, *Cistellaria.*
Titus Maccius Plautus, *Curculio.*
Titus Maccius Plautus, *Epiducus.*
Titus Maccius Plautus, *Menaechmi.*
Titus Maccius Plautus, *Miles Gloriosus.*
Titus Maccius Plautus, *Mostellaria.*
Titus Maccius Plautus, *Persa.*
Titus Maccius Plautus, *Poenulus.*
Titus Maccius Plautus, *Pseudolus.*
Titus Maccius Plautus, *Rudens.*
Titus Maccius Plautus, *Stichus.*
Titus Maccius Plautus, *Truculentus.*

Valerius Maximus, *Factorum et Dictorum Memorabilium Libri Novem.*

Velius Longus, *De Orthographia*, in *Notae ad M. Catonem, M. Varronem, L. Columellas de re rustica*, ex Biblioteca Fulvi Usini, apud Georgium Ferrarium, Roma, 1587.

AUTORI MODERNI

Allen William Sidney, *Vox Graeca*, Cambridge University Press, Cambridge, 1968.

Araolla Gerolamo, *Sa vida, su martiriu, et morte dessos gloriosos martires Gavinu, Brothu et Giaguari*, Francesco Guarnerio Editore, Cagliari, 1582. Ora in *Iscrittore Sardos* (a cura di Michele Pinna), Il Rosello, Sassari, 2000.

Atzori Maria Teresa, *Brogliaccio del convento di San Martino di Oristano*, Scuola Tipografica Benedettina, Parma, 1959.

Atzori Maria Teresa, *Il Condaxi Cabrevadu*, Società Tipografica Editrice Modenese, Modena, 1957.

Bähr Johann Christian Felix, *Storia della letteratura romana*, Tradotta da Tom Mattei, Pompa e Comp. Editori, Torino, 1849.

Basile Nicola, *Sintassi storica del greco antico*, a cura di Paola Radici Colace, Levante Editori, Bari, 2001.

Besta Enrico e Guarnerio Pier Enea, *Carta de Logu de Arborea*, Dessì, Estratto dagli Studi Sassaresi, anno III, Sassari, 1905.

Besta Enrico, *Intorno ad alcune pergamene arborensi del secolo decimosecondo*, in Archivio Storico Sardo, vol. II (1906).

Blancard Louis e Wesher Karl, *Charte sarde de l'abbaye de Saint Victor de Marseille, ècrite en charactères grecs*, in *Bibliothèque de l'Ecole des Chartes*, XXXV (1874).

Blasco Ferrer Eduardo, *Storia linguistica della Sardegna*, Max Niemeyer Verlag, Tübingen, 1984.

Bonaini Francesco, *Statuti inediti della città di Pisa*, Vol. 1, presso G. P. Vieusseux, Firenze, 1854.

Bonazzi Guglielmo, *Il Condaghe di San Pietro di Silki*, Dessì, Sassari, 1900. Tr. It. in Il Condaghe di San Pietro di Silki (a cura di Ignazio Delogu), Libreria Dessì Editore, Sassari, 1997.

Braccesi Lorenzo, *L'Alessandro occidentale: il Macedone e Roma*, L'Erma di Bretschneider, Roma, 2006.

Canepari Luciano, *La pronuncia "neutra internazionale" del latino classico*, Zanichelli, Bologna, 2008.

Caramelli David, *Antropologia molecolare. Manuale di base*, University Press, Firenze, 2009.

Casini Leonardo e Pansera Maria Teresa, *Istituzioni di filosofia morale. Dalla morale universale alle etiche applicate*, Meltemi Editore, Roma, 2003.

Castellaccio Angelo, *Sassari medioevale*, I, Carlo Delfino Editore, Sassari, 1996.

Castiglioni Luigi e Mariotti Scevola, *Vocabolario della lingua latina*, Loescher Editore, Torino, 1965.

Casula Francesco Cesare, *Cultura e scrittura nell'Arborea al tempo della Carta de Logu*, in AA. VV. *Il mondo della Carta de Logu*, Edizioni "3T", Cagliari, 1979.

Casula Francesco Cesare, *La "Carta de Logu" del regno di Arborea. Traduzione libera e commento storico*, Carlo Delfino Editore, Sassari, 1995.

Casula Francesco Cesare, *La Storia di Sardegna*, 3 voll., Carlo Delfino Editore, Sassari, 1994.

Ciaceri Emanuele, *Storia della Magna Grecia: La fondazione delle colonie greche e l'ellenizzazione di città nell'Italia antica*, Editore Dante Alighieri, Roma, 1924.

Ciampoli Domenico, *Gli statuti di Galeotto D'Oria per Castel Genovese nei frammenti di un codice sardo del secolo XIV*, Olschki, Firenze, 1908.

Daniels Peter T. e Bright William (a cura di), *Epigraphic Semitic Scripts*, in *The World's Writing Systems*, Oxford University Press, Oxford, 1996.

De Falco Pierre, *Questions Disputées Ordinaires*, Beatrice Nauwelaerts, Paris, 1968.

De Palma Claudio, *La Tirrenia antica: origine e protostoria degli Etruschi*, Sansoni Editore, Firenze, 1983.

De Saussure Ferdinand, *Saggio sul vocalismo indoeuropeo*, a cura di Giuseppe Carlo Vincenzi, Clueb, Bologna, 1978.

Dettori Antonietta, *Italiano e Sardo prima dell'Unità*, in *Storia d'Italia. Le regioni dall'Unità a oggi, La Sardegna* (a cura di L. Berlinguber e A. Mattone), Giulio Einaudi Editore, Milano, 1998.

Di Smirne Quinto e Lelli Emanuele, *Il seguito dell'Iliade*, Bompiani, Milano, 2013.

Enrico Campanile, Bernard Comrie, Calvert Watkins, *Introduzione alla lingua e alla cultura degli Indoeuropei*, Il Mulino, Bologna, 2005.

Facondo Carducci Giovanni, *Elementi di grammatica latina*, Voll. 1-2, Vol. 1, presso Onorato Porri, Siena, 1829. Fischer Steven R., *A History of writing*, Reaction Books, London, 2001-2004.

Garippa Giovanni Matteo, *Legendariu de Santas Virgines, et Martires de Jesu Crhistu*, Lodovico Grignano Editore, Roma, 1627. Ristampa anastatica in *Monumentos de sa limba sarda* (a cura di Diego Corraine), Papiros, Nuoro, 1998.

Gennari Paolo e Facchi Matteo, *Radici inquadrate. Spunti e strumenti per l'interpretazione delle identità mediat(ch) e*, EDUcatt, Milano, 2011.

Gentili Bruno, Stupazzini Luciano, Simonetti Manlio, *Storia della letteratura latina*, Editore Laterza, Roma-Bari, 1987.

Guarnerio Pier Enea, *Gli Statuti della Repubblica Sassarese*, in *Archivio Glottologico Italiano*, vol XIV, Società Tipografica Sarda, Cagliari, 1913.

Hornblower Simon, Spawforth Antony, Eidinow Ester, *The Oxford companion to Classical civilization*, Oxford University press, Oxford, 2014.

Keil Henrich, *Probi Donati Servii qui feruntur de Arte Grammatica Libri*, In *Aedibus B. G. Tevbneri*, Lipsiae, 1864.

Kern Sophie e Gayraud Frederique, *L'inventaire Français du developpement communicatif*, Les Edition La Cigale, Grenoble, 2010.

Laufer Asher, *Hebrew, in Handbook of the international Phonetic Association: a guide to the use of international Phonetic Alphabet*, Cambridge University Press, Cambridge, 1999.

Letins Costantino, *Promptuarium seu Apparatus Concionum, Concio CLI, Tractatus VII, Promptuarium Concionum*, Tipografia Piscopo, Neapolis, MDCCCLIX.

Mallory James Patrick e Adams Douglas Q., *The Encyclopedia of Indo European Culture*, Fitzroy Dearborn, London -Chicago, 1997.

Maninchedda Paolo, *Il Condaghe di Santa Chiara*, S'Alvure, Oristano, 1987.

Merci Paolo, *Il Condaghe di San Nicola di Trullas*, Carlo Delfino Editore, Sassari, 1992.

Morani Moreno, *Introduzione alla linguistica latina*, Lincom Europa, München, 2000.

Niebuhr Barthold Georg, *Storia Romana*, Voll. 1-2, Tipografia Bizzoni, Pavia, 1832.

Palmer Leonard Robert, *La lingua latina (The Latin Language)*, Faber and Faber, London, 1954.

Paulis Giulio, *La lingua sarda e l'identità ritrovata, in Storia d'Italia. Le regioni dall'Unità a oggi, La Sardegna* (a cura di L. Berlinguber e A. Mattone), Giulio Einaudi Editore, Milano, 1998.

Pigro Roberto, *La lingua greca nei documenti ufficiali degli imperatori e dei magistrati nei periodi compresi fra i principati di Vespasiano ed Adriano*, Espero, Partizánske, Slovacchia, 2012.

Pittau Massimo, *Grammatica del sardo-nuorese, il più conservativo dei parlari neolatini*, Patron Editore, Bologna, 1972.

Porcheddu Bartolomeo, *Grammatica de sa Limba Sarda Comuna*, Logosardigna, Sassari, 2012.

Puddu Mario, *Grammàtica de sa limba sarda*, Condaghes, Cagliari, 2008.
Radet Georges, *Alessandro Magno*, RCS Libri, Milano, 2013.
Rubattu Antoninu, *Dizionario universale della lingua di Sardegna*, Edes, Sassari, 2006.
Salmeri Giovanni, Raggi Andrea, Baroni Anselmo, *Colonie romane nel mondo greco*, L'Erma di Bretschneider, Roma, 2004.
Sanna Gigi, *La stele di Nora. Il Dio il Dono il Santo*, Editore PTM, Mogoro, 2009.
Scanu Antonina, *La Carta de Logu*, T.A.S., Sassari, 1991.
Schena Oliveta, *Il Condaghe di Santa Maria di Bonarcado (Note paleografiche e diplomatistiche)*, in *Il Condaghe di Santa Maria di Bonarcado* (a cura di M. Virdis), S'Alvure, Oristano, 1995.
Schultz Emily A e Lavenda Robert H., *Antropologia culturale*, Zanichelli Editore, Bologna, 1999.
Serra Matteo, *La preistoria europea è scritta nel DNA dei Sardi*, in "Le Scienze". Edizione italiana di Scientific American, Milano, 2017.
Sordi Marta, *Scritti di storia greca*, V&P Università, Milano, 2002.
Soutet Oliver, *Manuale di Linguistica*, Il Mulino, Bologna, 1998.
Tola Pasquale, *Codice degli Statuti della Repubblica di Sassari*, A. Timon, Cagliari, 1850.
Tola Pasquale, *Codice diplomatico della Sardegna*, Tomo I, parte prima, presentazione di A. Boscolo e introduzione di F.C. Casula, Carlo Delfino Editore, Sassari, 1984.
Torno Sabrina, *Letteratura latina*, Alpha Test, Milano, 2001.
Traina Alfonso, *L'alfabeto e la pronuncia del latino*, Editore Patron, Bologna, 2002.
Ugas Giovanni, *Shardana e Sardegna: i Popoli del Mare, gli alleati del Nordafrica e la fine dei grandi regni (XV-XII secolo a.C.)*, Edizioni della Torre, Cagliari, 2016.
Vigna Massimo, *Gentes Romanae*, Editore Settimo Sigillo, Roma, 2008.
Vineis Edoardo (a cura di), *Alle origini del latino: Atti del convegno della Società italiana di glottologia*, Giardini, Pisa, 7-8 dicembre 1980.
Virdis Maurizio, *Il Condaghe di Santa Maria di Bonarcado*, S'Alvure, Oristano, 1995.

LINK DI COLLEGAMENTO:

FOTO A PAGINA 22: https://it.wikipedia.org/wiki/Alfabeto_greco#/media/File:NAMA_Alphabet_grec.jpg
(Licensing: Permission is granted to copy, distribute and/or modify this document under the terms of the GNU Free Documentation License, Version 1.2 or any later version published by the Free Software Foundation; with no Invariant Sections, no Front-Cover Texts, and no Back-Cover Texts. A copy of the license is included in the section entitled GNU Free Documentation License.

FOTO A PAGINA 24: https://www.metmuseum.org/art/collection/search/251482
(Licensing: (CC0 1.0 Universal (CC0 1.0) Public Domain Dedication)

BARTOLOMEO BÈRTULU
PORCHEDDU

Bartolomeo Porcheddu, in sardo Bèrtulu Porcheddu, è nato a Ossi (SS) il 17 settembre 1959. Laureato in Scienze Politiche (Indirizzo storico) all'Università degli Studi di Sassari, si è specializzato in "Studi Sardi" presso l'Università degli Studi di Cagliari (voto 70 su 70) e in "Formatore di Lingua e Cultura sarda" presso l'Università degli Studi di Sassari (voto 70/70).

Ha superato inoltre con ottimo/ottimo il corso di Lingua Sarda (50 ore) organizzato dall'Università degli Studi di Cagliari.

Di madre lingua sarda, ha pubblicato la sua prima traduzione dall'italiano al sardo logudorese nel 1999 con il libro "Santu Antine: istòria, paristòria e sagra" e le monografie "Logos de Sardigna: Ossi", "I Barracelli".

Nel 2003 ha ideato e scritto i testi in sardo della rievocazione storica dell'entrata di Giommaria Angioy a Ossi e Tissi, avvenuta il 2-3 giugno 1796. Nel 2008 ha creato e diretto la rivista "Logosardigna", scritta interamente in lingua sarda, fino al 2017, pubblicando centinaia di articoli di lingua e cultura sarda.

Nell'anno 2012 ha pubblicato la prima "Grammatica de sa Limba Sarda Comuna", dopo aver già scritto e pubblicato diversi saggi, tra cui "La lingua della Carta de Logu - Sa limba de sa Carta de Logu" (2011), in cui descrive la lingua statuale comune utilizzata da Eleonora d'Arborea nelle sue leggi per la Sardegna.

Dal 28 maggio 2012 al 25 aprile 2014 è stato eletto dal Consiglio Provinciale di Sassari "Membro dell'Osservatorio regionale per la lingua sarda" della Regione Autonoma della Sardegna.

Dopo un incarico di docenza all'Università degli Studi di Cagliari (2013) per il corso FILS (Formazione Insegnanti in Lingua Sarda), in cui ha insegnato "Laboratorio di lingua sarda", ha svolto attività didattica in lingua sarda in diverse scuole della Sardegna e nel Tribunale di Sorveglianza di Sassari (2012).

Forte di questa esperienza, ha partecipato in qualità di relatore a decine di convegni e conferenze sulla lingua e cultura sarda.

lincom pocket

01 Ulrich J. Lüders (ed.)	Walpurgis, Band I.
02 Hermann Löns	Seine Gedichte. Band I.
03 Eiki Senaha & Timothy Guile (trans.)	A Hundred Waves: Classical Poems from Ryukyu
04 Barry Pain	Die Memoiren des Constantine Dix
05 Hansjürgen Bulkowski	Nachrichten aus Notzeiten Berliner Kindheit 1945 bis 1950
06 August Weißl	Die Affäre Sternburg
07 Hermann Löns	Seine Gedichte. Band II.
08 Martin Greif	Seine Gedichte. Band I.
09 Paul Henkes	Die linke Hand des Mörders
10 Archibald Fielding	Inspector Pointer und der Tote aus Zimmer Nr. 14
11 Hansjürgen Bulkowski & Timothy Guile	Poetopies / Poetopien
12 Sven Elvestad	Asbjörn Krag und die Kristiania Fälle
13 Sven Elvestad	Gravenhag Tod in Kopenhagen
14 Mogalli Ganesh	The Cradle
15 Marcel Danesi	A Basic Dictionary of Puzzles and Games
16 Emil Gaboriau	Fanfarlot und die Nöte des Monsieur Bertomy
17 Hermann Löns	Band III. Seine Erzählungen.
18 Ulrich J. Lüders (ed.)	Walpurgis und der Blutmond

19 Quesada Pacheco	Gramática boruca
20 Suchethana Swaroop	The Priceless
21 Marcel Danesi	A Basic Dictionary of Contemporary Media
22 Hansjürgen Bulkowski	Aufs Ganze
23 Ute Litters-Wagatha	Die neugierige Hexe, der Wolf und die Reise zum Mond
24 Chuting Zhang Lanfang Wen (trans.)	An Essay on Man
25 Hermann Löns	Band IV. Seine Naturerzählungen
26 Shorena Kurtsikidze (tr.)	Georgian Myths and Folktales
27 Stefan Schwarz	ZwischenWelt. Die weiße Krähe
28 Ute Litters-Wagatha	Die neugierige Hexe und der plastikmüllfressende Fisch
29 Bartolomeo Porcheddu	Il latino è la lingua dei sardi Su latinu est limba de sos Sardos Latinum lingua sardorum est
30 Stefan Schwarz	ZwischenWelt. Seelentanz